Lampiony

CZTERY ŻYWIOŁY SASZY ZAŁUSKIEJ

Tetralogia kryminalna

tom I
Pochłaniacz
POWIETRZE

tom II
Okularnik
ZIEMIA

tom III
Lampiony
OGIEŃ

wkrótce

tom IV
Czerwony pająk
WODA

KATARZYNA
BONDA

Lampiony

MUZA

WARSZAWSKIE WYDAWNICTWO LITERACKIE

Projekt okładki: *Paweł Panczakiewicz/PANCZAKIEWICZ ART.DESIGN*
Redaktor prowadzący: *Ewa Orzeszek-Szmytko*
Redakcja: *Irma Iwaszko*
Redakcja techniczna: *Karolina Bendykowska*
Korekta: *Katarzyna Szajowska*

Fotografie na okładce:
© Carlos Caetano/Arcangel Images
© Jag_cz/Shutterstock; Eky Studio/Shutterstock

W książce wykorzystano fragmenty następujących utworów:
Nowy dzień, Kamil Rutkowski (Zeus), s. 35, 65
Łódź, Julian Tuwim (Tekst © Copyright by Fundacja
    im. Juliana Tuwima i Ireny Tuwim, Warszawa 2006), s. 43, 48
Domek w górach, Kamil Rutkowski (Zeus), s. 65, 577
Iskry, Tomasz Jamroziński, utwór z tomu *Przylądek do skrócenia*,
    Olsztyn 2007, s. 95, 97
GangstaZ, Marcin Sprusiński (WuWunio), s. 96
Kochankowie z ulicy Kamiennej, słowa Agnieszka Osiecka
    (www.okularnicy.org.pl, muzyka Andrzej Solarz), s. 299–300

Ta książka jest fikcją literacką.
Ewentualne podobieństwo postaci, zdarzeń, okoliczności nie jest
zamierzone i może być jedynie przypadkowe.
Natomiast niektóre elementy intrygi pochodzą z akt
prawdziwych spraw kryminalnych. Poza tym historia opisana
w powieści może nieco odbiegać od realiów.

ISBN 978-83-287-0383-4

Warszawskie Wydawnictwo Literackie
MUZA SA
Wydanie I
Warszawa 2016

WSZYSTKO RODZI SIĘ Z OGNIA
I DO NIEGO POWRACA

Mieszkańcom Łodzi

Według Empedoklesa zasadę bytu tworzą cztery korzenie wszechrzeczy, nazywane też żywiołami, elementami lub pierwiastkami: powietrze, ziemia, ogień i woda. Elementy te są wieczne, bo „to, co jest", nie powstaje, nie przemija i jest niezmienne. Z drugiej strony zmienność istnieje, bo nie ma powstawania czegokolwiek, co jest śmiertelne, ani nie jest końcem niszcząca śmierć. Jest tylko mieszanie się i wymiana tego, co pomieszane.

– Khaire. Czy wiesz, że skazano Herostratesa, podpalacza Artemizjonu?

– A na jaką karę? Z pewnością na śmierć, tak strasznego zbrodniarza.

– Owszem, a jego rodzinę sprzedano w niewolę, ale ponieważ dokonał tego czynu tylko dlatego, by stać się sławnym, w Efezie postanowili, że nikt nie będzie wymieniał jego imienia, aż w końcu wszyscy je zapomną.

– I mają po trzykroć rację. Przecież nikt nie będzie mówił o tym Herostratesie zbrodniarzu, oby jego imię zginęło w Tartarze. A teraz wybacz, przyjacielu, gdyż twa nowina tak mnie zainteresowała, że muszę wspomnieć o niej przyjaciołom.

Z. Kosidowski, *Gdy słońce było bogiem*, Warszawa 1966

Miasto składa się z ludzi różnego rodzaju; ludzie podobni nie mogą stworzyć miasta.

Arystoteles, *Polityka*, przeł. Aneta Konikowska

Prolog

Droga zwężała się i kończyła bramą ze szpikulcami. Tu Sasza zatrzymała się, włączyła latarkę. Do pordzewiałej balustrady przytwierdzono tablicę: „Teren lotniska. Wstęp surowo wzbroniony". Obok ostrzeżenia i zeżartych przez czas sygnatur Brygady Lotnictwa Wojsk Lądowych ciągnęły się kilometry zwalonej siatki, a za nią, aż po horyzont, w zarośniętych trawą pozostałościach po szkoleniowym lotnisku wojskowym ukrywały się śmigłowce szturmowe Mi-24 oraz Mi-2. Czterdziesta Dziewiąta Baza Lotnicza, zwana kiedyś 49. Pułkiem Śmigłowców Bojowych, jeszcze dekadę temu nie była oznaczona na mapie, jej współrzędne zaś pozostawały utajnione.

Załuska odpięła z kieszeni krótkofalówkę i wydukała idiotyczny kryptonim. Wszystkie wydawały się jej podejrzanie głupie, a do tego długie, trudne do zapamiętania w warunkach stresu oraz kłopotliwe, jeśli wziąć pod uwagę potencjalną dynamikę sytuacji. Mimo to powtórzyła zgodnie z zaleceniem:

– Sarna Dziewięć do Łysego Łosia, odbiór.

– Łysy Łoś, słyszę cię. Gdzie jesteś, Sarna? Odbiór.

– Zbliżam się do bazy. Dwie minuty. Bez odbioru.

Sasza przekroczyła siatkę i natychmiast zapadła się po kolana w mokrej brei. Czuła, jak spodnie przemakają, a do butów wlewa się woda. Kiedy próbowała wydostać się z jaru, omal nie zgubiła kalosza. W ostatniej chwili schwyciła go i wspięła się poza obręb fosy.

– Sarna Dziewięć, nie widzę cię – usłyszała.

– Ja ciebie też – powiedziała do siebie. A potem nacisnęła przycisk. – Podaj współrzędne.

Coś zatrzeszczało, rozległ się pisk. Straciła łączność.

Zdjęła gumowiec i wylała z niego wodę. Oświetliła przestrzeń przed sobą i zbadała teren, na ile pozwalał jej posiadany sprzęt. Poza fosą, do której wpadła, przestrzeń była płaska jak stół. O istnieniu dołu także powinna była pamiętać. Znała go z ćwiczeń. W dzień jednak wszystko wyglądało inaczej. A ta ciecz z pewnością nie była deszczówką. Cała Polska cierpiała suszę. Ktoś napełnił dół specjalnie. Ta sama osoba wskazała dokładnie to wejście na teren dawnego Amigazu, a wcześniej szkoleniówki pilotów MON. Załuska pomyślała, że trzeba mieć jej szczęście, żeby wybrać akurat to wejście. Gdyby wzięła udział w loterii, w której każdy los wygrywa, jej z pewnością okazałby się pusty. Przesunęła bejsbolówkę daszkiem do tyłu, włączyła czołówkę i ruszyła przed siebie. Było jej gorąco, jednak nie mogła zdjąć ekwipunku. Kamizelka kuloodporna pod polarem grzała jak skurwysyn.

– Sarna Dziewięć do Łysego Łosia – ponowiła komunikat kilkakrotnie. – Nie widzę cię.

Odpowiedziała jej cisza. Urządzenie zamokło, pomyślała w pierwszej chwili. Albo padły baterie. Całe szczęście na taką okoliczność miała w plecaku dwa komplety nowych. Przerzuciła krótkofalówkę na dziewiętnasty kanał i usłyszała rozmowę tirowców. A więc wyłączył się. Sprzęt ma sprawny. Chce, żebym go szukała. Wiedziała, że na czwórce czeka na nią wsparcie, ale jeszcze się zawahała. Musi najpierw spróbować sama.

Oczy przyzwyczaiły się już do ciemności. Szła teraz w miarę równo, zerkając co jakiś czas na kompas w zegarku. Woda chlupotała jej w butach, ale Sasza stąpała pewnie, czując już teraz twardy grunt pod stopami. Śmiglaki szturmowe stały pod chmurką, poprzykrywane jedynie brezentem. Poza hangarem Polowych Warsztatów Lotniczych nie było żadnych budynków ani przeszkód. Niestety nie było też człowieka, na którego liczyła. Mrok, cisza i niepewność wystarczały, by czuła się nieswojo. Wyjęła z kieszeni komórkę i spojrzała na martwy wyświetlacz. Miała zakaz włączania wszelkich urządzeń ze względu na możliwość zlokalizowania. Do tego była na podsłuchu. Choć to niezgodne z ustaleniami z odprawy, włożyła baterię do telefonu i nadal go nie włączając, ruszyła szybkim marszem przed siebie. Umówili się z Dziadkiem, jej oficerem prowadzącym, że gdy tylko włączy komórkę, odbiorą sygnał i zgarną ją natychmiast, niezależnie od przebiegu akcji. Wiedziała, że zanim sprzęt zaloguje się w sieci lokacyjnej, minie kilka minut. W tym czasie wiele może się zdarzyć, jeśli na przykład Łoś ma złe intencje. Ale wtedy, nawet gdyby została ranna, zwiększy swoje szanse na znalezienie. Broni ze sobą nie miała. Palnej, białej, nawet gazu pieprzowego. Facet, który chciał z nią rozmawiać, postawił twarde warunki.

– Łysy Łosiu, gdzie jesteś?

Zatrzymała się na jednym z większych pasów, po czym wyciągnęła lornetkę noktowizyjną. W zasięgu wzroku nie było nikogo. W oddali majaczył tylko stary hangar, ale nie poszła w tamtym kierunku. Zdjęła plecak, wyciągnęła z niego

13

pakunek i zaczęła składać lampion w kształcie czerwonego serca, z ckliwym nadrukiem dedykowanym nowożeńcom. Wyprostowała cienką papierową czaszę do wysokości trzydziestu centymetrów, a potem podpaliła płomień na środku metalowej ramki. Musiała chwilę poczekać, by lampion się podgrzał, zanim łagodnie wzbił się w niebo.

Niech stare odejdzie, niech przyjdzie nowe, poprosiła w myślach.

– Wszystkim życzę wszystkiego dobrego – rzekła na głos.

Obejrzała się strachliwie, ale nie było opcji, żeby Łoś to usłyszał. Nie pojawił się znienacka za jej plecami, jak zwykle dzieje się w filmach. Mimo to czuła, że czerwieni się ze wstydu po czubki uszu. Nawet w takiej sytuacji wyszła z niej przesądna baba. Kiedy wypuszczała w niebo drugą sztukę i, już bez słowa, wpatrywała się, jak lampion dryfuje po czarnym niebie, usłyszała trzaski, a potem wyraźny dźwięk. Wiedziała, że tym razem informator jest bardzo blisko. Z całą pewnością nie siedzi w zdemolowanym hangarze. Tam co najwyżej znajduje się worek czarnego prochu z lontem przywiązanym do klamki. Nie zamierzała tego sprawdzać na własnej skórze. Wciąż liczyła, że nie opłaca mu się jej skasować.

– Łysy Łoś do Sarny Dziewięć, odbiór. Gdzie ty, kurwa, jesteś?

– Patrz w niebo, Łosiu – odparła i wyjęła papierosa. – Palę setki R1, więc masz o minutę więcej, niż jara się normalny pet. Mam jeszcze trzy lampiony. Potem się zmywam i zgłaszam fiasko w bazie.

– N54°22'34,1", E18°28'19,1" – padło w odpowiedzi.

– Nie będę się z tobą ganiała. Wyłaź. Gdy wkoło gęsta ciemność, oko zaczyna widzieć.

– Minęłaś dół melioracyjny bez przeszkód?

– Tak, Łosiu, bądź dumny – powiedziała już bez naciskania przycisku w krótkofalówce, bo mężczyzna szedł w jej stronę. Musiał leżeć tutaj cały czas, przyczajony w wysokiej trawie, domyśliła się. I doskonale się bawić, kiedy Sasza krążyła wokół niego niczym ślepiec. – Wpadłam w twoją słabiutką pułapkę, ale jestem cała. Obsikałam sobie jedynie kolana.

– Odłóż papierosa!

Rzucił się na nią. Zapalniczka wypadła jej z ręki.

Sasza nie zdążyła odparować ataku. Uderzyła gnatami o asfalt. Poczuła, jak agresor osłania jej głowę, by nie gruchnęła czaszką, a po chwili owionął ją jego kwaśny oddech. Nie palił, to pewne, ale lubił pożywienie z surowej cebuli. Chwycił Saszę obiema rękami i odturlał od źródła ognia – nadpalonego papierowego serca, które właśnie spadło na trawnik, a potem zgasło – po czym drobiazgowo przeszukał. Dopiero kiedy upewnił się, że kobieta nie jest uzbrojona, puścił ją i odsunął się na bezpieczną odległość. Sasza ciężko dyszała. Podniosła się powoli i otrząsnęła jak pies po kąpieli w jeziorze, ale wciąż kręciło się jej w głowie od uderzenia o twardy grunt. Wreszcie usiadła w kucki na asfalcie. Odetchnęła ciężko i spojrzała pytająco w ciemność, z której przyszła.

– Co tam było? W tej wodzie.

Odwrócił głowę. Pomyślała, że powalił ją fachowo. Przeszukanie poszło mu nadzwyczaj sprawnie. Zastanowiła się, czy takie umiejętności są konieczne na morzu, czy może raczej pracują w podobnej firmie.

– Czego tam nalałeś i po co? – powtórzyła, tym razem z nutą wyrzutu w głosie.

– Eter dwuizopropylowy. Preparat studencki.

– Nie byłam zbyt dobra z chemii, ale korzystając z wrodzonej inteligencji, wnoszę, że powinnam je zdjąć? – Wskazała swoje spodnie. – Wpadłam w to, jak przewidziałeś. Po kolana. Gówniana sprawa by była, jakbym nagle wybuchła.

– Przysunęła się do niego bliżej. Spojrzał na nią jak na wariatkę, ale nie odsunął się, więc dodała, siląc się na uśmiech:

– A może lepiej nic nie ruszać?

– Eter dwuizopropylowy zazwyczaj daje głównie efekty dźwiękowe – burknął. Dopiero wtedy zaczęła się bać.

– Chciałem wiedzieć na pewno, ile osób wchodzi. To taka bardziej pokazówka.

– Ale czasem można od tego oślepnąć albo stracić dwa palce? – mruknęła. – Wolę jednak mieć wszystkie dziesięć. I wszystkie dwie nogi.

Urwała, a następnie znieruchomiała niczym sfinks. O delikatnych inicjatorach nie wiedziała zbyt wiele, ale jak mawiał Jekyll, jej ulubiony ekspert kryminalistyki z Gdańska, na przykład jodek azotu eksploduje nie tylko od dotknięcia piórkiem, lecz także od krzywego spojrzenia. Wprawdzie pracownicy ISIS cały czas posługują się nadtlenkami acetonu albo urotropiny, bo łatwiej je samodziałowo bezpiecznie syntetyzować, ale przy ich produkcji ginie najwięcej konstruktorów. Nie miała ochoty dziś tak zacnie zasłużyć na niebo.

– Wywalczyłam ten kwit dla ciebie, szmaciarzu. – Była teraz wściekła. Mówiła powoli, zniżonym głosem, choć z każdą chwilą czuła coraz większy strach. Ręce jej drżały, na gardle zaciskała się obręcz grozy. – Czeka na ciebie gotów do złożenia w sądzie rodzinnym. Możesz wracać do kraju, zasrany bigamisto. Ale jeśli ja skończę w kawałkach, to ty z pewnością będziesz się modlił o piekło. Nie darują ci tego – dodała groźnie, ale biorąc pod uwagę swoją nadwyrężoną

16

po nieudanej akcji w Hajnówce reputację, wcale nie była tego taka pewna.

Sasza bała się w życiu tylko dwóch rzeczy: wysokości i ognia. Nigdy dotąd nie znalazła się w sytuacji, kiedy musiałaby doświadczyć obu tych fobii jednocześnie. W razie wybuchu to z pewnością by się zmieniło. Poza tym skończyć jako puzzle to nie było to, o czym marzyła w dniu dzisiejszym. Nawet nie wpisaliby jej na honorową listę policjantów, którzy zginęli na służbie. Po sprawie Okularnika czekało ją wewnętrzne śledztwo i rozprawa dyscyplinarna. A jeśli coś pójdzie nie tak, a to pewne jak trzy plus dwa równa się pięć, wkrótce będzie musiała także przetrwać szereg rozpraw przed sądem. Jedyne, na co mogła liczyć, to utajnienie procesu. Wyrok będzie już jednak jawny i każdy dziennikarz zyska do niego dostęp. Nie wątpiła, że wielu nie może się już tego doczekać.

– Może był stary – wyszeptał Łoś i wskazał hangar. – Butle stały w magazynie ze dwadzieścia lat.

Sasza potarła ręce o spodnie. Ciecz była lekko śliska, w dotyku przypominała kamforę. Ale nie miała zapachu. Przez moment poważnie rozważała zdjęcie spodni, ale pod spodem miała jedynie wycięte figi, więc poprzestała na pozytywnym myśleniu i niewykonywaniu gwałtownych ruchów. A może to był tylko blef? Zwykła breja, a klient próbuje ją nastraszyć? Sasza miała kiedyś absztyfikanta – słuchacza medycyny. Bawili się z kumplami w doświadczenia pirotechniczne. Jeden z nich – zdrowy dwudziestolatek – po kontakcie z jakimś eterem nabawił się dychawicy oskrzelowej. Gdyby „zabawa" nie odbywała się w klinice, mogło się to nieciekawie skończyć. Ale czy to był eter dwuizopropylowy, czy jakiś inny – nie miała szansy zweryfikować. Starała się więc zachować spokój. Nic innego jej nie zostało. Jeśli chcesz pokonać swój strach, stań z nim twarzą w twarz. Zmierz się z nim.

– Jaką masz dla mnie informację, Łosiu? – zmieniła temat.

– Ryszard – przedstawił się. – Rychu Dźwiękoński. Od trzydziestu lat na morzu. Prawdę mówiąc, nie czuję się najlepiej na lądzie. Byłem bosmanem na największych polskich tankowcach.

– Nie ma już polskich tankowców. Wszystko przejęły zagraniczne konsorcja – fuknęła.

Zmierzył ją czujnym spojrzeniem.

– Dziś tak – potwierdził. I dodał z przekąsem: – Potem już pikowałem do dna. Chlanie, degradacja społeczna, finansowa ruina. Wreszcie zostały mi tylko śmieciówki na drobnicowcach za psi grosz. Klientela inna. Więcej chlania, degradacji i zero finansów. Rodzina mi się posypała, a potem i zdrowie. – Zawiesił się, dotknął twarzy, ale nie mogła niczego dostrzec w jego oczach, bo odwrócił głowę. – Generalnie miałem przerwę w życiorysie. Hibernowałem siedem lat w Grudziądzu, a potem jeszcze dwa karniaki w Szczecinie. Znów wóda. Bójka na morzu. Kolega wypadł za burtę. Winę przybili mnie, bo byłem najbardziej pijany. Tak trafiłem na zamek.

– Wzruszające – szepnęła Sasza. – Do puenty.

– W kiciu poznałem szefa mechaników „Czerwonego Pająka".

Sasza podniosła głowę.

– Stara łajba naszpikowana elektroniką – kontynuował. – Spełnia funkcję morskiego drona wywiadowczego.

– Słynny statek współczesnych piratów. – Sasza zaśmiała się jak z dobrej bajki. – On nie istnieje.

– To nie legenda – rzekł marynarz i zawiesił głos. – Osobiście stałem za jego sterem i przetrwałem na nim wiele sztormów. Istnieje. W przeciwieństwie do jedynego mordercy, którego wymyśliły na potrzeby propagandy władze komunistyczne. Pewnie to nie przypadek, że tak się nazywa, bo stacjonuje na wodach terytorialnych na Morzu Czarnym, ale przemieszcza się i widziany był nawet wokół spornych wysp Senkaku. Początkowo większość załogi stanowili Polacy. Zresztą, jak wsiadałem na pokład w dwa tysiące dwunastym roku, wiedziałem dokładnie, czym się zajmują. Te kilka zabójstw, które cię interesują, to tylko odpryski. Głupie dzierlatki, ostatnie płotki w piramidzie żywienia. Ale może dlatego większość można udokumentować. Ja nie miałem wyboru. Nikt w kraju nie chciał mnie zatrudnić, a Niemiec, Grek czy Szwed wymagał referencji. Chciał, żeby znać języki. Te siedem lat w Grudziądzu nie pomagało. Żony krzyczały o zaległe alimenty. Komornik siedział na karku. Zresztą, tak po prawdzie, gdziekolwiek się ruszałem, tam chwytała mnie psiarnia. Po alko dostaję małpiego rozumu.

Sasza nie mogła dłużej tego słuchać. Przegoniła niechciany flesz, kiedy budziła się w sukience z poprzedniego wieczoru, z epickim kacem i obitą twarzą. Dopiero po jakimś czasie dowiadywała się, co nawywijała i skąd ma otarcia na policzku.

– Broń, kobiety, prochy… – Przerwała. – Co jeszcze?

– Moje zadanie polegało na technicznej obsłudze łajby – wykpił się.

– Ilu w tej grupie jest naszych?

– Większość zmieniła już paszporty, ale jest sporo nowego narybku. Choć konkurencję rodakom robią uchodźcy z Bliskiego Wschodu.

– Jak się nazywa ten facet? – Odchrząknęła. – Kolega spod celi. Z Grudziądza.

– To kobieta – odparł po namyśle. – Szefem mechaników na „Czerwonym Pająku" była wtedy kobieta.

Sasza nie ukrywała zdziwienia.

– Wstawiasz mi kit i myślisz, że uwierzę?

– Jak sobie chcesz – odburknął, ale po chwili dodał już łagodniej: – Zapytaj Dziadka. Ma jej akta.

– Nie omieszkam – przytaknęła. – Zależy, jak zamierzasz dokończyć te baśnie.

– Zatrzymali ją w Bangkoku, deportowali. Drobna sprawa o handel śniegiem. Wcześniej w papierach miała praktycznie czysto. Mówiła, że ją wystawili, na śpiocha. Zapisała się w pierdlu na kurs hiszpańskiego, studiowała historię dyplomacji w więziennej bibliotece i rozwiązywała zadania z chemii. Mówiła, że dla relaksu. Wtedy wszystkiego o niej nie wiedziałem. Prawdę mówiąc, później się to okazało, nic nie wiedziałem. Tylko tyle, ile sama chciała ujawnić. Pisaliśmy do siebie. Potem kilka miękkich widzeń... Nawet ślub miał się odbyć, ale wyszła pierwsza.

Sasza zmierzyła mężczyznę czujnym spojrzeniem. Speszył się. Był wysoki, żylasty. Zaniedbane uzębienie i wiele blizn na twarzy psuło ewentualny efekt. Trudno było dostrzec więcej w świetle latarki. Głos miał natomiast męski. Niski, stanowczy.

– To było wiele lat temu. Wyglądałem inaczej. Ona zresztą też. Sama mnie znalazła i ściągnęła do pracy. Okazało się, że jest już bardzo wysoko. Już nie byłem jej godzien.

– Czekaj, Łosiu, twierdzisz, że kobieta była szefem kolumbijskiego kartelu? Polka?

– To nie La China – zniecierpliwił się, jakby tłumaczył dziecku. – Nie ta liga, ale lubi być do niej porównywana. Też ma latynoskie korzenie. I była kiedyś znacznie ładniejsza. Odziedziczyła urodę po matce, blondynce z Sieradza. Prowadzi swój biznes. Można powiedzieć, że świadczy wyłącznie usługi transportowe. Działa na niezawisłych wodach terytorialnych. Otacza się prawnikami i analitykami. Ma ponoć doktorat z logistyki i filozofii, ale to blaga. Eva jest łebska, choć ma tylko licencjat z administracji. Krążą opowieści, że jej dziadek był piratem. To może być prawda, bo korzysta z kontaktów Rodriga Sancheza i jest w stanie opłacić wszystkich oraz szmugluje wszystko. Słono bierze za milczenie i daje siedemdziesięcioprocentowe gwarancje. Z ruskimi jest skonfliktowana i japońce na nią polują. Reszta pracuje z nią i tylko czeka, aż powinie się jej noga.

– A ty? Dlaczego chcesz ją wystawić? I jak zamierzasz to zrobić, skoro już nie jesteś jej godzien? – dopiekła mu.

– Z tobą nie będę o tym mówił – odparł i pochylił głowę jakby ze wstydem. – Jesteś za krótka.

– Może. Ale muszę coś wpisać w raporcie. Przecież nie to, że wnoszę o wyczyszczenie kwitów pijaka bigamisty, bo zna dziewczynę z Grudziądza. O przepraszam, tam razem siedzieliście, z Sieradza. Ponadto ma na imię Eva, a ty pewnie Adam. Raj ci uciekł sprzed nosa i się mścisz?

– Napisz, że wprowadzę cię na statek piratów. W tym bierze udział światowy biznes, ogromne korporacje. Handel ludźmi, zbrodnie, broń i narkotyki to wyłącznie konieczność. Funkcjonują głównie w czarnym internecie i mają najnowocześniejsze urządzenia, na jakie polski wywiad będzie stać za dwie dekady, ale wciąż mają bazy na morzu i robią narady, bo nic nie zastąpi kontaktu bezpośredniego.

– Słodka historyjka – mruknęła Sasha. – Może dokończymy te zeznania w biurze? Trochę mi zimno w tych mokrych galotach.

– Eva właśnie dostała wyłączność od Arabii Saudyjskiej i Emiratów, a oni dają dobre stawki. Wojna sporo kosztuje. ISIS wymaga wsparcia. Iran zakręcił kurek z forsą. Świat boi się islamu. Eva ma teraz dobry czas, ale panicznie boi się zamachu. Znów otacza się krajanami i starą gwardią odrzuconych, jak ja. Europol proponował mi zmianę tożsamości i operację plastyczną za jej wystawienie.

– Ale ty jesteś patriotą – żachnęła się Załuska i pomyślała, że dla Europolu Łoś pewnie też pracuje. W tej samej sprawie.

– Prom wychodzi z Gdyni. Przesiadka w Estonii, na pływającej dyskotece weekendowej. Będę tam, naszykuję szalupę.

– Kiedy?

– Dowiesz się w swoim czasie.

Nagle niebo rozbłysło tysiącem lampionów, które wzniosły się w przestworza. Zrobiło się na chwilę jasno i Sasza dostrzegła, że mężczyzna rozgląda się niepewnie. Skulił się w sobie, zastygł w oczekiwaniu. Wiatr niósł lampiony wysoko, ale większość spadała na ziemię i szybko gasła.

– To ślub? – zadziwił się marynarz. – Ludzie nie wiedzą, co robić z hajsem.

– Biją rekord Guinnessa, Łosiu – odparła. – Dziś noc kupały.

– Jednak dobrze by było, gdybyś zdjęła te spodnie – powiedział, wskazując dogasające płomyki. – Nigdy nic nie wiadomo ze starymi preparatami studenckimi.

Odwrócił się do Saszy plecami. Ruch był dystyngowany, spojrzenie władcze i śmiałe. Sasza nagle nabrała pewności, że informator nie jest żadnym bosmanem. Byłeś na bank w służbach mundurowych, Łosiu, a może i wywiadowczych, pomyślała. Studia też masz skończone. Choć stylizacja przednia, nie powiem. Za to próby językowe na prostego kiepa słabo. Nie mówiąc już o tych malowanych na czarno zębach.

– Dzwoń po swoich – polecił, wskazując opadające wokół papierowe niedopałki. – I uprzedź, że w dole melioracyjnym są szklane pojemniki z krystaliczną substancją na dnie. Poproś łaskawie, by nie rzucali w nie kamieniami. Eter dwuizopropylowy daje tylko efekty dźwiękowe. Ale to w słojach to nie pokazówka.

– Znamy się? – Sasza zmarszczyła brwi. Coś jej świtało, ale nie była w stanie sobie niczego przypomnieć. – Dla kogo pracujesz?

– Tak jak i ty. Zawsze na swój rachunek.

– Pamiętam cię. – Nagle doznała olśnienia. – Anglicy cię wyhuśtali. Jesteś kretem!

– Anglicy mi nie uwierzyli. Jak kiedyś Karskiemu. Potem powiedzą: „Widziałem straszne, straszne rzeczy. Nie wierzyłem, że to jest możliwe, że on nie kłamie". To jest dla mnie obrzydliwe. Oni wiedzą. Wiedzą i nic z tym nie robią. Tylko dlatego zgodziłem się na współpracę.

W tym momencie rozległ się huk. Dół melioracyjny musiał eksplodować. Potem na teren wpadła ekipa uzbrojonych po zęby ludzi w czarnych kombinezonach. Sasza została sprawnie odsunięta, Łoś zatrzymany i rzucony na glebę.

– Zmiana rozkazów – wyłowiła z krzyków ekipy szturmowej. – Mamy go skasować.

Sopot, 4 listopada 2015, godzina 3.00

Załuska kliknęła polecenie wydruku. Skończyła ekspertyzę dla stołecznej prokuratury i za chwilę miała ją wysłać. Choć profile wykonywała oraz przekazywała elektronicznie, zawsze wcześniej czytała dokument na papierze. Ogarniając całość tekstu wzrokiem, szybciej wyłapywała błędy. Nie spała drugą dobę i czuła to porządnie w kościach. Kiedyś mogła bezkarnie zarywać noce. Nie spała, nie jadła. Jechała na adrenalinie. Dziś po jednej nieprzespanej nocy od razu dostawała kataru. Nie ważyła się wtedy następnego dnia siadać za kółko, bo miała spowolnione reakcje i mroczki przed oczami – objawy suchego kaca, choć od lat nie tknęła alkoholu. Wiek zrobił swoje. Gdyby ktoś chciał ją wykończyć, starczyłoby wydać polecenie: zakaz spania. Znała wyniki badań naukowych. Mężczyźni radzili sobie z insomnią znacznie lepiej. Kobieca wersja Ala Pacino w słynnym thrillerze nie rozwiązałaby zagadki, tylko trafiła po piątej dobie pod kroplówkę.

Sasza chciała teraz jak najszybciej zamknąć sprawę i położyć się choć na kilka godzin. Była nocnym markiem, sową w ludzkiej skórze. Najwyższy poziom umysłowy osiągała mniej więcej około północy, ale macierzyństwo wymusiło korektę tak niezdrowego trybu życia. Codziennie wstawała o szóstej, budziła Karolinę na śniadanie i zawoziła ją na ósmą do szkoły. Problem polegał na tym, że choć wiedziała, iż czeka ją wczesna pobudka, siedziała po nocach, bo tylko w zupełnej ciszy była w stanie się skoncentrować. Takich zarwanych nocek miała na koncie przez dziewięć ostatnich lat bardzo wiele. Odsypiała czasem w dzień, ale nie zawsze było to możliwe. Dziś Karolina ma akademię i Sasza wespół z innymi matkami zobowiązała się przygotować poczęstunek po występie.

Zamierzała wyrwać się ze szkoły przed czternastą, bo godzinę później zaplanowano jej ostatnią rozprawę dyscyplinarną przed wydaniem orzeczenia. Dziadek był dobrej myśli, lecz Sasza nie radziła sobie z poczuciem winy. Żyła niby normalnie – dla Karoliny. Pracowała, bo pozwalało to płacić rachunki bez konieczności sięgania do rodzinnych pieniędzy. Poza tym ludzie tak bardzo się nie zmieniają, a jeden wyeliminowany nałóg czasem dobrze zastąpić następnym, byle nieco zdrowszym. Tyle że wraz z pamiętnym strzałem do Ducha Sasza zabiła w sobie resztkę wiary. Działała jak rozpędzony pociąg na automatycznym pilocie. Nic nie czuła. I nigdy dotąd nie czuła się tak pusta. Po spalonej akcji CBŚ przynajmniej cierpiała. Teraz wiedziała tylko, że siedzi na bombie. Że to pozorne ułożenie spraw jest jedynie odwleczeniem w czasie czekającej ją kary, która jest nieuchronna i sprawiedliwa. Sasza wreszcie zapłaci za swoje grzechy.

A cena za jej niesubordynację, głupotę i niepotrzebną brawurę – dziś tak oceniała swoje nieudolne śledztwo w Hajnówce – będzie słona. Nie było dnia, godziny, sekundy, by nie żałowała, że pojechała wtedy na skraj Puszczy

Białowieskiej. Co gorsza, decyzja śledczych w tej sprawie mogła zaważyć nie tylko na jej życiu, ale też na przyszłości córki. Co będzie, jeśli pójdzie siedzieć? Znów Sasza obciążała małą swoimi demonami i gdyby mogła, sięgnęłaby po cokolwiek w płynie, proszku czy ampułce, by choć na chwilę znieczulić absurdalny ból istnienia, wymazać z pamięci błędy i pozwolić sobie na zapomnienie. Bardzo chciała znów odpłynąć, ale wiedziała, że powinna zostać ukarana, i tylko dlatego odsuwała od siebie czarne myśli na następny dzień. Trwała. Ryła w profilach. Jeździła tam, gdzie jej potrzebowano, gdzie nie była jeszcze spalona, i w zamrożeniu czekała na stryczek. Tylko czasem kombinowała, jak ochronić przed poniżeniem swoje dziecko, ale na razie nie znalazła jeszcze żadnej sensownej alternatywy. Dla siebie nie miała litości. Zasługiwała na pogardę i potępienie.

Tym bardziej powinna oddać za chwilę gotowy profil i iść spać. Może uratuje choć strzęp zawodowego honoru? Bzdura, już w siebie nie wierzyła. Dawniej solidnie wykonana robota była jedynym pewnikiem, gdyż efekt zależał wyłącznie od niej. Jej umiejętności, zaangażowania i aktualnie zastanych możliwości. Wszystkie inne sfery życia były w przypadku Saszy tylko chichotem losu. Nie miała żalu o to, że nie ułożyła sobie życia, że prawdopodobnie zawsze będzie sama. Miała pracę. Miała – czas przeszły. Dziś znów niczego nie była pewna.

Kliknęła ponownie polecenie „drukuj". Zdjęła okulary. Przetarła szczypiące oczy. Szykował się ciężki dzień. Aż podskoczyła, kiedy na stole zawibrował telefon. Odczytała wiadomość: „Gdynia-Karlskrona (Stena Line), wyjazd 16 stycznia 2016 – godzina 18.00, przyjazd 7.00. Czas podróży 13 godzin. Bez gwarancji transportu auta".

Nadawca się nie podpisał. Wiadomość wysłano z chmury adresowej: Magdalenasposob@icloud.pl. Łoś nie żył albo kiblował w oczekiwaniu na proces. O podobnych decyzjach nie informowano takich pionków jak ona. Dlatego Załuska była skołowana. Pomyłka? O tej godzinie? Potem na myśl przyszedł jej Dziadek, ale zaraz odsunęła to przypuszczenie. Stary wilczur składał po ciemku makarowa i wiedział, który przewód ładunku wybuchowego należy przeciąć, by uniemożliwić eksplozję, ale nie podejrzewała go o fascynację nowoczesnymi technologiami. Przeciwnie, podsłuchów, wirtualnego szpiegowania i namierzenia za pomocą urządzeń elektronicznych bał się bardziej niż swojego raka płuc.

Nocną ciszę przecinały jedynie pomruki drukarki, która przeszła ze stanu uśpienia w tryb pracy. Poszło kilka pierwszych stron, a potem rozległ się głośny pisk. Urządzenie domagało się papieru. Sasza włożyła do podajnika nową ryzę i – raczej z nudów niż ciekawości – wstukała w wyszukiwarkę adres nadawcy esemesa. Otworzyła się strona popularnej youtuberki. Utapirowana miss prywatnego liceum z opaską à la Myszka Miki wygłupiała się z kolegami w koszulkach od Laurenta. Ekipa była ładniutka, wymuskana i zbyt narcystyczna, by kiedykolwiek zetrzeć naskórek na dłoniach pracą fizyczną. Dzieciaki z porządnego domu, które robią psikusa swojej bonie. Nawet rzucane z emfazą nieliczne przekleństwa brzmiały jak wyreżyserowane. Były jak zagięcia na śnieżnobiałej koszuli prosto z pralni od przed chwilą zdjętej marynarki. Arcygłupie gagi szmuglowane do sieci na wypasionych tabletach, telefonach i odzieniu, w którym się lansowali przed kamerkami internetowymi. Wstrząśnięta cola, którą wymuskany brunet z „alfem" na głowie próbował wypić z gwinta na designerskim tarasie. Polewanie płynem do mycia naczyń zapatrzonego w monitor kumpla odzianego jedynie w patelnię z wizerunkiem Tedego. Żarty w trakcie wypróżniania się, wąchanie skarpet, a do tego filmiki parodiujące zbrodnie dawnej Al-Kaidy, nagrywane w nowoczesnych apartamentach rodziców bananowej młodzieży, pieczołowicie wyreżyserowane i wpuszczane do internetu.

Choć słowo „spontan" padało co chwila, nic tu nie było naturalne. „Wbijajcie", „łapki", „jak ja dziś okropnie wyglądam", „zróbcie dzióbek, dajcie lajka" – narzekali młodzieńcy i dawali się szminkować młodszej siostrze, „bo żaden polski jutuber jeszcze tego nie zrobił". Udawali wyluzowanych i pewnie za takich uważała ich szkolna brać, ale co drugi post był reklamą telefonów komórkowych czy zdrapek. Wszystko skierowane do dopiero co zarejestrowanego w USC lub nienarodzonego jeszcze użytkownika wraz z linkiem do megapromocji, który zasłaniał cały ekran. Najgorsze były te żebry o lajki. Jakby za tą fasadą ślicznotek obojga płci kryły się kompleksy, o których można zapomnieć tylko wtedy, gdy dwieście tysięcy ziomków polubi twój post „elo, kto mi zrobi pranie".

Zmontowane perfidnie snapy z pewnością bawiły licealistów, natomiast Sasza, jak na starego piernika przystało, zastanawiała się, w jakim świecie będzie żyła jej córka. Bo przecież nie o pranie, metki, łapki ani liczbę wejść tutaj chodzi, lecz o to co zwykle – kasę. Twardą, nieśmiertelną prawdę, która się nie dezaktualizuje i nigdy nie wychodzi z mody. Rozumie to też stara baba Załuska. Wszak gdy youtuberka się martwi: „LOL wam też nie działa przycisk lubie to" (rzecz jasna bez polskich znaków i takich utrudnień jak przecinki, wielkie i małe litery, których wbicie na iPhonie wymaga ociupinę wysiłku w przeciwieństwie do emotikonów, zastępujących komunikację werbalną i sprowadzających świat do „lubię to", „całym sercem kocham" czy „haha"), to spada jej klikalność i jutro koncern nie da nowego telefonu do testowania.

Wtedy od Magdaleny Sposób przyszła druga wiadomość. Sasza bez wahania odpaliła wideo na telefonie. Zobaczyła mieszkanie spowite w ciemności. Długi korytarz, zarys starych mebli. Na łóżku kształt ludzkiego ciała, ale może to był jedynie zwinięty koc. Oko kamery poruszało się ku jasnej plamie światła w głębi. Po chwili Załuska zidentyfikowała biurkową lampkę. Za nią zaś wzorzystą zasłonę, której deseń w romby od lat nosiła na własnych plecach jak tatuaż 3D. A potem zobaczyła wychudzoną kobietę w rozdartej koszuli w kratę, zakneblowaną i przywiązaną do krzesła. Osoba nagrywająca podeszła bliżej. Schwyciła nieprzytomną zakładniczkę za włosy, zbliżyła kamerę do posiniaczonej twarzy. Półprzymknięte oczy, skrzepy krwi w okolicy ust i nosa. Żadnej reakcji. Bezwładne ciało trzymało się w pionie wyłącznie dzięki więzom u kostek oraz nadgarstków. Sasza z trudem rozpoznała w młodej kobiecie siebie. Potem ktoś zaatakował operatora. Kamera chyba upadła. Słychać było szamotaninę, a potem film się urywał i jak na snapie pojawiały się na ekranie animowane serduszka, trupie czaszki i napis koślawymi literami: „Film się spodobał? No to liczę na łapkę w górę i subskrypcje mordo:) Jeśli chcesz więcej odcinków, zostawiaj lajka. #CzeP".

Sasza z trudem łapała powietrze. Chwyciła się za brzuch. Odłożyła komórkę na stół i wpatrywała się w nią z niedowierzaniem, jak patrzy się na przyjaciela zdrajcę. Było zbyt wcześnie, by dzwonić do Dziadka. Zresztą nie wiedziała, czy powinna go o tym informować. Czy to była ona? Tak, zdecydowanie. To nie był fotomontaż. Gorączkowo układała w głowie fakty. Zapadła w stupor. Nie była w stanie się przebrać, wziąć prysznica. Położyła się więc, jak stała, zwinięta w kłębek, na podłodze koło biurka. Okryła kocem razem z głową i czekała, aż nadejdzie świt. Kolejna wiadomość przyszła, kiedy już było jasno. Sasza uruchamiała telefon trzęsącymi się dłońmi, jakby była w delirce.

Tym razem film był pozbawiony głosu. Dziwne i niewyraźne kadry robione kamerą czołową. Pomieszczenie spowijał dym, rozświetlony jedynie przenośnymi latarkami. Mnóstwo czerni, a potem znów mgła przecięta strugami wody. W tym świetle przypominającym miecze świetlne Jedi. Wreszcie obraz zmienił się w pomarańczową łunę. Osoba z kamerą na hełmie musiała wyjść z budynku. Teraz widać było w pełnej krasie rozmiary pożaru. Płomienie buzowały wybitymi szybami niczym jęzory rozwścieczonego potwora. Sasza momentalnie poczuła na swoim ciele tysiące igieł. Znów była w tamtym miejscu, w tamtym czasie. Rzuciła się do szafek kuchennych i zaczęła je przetrząsać w poszukiwaniu czegokolwiek, co ma w sobie alkohol. Kiedy znalazła pistacjowy koktajl na spirytusie, opróżniony zaledwie w jednej dziesiątej, bo na wakacjach we Włoszech nabyły go z córką, by dodawać do muffinek, ale wyszedł im zakalec, Sasza pośpiesznie odkręciła butelkę. Zadzwonił budzik. Wybiła szósta. Musiała budzić Karolinę, by zaprowadzić ją do szkoły. Kolejny raz dziecko uratowało Saszę przed jej demonami.

1. MENELE

Witam Cię ziomek w tym miejscu
Co nie generuje a degeneruje zwycięzców
Poczujesz to w powietrzu
Bo tu w człowieku dojrzewa pierwiastek
Którego nie znajdziesz u Mendelejewa
Od dziecka po trumnę od kołyski
Mówią Ci – nie pchaj się na piedestał
Musisz być skromny i zwykły, jak wszyscy
To syndrom Polski, wybij się wyżej a cię chwycą za kostki
Nam pozostaje to pierdolić bracie
Jebaną kulą w sercu mnie nie zatrzymacie
Słowa jak rapier papier tną, masz coś do nich?
Niejednego flow ocalił tu od paranoi
Z Sodomy do Gomory, dwa na dwa metry
Długopis, mikrofony, szatan dyktuje teksty
I dzięki, kto tu się lepiej sprzedał?
Tu ziom z tych osiedli, co ma plan jak się wkręcić do nieba
Bit na żywo z miejsca, co zła nie zna z dzienników
Skąd zwiewa wciąż w chuj moich rówieśników
Kwestia to moment wyczuć, prześlizgnąć się po fali
Przebić to czego inni nie zdołali
Pieprzyć to co za nami, bo tego jakby nie ma, nie?
Kto chce iść w przód patrzy w przód zamiast patrzeć wstecz
Wiem czego chcę, mam autorytet własny
I mam drabinę z liter co prowadzi mnie pomiędzy gwiazdy

Ref. x 2
(...)
To dla moich ludzi, bo już czas się obudzić
Przygotować się na nowy dzień, wiesz (...)

Nowy dzień, Zeus

Łódź, 22 grudnia 2015

Muzyka. Zapach pieczonki. Ciepło. Czyżby podły Bóg zamierzał upiększyć kolejny siajowy dzień mojego życia czymś dobrym? – pomyślał Bogumił Rakowiecki, zanim rozchylił powieki i uniósł brezent, którym był przykryty. Zaraz pożałował tej decyzji, gdyż do teleportacji nie doszło i nadal leżał w kałuży swoich wczorajszych rzygowin.

Brakowało dziesięciu minut do południa, a Tuwim przed hotelem Andel's zdawał się lśnić w aureoli ognia. Chwilę potem rozległy się takty tanecznej muzyki, a nad Bogusiem znienacka zafurkotały fałdy żakardowej spódnicy z mnóstwem halki. Błysnęła koronka pończoch. Wokół tańczącej kobiety falowały języki ognia. Zdawało się, że panuje nad nimi, hipnotyczna i władcza niczym bogini Kali. Boguś przetarł oczy, lecz nie wylazł ze swej nory. Zebrał się jedynie w sobie i z uwagą obserwował wirujące płomienie.

– To nie delirka. Jesteś jeszcze pijany, brachu – zamruczał do siebie, choć muzyka skutecznie zagłuszała jego tombakowe bon moty.

Cytrynówko absolutna, żono moja, bywasz czasem litościwa dla starego dziada. Jak dobrze obudzić się dla odmiany bez widoków na robactwo i szczury. I by ten moment trwał jak najdłużej, Boguś pośpiesznie zacisnął powieki. Nie wierzył już w dobro tego świata. Żadne niespodzianki, poza obiciem mordy za wygląd i pokaźne curriculum vitae na psiarni oraz wytrzeźwiałce, rzecz jasna, raczej go nie czekały. Dzień jak co dzień. Bój, by przetrwać do wieczora. Tylko żeby podły Bóg pięć złotych zrzucił z nieba, jak wczoraj, jak i każdego dnia. Są jeszcze anioły w Łodzi. Tylko dzięki nim wciąż trwał. Podobno szczęśliwi nie mają przyszłości, nieszczęśliwi nie mają nic poza nią. Ale wszystko i tak gówno. Nawet Sypniewski, żelazna noga ŁKS-u, nie wygrał z chlaniem, to jak Bogusiowi miałoby się udać, a staż w związku z flachą ma przecież dłuższy niż Igor, najsłynniejszy łódzki piłkarz alkoholik.

Jednakowoż zdało się nagle Rakowieckiemu, że poza pieczonką czuje teraz zapach benzyny, a potem słyszy jakby skwierczenie. Instynkt samozachowawczy nakazał mu otworzyć oboje oczu i podkulić nogi. Wyjrzał raz jeszcze. Niestety, spódnica zasłoniła już koronki, radosne ogniki wygasły, a Tuwim znów od stóp do głów obsrany był przez gołębie. Świat wrócił do normy. Aureoli ani chu-chu.

Wtedy właśnie niemłoda już kobieta z gasnącymi pochodniami w rękach odchyliła brezent i zaczęła histerycznie wrzeszczeć:

– Tu jest człowiek! Jara się mu kufajka. Artu! Zrób coś!

– Wszystko w porząsiu, paniusiu – mamrotał Boguś, pragnąc najpierw się elegancko przedstawić, choć czuł, że za chwilę znów uderzy do Rygi. – Bardzo wesoła ta sukieneczka.

Urok osobisty zjednywał mu drzewiej wielu przyjaciół. Przez tę ultratowarzyskość się stoczył, mawiała jego świętej pamięci ślubna Edyta, a potem jej wierna kopia Haneczka. Nie widział córki od lat.

Hałas w jego stanie nie był dziś wskazany. Głowa nie należała do najlżejszych. Ale wybaczył artystce brak manier, gdyż musiał przyznać, iż choć dzierlatką nie była, bo trzydziestka dawno pękła i teraz pójdzie już z górki, kibić miała klawą jak ta lala. A nogi chyba do nieba. W życiu nie miał takiej kobiety, a kiedyś, w dawnych czasach, był z niego wszak pies na baby.

Swąd był jednak coraz większy. Pojawił się też dym. Skąd tu tyle dymu? – zdumiał się Bogumił. I zanim dotarło do niego, że to on się hajcuje, dostał najpierw bęcki sprężoną pianą z gaśnicy, a potem ktoś nakrył go gwałtownie i okładał przez dłuższą chwilę, jakby chciał posiekać żywcem. Boguś stracił dech w piersiach, potem rozkaszlał się okrutnie i charknął czymś nieokreślonym za własny kołnierz, by wreszcie przyznać, że zajście to mimo wszystko go ożywiło. Wydostał się żwawo spod brezentu i zerwał na równe nogi, jakby znów miał czterdzieści lat. Spostrzegł ze zdziwieniem, że jego własne spodnie wciąż płoną aż do kolan. Ugasił je gołymi rękami. Holocaustu dziś nie przewidywał.

Muzyka ucichła. Zastąpił ją ludzki jazgot. Wokół Bogusia i stanowiska tancerzy zgromadził się spory tłum gapiów. Niestety w tłumie Rakowiecki dostrzegł także Romka, znajomego ochroniarza z hotelu, i dobrze wiedział, co go czeka za nocowanie pod schodami. Widział już, jak mężczyzna odpina pałkę i bierze zamach, lecz wtedy zareagowała właścicielka falbanek.

– Pan go zostawi – poprosiła łagodnie. – Biedak zasnął ze zmęczenia. Pewnie domu nie ma.

– Jak nie ma – rozjuszył się ochroniarz. – Sto osiemdziesiąt metrów chaty ze stiukami i rzeźbionym balkonem na Pierwszego Maja. Fakt, dwa lata temu odkuty. Wciąż leży w dużym pokoju z widokiem na Akademię Muzyczną.

Melinę tam zrobił. Cud, że córka długi zapłaciła, oczyściła dom z gówna i załatwiła mu komunałkę w famułach. – Wskazał potężny budynek z czerwonej cegły naprzeciwko Manufaktury. – Luj woli mieszkać u kumpli z Ogrodowej, co w Marchlewskim robili, niż do roboty się wziąć i dziecku jaką schedę zostawić. A że bez kibla i centralnego ogrzewania, cóż, to mu nie przeszkadza.

Boguś słuchał cierpliwie. Znał tę śpiewkę na pamięć. I jej ciąg dalszy też.

– Gmina nie robi menelom remontów i nie zrobi. Czekają, aż wszyscy wykitują. Wolne żarty. Kolejne pokolenie podtrzymuje łódzką tradycję. To chluba naszego miasta. Swoją drogą zabytkowy parkiet Boguś dawno temu spalił w kozie, a wszystkie antyczne drzwi na wódkę wyprzedał. Jeszcze Edzia żyła. Ale dom swój ma. Ja takiego nie miałem i pani nigdy mieć nie będzie, sądząc po profesji.

Ale zaraz ochroniarz ugryzł się w język i krzyknął do Bogusia, teatralnie podkręcając wściekłość w głosie:

– Tyle razy ci mówiłem, dziadu, żebyś mi tu kefirów nie odstawiał! – Zamachnął się, ale zaraz przesunął nieco, by nie było wątpliwości, że kamera monitoringu nagra jego interwencję. Znał promień jej zasięgu. Pracował tu od początku istnienia budynku i, choć tylko na pół etatu, błogosławił tę pracę bardziej niż swoją matkę. – Zagrożenie mi tutaj sprowadzasz. Ci państwo mają pozwolenie! Występ tu będą mieli. Ćwiczą na festiwal ognia. Całe miasto, kurna, przyjdzie. Prezydent, biznesmeny, łódzka elita.

– Jak elita, to mnie już nie ma, Romciu. – Rakowiecki wycofywał się chyłkiem. – Mrugniesz dwa razy i znikam.

– Dzisiaj ci nie odpuszczę! – Ochroniarz chwycił Bogusia za kołnierz i trzasnął kontrolnie. – Zakurwiłem się na ciebie, stary – wysyczał mu do ucha. – Mogłeś zginąć.

– Pan go zna? – zainteresował się młody mężczyzna w czarnym obcisłym kombinezonie baletmistrza i z ulgą zdjął czerwoną maskę Dartha Maula. Poprawił modnie ostrzyżone włosy z grzywką. Odrzucił stylowo do tyłu dłuższy kosmyk. Buźkę miał ładną, jak jakiś piosenkarz z *Twoja twarz brzmi znajomo*, choć jego w żadnym razie tak nie brzmiała. Kobieta była od niego dobrych parę lat starsza. I z całą pewnością nie tak wypacykowana w okolicy oczu.

– Pan puści tego dziadka – włączyła się tancerka.

Boguś poczuł się dotknięty oceną swojego wieku po wyglądzie, lecz z wrodzonej elegancji nie zaprotestował, by nie podważać autorytetu kobiety przy ludziach. Fakt, dobiegał siedemdziesiątki, ale żeby zaraz dziadek? Nic tego nie potwierdza, w każdym razie wiedzy o żadnych wnukach nie posiadał.

– Niech już idzie – prosiła falbaniasta.

– Nic z tego, moja droga. – Ochroniarz się uparł. – Żule nie mają wstępu do Manufaktury. Nie ma takiej opcji. Czekamy na policję. Koniec pieśni.

– Nie mogę ćwiczyć w takich warunkach. Tym powinien się pan zająć. – Kobieta skrzywiła się i wskazała tłum gapiów na Ogrodowej.

Ludzie zatrzymywali się wprost na ulicy, a za nimi ustawił się już rząd aut. Nikt nie trąbił. Niektórzy powysiadali z wozów. Ktoś z tyłu krzyczał, czy potrzebna jest pomoc. Czy pożar już ugaszono?

– Nie ma żadnego pożaru! – zawołał natychmiast ochroniarz. – Występ dopiero wieczorem. Proszę się rozejść.

Kobieta podziękowała Romkowi uśmiechem, a potem nachyliła się do swojego partnera w legginsach i szepnęła, nie kryjąc zdenerwowania:

41

– Jeszcze nas zaskarży. Zrób coś.

Młodzian zmierzył ją czujnym spojrzeniem i odruchowo cofnął się dwa kroki. Artystka nie odpuszczała.

– Trzy tysie właśnie spieprzają nam sprzed nosa. Trzeba opłacić nurka. A jak się da, to tego niby bodyguarda też. Ile, myślisz, wezmą? Dwadzieścia będzie dobrze?

Po czym popchnęła go wprost w ramiona menela.

– *Nouns ne parlons pas en polonais** – wymruczał tancerz i rozłożył bezradnie ręce.

Rakowiecki tylko chwilę się wahał, a potem twarz mu się rozjaśniła.

– *Petit argent sur l'alcool*** – wybełkotał.

Artu zamurowało. Skinął tylko głową, a potem podszedł do torby i długo w niej grzebał. Nie wyglądało na to, że kwapi się do łagodzenia konfliktu. Jakby nagle ogłuchł i oślepł. Rzutkiej białogłowie zostawiając rozwiązanie sprawy.

Bogumił tymczasem poczuł nagłą słabość. Nie upadł jednak, bo Romek, jego dawny sąsiad, znał go nie od dziś i dobrze go trzymał w pionie. Rakowiecki zaczął więc szacować straty. Kufajkę miał faktycznie nadpaloną, ale bardziej śmierdziała, niż była podziurawiona. Za to spodnie były mokre i całe w strzępach. Sięgały zaledwie do łydek. Jedna ze skarpet rozpuściła się i skleiła z butem w ogromną kulę wraz z czymś śliskim i lepkim. Nie chciał wiedzieć, jaki jest skład tej mazi. Wciąż jednak syczało i śmierdziało gorzej niż dętki palone w piecu babci za czasów jego dzieciństwa. Jedyne, co przyszło mu do głowy, by odegnać mdłości, to żwawy śpiew do kolegi Tuwima, który na wszystko zawsze patrzył niewzruszony:

---

* *Nouns ne parlons pas en polonais* (franc.) – Nie mówimy po polsku.
** *Petit argent sur l'alcool* (franc.) – Trochę drobnych na alkohol.

Tu przez lat dziesięć, co drugi dzień,
Chodziłem smętnie do budy,
Gdzie jako łobuz, pijak i leń
Słynąłem, ziewając z nudy.

Wszystkie głowy natychmiast skierowały się w jego stronę.
– Jaki żwawy – padło z tłumu.
– Nieśmiertelny – dodał ktoś inny.
– Zmartwychwstałem, to się bawię – beknął Boguś, wzbudzając ogólną salwę śmiechu i kilka nieśmiałych braw.
– Nie odzywaj się – syknął Romek i szepnął już łagodniej do ucha: – Podkładkę nakamerowaną muszę mieć. Inaczej z roboty mnie wyhuśtają. Potem cię puszczę.
– To Tuwim – wyjaśnił bardzo poważnie Boguś, jakby nie słyszał słów sąsiada. Wskazał pomnik. – *Lodzermensz.*
Ludzie z pierwszego szeregu zaczęli chichotać. Boguś aż pokraśniał z zadowolenia. Tę publiczność już zdobył. Wesoła piosenka zawsze poprawiała mu nastrój, choć chyba pierwszy raz w życiu śpiewał ją na tak ostrym kacu.
– Wystarczy panu przygód na dziś. – Władczyni ognia uśmiechnęła się do niego i wyjęła z saszetki przytroczonej do pasa garść monet z wczorajszej kwesty przed Manufakturą, po czym wcisnęła je zdziwionemu Bogusiowi do ręki.
– Kup pan sobie coś, co lubisz. Pojutrze Wigilia. Niech się panu darzy.
Po czym otrzepała spódnicę ze sproszkowanej piany i narzuciła na grzbiet starodawny kożuch, który spięła szerokim pasem w talii. Bogumił pomyślał, że wygląda jak Oleńka z *Potopu*, a nawet jest ładniejsza. Zwłaszcza jak się złości.
Oleńka nie poświęciła mu już więcej ani odrobiny uwagi. Była wściekła, choć za wszelką cenę starała się to ukryć.

– Co się tak gapicie! – krzyknęła do wciąż gromadzącego się tłumu. – Koniec przedstawienia.

– Pięknie pani z tym ogniskiem wojowała – odważył się zagaić Bogumił. – Przyjdę dziś podziwiać. Jak pani ma na imię?

– Idź, człowieku, i niech cię więcej nigdy nie spotkam – odparła twardo, nie obdarzając Rakowieckiego nawet cieniem spojrzenia.

Porządkowała sprzęt: układała maczugi oblane smołą, zwinęła folię aluminiową, rozpałkę i kanister z ropą. Z trudem upchnęła do torby magnetofon.

– Właśnie, lamusie – poparł ją ochroniarz. – Wszystko popsułeś.

– My właściwie skończyliśmy próbę – zwróciła się teraz do Romka. – Pan się wykazał. Wszystko w porządku. Nikt nie doniesie.

Bogumił zaczął odchodzić. Odwracał się jednak jeszcze kilka razy i słyszał, jak dziewczyna ruga tancerza, który nachylił się, by ją przytulić.

– Teraz jesteś taki zuch – szydziła.

– No wiesz, musiałbym iść do bankomatu.

– Już się nie wysilaj. Zapłaciłam ze swoich.

– To ty trzymasz nasze pieniądze – starał się usprawiedliwić.

– Bo to ja załatwiam zlecenia i płacę prowizje. Ja dziś będę świeciła oczami przed władzami miasta, jeśli coś pójdzie nie tak. Ja własnym nazwiskiem firmuję ten duet. – Wcisnęła mu do ręki najcięższą torbę i ironizowała, mizdrząc się przesadnie: – Kocham cię, Rene, ale mam tylko kartę.

Mężczyzna nadąsał się, święcie oburzony jej publiczną szczerością. Kobieta nie była łaskawa go jednak przeprosić.

– Gramy o siedemnastej. Bądź na czas – rozkazała. I dodała, znacznie obniżywszy głos: – Nie zgub sprzętu, bo cię bałuciarze wyślą do pedalskiego raju.

– Nie idź w to, Rene. – Podniósł ostrzegawczo palec, ale ten gest tylko rozbawił kobietę.

– Mój brat tylko czeka na znak, Artu.

– Nie lubię, jak taka jesteś.

– Frajer.

– Znów zaczynasz? O co ci chodzi?

– Nie struguj debila, tchórzu! Na kłopoty – Renia. Zawsze tak jest. Nawet pięciu złotych było ci szkoda.

– Wiesz co, pieprz się! – Artu rzucił torbę na ziemię.

– Sama sobie dziś radź.

– I poradzę. Jestem przyzwyczajona! Nie dzwoń do mnie, złamasie.

– Wariatka! O nurka się kłóci.

Chłopak szukał poparcia wśród gapiów, ale poza niedobitkami został tylko ochroniarz, a ten nie miał czasu na słuchanie spowiedzi faceta w legginsach. Machnął tylko ręką i poszedł sprawdzić, jak wyszło nagranie. Za chwilę będzie miał na głowie audytora i jeszcze trzeba spisać raport.

Renata z trudem dźwignęła sprzęt widowiskowy i przegięta wpół, zaciskając zęby ze złości, ruszyła na przystanek. Wsiadła do pierwszego podjeżdżającego tramwaju. Trafił się „helmut", stary poniemiecki sprzęt, który woził ludzi aż do Ozorkowa – „miasta cudów". Dopiero na krańcówce czterdziestki szóstki się rozpłakała.

– Jak mogłam być taką idiotką!

Kiedy łzy obeschły, wysłała esemes do przyrodniego brata. Cybant oddzwonił od razu. Nie odezwał się nawet słowem.

Wysłuchał, co zaszło. Kazał siostrze zamówić taksówkę, a na Artu dał zlecenie chłopakom z Żytniej. Ruszyli w miasto bez zwłoki. Bałuciarze od dawna czekali na okazję, by skopać tyłek szczeniakowi komendanta z Pedofilowa*.

Bogumił tymczasem przeciął na skuśkę dwupasmówkę, ryzykując przejechanie przez TIR-a oraz śmierć pod kołami rikszy, i trzymając w ręku garść monet od „Oleńki", swojego anioła w falbanach i kożuchu, ruszył na Włókienniczą po działkę rozrobionego spirytusu „dla zdrowotności". Na samą myśl o cieple w przełyku czuł się już nawet nieźle. Trzęsawka powoli mijała, obraz tylko trochę śnieżył. Do swądu spalenizny na ciuchach szło się przyzwyczaić. Poparzone nogi trochę już spuchły i zaczynały boleć, ale mróz dobrze znieczulał. Jeszcze chwila, a przywita się z gąską, zażyje lekarstewko i znów zniknie im wszystkim z pola widzenia. Niech se radzą sami.

Zostało dosłownie kilka kroków. Pod siódemką, w kamienicy ze słynnym balkonem obwieszonym trofeami kibiców ŁKS-u, sprzedawali „szpirytus" najtaniej i co ważniejsze, najmniej go chrzcili. Tyle że pobierali kaucję na butelki. Zawsze uważał się za gospodarnego, więc i temu szybko zaradził. Pogrzebał w śmieciach i znalazł flaszkę wprost idealną. Marchewkowy Kubuś uśmiechał się do niego z naklejki. Zakrętka była szczelna, a jak poprosi, to mu trochę opłuczą. Zresztą, odrobina witaminy A nie zaszkodzi. Drink ekstrawagancki na wzmocnienie. Na miejscu golnie jednego, a drugi będzie w sam raz na podwieczorek. Na noc coś się załatwi. Czasu jeszcze, a czasu.

---

* Pedofilów – obraźliwa nazwa Teofilowa, dzielnicy Łodzi.

Wtedy na drodze stanęli mu dwaj rośli nastolatkowie. Znał ich z widzenia. Zawsze razem, chyba nawet spali w jednym wyrze. Bracia, niechby im ziemia lekką wreszcie była, syjamscy. Klony z obrzękiem mózgu nabytym jeszcze w życiu płodowym, ale naszprycowani mefedronem jak dobry keks bakaliami. Szron i Szadź, drobni złodzieje, bywalcy domu poprawczego i zagorzali ultrasi ŁKS-u. Koczowali w spalonym pustostanie na Limance, bo rodzice bali się ich wpuszczać do domu, kurator zaś nie tęsknił za kolejnym pożarem auta. Żaden nie skończył jeszcze siedemnastu lat, a już sięgnęli szczytu podwórkowej sławy. Jak byli przy forsie, ostro grzali czystą chemię i robili osiedlowy rap. Szron złożył kilka zwrotek, Szadź podbijał beatboxy, bo zasadniczo nie odzywał się wcale. Głównie jednak kolportowali śnieg, mefę i MDMA. Ten typ zatowarowania przyniósł im pretensjonalne ksywy. Podobno w Lordi's Clubie spotkali się z O.S.T.R.-ym. Wręczyli mu swoje nagrywki, mówili coś o Wielkim Joł, ale nie było chyba dobrze, bo wkrótce zarzucili karierę muzyczną i zajęli się tym, w czym byli znacznie lepsi, czyli „dziesionami". Jeszcze kilka lat temu, jako siusiumajtki, w famułach na Ogrodowej po bratersku dzielili się z Bogumiłem klejami, rozpuszczalnikami, a i kradzionym od stolarza płynem do powłok lakierowanych firmy Dragon nie pogardzali. Jęczeli wtedy i narzekali na los chłopaków z miasta Łodzi gorzej niż stare kiepy z pokolenia Bogusia. Tych chwil zwłaszcza nie chcieli mu darować. Świadkowie twego poniżenia gryzą glebę, rapował na rzadko odwiedzanych kanałach YouTube'a Szron.

– Joł, Bogo – rzekł teraz przyjaźnie, po czym chwycił Rakowieckiego za klapy spalonej kufajki i zawrócił do famuł. – Wyskakuj z keszu, kurwo! Gdzie mój hajs? Przecież nie wołam o moje sto milionów.

– Jaki hajs? Czyj hajs? – dziwił się Boguś. I z rozpaczy zaczął się jąkać od tyłu: – Nie pożyczałem nic, nic, nic. Żadnyyych pieniędzy. Już nie pamię-ta-tam widoku papier-koweeego.

Szron poklepał Rakowieckiego po twarzy, a potem z główki roztrzaskał mu nos.

– Jak szmaty nie szanujesz, to nie bij z nim piątek – zanucił wesoło.

Szadź także rozciągnął usta w szerokim uśmiechu, odsłaniając brak dwójki, po czym ćwiknął po mistrzowsku tym otworem na chodnik. Odstąpił na krok, poprawił kurtkę, a następnie wsunął w szparę po zębie papierosa. Uniósł zapalniczkę, lecz jej nie odpalił. Boguś dostrzegł nieme porozumienie ziomków i w lot zrozumiał, że znów trafił bardzo źle. To nie jest zwykły siajowy dzień, dziś prawdziwe święto wkurwu, który tych dwóch natychmiast chciało spuścić z krzyża.

– Taki dżouk z tym hajsem, cioto, bo teraz ja rządzę w Havanie – padło, zanim wciągnęli Bogumiła do bramy.

Uderzali w brzuch bez ostrzeżenia, aż zaczął pluć krwią. Zaciskał pięści, dopóki zdołał, ale nie trwało to długo. Najpierw potłukł się Kubuś, a potem na bruk spadły z takim trudem zdobyte monety. Nawet ich nie wyzbierają, pomyślał z żalem Boguś. Potem runął i Rakowiecki. Walnął głową o beton. Chlusnął żółcią zmieszaną z krwią na kiksy Szrona.

Gdy kiedyś czołem dosięgnę gwiazd
i przyjdzie chwały mej era.
Gdy będzie o mnie kilkaset miast
sprzeczać się jak o Homera

– zanucił z dedykacją dla siebie i Juliana w myślach. Tym razem wesoła piosenka nie mogła poprawić mu nastroju. To był jego osobisty marsz żałobny. Może to będzie ostatnia rzecz, jaką zabiorę do Krainy Wiecznych Łowów, myślał. Boże, niech to nie będzie wspomnienie zgniłego oddechu tych debili. Ty to masz dobrze, Tuwimie, stoisz sobie i nic już nie czujesz. Nie wiedzieć. Nie istnieć. Rozmarzył się.

Za przewinienie ufakania cichobiegów kolegi Szadź kopnął solidarnie Bogusia w krocze, aż mężczyzna zwinął się w kulę i zamarł, udając zdechlaka. Ale oprawcy znali numer Rakowieckiego „na oposa". Wszak to nie był ich pierwszy raz na dzielni. Tylko ich to rozjuszyło.

– Ruchy, parówo! Jedziesz! Nie będziemy się tu lizać po fiutach!

Ale Boguś zawsze się poddawał.

– Całujcie mnie wszyscy w dupę – zacytował poetę, choć może tylko w myślach.

Tym razem się uda, postanowił. Cały umrę.

I dobry Bóg wysłuchał próśb Bogusia. Walili na przemian, po całym ciele. Butami, deską, pięściami, cegłówką wyjętą z chodnika. Tłukli jak w worek treningowy, jak mięso na kotlety. Aż wreszcie ból przestał istnieć. Boguś znów widział Renię-Oleńkę tańczącą z ogniem, jej falbaniastą spódnicę i pas koronek. Szron dla pewności stanął ofierze na krtani, przycisnął.

– Chrupnęło? – upewnił się Szadź.

Szron wzruszył ramionami, nie wiadomo, czym był bardziej zdziwiony: właśnie dokonaną zbrodnią czy piskliwym głosem ziomka.

– On już jest kilym – podsumował.

Zwłoki Bogusia porzucili jak ścierwo na samym środku piwnicznego korytarza, zaraz pod otwartą skrzynką z bezpiecznikami. Nie trudzili się, by zaryglować drzwi, choć sztaba stała u wejścia. Idąc po schodach, Szron poprawiał sobie nastrój wspominkami komicznych prób Bogumiła osłaniania się od ciosów.

– Jednej pizdy mniej w mieście meneli – zarechotał.

– Idziemy na mahometa*?

Szron wydał z siebie jeszcze kilka wersów, udając luzaka. Przerwał, spojrzał na papieros w brakującej dwójce ziomka. Nawet się nie złamał. Chłopak wyjął go teraz i schował troskliwie do pudełka. Poprawił okulary na nosie.

– Prażą cyrkuł… Psy! – odezwał się drugi raz dzisiejszego dnia, lecz w jego oczach Szron zobaczył strach.

By Szadź nie dostrzegł tego samego w jego twarzy, ciaśniej nasunął kaptur na głowę i próbował żartować:

– Spierdalamy, mordeczko, bo kiermasz jak u babci na imieninach.

Zapadła cisza. Żadne drzwi w budynku się nie otworzyły. Firanki w oknach nie poruszyły się na milimetr. Nikt nie wezwał karetki, choć pogotowie znajdowało się trzy kilometry stąd. Zbliżała się piętnasta.

Dziś otrzymałem cenną lekcję, przemknęło przez głowę Bogusiowi, zanim całkiem odpłynął. Ludzie w większości są źli.

Lokal 39, cztery piętra wyżej

– Komisarz Piotr Próchno, Komisariat Piąty Komendy Miejskiej Policji w Łodzi. Pan Zbigniew Naumowicz?

– Przy telefonie.

– Proszę zaczekać, włączę aparaturę nagrywającą. Rozlega się głośny pisk.

– O co chodzi?

– Przepraszam, ale takie mamy procedury. Inaczej tego dowodu nie można będzie wykorzystać w sądzie. Muszę pana uprzedzić i zapytać o zgodę na nagrywanie. Wydział Centralnego Biura Śledczego Komendy Głównej Policji dał nam wyraźne dyspozycje, że mamy nagrać każdą rozmowę z klientem Banku Olivos Uhef Zagad SA. Pan posiada tam konto o numerze 23476963528309990000024531?

Słychać odgłos przerzucanych kartek.

– Tak, ale nadal nie rozumiem, o co chodzi...

– Chwileczkę, najpierw muszę potwierdzić dane. Numer pana dowodu AZA 34567, PESEL 45091213534, NIP 7865432236, syn Leokadii i Wiesława, wdowiec. Konto główne posiada pan od dwa tysiące piątego roku. Kwota zdeponowanych na rachunku oszczędnościowym środków

51

w złotych polskich to dwadzieścia cztery tysiące sześćset pięćdziesiąt cztery, na dwóch lokatach terminowych rocznych po trzynaście tysięcy dwieście czterdzieści trzy PLN oraz piętnaście tysięcy sto trzynaście PLN. Plus konto dolarowe wysokości pięciu tysięcy stu osiemdziesięciu USD. Czy się zgadza?

– Przepraszam, ale nie będę z panem dłużej rozmawiał.

Zbigniew odkłada słuchawkę. Siada na wzorzystym fotelu i z trudem łapie powietrze. Idzie do kuchni, nalewa szklankę wody, wypija i wraca do salonu. Klika w odebrane połączenia i wybiera numer.

– Komisariat Piąty Komendy Miejskiej Policji w Łodzi – rozlega się w słuchawce.

– Dzwonił pan przed chwilą.

– A to pan, panie Zbigniewie. Przestraszył się pan, niepotrzebnie. Muszę ponownie nagrać pana dane. Czy wyraża pan zgodę na nagranie tej rozmowy? Dla dobra procesu i bezpieczeństwa pańskich pieniędzy radziłbym wyrazić zgodę. Inaczej nie będę mógł ujawnić panu szczegółów śledztwa.

– Tak, wyrażam.

Znów pisk, recytacja numerów, kolejno podawane dane. Zbigniew czuje, że kręci mu się w głowie.

– Już – oświadcza policjant. – Teraz mogę panu nieco wyjaśnić. Oczywiście tyle, na ile dostałem pozwolenie. Dochodzenie dotyczy przestępczości zorganizowanej, w dziale przestępstw finansowych, a dokładniej mówiąc, chodzi o defraudację pieniędzy. W skrócie: skarbiec banku, w którym trzyma pan gotówkę, jest pusty. Słyszał pan może o aferze Amber Gold? Tak się składa, że pracowałem również przy tamtej sprawie. Cztery lata zbieraliśmy materiał dowodowy. Zaangażowanych jest mnóstwo osób, także prezesi, członkowie zarządu. Pan rozumie, że nie mogę podać przez telefon bardziej szczegółowych danych. Ta sprawa jest na etapie działań operacyjnych. Nie wolno panu pod żadnym pozorem ujawnić informacji osobom postronnym. To rozmowa poufna. Czy pan rozumie wagę sytuacji?

– Tak.

– Także rodzinie. Wnuczce, córce ani zięciowi. Sąsiadom też nie, nawet jeśli pan wie, że posiadają konto w tej samej placówce co pan.

– Rozumiem.

– Wszystkie osoby zawiadamiamy osobiście i informujemy o zaistniałej sytuacji.

– Jakiej sytuacji?

Zbigniew zerka na zegarek. Bank powinien być czynny do osiemnastej. Ma jeszcze dwie godziny. Zdąży wypłacić wszystko, chociaż zdaje mu się, że tak wysokie kwoty należy zgłaszać przed wypłatą na dzień lub trzy dni wcześniej.

– Mam tutaj dwie wiadomości. Jedną dobrą, drugą złą.

– Tak?

Słychać śmiech w słuchawce.

– Nie się pan nie obawia, jest pan bezpieczny. Wkrótce organizujemy obławę. Wszyscy sprawcy zostaną zatrzymani. Niektórzy już są w areszcie. Generalnie trwają działania operacyjne. To była ta lepsza wiadomość.

– Druga jest gorsza?

– Owszem. Zanim bank wejdzie pod kuratelę prokuratora, a potem audytora, który sprawdzi i przekaże materiał wierzycielom, tylko niektórzy klienci mają szanse odzyskać swoje fundusze. – Cisza. Odchrząknięcie. – W każdym razie część funduszy.

– Jak to część?

– No po przejęciu sprawy przez powyżej wymienione jednostki okaże się, że nie każdy dostanie cały wkład. Tylko ci, którzy zareagują najszybciej, a raczej pójdą z nami na współpracę. Reszta musi zadowolić się tym, co ostatecznie, prawdopodobnie za trzy, cztery lata, będzie dzielił syndyk.

– Pan żartuje.

– Jestem w pracy. Mam mało humorystyczną robotę, panie Zbigniewie.

– Chce pan powiedzieć, że moje pieniądze zostaną podzielone przez innych?

– Tak, ponieważ – mówiąc obrazowo – w skarbcu jest gigantyczna dziura. Zostało wyprowadzone, proszę zaczekać, sięgnę do dokumentacji. – Znów szelest papierów, coś spada, ktoś odkłada słuchawkę, szumy, jakiś dziewczęcy śmiech, wreszcie głos z offu: „Dajcie mi te wyciągi. Nie te. Tamte. Leżą w kartonie z numerem sygnatury Agrosa. Tak, te koło karmy dla psa". – Już je mam – rozlega się w słuchawce. – Przepraszam, mamy tu tysiące poszkodowanych, a koleżanka z dochodzeniówki podrzuciła nam jeszcze swojego futrzaka. Sra jak opętany, a waży mniej niż moja świnka morska gigant. Nieważne zresztą. Taki mamy klimat w tej firmie. Wszystko niedofinansowane. Długopisy sam muszę kupować. Sam nie wiem, czy ze wszystkimi poszkodowanymi uda nam się skontaktować do dnia zero. Więc, niech spojrzę, dziura w budżecie banku sięga na dzień dzisiejszy sześćdziesięciu pięciu miliardów PLN, bez pięciu tysięcy, tak szacujemy na podstawie wyciągów za trzeci kwartał. Nie licząc kruszców, obligacji i waluty oczywiście.

– Co?

Zbigniew siada na podłodze. Kabel telefonu nie sięga do jego fotela. A nie chce uronić ani jednego słowa z tej rozmowy. Opiera się głową o stół. Lekko dyszy.

54

– Wszystko w porządku?

– Co mam zrobić? – pyta drżącym głosem Zbigniew.

– Czego pan ode mnie oczekuje?

– Możemy umówić się, w drodze wyjątku, rzecz jasna, że użyjemy pana pieniędzy do prowokacji. Potrzebujemy tylko spisać numery wszystkich wypłaconych banknotów, oddamy panu całą kwotę, co do grosika. To potrwa dwa do trzech dni. Ale tylko dzięki takiej operacji może pan zachować całość kwoty. W dniu jutrzejszym, w godzinach popołudniowych, tuż przed zamknięciem, odbędą się ostateczne aresztowania, pojutrze zaś bank będzie zamknięty dla klientów. Pieniądze zostaną zdeponowane na zakodowanych kontach i: a) będzie pan musiał czekać na zakończenie śledztwa, b) nie ma pan pewności, jaką część pan odzyska. Rozumie pan sytuację?

– Chyba tak. To znaczy w głowie mi się to nie mieści. To nie jest żart?

– Panie Zbigniewie, chętnych do takiej operacji mamy sporo, więc jeśli nie jest pan zdecydowany, nie będę pana namawiał.

– Dobrze – cicho szepcze Zbigniew.

– Słucham? Nie dosłyszałem. Nie nagrało się. Czy pan jest zdecydowany?

– Tak – huczy Zbigniew do słuchawki. – Chcę odzyskać wszystkie swoje pieniądze! Co mam zrobić? Niech pan mówi!

– Dobrze – cmoka policjant. – Tylko nie musi pan tak krzyczeć. Mam tu i tak przesterowany dźwięk ze względu na rejestrację rozmowy. Proszę zadzwonić do banku, uprzedzić o likwidacji wszystkich kont, zlikwidować wszelkie pełnomocnictwa, zamknąć lokaty i tak dalej. Nie może od pojutrza po pana środkach zostać w banku żaden ślad. Tylko wtedy gwarantujemy sto procent zwrotu powierzonej kwoty do prowokacji śledczej. Jutro przed bankiem o godzinie jedenastej będzie czekał na pana zespół operacyjny z wydziału kryminalnego naszej komendy. Będzie pan chroniony przez tajniaków, niech pana nie zdziwi kobieta z gazetą, która za panem łazi, rosły facet, który pana obserwuje, strażak w zabłoconych butach w okularach przeciwsłonecznych, gliniarz przebrany za menela, rozumie pan? Takie są wymogi bezpieczeństwa. Musimy mieć pewność, że przekazanie gorącego materiału odbędzie się zgodnie z planem. Nie może dojść na przykład do przejęcia gotówki. Nie może pan też wyjść i nam zniknąć. My też musimy rozliczyć się z całości. To bardzo poważne śledztwo, nadzór nad nim ma prokurator generalny. Sprawa jest rozwojowa. Na razie pracujemy z siedmioma jednostkami w całym kraju. Ja jestem szefem operacji i znajdę pana, jeśli coś pójdzie nie tak. Czy to jest jasne?

– Zasadniczo tak.

– Dobrze. – Ssanie cukierka, głośne siorbnięcie. – A więc scenariusz jest taki: podchodzi do pana policjant, pokazuje dyskretnie blachę. Oczywiście nie będzie to mundurowy, ale tajniak.

– Jakieś hasło? Kod?

– Filmów się pan naoglądał. Będzie pan pod stałą obserwacją. Kiedy wyjdzie pan z banku, pierwsza osoba, która do pana podejdzie, to ta właściwa.

– Może to być kobieta?

– Naturalnie. Jeszcze mamy przed sobą kupę czasu. Rozkazy zostaną wydane na jutrzejszej porannej odprawie. Będzie wyznaczona odpowiednia i zaufana osoba. Zresztą całość oczywiście rejestrujemy z ukrytej kamery, więc proszę nie robić głupstw. To nam potrzebne do sądu, już mówiłem. W naszym wspólnym interesie jest, by sprawę załatwić szybko, bez zbędnych ceregieli.

– Bez ceregieli. Postaram się.

– Pieniądze proszę zapakować w torbę sportową zapinaną na suwak, najlepiej w ciemnych, nierzucających się w oczy barwach.

– Nie mam nic takiego.

– Lub papierową torbę, reklamówkę.

– Walizka może być?

– Już trudno. Ale proszę wziąć pod uwagę, by nie była za mała. Trochę tej makulatury będzie. Uzbierał pan sporo grosza przez te lata. Wnoszę, że to będzie ciężki bagaż. Da pan radę?

– Synku drogi, leżałem na styropianie i walczyłem z komuną. Byłem dwukrotnie internowany, ukarano mnie wyrokiem za szmuglowanie bibuły z RFN. Co mam nie dać?

– Bardzo mi miło. Wielki szacun. Dzięki panu mamy dziś wolną Polskę, ale szumowiny i oszuści zawsze będą. W każdym systemie.

– Zgadzam się.

– Czyli wszystko ustaliliśmy. Zlecenie wypłaty musi pan złożyć dziś, dlatego chwilowo się rozłączę. Zadzwonię za kwadrans.

– Ja do pana zadzwonię.

– Okay, jeśli pan będzie łaskaw, to poproszę o ponowny kontakt w ciągu godziny. Też mam swoje życie i dzieci czekają na tatusia. Strawa w domu stygnie. Tylko w serialach na Polsacie gliniarze spędzają całe życie na pościgach i strzelankach. Ja swoje frycowe w patrolówce już odsłużyłem chwilę temu.

– Młody pan jest na taki awans. Przynajmniej sądząc po głosie.

– Panu też nie dałbym więcej niż pięć dyszek, a znam pana PESEL, to wiem, jaka jest prawda.

Gromki śmiech po obu stronach słuchawki.

– Dzwonię natychmiast, jak tylko ustalę w banku wypłatę.

– To mi się podoba. Współpraca z panem to przyjemność. Aha, jeszcze jedno.

– Tak?

– Dziś nie może pan nocować w domu. To zbyt niebezpieczne.

– Dlaczego?

– Wie pan, co to za okolica? Proszę spakować rzeczy, jakby pan wyjeżdżał, i taksówką, to ważne, nie możemy ryzykować, by coś się panu dziś stało, skoro jutro...

– A co miałoby mi się stać?

– Tylko dmuchamy na zimne. Zamawiam panu pokój w hotelu Andel's. I przypominam, że jutro, cokolwiek by się działo, niech pan nie udaje bohatera.

– To chyba nie jest konieczne. Znam taki mały hotelik na Retkini. Nie jest może najwyższych lotów, ale...

– Panie Zbigniewie, pan ryzykował dla nas, młodych, życie w latach osiemdziesiątych. Rezerwuję panu pokój w Andelsie, na moje nazwisko. Piotr Próchno, z kreską. Niech pan sobie zapisze. Pokój będzie opłacony z budżetu państwa, ojczyzna jest to panu winna. Na Retkini to ja mogę jakiegoś esbeka zakwaterować.

– Dziękuję, komisarzu.

– Właściwie już nadkomisarzu, ale jeszcze nieoficjalnie. – Śmiech. – Ale po tej sprawie, jeśli wszystko pójdzie zgodnie z założeniami CBŚ, nadkomisarze z Głównej będą mi buty czyścić.

– Chyba już wystarczająco zapamiętałem pańskie nazwisko.

– Bardzo mnie to cieszy. – Śmiech. – Zna pan to? Dobrze mówią, czy źle – nieważne. Grunt, żeby nazwiska nie przekręcali.

– Stare, ale wciąż aktualne.

– To jesteśmy w kontakcie. Czy ma pan jeszcze jakieś pytania?

– Chyba nie... A właściwie tak.

– Jestem do pana dyspozycji.

– O jednym koncie pan nie wspomniał. Nie mówiłem o tym nikomu, ale proszę sprawdzić w swoich dokumentach. Ja je zakładałem w ubiegłym roku. Jest na nim niewiele. Zacząłem składać na posag dla wnuczki. Wpłaciłem w pierwszym okresie jakieś siedem tysięcy. Potem miesięcznie szło zlecenie stałe z emerytury. Po trzysta złotych. Teraz powinno być tam trochę ponad dychę. Sam nie wiem, ile dokładnie. Może pan to odszukać? Chciałbym przy okazji zlikwidować także i to konto.

– Niestety, nie mam tutaj takich danych.

– Tak, może pan nie mieć, ponieważ konto jest założone dla mojej wnuczki, na jej nazwisko. Aneta Andżelika Mucha.

– Nie zdążymy z tym. Nie mam stosownych dokumentów. Na wszystko musi wyrazić zgodę prokurator.

– Bardzo pana proszę. Zapłacę za fatygę.

– Panie Zbigniewie, rozmowa jest rejestrowana.

– Ach tak, zapomniałem. To był taki żart.

– Fakt, zabawny z pana gość. Polubiłem ten styl. Wie pan co? Zawsze może pan zlikwidować to konto, w końcu należy do pana. A ja porozmawiam jutro z nadzorującym dochodzenie i zobaczę, co da się zrobić. Ale żadnych łapówek, nawet flaszki nie mogę przyjąć.

– Szkoda. Bardzo panu dziękuję.

– Czekam na potwierdzenie, że bank przygotuje jutro gotówkę na trzynastą.

– Mówił pan o jedenastej! Tajniacy mieli czekać na mnie o jedenastej.

Cisza. Szelest papierów. Trzask zapalniczki.

– Nie, to inny poszkodowany. Pan musi się stawić o trzynastej. Wszystko będzie przygotowane na tę godzinę. Proszę nie zawieść mojego zaufania.

– I wzajemnie.

– Dziękuję za współpracę.

– Jeszcze jedno, panie nadkomisarzu.

– Spokojnie, ten awans na razie nieoficjalny.

– A jak coś pójdzie nie tak? Z kim mam się kontaktować?

– Mam kontrolę nad wszystkim. Ja do pana zadzwonię.

– A w razie nieoczekiwanych problemów?

– Panie Zbigniewie, ma pan przecież mój numer. To komórka, służbowa i tajna. Nie dzwonię z niej nawet do żony. Zresztą pewnie jest na podsłuchu. Jak wszystko w dzisiejszych czasach. Już pan mnie sprawdził. W razie czegokolwiek zawsze może pan dzwonić na dziewięć dziewięć siedem. Lub oczywiście przyjść do nas na komendę. Adres jest na stronie internetowej lub w książce telefonicznej.

– Oczywiście.

– W Andelsie mają doskonały tort węgierski. Radzę spróbować. Na koszt firmy. Proszę kazać doliczyć do rachunku za pokój.

– Jest pan niezwykle uprzejmy.

– Wyłącznie wobec niektórych. Tak naprawdę niezły ze mnie skurwysyn.

Lokal 22, drugie piętro

– Kawał z ciebie skurwysyna – zaśmiała się egzotyczna brunetka z wielką miłością do piercingu, powoli rozwijając z szyi szalik.

Jonatan kliknął pauzę i na ekranie nowiutkiego airmaca zawisła strasząca czarnymi dziurami po pożarze kamienica – najlepsza scena jego showreala, który zamierzał już od jutra rozsyłać do wszystkich firm produkcyjnych w kraju i za granicą, poszukujących zdolnych operatorów filmowych. Odwrócił się w stronę dziewczyny.

– Coś mówiłaś?

Pokręciła głową. Rozpięła płaszcz.

– Tylko głośno myślałam.

– Aha. – Jonatan zmarszczył brwi i poczochrał jasne włosy, skupiając się wyłącznie na monitorze i swojej operatorskiej wizytówce. Wszedł w program do montowania filmów i przerzucał pliki, jakby czegoś uparcie szukając.

– Wiedziałem, że to wykasował – mruknął. – Wiedziałem! Jebany pseudodirector, jak zwykle postawił na swoim. A to mój showreal! Mój! Niech sobie zrobi własny.

– To po to mnie zaprosiłeś? – naburmuszyła się dziewczyna. – Żeby teraz pracować?

Jonatan, gwałtownie przywołany do porządku, spojrzał na nią i zdziwił się, bo nie miała już na sobie płaszcza, swetra ani butów. Stała w rajstopach na brudnej podłodze, w skórzanej minispódniczce, a jej obfity biust opinał tylko kusy top. Nie dawał zbyt wielkiego pola wyobraźni, a tę Jo lubił ćwiczyć. Wolał kobiety w golfach, długich spódnicach i wysokich butach, najlepiej zakutane po czubek nosa. Lubił sam rozpakowywać ulubione cukierki i nie chciał, by ktokolwiek poza nim miał szansę zajrzeć pod papierek. Dlatego nie podobał mu się jej strój. Do tego wszędzie ten złom. W Przędzy, kiedy biegała między stolikami w przepisowym stroju służbowym, czyli dżinsach i luźnym T-shircie, jakoś nie zwrócił uwagi na te kolczyki. A może to kwestia trzech piw? Potem szli Piotrkowską do jego kamienicy i była w płaszczu do kostek. Tak też zostawił ją przy drzwiach i pobiegł, by sprawdzić pocztę. Czekał na list polecający od Filipa Bajona, promotora swojego dyplomu, a termin składania wniosków o dofinansowanie na film z Media zbliżał się wielkimi krokami. Skrzynka była jednak pusta. Nie licząc, rzecz jasna, mnóstwa powiadomień z portali randkowych. Natychmiast zamknął przeglądarkę.

Teraz zdawało mu się, że czar małej Esmeraldy prysł, jakkolwiek się nazywała. Poznał ją kilka godzin temu w Przędzy, wyrwał na drinka po pracy, całowali się trochę w bramie i niewiele rozmawiali. Teraz jest tutaj i zaczyna przesłuchanie, jakby mieli zaraz zostać mężem i żoną.

Przez chwilę był przekonany, że powinien się jej jak najszybciej pozbyć i natychmiast zadzwonić do Dobrej, żeby pomogła mu poprawić showreal, który spieprzył Esmat, jego najlepszy przyjaciel. Wszystkie filmy w szkole robili razem. Esmat montował, Jo robił zdjęcia. Dobruchna była trzecim ogniwem tego teamu i choć żaden nigdy nie przyznał tego głośno – najważniejszym. To ona wymyślała, pisała i reżyserowała wszystkie ich historie zaliczeniowe. Możliwe, że bez niej nie byłoby też ich przyjaźni, bo Esmat i Jonatan od trzech lat platonicznie się w Dobrej kochali. Przed oczami mignęły mu jej popielate włosy, kościste kolana i wyblakłe oczy okolone złotymi rzęsami. Nie każdemu się podobała, ale też nie każdemu dawała się poznać. Była dziwna nie tylko wizualnie. Inspirująca, ambitna i zamknięta w sobie jak butelka wyłowiona z morza po wielu latach dryfowania w przestworzach.

Szybko odgonił ten flesz i skupił się na oczku w pończosze Arabki, które leciało jej od dużego palca aż po udo. Chwilę potem poczuł ucisk w lewej kieszeni. Poprawił się na krześle, by przypadkiem nie zauważyła jego podniecenia. Już jej nie chciał. Ale też doskonale rozumiał, co zaszło. Przywołał twarz Dobrej, która od początku studiów nie potrafiła się zdecydować, z kim chce chodzić, i w końcu całe lata była sama. Każdy z nich miał jakieś panny na dłuższy lub krótszy staż, ale nigdy nie było to nic poważnego. Dobra zaś była wciąż constans, jak uporczywe marzenie senne. Dla niej obaj zrobiliby wszystko.

Niepisany układ działał pod jednym warunkiem. To ona wybierze. Wiedzieli, że kiedyś musi to nastąpić. I kiedyś, na ostrej bani, zawarli układ, że ten odrzucony jej wolę uszanuje, a tym samym ich przyjaźń przetrwa. W grę nie wchodził nikt trzeci. Dobra nie była typem puszczalskiej, choć wciąż kręcili się wokół niej jacyś faceci. Trwała w samotności i tylko czasem szala przechylała się w stronę Esmata, innym razem bliżej z reżyserką był Jonatan. W gruncie rzeczy żyli w platonicznym trójkącie. Skupiali się na wspólnych projektach, oddychali sztuką. Każdy z nich kochając się ze swoją aktualną dziewczyną, marzył, że dotyka białego policzka Dobruchny.

Nie dalej jak tydzień temu Jonatan czuł, że jest bliski zdobycia tej góry. Dobra tylko jemu wyznała swoją największą tajemnicę z dzieciństwa. A potem zasnęła w jego ramionach i całą noc wdychał zapach jej włosów. Ale nie odważył się pocałować, rozebrać i pieścić. Jednocześnie nigdy w życiu nie przeżył nic tak intensywnego seksualnie. Przez następne kilka dni po tym zdarzeniu Jo nie jadł, cierpiał na bezsenność, generalnie chodził po ścianach ze zdenerwowania. Bo Dobra zniknęła. Nie odpowiadała na wiadomości, wyłączyła telefon. Potem się okazało, że wyjechała do rodziców, do Gdyni. Jo zwierzył się Esmatowi, co zaszło, ale ten znał już wersję reżyserki. Poklepał przyjaciela po plecach i obaj czekali na jej decyzję. Jo sam już nie był pewien, czy to kompulsywne sprawdzanie mejla dotyczy tak ważnych dla nich trojga referencji od Bajona, czy chodzi o ukochaną.

Odwrócił głowę od oczka kończącego się pod paskiem skóry na biodrach kelnerki i znów otworzył gmaila. Kiedy internet się ładował, zwinął skręta na rozluźnienie i zaczął pisać do Esmata.

– Masz chłopaka? – wymruczał, kiedy wiadomość została wysłana.

Zupełnie nie był tą informacją zainteresowany. Zadał pytanie wyłącznie dla podtrzymania rozmowy. Wciąż nie wiedział, co zrobić z Esmeraldą. Poza tym czuł, że dziewczyna nie odpowie szczerze.

– Narzeczonego – odparła. – Ale z nim nie sypiam.

Wieści od Dobrej nadal nie było. Za to przyszła długa rekomendacja od promotora. Bardzo pochlebna. Jonatan pękał z dumy. Chciał zadzwonić do przyjaciół, ale przecież nie będzie z nimi gadał przy Szeherezadzie. Podjął decyzję. Skoro się naprasza, dostanie to. Wyszukał w komputerze Spotify i kliknął. Z głośników na starej szafie popłynął *Domek w górach* Zeusa:

Zza pleców patrzy ci zawsze to małe miasto
Jego szepty nie dają ci zasnąć
Kiedy wygrywasz, coś przypomina ci wciąż
„W końcu i tak tu wrócisz z porażką"
Bo kto ma cię na własność, co? Ono

Nie chciał się do kelnerki zanadto zbliżać. Nie chciał jej poznawać. I na Boga, nie chciał wiedzieć, kim jest ten gość, z którym zaślubuje. Ale czuł, że znów wraca mu dobry humor. Na chwilę zapomniał o Dobruchnie i jej dylematach. Złożymy o tę kasę, cieszył się w duchu. Zrobimy ten film. To już pewne. Potem się zobaczy. A teraz lepszy wróbel w garści. Podgłośnił nowy kawałek:

Witam Cię ziomek w tym miejscu
Co nie generuje a degeneruje zwycięzców
Poczujesz to w powietrzu

– A co mu niby dolega? – usłyszał swój głos. – Bo tobie, jak widzę, nic.
Nie idź w to, Polikarpie. Będziesz słono żałował – zganił sam siebie. Bądź zimny, nieczuły. Nie interesuj się. Nie buduj relacji. Lód. Zerżnij ją albo wykop na bruk. Na bruk z nią! Niech idzie swoją drogą. Wszystkim życzę wszystkiego dobrego. Chrzanić jej zakolczykowaną łechtaczkę, bo na pewno tam też ma jakieś żelastwo.

– Przecież wiesz – zaśmiała się i podeszła bardzo blisko.

Patrzyła mu prosto w oczy. Wytrzymał studnię jej czarnych tęczówek, bo wyglądała na nie więcej niż osiemnaście lat i mimo siły, która z niej emanowała, miała w sobie łagodną miękkość, którą tak bardzo lubił u kobiet. Wiedział, że nigdy nie będzie należała do jego świata. Piątkowy epizod – tak nazywali ten typ w swoim gronie, choćby zdarzył się w środę.

– Dobry jesteś w tym, co? – Wskazała ekran monitora, a potem zdjęcia Jo rozwieszone na zmurszałych ścianach lokalu.

Kiedy opuściła rękę, ramiączko jej opadło, odsłaniając górny fragment piersi. Nie zasłoniła się. Wpatrywał się jak zahipnotyzowany w brzoskwiniowy dołek jej obojczyka i owal biustu. Biurkowa lampka uwydatniała ostre linie jej młodziutkiego ciała. Zamknął powieki i zaraz je otworzył, jakby robił jej mentalne zdjęcie, ale i posmutniał. Dobra nie napisała. Czas minął.

– Jest muzułmaninem – ciągnęła tymczasem dziewczyna, jakby recytowała swoją kwestię przed sądem. – Możemy współżyć dopiero po ślubie.

– Współżyć? – Skrzywił się.

– No wiesz...

– To tak jak katolicy. – Przysunął jej podbródek do siebie.

Oddała pocałunek.

– W przeciwnym razie ja tracę cnotę, a on godność – kontynuowała.

– U nas jest prawie to samo – wyszeptał i z typowym dla siebie milczącym zdecydowaniem, bez pośpiechu, zaczął rozbierać ją z tych lichych pasków materiału.

Poddała mu się całkowicie. Kiedy jakiś czas później leżeli w jego brudnej pościeli i Jo znał każdy centymetr jej ciała lepiej niż ukochaną *Dzikość serca*, spytał:

– Jak ty właściwie masz na imię?

– Hoda – odparła. – Hoda Esmail Seleem. Tak brzmią wszystkie moje imiona. Ale wszyscy poza tatą mówią na mnie Tośka.

– Miło mi cię poznać, Hodo. – Pocałował ją w czubek nosa. – Jestem Jo. Ale masz osiemnaście lat? – Zerwał się nagle i podniósł na łokciu.

Znów wydała mu się prześliczna, jak urocze mogą być tylko Arabki w jej wieku. Drapieżna, silna i pachnąca zielonym jabłuszkiem, ale wciąż jeszcze obleczona w skórę dziecka.

Zaśmiała się tylko i dokończyła poprzednio urwany wątek:

– Wtedy małżonek musi mnie ukarać, a jeśli tego nie zrobi, taki obowiązek przejmuje mój brat lub ojciec.

– Dobrze mówisz po polsku – ziewnął Jo.

– Urodziłam się w Łodzi – wyjaśniła i ciągnęła: – Chyba że ten, z którym straciłam godność, przyjmie mnie do siebie i pojmie za żonę.

Jonatan już tego nie słuchał, bo chciało mu się okrutnie spać. Był mile rozleniwiony i ostatnie, czego pragnął, to prowadzenie dyskusji o różnicach kulturowych. Zapadł w drzemkę. Hodę najwyraźniej zniechęcił brak odpowiedzi, bo wtuliła się w jego ramię i przestała gadać.

Zbudziło ich gwałtowne walenie do drzwi. Jo nie ruszył się z wyrka. Mocniej przykrył się kołdrą i zwinął w kłębek, odwracając się do kochanki plecami. Tymczasem ona wyskoczyła z łóżka jak poparzona i zaczęła się pośpiesznie ubierać. Koza w rogu wygasła, było potwornie zimno. Nie mogła znaleźć majtek, więc wciągnęła rajstopy na gołą pupę, top wcisnęła do torby i porządnie otuliła się swetrem. Nadal szczękała zębami, drżały jej ręce. Bezskutecznie próbowała obudzić Jonatana i szeptała w panice, jakby stała się tragedia:

– To mogą być moi bracia! Pewnie ktoś widział nas na Piotrkowskiej. Mój ojciec ich wysłał. Nie wydaj mnie!

Jo bardzo niechętnie wylazł wreszcie spod kołdry. Rzucił kelnerce swój polar. Sam zaś naciągnął na chudy tyłek kraciaste bokserki i klapiąc hałaśliwie kubotami, ruszył do szkatułki koło komputera, gdzie trzymał stuff, by skręcić sobie blanta. Dopiero potem, mijając zygzakiem porozrzucaną na korytarzu własną garderobę, ruszył do drzwi.

Ktoś próbował włożyć klucz do zamka, co go nieco uspokoiło, że na razie nie przyszli po niego mudżahedini. Reszta wrzeszczała i rzucała pod jego adresem podłe kalumnie. Umowa była taka, że sztabę zakładają tylko na okoliczność schadzki. Tak poza tym zawsze i o każdej porze można do tego lokalu wchodzić i z niego wychodzić bez robienia rumoru. Jonatan uważał, że dotąd nie złamał regulaminu. Kiedy odblokował w końcu zamek, do pokoju wdarła się dowodzona przez Esmata ekipa z kolosalnym antycznym meblem w rękach, do złudzenia przypominającym trumnę, w której zmieściłby się sam hrabia Drakula. Po zapachu Jo domyślił się, że została znaleziona na śmietniku albo kupiona od lokalsów za dwa piwa.

– Kurwa, jaki ciężki ten rupieć! Ja jebię!

Szron starł pot z czoła. To on regularnie dostarczał filmowcom wszelkie prochy. Obok niego stał oczywiście Szadź i ledwie łapał oddech.

– Co za dzień, frajerze – nawijał dalej Szron. – Człowiek cały dzień się trudzi.

Klepnął Jonatana po ramieniu.

– Ale mam dla ciebie coś ekstra na wieczór. Mefa. Po dychu. Dziś promocja, parówo.

– Właźcie. – Jonatan szerzej otworzył drzwi.

– Się właściciel kamienicy ucieszy. Pewnie ma w środku całe robactwo świata – pochwalił zdobycz Jonatan.

– Ale jaki piękny! – odparł łamaną polszczyzną niemal czarny Arab.

– Chłopie, miałeś być za dwie godziny! – narzekał Jonatan. – Ledwie skończyłem obróbkę. Wiem, że ty jesteś szybki, ale ja jestem ro-man-tyczny.

– Taa. Jak mój pies w Aleksandrii. Chciał posuwać nawet kury, jak go naszło.

– Esmat? – padło z dużego pokoju.

– Hoda? – Esmat odsunął Jonatana i chwycił kelnerkę za ramiona. Potem odwrócił się i z nienawiścią spojrzał na przyjaciela. – Co ona tutaj robi?

Jo nie zdążył nic odpowiedzieć, bo do pokoju wkroczyła Dobra. Była w granatowej dwurzędówce, plisowanej spódnicy w kratę i lakierowanych jazzówkach. Jo dawno nie widział jej tak wystrojonej. Uniosła rękę. W palcach, jak robaka, trzymała koronkowe majtki składające się z kilku sznureczków i błyskotek brzęczących przy każdym poruszeniu.

– *Belly dance*? – zwróciła się do Jonatana.

– Lubię czasem poćwiczyć. – Przywdział na twarz głupawy uśmiech i wzruszył ramionami. – Babki na wieczorkach panieńskich strasznie to lubią. Komercha, co robić.

Zamilkł, bo się zawstydził. Wcale tego sprzętu nie pamiętał. W drugiej ręce Dobra trzymała kopertę. Przedarła ją i schowała do kieszeni, a potem rzekła:

– Wysłałam kilka esemesów. Myślałam, że pójdziemy na kielicha, Jo. Napisałam nawet list miłosny. Chyba pierwszy i ostatni w życiu. Mało mi ręka nie odpadła. Ale jak widzę, sprawa jest nieaktualna. Przynajmniej dla jednej ze stron.

– Jeśli o mnie chodzi, jest podobnie – wtrącił się Esmat, odsuwając się od Hody. I dodał po arabsku: – Najpierw ty poinformuj ojca. Niech zdecydują starsi, bo ja mam w dupie waszą tradycję, ale twój tata nie.

Jo zawrócił do sypialni. Pośpiesznie się ubrał i rzucił biegiem w kierunku schodów, krzycząc imiona przyjaciół.

– Za to ja chętnie się zabawię. Artysty, menele… Co za dzień – orzekł Szron i nachylił się do Hody. Wyszarpnął pięść z kieszeni. Dziewczyna odruchowo osłoniła się przed ciosem. Szron uśmiechnął się, objął ją ramieniem i rozwinął dłoń. W zagłębieniu leżały kolorowe tabletki. – Może najpierw komunia święta, a potem zrobimy małe nescafé? Łódź kreuje.

Piwnica

Mieczysław „Cybant" Orkisz nabrał głęboko powietrza i pchnął lekko drzwi, starając się nie sapać, choć tusza mu to mocno utrudniała. Potem, człapiąc i robiąc wielki rumor, sturlał się schodami w dół, dbając jednakowoż, by nie zapalać światła. Już mu kiedyś w trakcie akcji zrobiono zdjęcie komórką. Potem film trafił do zarządu nieruchomości, a koniec końców Cybanta wykukała psiarnia. Wolał nie ryzykować ponownie. Wtedy ostrość nie pozwalała na wiarygodne rozpoznanie twarzy. Dziś nurki mogą mieć lepszy aparat. Hałas zaś nie przeszkadzał ani jemu, ani tutejszym mieszkańcom. Choćby siekierą mordowali tu człowieka w biały dzień, lokatorzy nie wylezą do czasu, aż hałas przycichnie. Ale przez judasz audyt czynią zawsze i o każdej porze. Tego Cybant był bardziej pewny niż nowej pojemności małpek miętówki.

Cybant znał każdy załom tej kamienicy, podobnie jak duszący zapach pleśni, na który od wiosny skarżyli się lokatorzy, żądając od właściciela natychmiastowego osuszenia budynku. Cybant opiekował się Ogrodową 17 już trzeci rok. Przeklinał dzień, w którym Leon Ziębiński, jego

71

mocodawca, zakupił tę najgorszą bodaj ze wszystkich posiadanych kamienic oraz przekazał mu ją do wyczyszczenia. Cybant miał z nią najwięcej roboty. Nawet slums na Sienkiewicza, czarny okręt na Włókienniczej czy niemal pusty już dom wielorodzinny na Gdańskiej nie wymagał od niego takiej kreatywności.

Ostatni schodek okazał się niższy i Cybant prawie zarył nosem w glebę. Utrzymał się jednak w pionie i nie upuścił swego podręcznego narzędziownika. Pod pachą niósł śrubokręt, nożyce do cięcia metalu, dwie rolki taśmy izolacyjnej oraz łom. Okazało się jednak, że wszystkie te sprzęty ciągnął dziś ze sobą niepotrzebnie. Zapomniał, że kilka miesięcy temu, kiedy wpuszczał do budynku szczury, osobiście zerwał pokrywę od skrzynki z bezpiecznikami i wyrzucił ją na stos gruzu, który do tej pory straszy przed wejściem. Góra rośnie w miarę postępów remontu, a ten, wedle życzenia jego chlebodawcy, ma zostać ukończony dopiero po wyprowadzce komunalnych, którzy akurat w tej kamienicy są twardsi niż orzechy kokosowe. Nie wystraszyli się szczurów, odcięcia wody bieżącej, nieregularnych dostaw gazu, rusztowania z dykty uniemożliwiającego otwarcie drzwi do klatki schodowej ani nawet ducha ciotki modystki. Dużo kosztowała Cybanta zwłaszcza ta zabawa. Okazało się, że wygenerowanie kółek z dymu papierosowego nad krzesłem, gdy jednocześnie sterczał jak debil na kaloryferze w szynelu z wypożyczalni strojów filmowych, nie jest łatwą sprawą. Tym bardziej jeśli waga „ducha" to, lekko licząc, sto czterdzieści lub sto pięćdziesiąt kilo. Poza tym mógł wylecieć przez dziurawe okno, które sam kazał robotnikom powiększyć kilka dni wcześniej. A co gorsza, omal nie nabawił się raka płuc. Cybant bowiem nigdy nie nauczył się palić i był zagorzałym wrogiem tego akurat nałogu.

Teraz pogrzebał w kieszeni i znalazł właściwy bezpiecznik. Wujek miał w składziku podobnych całe skrzynki. Bardzo popularne topikowe cacko, lubiane zwłaszcza przez gospodarnych bałuciarzy, którego efektem ubocznym bywał gwarantowany pożar pomieszczeń. Przez środek wuj Cybanta przeciągał cienki drucik, który sprawiał, że bezpiecznik nie rozłączał obwodu nawet przy maksymalnym przegrzaniu instalacji oraz nadal doskonale przewodził prąd, choćby telewizory, farelki, żelazka i lodówki furkotały na najwyższych obrotach. Tyle że tam kable szły po murze, więc było widać, gdzie przeskakuje iskra, i w razie zapłonu szybko dało się zaradzić nieszczęściu. Ten bezpiecznik, który Cybant za chwilę zamierzał sprezentować mieszkańcom Ogrodowej, był wersją ekskluzywną, arcyzakamuflowaną, gdyż Anetka, jego była narzeczona, w swej łaskawości zgodziła się odstąpić starą emalię do paznokci firmy Delia i fachowo pomalować drobiażdżek na białą perłę z linii wedding. Cybant musiał teraz tylko dokonać wyboru, który ze zdrowych bezpieczników podmienić, a ponieważ czuł się przy tym prawie jak dentysta, wybrał najzdrowszy, najbardziej lśniący „ząbek" i na jego miejsce zamierzał wstawić małą bombkę z opóźnionym zapłonem.

Zbliżył się do skrzynki. Chwycił obcęgami i zaczął wkręcać niespodziankę, ale szło opornie. Stał za daleko. Po drabinę nie chciało mu się chodzić, bo już miał zadyszkę. Tego wieczoru zaś czekało go jeszcze wiele zadań i niezrealizowanych pomysłów, jak uprzykrzyć życie menelom z innych kwartałów. Przysunął więc jakąś beczkę, która stała na samym środku korytarza, i przymierzył się, jak by się tu na nią bezboleśnie wspiąć. Omal nie wywinął orła, ponieważ gdy tylko znalazł się na górze, zza beki coś się wyturlało. Coś ogromnego, ciepłego i miękkiego. Tłuścioch poświecił i stwierdził

73

z odrazą, że to coś nie tylko cieknie, ale i śmierdzi. Odchylił szmaty, którymi nakryto ów stękający kształt, by pojąć, że to zawodowy alkoholik Bogumił Rakowiecki, zajmujący jeden z większych lokali w jego budynku.

– Suń się, Boguś.

Cybant kopniakiem przemieścił nieprzytomnego lokatora, a następnie skupił się na robocie. Otarł pot z czoła, wysunął czubek języka i bardzo starannie wymienił bezpiecznik na mostkowany. Był całkowicie pewny, że stara instalacja nie przetrzyma siły tego cacka i pożar wybuchnie najdalej pojutrze.

Po robocie odetchnął głęboko, pochylił się nad ochlaptusem i przyjrzał się Bogumiłowi. Dziś pijaczyna wyglądał znacznie gorzej niż zwykle. Sikał krwią i prawie wcale się nie ruszał. Zdało się nawet Cybantowi, że Boguś jest niepokojąco zimny. Usta miał zsiniałe, a zamiast twarzy krwawą miazgę. To się Cybantowi zupełnie nie spodobało, bo musiał jeszcze skoczyć pod czwórkę po dokumenty, na które czekał od dwóch tygodni. Zdecydował, by na razie nie powiadamiać służb. Biorąc pod uwagę jego tutejszą sławę, ludzie z radością by mu przybili te mielone klopsy, które do niedawna były Bogusiem, więc zabrał swoje zabawki i stękając, ruszył pod górę, do wyjścia.

Z ulgą powitał świeże powietrze. Przeszło mu wtedy przez myśl, że choć lepiej dla niego by było, gdyby Boguś wreszcie uciekł do Krainy Wiecznych Łowów, jak tego od lat skrycie pragnął, to jednak nieludzkie jest zostawiać go tak pokancerowanego w piwnicy. Odchylił więc deskę od futryny lokalu numer dwa, który znajdował się naprzeciwko piwnicy, i odkręcił pokrywkę od słoika gęsto podziurawioną gwoździem. Myszki przeznaczone były dla innego lokatora, w innej kamienicy, ale trudno, załatwi się kolejne.

Po prawdzie Boguś był jedyną osobą, która tak naprawdę dała się tutaj lubić. Zanim sam ruszył piętro wyżej, gdzie czekała na niego księgowa z upragnionymi dokumentami, włączył wszystkie światła. Kiedy emerytowani pracownicy Marchlewskiego spod dwójki wyjrzą za nim i zaczną wołać, zobaczą stan faktyczny zdrowia Bogusia Rakowieckiego, pierwszego tutejszego lokatora, który miał samochód i własną pokojówkę, a dziś jest pierwszym do eksmisji na bruk.

W tym momencie rozległ się hałas i najpierw zbiegła na dół chuda dziewczyna. Za nią truchcikiem podążał Murzyn, ale Cybant znał go i wiedział, że to zdolny aleksandryjczyk, student szkoły filmowej. A chwilę potem, kiedy Cybant stał już pod czwórką, zderzył się z nim młody operator bez podkoszulka, w niedopiętych dżinsach i na bosaka, choć było grubo poniżej zera. W przeciwieństwie do szpicli za judaszami, jak obstawiał Cybant, rozemocjonowana trójca zupełnie nie zwróciła na niego uwagi. Potem rozległ się głośny krzyk i lament. Cybant zaczął więc mocniej walić do drzwi i jak tylko uchyliły się na długość łańcuszka, włożył nogę w szczelinę, użył nożyc do metalu i przesunął kobietę znajdującą się w środku, jakby była pionkiem szachowym. Kiedy tylko zdołał schować się w środku, w kamienicy zgasło światło.

Dobra robota, wujciu, pomyślał Cybant. To nie bezpiecznik. To majstersztyk.

Lokal numer 4, pierwsze piętro

Hanna Duwe była drobnokoścista i szczupła, lecz silna jak pantera, o czym Cybant miał okazję niejeden raz się przekonać, kiedy jeszcze jako wątłego jak szczaw bajtla wyciągała z kanałów, gdzie krył się po wywiadówkach przed rozjuszonym ojcem. To było dawno temu, lecz Hania mimo dojrzałego wieku zachowała gibkość i wciąż była do rzeczy. Choć może niekoniecznie w tej chwili, ponieważ na głowie miała dziwaczną folię z gumką, a na twarzy czarne zacieki. W świetle ledowej latarki, którą w jej kierunku wymierzył Cybant, wyglądała wprost upiornie.

– Zabieraj to, synku, ale już! – syknęła.

Cybant natychmiast przesunął snop światła w dół. Rzucił narzędziownik pod stół, nożyce schował za siebie i stanął, wstydliwie krzyżując stopy, jakby znów był przewodniczącym klasy mat-fiz na dywaniku u dyra, a Hania jego wychowawczynią, która po raz kolejny, mimo wszystko, staje w jego obronie.

– Teraz wmieszasz w to pogotowie energetyczne! – mruknęła Hanna, kręcąc potępiająco głową, po czym poszła szukać zapałek. Słyszał, jak krzyczy z końca korytarza: – Mieciu, po co ja cię do tej matury przygotowywałam! Aż żal patrzeć. Taki talent się zmarnował. Z ciebie mógł być drugi Mateusz Taszarek*.

Cybant pochylił głowę. Hanna poklepała go po nalanej twarzy.

– No już, nie gadam – szepnęła dobrotliwie. – Masz gigantyczne koszty. Kobieta ciosa kołki na głowie. Dzieci chcą nowego ajfona, rozumiem. Wiem, jak jest. Przyganiał kocioł garnkowi – westchnęła ciężko.

Zapadło długie milczenie. Chwilę później Cybant trzymał znicz cmentarny, a Hanka, w okularach bez oprawy, dłubała przy junkersie, który odmówił współpracy, choć wcale nie był na prąd. Folia leżała w wannie wraz ze ślicznymi, od bodaj dwudziestu lat całkiem białymi lokami czterdziestoparolatki, które – jak wieść niosła – zbielały jej z kasztanowych jednej nocy po aresztowaniu za fałszerstwo czeków. Na głowie kobiety tkwił teraz plaskaty czarny kask.

– Dlaczego chcesz akurat lokal Naumowicza? – zagaił Cybant.

– Podaj trójkątny śrubokręt – odparła.

Cybant odwrócił się do plastikowej walizeczki, w której w pedantycznym porządku właścicielka ułożyła swoje skarby. Na ostatnią Gwiazdkę Cybant podarował jej profesjonalną młoto-wiertarkę Makity z kompletem dłut. Nigdy nie widział Hani tak szczęśliwej.

– Nie ten, drugi z prawej. Z żółtą rączką i światełkiem.

– Toż to nora – starał się ją zniechęcić, ale wylał na siebie tylko pół znicza wosku.

– Mnie się podoba.

---

* Mateusz Taszarek – genialny polski fizyk, twórca systemu alarmowania o możliwości wystąpienia tornad.

Cybant nie wiedział, co odpowiedzieć. O gustach się nie dyskutuje. Platyna sama go tego uczyła.

– Gdybyś nie wykombinował tego bezpiecznika, wszystko by działało – narzekała tymczasem kobieta. – Może sąsiedzi to jakoś połączyli. Nie ma nic. Wody, prądu, gaz też nie idzie. A jak tego zaraz nie zmyję, włosy mi wypadną. Będę łysa, co dla ciebie nie wróży zbyt dobrze.

Cybant wzruszył ramionami. Platynę szanował bardziej niż matkę, zwłaszcza że swojej nie znał, ale biznes to biznes. Musiałby urobić jakoś Leona, ale ten stary cwaniak, od razu wyczuje pismo nosem. Poza tym jak to będzie wyglądało? Stara baba dyryguje Orkiszem! Cała firma miałaby z niego bekę.

– Nie wolałabyś mieszkania Bogusia? – ratował się ostatkiem argumentów Cybant.

Marchewka przede wszystkim. Kije zawsze się znajdą, ale jeszcze nie czas. Na razie wolał uniknąć kija na własnej dupie. Leon i bez tego ćwiczy na nim jak na worku bokserskim.

Hanka podniosła głowę. Zmarszczyła się. Wiedział, że ją zdenerwował, choć nie miał zielonego pojęcia, co ją tak zeźliło.

– Bogusia Rakowieckiego – uściślił. – Tego pijaczyny. Jest najładniejsze w kamienicy. I połowicznie własnościowe.

Platyna nabrała powietrza. Chciała coś odpysknąć, ale w ostatniej chwili zmieniła zdanie.

– Chcę mieszkanie pana Zbigniewa – rzekła najuprzejmiej. – Jak przejmiesz lokal, dostaję jego kwadrat. Pod tym warunkiem zrobiłam wam kwity.

– To może nie być takie proste. – Cybant zamyślił się, choć wiedział, że lokator od dawna chodzi w urzędzie wokół administratorki świeżo odnowionej kamienicy na rogu ulic Północnej i Nowomiejskiej. Liczy, że z famuł przeprowadzi się do pokoju z freskami i dziewiętnastowieczną sztukaterią. Orkisz nie wiedział, ile Naumowicz dał łapówki, ale sprawa była ponoć załatwiona. Zbigniew wiele razy śmiał mu się w twarz. Był przekonany, że jego przeprowadzka to tylko kwestia czasu. Tymczasem gmina najpierw wstrzymywała się do zakończenia prac remontowych w budynku, a teraz na jaw wyszło, że dom został sprzedany prywatnemu właścicielowi. Przetarg wygrało znane konsorcjum masowo skupujące zrewitalizowane budynki. Naumowicz mógł o tym nie wiedzieć, bo przetarg odbył się dopiero przed tygodniem, ale to nie był facet w ciemię bity, więc z pewnością zgłosi się po zadośćuczynienie. Kiedy Leon chciał się go pozbyć z famuł, zaoferował Naumowiczowi dwa tysiące. Wszyscy za taką kwotę całowali kamienicznika po rękach, Zbigniew zaś śmiertelnie się obraził, po czym podbił cenę do jedenastu. Tak trwali w pacie drugi rok.

– Inaczej nie dostaniesz testamentu Sznaucerowej, Mieciu – rzekła łagodnie Platyna. – A postarałam się. Nie było łatwo. Jadwiga Marcisz z Urzędu Stanu Cywilnego bardzo się teraz boi i za nic nie chciała pokazać mi wniosku o dowód starej. W końcu dała skan, ale bardziej ze strachu niż z chęci zysku. Nawet trzech stów nie wzięła. Musiałam zostawić jej banknoty pod szpargałami. Złe czasy idą. Ponoć wszystkich w gminie mają teraz na widelcu. Prokuratura im żyć nie daje. Proces duży się szykuje.

– Jak załatwimy sprawę, mogą robić procesów, ile wlezie. – Cybant uśmiechnął się szeroko. – A ty się nie obawiaj. Nie damy cię ponownie zamknąć.

– Ja myślę. – Hanna wzruszyła ramionami. I dodała w myślach, że zbyt wielu by tego nie chciało.

Bo tym razem poszłaby na współpracę, a haków na każdego z osobna ma po kilka sztuk. Nie była pewna, czy nie odbiłoby się to rykoszetem i na jej wychowanku. Ale albo ma się miękkie serce, albo twardą dupę. Platyna miękkie serce już miała. Jak na tym wyszła, wie tylko ona sama. I może jeszcze kilka osób, które ją wkopało. Przez lata nie wiedziała, komu zawdzięcza te siedem lat odsiadki. Tylko chęć poznania nazwiska zdrajcy trzymała ją przy życiu za kratami. Dziś miała pewność. Wydał ją jej własny tatuś, swego czasu wzięty fałszerz dokumentów. Najpierw nauczył ją wszystkiego, ale gdy zaczęła działać na własną rękę i odebrała mu sławę w mieście, wydał ją policji. Kiedy go zgarnęli, był w delirce. Zrobiłby wszystko dla szklanki wódki.

Wreszcie Hanna znalazła przyczynę awarii junkersa. Ktoś przekręcił śrubę kontrolną i odłączył rurę wylotową z komina oraz zatkał ją pakułami. Platyna zrozumiała, dlaczego, gdy dwa tygodnie temu podnajmowała ten lokal, kazano jej się kąpać przy otwartym oknie. Było tego dnia dziesięć stopni mrozu, więc zignorowała informację jako mało pomocną. To, że nie zaczadziała, zawdzięcza tylko temu, iż przychodziła na Ogrodową wyłącznie pracować. Kąpała się w grupowej łaźni hostelu Cynamon, gdzie za towarzyszy miała głównie Rosjan i Żydów. Czasem trafiała się studencka brać na szkolnych występach, kilku kolarzy czy czwartoligowa grupa siatkarek. Przeważnie przy śniadaniu nie słyszała polskiego, co w sumie bardzo jej odpowiadało. Sama doskonale mówiła po francusku, więc kiedy tylko mogła, szlifowała język i nie przyznawała się, że jest rodowitą mieszkanką Łodzi.

Odkręciła kurki, postukała w rurę. Odpowiedziało jej echo. Zamknęła walizeczkę, wcześniej pieczołowicie ułożywszy w skrzynce wiertła, dłuta i obcęgi, a następnie ją zatrzasnęła.

– Kuchnia – zarządziła, a czarna grzywka opadła jej na oczy.

Tam w kranach było to samo. Wspólnie z Cybantem przejrzeli szafki, ale tylko w jednej z nich, na samym dole, znaleźli trochę płatków owsianych. Wreszcie za kaloryferem Platyna wykryła zaplombowaną flaszkę octu. Podniosła ją ostrożnie i podała Cybantowi. Otworzył, powąchał. Wreszcie włożył do butelki palec.

– Nitrogliceryna to nie jest – orzekł.

Hanna nachyliła się nad zlewem i krzyknęła:

– Ręcznik. W mojej torbie. Różowy.

Po czym zakryła oczy kawałkiem papieru toaletowego i polewała głowę octem, aż butelka była pusta.

– Będę żyć. – Zawinęła turban. – Choć za te piekące oczy należy ci się kopniak w jajka.

Usiedli przy stole. Cybant rozsunął zamek kurtki, wyjął plik banknotów. Odliczył pięć setek. Położył na stole. Obok ułożył trzy setki jako zwrot kosztów urzędniczki z USC.

Hanna nie ruszyła się na milimetr. Nawet nie mrugnęła okiem. Cybant odliczył więc drugie pięć banknotów i dołożył do kupki. Hanna tym razem nie ukrywała zawodu.

– Pracujesz z najlepszym ekspertem pisma w kraju. – Odchrząknęła, a potem huknęła na mężczyznę, jakby zrobił jej psikusa i ukradł dziennik z pokoju nauczycielskiego, by dopisać sobie kilka piątek. – Kraków się o mnie bije. W Poznaniu chcą mi dać jako zaliczkę lokal przy rynku, a ty... – Zachłysnęła się, szczerze odgrywając oburzenie. – Ty! Moje dziecko prawie! Na tej piersi wyhodowane! Ty, Mieciu, z tymi blaszakami do mnie? Daruj. – Odwróciła się i wyjęła z kieszeni gumę antynikotynową. Włożyła ją sobie do ust i odwróciła głowę.

– Wierz mi, Platyna, chciałbym. Ale więcej nie mogę.

– Więc? – Przekrzywiła głowę. – Co mi oferujesz? Może inaczej: co jeszcze mi oferujesz? Bo to – zmiotła banknoty ze stołu – zdecydowanie za mało.

– Wiesz, ilu ludzi trzeba opłacić? Jakie to koszty?

– Jeśli nie opłacisz mnie, nikomu nie będziesz musiał dawać ani grosza – powiedziała twardo.

Wyjęła z teczki dokumenty i położyła na stole. Cybant wyraźnie podniecił się na ich widok. Był teraz czerwony na twarzy, cały się świecił od potu. Jego opasła twarz zwiotczała i policzki zwisały po bokach jak fafle u buldoga. Hanna pomyślała, że jeśli chłopak nie schudnie i nie zmieni trybu życia na mniej stresujący, zejdzie któregoś dnia na zawał i poza nią nikt po nim nie zapłacze. Miażdżyca dopadnie go, zanim skończy trzydzieści lat. Zresztą patrząc na niego, trudno uwierzyć, że jest taki młody. Ludzie czasem dawali mu cztery, czasem nawet pięć dekad. Skrupulatnie to wykorzystywał, choć w duchu cierpiał i obżerał się jeszcze bardziej. Patrzyła, jak podziwia jej pracę. Wreszcie podniósł na nią wzrok i widziała teraz w jego oczach szczery zachwyt, co ją ujęło. Nie ukrywał już, że mu głupio, że się wstydzi za mocodawców, którzy wyasygnowali na jej dzieło zbyt mały budżet. Ale Cybant zawsze miał jakąś rezerwę. Nie był zwykłym żołnierzem „Ptysia". Już nieraz udawało jej się wyrwać mu z gardła niewielką premię. Wiedziała, że jest bliska osiągnięcia celu, ale wciąż jeszcze go nie złamała. Dołożyła kolejny, koronny dokument. Orkisz drżącą ręką i z pietyzmem zaczął rozkładać na kolanach wszystkie zżółknięte, pieczołowicie wykaligrafowane kartki. Świecił sobie komórką i dokładnie je oglądał. Podpis na zalaminowanym dokumencie z logotypem urzędu był identyczny jak ten stworzony drobnymi dłońmi pani Duwe.

– Platyna, jesteś genialna – przyznał i sięgnął do kieszeni po kolejne trzy dwusetki.

– Nie musisz się wysilać. Zawsze byłam, więc jestem przyzwyczajona do komplementów – odparła bardzo spokojnie Hanna. – Ale te są lewe.

Cybant zaniemówił.

– Jak to lewe?

– Normalnie. Mogę, jeśli się postaram, zrobić mały błąd, taką drobną zmyłkę. Biegły zwątpi wówczas, a jego opinia, choć będzie pozytywna, to niekategoryczna. Tym samym nie będzie to dowód pewny i jednoznaczny. Sąd zażąda skompletowania ponownych materiałów porównawczych, większej liczby próbek podpisów, ale one nie istnieją, zachował się tylko ten jeden podpis na wniosku o dowód, już się postarałam o zaginięcie pozostałych dokumentów, więc sędzia zdecyduje się zlecić rzecz kolejnemu ekspertowi. Każda następna próba zidentyfikowania wykonawcy nie będzie stuprocentowa. Ponadto jeśli zaczną węszyć wokół czasu powstania dokumentu, to żaden biegły pisma nie podejmie się stwierdzenia kategorycznego, czy to zostało napisane dziś, czy siedemdziesiąt lat temu. Będą badać papier, robić próby fizykochemiczne, używać chemikaliów, ciąć i sukcesywnie niszczyć materiał dowodowy. Wreszcie sąd zgłupieje i zdecyduje wedle pozostałych zebranych dowodów. Ponieważ jednak kamienica jest świeżo odnowiona, nie odda jej tobie, lecz zostawi w rękach miasta. Dupochron. – Wzruszyła ramionami.

– To nie ja będę słupem. Zwariowałaś?

– A kto?

Cybant się zmieszał.

– Taki Polak z Grecji. Przyjeżdża pojutrze z żoną. Pewniak.

Hanna kiwnęła głową.

– To na nią pisałam. Laura Mazur. Prawnuczka Leonii Sznaucer, z domu Poznańska. Kwity ma dobre. Sprawa jest bardzo prawdopodobna.

Cybant pokiwał głową.

– Ale możesz też nie zrobić błędu? – zaniepokoił się.

– Bo on tu jest? Możesz zrobić drugi dokument, jeszcze lepszy?

Hanna podniosła kartkę.

– Błąd jest zawsze. Nie ma dwóch identycznych podpisów tej samej osoby. Z wiekiem pismo nam się zmienia. Na starość dochodzi tremor, zwiotczenie mięśni. Sprawy zdrowotne, samopoczucie, stan majątkowy. Czy człowiek był trzeźwy, czy się bał – od tego wszystkiego może zależeć, jak wygląda dana próbka pisma.

Cybant się zmarszczył.

– I co w związku z tym, Platyna, bo mam jeszcze w chuj pracy? Zrobisz czy nie?

Złożył do plastikowych okładek wszystkie materiały. Zamknął. Był rozzłoszczony.

– A raczej: za ile?

Platyna wstała. Podeszła do wieszaka. Zdjęła ręcznik, włożyła grubą wełnianą czapkę. Zaczęła się ubierać. Kiedy miała na sobie kurtkę, ustawiła swoje rzeczy pod drzwiami. Z kieszeni wyjęła klucz do mercedesa. Położyła go na stole. Cybant wpatrywał się w kluczyk i liczył, ile kosztuje jej samochód oraz kiedy na niego zarobiła. Platyna tymczasem pochyliła się i pozbierała wszystkie banknoty, które wcześniej rozrzuciła. Przeliczyła. Brakowało dwóch. Cybant miał je koło nogi. Podał jej. Czekał.

– Mieciu, od dziś mówisz mi Lauro – rzekła Platyna, chowając pieniądze do plecaka reklamowego z naszywką firmy farmaceutycznej. – I uprzedź, proszę, mojego męża, tego Polaka z Grecji, co mówi tylko po francusku, że lepiej dla wszystkich, by był dla mnie miły. Bo tylko ja wiem, jak zamaskować błąd. Każdy inny wpadnie i raczej jest więcej niż pewne, że z Traugutta dziesięć może się i uda, ale z kamienicą Pod Gutenbergiem możecie się pożegnać. A ze mną na sto procent ją przejmiemy. Przejmiemy i szybciutko sprzedamy. Takie cacuszko na samym środku Piotrkowskiej nie może przecież stać puste.

– Nie jesteś niezastąpiona, Platyna – wydukał przerażony Cybant. Wiedział, że jeśli ktoś nie chce przyjąć części, to prawdopodobnie zamierza wziąć wszystko, całość. – Będą szukać kogoś na twoje miejsce. Nie tu, to w innym mieście.

Hanna tylko się zaśmiała.

– Poczekaj tu, aż odjadę. Zaparkowałam po drugiej stronie. Usłyszysz silnik.

Po czym przesunęła w jego kierunku swój dowód osobisty. Ze zdjęcia patrzyła na niego młodziutka Hanna Duwe. Zamiast białych loków, jakie znał od lat, miała na głowie perukę – czarny, krótko ostrzyżony kask.

– Załatw mi na to folijkę z nazwiskiem Laury. Tylko żeby się nie odkleiła jak ostatnim razem, synu.

Strych, przed północą

Mateusz Gajek wyciągnął zza pazuchy doniczkę z gwiazdą betlejemską i otarł pot, który zgromadził mu się nad górną wargą od wysiłku. Mimo iż skończył już dwadzieścia jeden lat, wciąż nie używał golarki. Do najwyższych mężczyzn nie należał, więc zawsze kupował ulgową migawkę. Czasem tylko kontrolerzy prosili go o legitymację szkolną. Jąkał się wtedy, w oczach stawały mu łzy i z plecaka wyrzucał stare zeszyty szkolne, chyba jeszcze z podstawówki. Zwykle go puszczali. Dla tych upartych miał dokument o niepełnosprawności umysłowej i groźbę zawiadomienia opieki socjalnej. Wprawdzie nie było na to zniżki, ale żaden kanar nie był chętny do dyskusji z wariatem.

Wspiął się teraz po ciemku na siódme piętro. Na każdej kondygnacji próbował zapalić światło, ale żaden włącznik nie działał. Świecił sobie komórką i stąpał ostrożnie. Kiedy skończyły się murowane schody z kutą balustradą, zawahał się. Przejście zdobiły odręcznie napisane komunikaty. Jeden z nich ostrzegał: „Jeśli ktoś jeszcze raz zakręci wodę bez uzgodnienia, dostanie po ryju". Zostały mu do pokonania tylko drewniane, chybotliwe szczebelki, przez które widać było mozaikę na parterze. Pokonał jednak tak długą drogę, że nie opłacało mu się rezygnować. Tylko kilka kroków i strych stanie przed nim otworem. Bał się jedynie, czy znajdzie właściwe drzwi. Czasem takie poddasza w Łodzi zajmowało kilka wojujących ze sobą watah bezdomnych. Można było dostać rykoszetem w wyniku ich kłótni o Widzew kontra ŁKS.

Mateusz jechał na Ogrodową tramwajem ze Zgierza, dziewięć kilometrów w linii prostej. Przez czterdzieści minut chronił kwiat przed mrozem, flaszkę kolorowej zaś, którą miał w kieszeni jako gościniec – przed stłuczeniem. Niestety niewiele już w niej zostało, bo łyk po łyku opróżniał ją trochę ze stresu, a trochę z zimna. Odstawił ją teraz na jednym z pięter – była już całkiem pusta. Miał przecież w prezencie dla dziewczyny wiersz.

Zauważył ją pierwszy raz pod cmentarzem na Dołach, trzy dni przed Świętem Zmarłych, kiedy przyjechał z matką odkurzyć grób dziadków. Wcześniej byli na Brackiej, bo choć Żydzi celebrują pamięć przodków jedynie w rocznicę śmierci, to matka zawsze wiozła kamień ze Zgierza, by ułożyć go na kurhanie Gołdy, swojej praprababci. Mateusz jak co roku zabijał nudę, spacerując między niepozornym, wrośniętym niemal w ziemię nagrobkiem Ślepego Maksa, a właściwie Menachema Bornsztajna, bezwzględnego mordercy, sprytnego złodzieja i bałuckiego Don Corleone, który w dwudziestoleciu trząsł tutejszym półświatkiem, a monumentalnym mauzoleum Izraela Poznańskiego, jednego z dwóch najbogatszych łódzkich fabrykantów. Zdaniem Mateusza grobowiec żydowskiego milionera kształtem przypominał bardziej Artuditu, robota z *Gwiezdnych wojen*, niż budowlę sakralną. Choć z pewnością oszołamiał przepychem i powstał wbrew wszelkim prawom religijnym.

Sama mozaika, którą wyłożono sklepienie pomnika, składała się z ponad dwóch milionów elementów. Przedstawiała motywy biblijne, a w każdej z czterech jej części pojawiała się palma nad wodą jako symbol sprawiedliwości i obfitości. Dziś ostał się z tych zdobień tylko wielki napis „Poznański", i to ten właśnie zabytek przyciągał na cmentarz tłumy turystów. Mateusz zawsze kiedy tu bywał, rozmyślał, jak zgromadzić tyle pieniędzy, by nawet po śmierci ludzie ci zazdrościli.

Matka nigdy nie spacerowała po cmentarzu. Nigdy też w domu nie rozmawiali o tym, czy są Żydami. Mateusz był jednak pewien, że stara się przyjeżdżać tutaj incognito. Zawsze wysyłała go po nieduży wieniec, choć to była wyłącznie katolicka tradycja. Tak też było i tamtym razem. Nakazała znaleźć okienko z biletami i folderami informacyjnymi, a potem zapytać, czy nie ma szansy na izraelskie znicze w niebieskich puszkach. Oświadczyła stanowczo, że nie zamierza pchać się tu pierwszego listopada, kiedy ludzi ogarnia potrzeba spacerowania wśród zabytków. Wystarczająco naoglądała się zdjęć łódzkiego getta w Centrum Dialogu. A zresztą w telewizorze dają w tym dniu ciekawe filmy. Potem pojechali do przodków ze strony ojca na Doły.

Kalina sprzedawała znicze przed bramą i miała najwyższe ceny. A choć ubrana była w grubą ocieploną kamizelkę oraz workowate dresy, od razu wpadła mu w oko. Potem przyjeżdżał codziennie, obserwował ją z oddali. Słuchał, jak rozmawia z klientami, i patrzył, z jakim szacunkiem traktują ją wytrawne przekupki. Od razu spostrzegł, że jest inna. Może, tak jak on, kocha poezję i ma w sobie rys romantycznego buntownika? Kiedy piątego dnia sama do niego podeszła i zaproponowała gorącą herbatę, okrutnie się zawstydził, ale upił łyk z jej termosu. Powiedziała, że od jutra stoi na innym cmentarzu, i zapytała, czy tamtędy też będzie przypadkowo przechodził.

– Szefowa rzuca mnie, jak jej pasuje. Byle utarg był duży. – Roześmiała się, a on zarejestrował, że dziewczyna ma równe, zdrowe zęby. Nie to co on.

Obiecał, że ją odwiedzi, jeśli uda mu się zwolnić z pracy. Kradł angielki ze zgierskiej piekarni, którą prowadziła jego matka i w której kazała mu pracować. Wynosił cebularze, wuzetki i lukrowane warkocze. Niósł jeszcze gorące dmuchawki w tytkach i wręczał oblubienicy, zapewniając, że miał niedaleko spotkanie. Kalina zawsze dzieliła się tymi dobrami z innymi. Widział, jak bardzo jest lubiana. On nigdy nie miał przyjaciół.

Na początku nic jej o sobie nie mówił. To ona mu się zwierzała. Wiedział, że ma ojca pijaka, który wygnał z domu ją i brata, bo przeszkadzali mu w libacjach. Mama była włókniarką w Zakładach Marchlewskiego. Powiesiła się na klamce w łazience z biedy i rozpaczy, kiedy Kalina miała trzynaście lat. Do osiemnastego roku życia przerzucali ją po różnych ośrodkach, a kiedy w końcu miała prawo o sobie decydować, zajęła pustostan na strychu Ogrodowej i żyje tam ze znajomymi, z trudem wiążąc koniec z końcem, lecz wolna i niepodległa. Pomaga jej starszy brat, z zawodu garbarz, ale nie przepracował ani jednego dnia w legalnej firmie. Widuje go czasem na mieście w sportowym aucie z chromowanymi klamkami. Musi wtedy udawać, że się nie znają, bo brat nie chce jej narażać. Wie jednak, że kocha ją najbardziej na świecie, choć nigdy tego nie mówi.

– Podobno to dresiarz i bandzior, ale dla mnie najważniejsze, że jest abstynentem – podkreśliła.

Mateusz w duchu obiecał sobie, że też będzie pił mniej i nigdy, ale to nigdy, nie stawi się u niej na cyku. Wtedy

Kalina oświadczyła, że lubi się zabawić, a jak jest okazja, to nie odmawia. Ulżyło mu, że nie musi spełniać danej obietnicy.

– Byle znać umiar – rzekła i dodała, że mimo wszystko jest optymistką. – Sztuka pozwala mi przetrwać. Trochę maluję – wyznała nieśmiało. – Na ścianach. Głównie graffiti.

Mateusz czuł, że wreszcie znalazł bratnią duszę. Tylko tej dziewczynie mógł powiedzieć o sobie wszystko. Któregoś dnia, spacerując między nagrobkami, zatrzymał się przed mauzoleum Izraela Poznańskiego i wyrzucił z siebie to, czego nie mówił nikomu. Jego historia była podobna: niezrozumienie, samotność, bieda, alkohol i przemoc. Różnice widział jedynie w wątku matki. Jego rodzicielka bowiem wciąż żyła, miała się świetnie. Tylko tyła od czerstwego pieczywa, którego nie mogła wyrzucić, oddać ani sprzedać nawet schronisku dla zwierząt, więc przynosiła do domu i pożerała. Najpierw wykończyła ojca, aż rozpił się i powiesił. Wprawdzie nie w łazience, lecz na pokrętle od kaloryfera. A teraz wzięła się za niego. Od dziecka tłukła go niemiłosiernie, jakby mszcząc się na nim za całą generację chłopów opojów. Teraz zamykała go w domu i zmuszała, by tyrał jak wół, podczas gdy on wolałby pisać wiersze. W przeciwieństwie do Kaliny Mateusz był realistą. Jedyne, co mógłby zrobić, to uciec od matki, ale wciąż jakoś nie miał odwagi.

Kiedy wszystko to wyznał, dziewczyna mocno go przytuliła. Cała złość natychmiast mu minęła. Poczuł się potrzebny, kochany. Do głowy zaraz przyszedł mu ciekawy rym. Ale uciekł, bo Kalina tak słodko gładziła go po głowie i obiecywała, że w razie kłopotów zawsze może przyjść do niej i się zwierzyć. Tego dnia wracał do Zgierza na skrzydłach. W nocy napisał poemat i przez prawie tydzień nie spalił żadnego kontenera. Wrzucił do ognia tylko kilka starych maszynopisów. Miarą dojrzałego poety jest wszak umiejętność używania kosza na śmieci.

Strych był zagracony, a liczba zgromadzonych tu sprzętów z pewnością nie spełniała wymogów przepisów przeciwpożarowych. Mateusz bezwiednie pomyślał, że takie paliwo na długo zatrzymałoby temperaturę. Deski w podłodze skrzypiały i uginały się jak pałąk, kiedy przeciskał się między starymi meblami, elementami maszyn, rowerów oraz stertami szmat. W niektórych miejscach deski były regularnie przegniłe. Łatwo było wybić dziurę na wylot. Zadarł więc flauszowy płaszcz i stąpał nadzwyczaj ostrożnie.

Drzwi do mieszkania Kaliny zlokalizował po odgłosach imprezy. Były uchylone. Choć prądu wciąż nie było, biesiadnikom zupełnie to nie przeszkadzało. Przeciwnie, wewnątrz płonęły dziesiątki świec, a klimat pomieszczenia przywiódł Mateuszowi na myśl kadr ze *Stowarzyszenia Umarłych Poetów*. Na środku ustawiono stos palet spełniających funkcję stołu, na którym błyszczał rząd opróżnionych butelek po winie, kubki z nadrukami zamiast kieliszków i samotna szklanka słonych paluszków, których nikt nie jadł, jakby były jedynie atrapą. Przepełnione popielniczki. W powietrzu wisiał siwy dym. Wokół rozmieszczono niekompletne meble z bardzo różnych epok, ale nikt na nich nie siedział. Głosy mieszkańców dochodziły z głębi pomieszczenia.

Mateusz wszedł, odchrząknął i sięgnął do wewnętrznej kieszeni po wiersz. Idąc długim korytarzem, pomyślał, że znajduje się w pracowni malarskiej. W każdym zakątku stały płótna, podłoga była zachlapana farbami w tęczowy wzór. Zatrzymał się przed jednym z obrazów i zastanawiał się, czy to możliwe, by namalowała to jego dziewczyna.

Dzieło było mroczne, monochromatyczne i zbyt abstrakcyjne, jak na gust Mateusza. Przez chwilę wahał się, czy nie pomylił adresu.

– Pan do kogo? – Wyszedł mu na spotkanie niezwykle wysoki, chudy i łysy jegomość.

Mimo zaawansowanego wieku wyglądał imponująco w czarnej bluzie z wielką literą „W" na piersi, wygniecionych cygaretkach z połyskliwej tkaniny w tym samym kolorze i wysokich trampkach sznurowanych neonową taśmą. Mateusz bez pudła rozpoznał styl Gouda Works, dedykowany mieszkańcom dzielnicy Widzew.

– Ja do Kaliny – wydukał i zamachał zmiętą kartką.
– Przesyłka.

Mężczyzna zmarszczył się, upodabniając się do wychudzonego nosorożca, po czym wyciągnął długie ramię i zaprosił chłopaka dalej.

Kalina leżała na połamanej wersalce, wyzywająco eksponując nogi, jakby znajdowali się co najmniej w pałacu, a ona odpoczywała na szezlongu. Kiedy spotkali się wzrokiem, pociągała właśnie z sziszy, a jakiś facet ją szkicował. Mateusz zauważył, że rysownik odtwarza jej ciało nago, z wyraźnym zacięciem pornograficznym, choć w rzeczywistości była przecież kompletnie ubrana.

– Co się tu dzieje? – oburzył się.

– Znasz tego gnoja, Kamea? – krzyknął chudy nosorożec, ale Kalina w odpowiedzi tylko się zaśmiała.

Wstała, zataczając się. Podeszła do gościa. Objęła go ramieniem.

– A, to Mateusz. Jest piekarzem – czknęła, zwracając się do nosorożca. – Robotnicza siła Łodzi. Zazdrosny? – I dokonała prezentacji: – Ten wkurwiony basior to Aleksander, artysta malarz, fotografik i twórca wielkoformatowy. Jego prace wiszą w Łodzi Kaliskiej. Musisz go znać. A to Ralfi, twórca neopornograficzny – zachichotała.

Następnie wyciągnęła dłoń i wskazała wyjście na dach obstawione mimo mrozu doniczkami z jałowcem. Między doniczkami znajdował się materac. Ktoś na nim spał, zakutany po czubek nosa w brudnym śpiworze.

– Ten niemy to Słodowik, kiedyś genialny bębniarz. Aktualnie bezdomny. Przygarnęliśmy go wczoraj. Jutro wybywa. Chleje za dziesięciu i śmierdzi. Dlatego śpi na balkonie. No i jak ci się tu podoba? – zwróciła się do gościa.

Mateusz przyjrzał się dziewczynie i zdawało mu się, że śni. Czyżby obcował tyle czasu z kimś zupełnie innym? Ta tutaj nie była jego Kaliną. To przecież jakaś pijana zdzira.

Podał nosorożcowi doniczkę, a dziewczynie wręczył kartkę.

– Dla ciebie napisałem.

Na krótką chwilę ladacznica znów zmieniła się w jego ukochaną. Złożyła śliczne usta w ciup, zamrugała rzęsami. Miał wrażenie, że oczy jej zawilgotniały. Momentalnie poczuł ciepło w okolicy serca. Kiedy w końcu przytuliła się do Mateusza i poklepała go po plecach, cała złość mu minęła.

– Dureń jesteś. – Usłyszał pogardliwe prychnięcie. Odsunął się, sądząc, że znów coś w nią wstąpiło. Dopiero wtedy zrozumiał, że dziewczyna z niego kpi. – Co ty sobie wyobrażałeś?

Aleksander zaczął się śmiać.

– Spałaś z piekarzem, duszko?

– Odczep się od niej – stanął w jej obronie Mateusz.

– Nie spałam, debilu. Mamy jeszcze jakieś wino?

Kalina zaczęła przeglądanie flaszek. Z niektórych wypijała ostatnie łyki z gwinta, a potem radośnie rzucała butelki na ziemię. Turlały się w różne strony, ale żadna się nie stłukła, choć dziewczyna bardzo się starała. Mateuszowi żołądek na ten widok podchodził do gardła. Czuł się oblepiony brudem, chciał uciekać. Ale, tak jak przy matce, nie miał siły się ruszyć. Stał więc tylko w miejscu i patrzył.

– Po prostu było mi go szkoda – dodała Kalina i krzyknęła radośnie. W ręku trzymała w połowie pełną butelkę.

– Chodź, młody, napijemy się. Idą święta.

Klepnęła Mateusza po ramieniu, a potem zaciągnęła obok siebie na sofę. Chłopak nie wierzył, że to dzieje się naprawdę. Nikt nigdy go tak nie upokorzył. Dziewczyna naśmiewała się z niego, kpiła w żywe oczy. A on zapadł w stupor i nie potrafił wyjść, nic z tym zrobić.

Podeszli pozostali. Nawet śmierdzący bezdomny, który przyciągnął do stołu worek ze złomem, jakby bał się, że ktoś mu go ukradnie. Gdyby Mateusz spotkał go na ulicy, w życiu nie pomyślałby, że może być muzykiem, a już z pewnością nie kimś genialnym. Tylko że z tego nurka jakoś nikt nie kręcił beki.

– Dosyć, *baker*. Czytaj! – Aleksander wręczył Mateuszowi kartkę. I zwrócił się do pozostałych: – Zobaczmy, czy to w ogóle twoje. Może odpisał od Rilkego, dołożył Honeta i wyszła Wisława.

Rozległ się gromki rechot. Mateusz próbował wstać, ale Kalina siłą ściągnęła go w dół. Wcisnęła mu do ręki szklankę z winem. Wypił ją duszkiem ku ogólnej radości.

– Nie wierzyłam, że przyjdziesz – rozpromieniła się nagle. – Zuch!

Zmierzył ją spojrzeniem i zaczął czytać. Początkowo głos mu drżał. Potem jednak zapomniał o publiczności. Wczuł się w rolę, ciszę biorąc za dobrą monetę.

Zwykle bezimienne łuny pojawiają się dopiero na końcu, tu było na odwrót. Przyszedł spacer i były iskry, a dziąsła mostów jakby na zawołanie poginęły rozprute po kątach. Tak naprawdę idzie o centymetry pokonywane w euforii,

o naszą zachłanność. Umówmy się, że jutro nie znajdziesz w Mateuszkowych dłoniach ni grama zbędnego piasku, bo przemielę do szczętu całe to miasto szybujące w ślepych

półobrotach. Kiedyś tu w amfiteatrze odbywały się festyny, tańczyło się parami, zagłuszając huk ciężkich lokomotyw, a teraz przychodzi się popatrzeć na brudne żerdki światła,

na dawno pogubione rzęsy kobiet*.

Pierwsza zaczęła chichotać Kamila.

– To strasznie śmieszne, przepraszam.

Potem dołączył do niej Aleksander. Grafik i bębniarz zawtórowali na końcu. Wreszcie wszyscy praktycznie tarzali się po podłodze.

– Podsiadło to to nie jest.

– Ani nawet Rusinek.

Mateusz nie mógł tego znieść. Chwycił jedną z pustych butelek stojących na stole, utłukł szyjkę i przystawił staremu do gardła, ale Aleksander był szybszy. Wykręcił młodziakowi rękę i zmusił do położenia się na brzuchu.

– Nie zbliżaj się więcej do mojej kobiety, siusiaku – ryknął do ucha, po czym wyrzucił go za drzwi.

Kiedy Mateusz się podnosił, drzwi znów się otwarły i poleciała gwiazda betlejemska. Rzut był na tyle celny, że

---

* Tomasz Jamroziński, *Iskry*, fragment z tomiku *Przylądek do skrócenia*, Olsztyn 2007.

trafił chłopaka prosto w skroń. Kwiat wypadł z donicy, która poturlała się przez balustradę. Słychać było tylko głuchy odgłos uderzenia o posadzkę na dole.

– Wesołych świąt, dziecino – usłyszał Mateusz, a potem drzwi się zatrzasnęły.

Zachrobotała zasuwa. Rozległ się śmiech, ale szybko zagłuszyła go muzyka.

Podskoczysz nam kurwa gnoju zapluty
Założysz wieczorem betonowe buty
Wrzucimy cię kurwa śmieciu do rzeki
Głupi kutasie spoczywaj na wieki

Leżał długo w ciemnościach, dochodząc do siebie i zbierając myśli, skąd o tej porze wziąć w Łodzi butelkę ropy.

W przedsionku powstał już zator. Dym wypełniał całą klatkę schodową, ale nigdzie nie było widać ognia. Zewsząd rozlegały się rozpaczliwe krzyki. Ktoś wołał pomocy. Ktoś leżał przy ścianie, blokując przejście. Chyba kobieta. Na nogach miała buty na obcasach. Nie dawała znaku życia. Matka z dzieckiem na rękach stanęła na framudze okna i trzęsąc się, płacząc, czekała na rozpięcie trampoliny strażackiej. Jej mąż krzyczał, by skakała. Sam ustawiał obok dobytek: radio, telewizor, maszynę do pisania. Przytargał nawet akwarium z wodą. Nagle ściana runęła i przygniotła go. Fala płomieni wybuchła niczym wulkan. Pożerała każdy kawałek przestrzeni na drodze. Mężczyzna nie miał szans się wydostać. Od pasa w dół płonął jak żywa pochodnia.

Podniósł się wrzask. Mieszkańcy w panice włazili na siebie, deptali się nawzajem, starając za wszelką cenę ratować życie. Czołgali się po posadzce jak gryzonie. Ktoś niósł na rękach dziecko owinięte w koc. Dusiło się, matka lamentowała. Z okna wypadały na ziemię hałdy pościeli, ubrań i mebli. W budynku nie było wyjścia ewakuacyjnego. Zasłaniała je solidna płyta postawiona zaledwie kilka miesięcy temu i usztywniona metalową konstrukcją. Padały balustrady, trzaskały ściany, drzwi wygięły się od gorąca, a nowiutka płyta zasłaniała przejście. Stała niewzruszona niczym góra. Strażacy już zaczęli walkę. Wybijali ościeżnice, powiększali otwór, by mogli wyjść wszyscy, ale zdawało się, że trwa to całe wieki.

Jakiś pies zamknięty w jednym z mieszkań wył rozpaczliwie. Płacz, jęki i nawoływania splotły się z sykiem i skwierczeniem tlącego się budynku. Ogień zaczął pożerać kolejne partie. Schodził coraz niżej i niżej.

Mateusz stał w tłumie gapiów w swoim flauszowym płaszczu. Słuchał ludzkich krzyków i współczuł wszystkim, którzy teraz cierpieli. Wpatrywał się w strumienie wody, skazane na przegraną, bo dopóki ogień miał co żreć, był to jedynie pokaz monstrualnych fontann. Patrzył na swe dzieło z niedowierzaniem i dumą. Dokonał tego jedną zapałką. *Bo przemielę do szczętu całe to miasto szybujące w ślepych półobrotach.*

Nie wzniecił jeszcze tak wielkiego pożaru. Hipnotyczny pomarańcz, błękit szaleństwa na tle czarnego nieba. I siwy dym unoszący się wysoko nad budynkiem. Wdychał z lubością znajomy zapach spalenizny i starał się zapamiętać każdy z obrazów, by starczyło na jak najdłużej. Wiedział, że wkrótce będzie potrzebował tych widoków. Wyjął więc telefon, wykonał szereg fotografii, a potem wolnym krokiem ruszył na przystanek.

Wolałby zostać i obejrzeć spektakl do końca. Poczekać, aż dokona się sroga pomsta, kamienica zmieni się w zgliszcza, lecz jak zwykle zabrakło mu odwagi. Rozsądek podpowiadał: uciekać. Iść dziś do pracy, żyć niby normalnie, pogodzić się z matką, zjeść pączka. Z telefonu, z którego zadzwonił po straż, wyjął kartę SIM. Za chwilę zgniecie ją i wyrzuci. Nie będzie mu już potrzebna. Obejrzał wszystkie portale i był pewien, że informacja poszła w świat. Jutro we wszystkich gazetach podadzą szczegółowe dane o jego pożarze. Radia będą o tym mówić cały dzień, a policja przyśle sztab stójkowych i przepyta każdego menela w okolicy. Odczuwał teraz przede wszystkim spokój. Podniecenie minęło. Wtedy zauważył nadpaloną krawędź rękawa. Uszkodzenie nie było duże i prawdopodobnie tylko on będzie wiedział, skąd się wzięło. Cieszył się z tej pamiątki. Była jak blizna po wygranej bitwie. Z dumą obejrzał rękaw jeszcze raz. Przysunął krawędź do nosa. Ten zapach zostanie z nim na długo.

W tym momencie rozległ się potężny huk. A chwilę potem kolejny. Coś rozpękło się, a potem sekwencyjnie spadało, robiąc przy tym niewyobrażalny hałas. Odgłos zwielokrotniony przez tkankę miejską nie dawał się porównać z niczym. Takie słyszy się wyłącznie na filmach. Zawyły karetki, zabrzmiał ryk syren i zapadła cisza.

Mateusz trzęsącymi się dłońmi włączył ponownie telefon i odczytał wpis znajomego na Facebooku. „Właśnie spłonęła kamienica dwie przecznice obok mnie. TVN24 podaje, że w centrum eksplodował ładunek. Do wybuchu doszło w dwóch różnych dzielnicach Łodzi. Są ranni. Wojna? Zamach terrorystyczny?"

Posypały się komentarze. Ktoś wrzucił zdjęcie owładniętego płomieniami budynku na Ogrodowej. W kilka minut zebrało kilkaset lajków i wciąż ich przybywało. Podjechał pierwszy tramwaj do Zgierza.

2. CZYŚCICIELE

Tego, co skończone, nie dyskutuj;
tego, co trwa, nie zalecaj poprawiać;
tego, co było, nie oceniaj.

Dialogi, Konfucjusz, Warszawa 2008

Gdańsk, 22 grudnia 2015,
Komenda Wojewódzka Policji

Drzwi otworzyły się i sekretarka wyszła z plikiem kartek na tekturowej podkładce. Skinęła głową Załuskiej i zaraz uciekła wzrokiem. Sasza w lot zrozumiała przekaz. Przez głowę przeleciał flesz, by natychmiast uciekać i zaraz za rogiem zalać problem lodowatym drinkiem, ale nawet na to czuła się zbyt wyzuta z sił. Wola walki o honor zniknęła bezpowrotnie. Nie dostrzegała już dla siebie żadnej szansy. Okoliczności łagodzące, zeznania świadków, które czytała, opinie balistyków i listy dziękczynne, jakie społeczność Hajnówki i okolic słała w jej sprawie do Komendy Głównej, a nawet jej własne przyznanie się do winy zdawały się teraz nic niewartą błahostką. To nie mogło wiele znaczyć wobec konsekwencji, które zapłacił za jej nieodpowiedzialność Duch. Wina Saszy była niepodważalna.

Załuska już dawno zdecydowała poddać się karze. Nie bała się procesu ani nawet ewentualnego więzienia. Po prostu czuła przeogromny wstyd, zniechęcenie i pogardę dla siebie samej. Nie miała pojęcia, jak dalej żyć. Wiedziała, że o jej kurzej ślepocie krążą w komendzie okrutne plotki.

Naśmiewano się z jej metod, niechcący dostarczyła argumentu, by kobietom nie dawać pozwolenia na broń. Po jej wyczynach w Hajnówce to głównie kobiety stanęły przeciwko niej, gdyż celny strzał do nadkomisarza Roberta Duchnowskiego, odznaczonego dziś Krzyżem Zasługi za Dzielność przez prezydenta, stawiał płeć piękną w bardzo negatywnym świetle i otwierał pole dla dyskusji genderowej w sprawie ograniczeń w przyjmowaniu kobiet do policji. A ta trwała przez cały przebieg tajnego dochodzenia i podzieliła środowisko na generację „młodych" i „starych". Młodzi ukazywali wyższość nieformalnych działań nad skostniałymi przepisami i biurokracją. Starzy skupiali się na wstydzie, jaki dokonania Saszy przynoszą jednostce. Obie strony miały silne argumenty i choć nikt nie podważał skutecznego rozwiązania skomplikowanej sprawy, która nadal była rozwojowa, nie ulegało kwestii, że Sasza przekroczyła granice prawa. Na każdej linii.

Dziś sprawa miała znaleźć swój finał i zamknąć usta nienawistnikom lub rzucić im profilerkę na pożarcie. O zakończeniu wewnętrznego śledztwa musieli się także dowiedzieć dziennikarze. Wcześniej nikt nie ujawnił nawet zarzutów, jakie jej postawiono.

Załuska skrycie liczyła na łagodne potraktowanie ze względu na rangę rozwiązanej sprawy, co skutecznie wskazywała statystyka, lecz wraz z otwarciem tych drzwi, rzutem oka na minę sekretarki zgasła w niej ostatnia iskierka nadziei. Teraz Sasza z ulgą spadała w głąb mentalnej studni i czuła, jak ogarnia ją marazm.

– Gdzie pani pełnomocnik? – zapytała sekretarka, choć poza nimi dwoma w pomieszczeniu nie było nikogo.

Sasza wzruszyła ramionami. Nie była w stanie wydusić ani słowa.

– A więc będzie się pani bronić sama – zostało odhaczone w dokumentach. – Zapraszam. To nie potrwa długo.

Sasza wciąż stała w miejscu. Nogi odmówiły posłuszeństwa. Ciało zbyt długo walczyło ze strachem, by teraz mu się poddać. Wbrew woli Załuskiej broniło się, jak umiało. Przed oczami latały jej mroczki, język stawiał opór. W brzuchu zabulgotało, kiszki zaplątały się w ciasny węzeł, a potem nagle poczuła, że musi natychmiast biec do toalety.

– Jest pani Załuska? – padło z głębi sali. – Czekamy.

Drzwi zaskrzypiały, otwarły się szerzej. Profilerka dostrzegła najpierw wielkie godło, logotyp KWP oraz stół, zwykle pełniący funkcję konferencyjnego na odprawach. Dziś był przykryty nieśmiertelnym zielonym suknem. Na samym środku leżały akta jej sprawy. Było tego niewiele. Zaledwie dwa tomy w szarych nieefektownych okładkach i z sygnaturą oraz pieczęcią komendy. Niezbyt grube księgi, powiązane recepturkami jak włoszczyzna w warzywniaku. Sasza pomyślała, że to kompletnie absurdalne, by jej życie znów miało się rozpęknąć z powodu sześćdziesięciu kartek. Zwłaszcza że klęskę poniosła już w tym maleńkim, spokojnym miasteczku, kiedy Duch schodził jej na rękach.

– Proszę się pośpieszyć – pouczyła Saszę sekretarka. – Członkowie komisji obradowali cały dzień. Są naprawdę zmęczeni.

Profilerka wstała i ruszyła do sali konferencyjnej jak na ścięcie. Krzesła były odsunięte i puste. Pod oknem natomiast stało czterech mężczyzn w mundurach galowych. Zażarcie nad czymś dyskutowali. Odwrócili się, kiedy Sasza weszła. Konfiguracja składu prawie zawsze jest taka sama. Jawny wróg; ten, który udaje przyjaciela; cykor i sojusznik. Niestety, tym ostatnim nie był przewodniczący komisji ani żaden z obecnych. Mężczyźni zajęli swoje miejsca za stołem.

Załuska pochyliła głowę. Na ich twarzach widziała teraz wyłącznie znudzenie i niechęć.

Komendant Konrad Waligóra wyłączył telefon i schował go do teczki stojącej na podłodze, a następnie odczytał treść oskarżenia. Przytoczył najważniejsze fakty z nieudanej akcji w Hajnówce oraz fragment rozdziału dziesiątego Ustawy o policji. Kiedy zaczął wymieniać punkty, które Sasza złamała, wyłączyła fonię. Znała ten dokument na pamięć i nie chciała się jeszcze bardziej denerwować.

– Odmowa wykonania albo niewykonanie rozkazu lub polecenia przełożonego, względnie organu uprawnionego, zaniechanie czynności służbowej albo wykonanie jej w sposób nieprawidłowy. Przekroczenie uprawnień określonych w przepisach prawa, wprowadzenie w błąd przełożonego lub innego policjanta, jeżeli spowodowało to lub mogło spowodować szkodę dla służby, policjanta lub innej osoby. – Zatrzymał się i zawahał. – Posługiwanie się niezarejestrowaną bronią, nielegalne posiadanie broni.

Saszy było już wszystko jedno. Ponownie zaczęła słyszeć, kiedy Waligóra czytał o karach, jakie może wobec niej zastosować policja.

– Nagana, zakaz opuszczania wyznaczonego miejsca przebywania, ostrzeżenie o niepełnej przydatności do służby na zajmowanym stanowisku, wyznaczenie na niższe stanowisko służbowe, obniżenie stopnia, wydalenie ze służby. Czy zrozumiała pani treść odczytanego dokumentu?

Skinęła głową.

– Proszę wstać – rzekł Waligóra i dał znak sekretarce, która odeszła od komputera, po czym zniknęła za drzwiami sali.

Sasza się rozejrzała. Pozostali członkowie komisji, których widziała pierwszy raz w życiu, nie wydawali się zaskoczeni. Ona jednak nie była pewna, czy to standardowa procedura. Zwłaszcza że po chwili do sali weszło czterech techników w czarnych kombinezonach, ze sprzętem przypominającym wykrywacze metalu, tyle że nowej generacji, jakby z filmów Spielberga. Jeden z mężczyzn podchodził kolejno do każdej z osób i otwierał welurowy worek, do którego należało wrzucić wszelkie urządzenia elektroniczne. Także pióra, skuwki od długopisów, elektroniczne papierosy. Saszy odebrano też kolczyki i zegarek. Eksperci zeskanowali każdy fragment pomieszczenia i każdy guzik galowego munduru oficerów, by w końcu, ku radości wszystkich, ściągnąć spod rogu stołów trzy pluskwy z możliwością rejestrowania obrazu. W miejscach zlokalizowania mikrofonu czy ukrytej kamery wykrywacze przypominające czujniki metalu świeciły się na niebiesko oraz wydawały pulsujący dźwięk. Sasza nie mogła uwierzyć, że w pomieszczeniu, w którym odbywają się najtajniejsze narady, znaleziono właśnie sprzęt podsłuchowy i nikt się temu nie dziwi. Najmniejszy mikrofon, znaleziony w kostce odświeżacza powietrza, miał średnicę główki od szpilki.

Kiedy faceci w czarnych kombinezonach opuścili salę, wróciła sekretarka z tacą, na której Sasza zobaczyła ciastka i termos z herbatą, a za nią, w asyście trzech antyterrorystów, wkroczyła postawna kobieta w mundurze ćwiczebnym. I choć nie miała na sobie słynnej spódnicy z naszytymi ciemnoniebieskimi lampasami o szerokości 2,5 centymetra i wypustkami, dla której trzeba było zmienić rozporządzenie szefa MSW dotyczące odpowiedniego umundurowania policji, zarówno profilerka, jak i pozostali obecni nie mieli wątpliwości, że stoją w tej chwili przed pierwszą kobietą w korpusie generalskim tej służby.

– Masz, dziecko, u mnie mały szacun – zwróciła się pani generał do Saszy. – Ale dupę kazałam ci skopać tym dzielnym chłopcom, gdyż służba to nie woltyżerka. W policji nie działa się samemu.

Saszy zdawało się, że śni. Na pewno upiła się i ma omamy. Wpatrywała się w stalowe tęczówki przywódczyni i nie chciała wracać na jawę.

– Od dziś pracujesz w zespole. Trzymasz się zasad i nigdy, przenigdy nie podejmujesz samodzielnie decyzji. My wiemy, jak cię najlepiej wykorzystać. Masz to, co niewielu posiada, ale i wielu zgubiło. Talent i narowistość. Uczciwość i nieustępliwość. Ale koniec z westernem, ślicznotko. Umawiamy się dziś na rozejm. Ty jesteś trybikiem, małą, lecz arcyważną częścią prężnie działającej maszyny. Ja daję ci zadania. Podlegasz bezpośrednio mnie. I żeby było jasne: umrzesz? – ku chwale ojczyzny. Będziesz żyła, bo ojczyzna cię wzywa. Srebrnego medalu dać ci nie mogę, bo sama czekałam na własny dwadzieścia pięć lat, ale brązowy wkrótce dostaniesz. – Rozpromieniła się i zwróciła do Waligóry: – Panie komendancie, może pan puszczać komunikaty do prasy.

Łódź, 23 grudnia 2015

Świeciło piękne słońce, kiedy Zbigniew Naumowicz wyruszył z walizką do banku. Spał tej nocy doskonale, a na śniadanie oprócz tortu węgierskiego polecanego przez nadkomisarza Próchno zamówił gorzką kawę. Podali ją w naparstku, ale za to mocną jak diabeł. Serce od razu zaczęło mu bić żwawiej. Spytał, czy nie mają przypadkiem prostego żulika* albo chociaż drygli, ale młody kelner nie zrozumiał, o co chodzi, i podał mu kartę win. Zbigniew przyrzekł sobie, że kiedy załatwi sprawę, pójdzie do rzeźnika i zrobi sobie zimne nóżki sam. A może i czarną kiełbasę zafunduje. Do banku miał jakieś dziesięć minut, więc wbrew obietnicy danej nadkomisarzowi postanowił przyoszczędzić i poszedł piechotą. Dochodziła jedenasta.

Kolejki prawie nie było, więc usiadł pod palmą i obserwował hol oraz wyjścia ewakuacyjne z budynku. Wszystko wyglądało całkiem normalnie. Ludzie płacili rachunki. Ktoś wypełniał formularz. Starsza kobieta domagała się pieczątki na potwierdzeniu przelewu. Zbigniew odczekał, aż przy

---

* Żulik (gwara łódzka) – chleb turecki z rodzynkami.

111

jednej z kas będzie pusto, i rozgościł się przed wolnym okienkiem.

– Czym mogę służyć? – Dziewczyna w służbowym uniformie się uśmiechnęła.

Zbigniew odczytał jej imię z plakietki i wziął leżącą na blacie kartkę.

– Pani nazwisko. – Zawiesił głos.

Dziewczyna się spłoszyła.

– Obidzyńska.

Zanotował.

– Długo tu pani pracuje?

Dziewczyna zaczęła się rozglądać.

– Obsługuję tutaj klientów. Wie pan, wpłaty, wypłaty. Jeśli pan chce porozmawiać, zawołam kierownika.

– Nie trzeba, droga Moniko. – Zbigniew rozciągnął usta w wymuszonym uśmiechu. – Więcej się nie zobaczymy, więc wolę pozostawić po sobie dobre wspomnienia.

– Rozumiem – powiedziała oficjalnie. – Kolejka się tworzy. Czy mogę panu czymś jeszcze służyć?

– Oprócz wspomnień chciałbym zachować swoje pieniądze – odparł Naumowicz i przesunął po blacie kartkę z pieczołowicie wypisanymi numerami kont oraz kwotami do wypłaty. – Wczoraj po południu składałem dyspozycję.

– Dowód osobisty – powiedziała jak automat.

Zbigniew obejrzał się i spostrzegł, że starsza kobieta od pieczątki nadal przegląda gazetę, a kiedy tylko zawiesił na niej spojrzenie, odwzajemniła je. Zobaczył też umorusanego wapnem robociarza. Zbigniew nie mógł się oprzeć wrażeniu, że ten także nie spuszcza go z oczu. Podobnie jak młoda raperka i jej kolega w bluzie z wielkim napisem „Prosto". Poczuł dziwne mrowienie na karku. Przesunął walizkę między nogi i szepnął:

– Te pieniądze to na kiedy będą?

Kasjerka podniosła głowę znad komputera, do którego wpisywała teraz długie rzędy cyfr i drukowała kolejne potwierdzenia wypłaty.

– Jakieś dziesięć, piętnaście minut – wyjaśniła. – Trochę tego jest.

– Nie dałoby się ich spakować w jakimś intymnym miejscu? Wie pani, pełno tu ludzi. Jeszcze człowieka Ślepy Maks dorwie.

Uśmiechnęła się i machnęła na ochroniarza. Mięśniak zrobił trzy kroki i już był przy kliencie. Zbigniew na darmo zadzierał głowę, by wysłuchać, co olbrzym ma mu do zakomunikowania, bo ten tylko chwycił walizkę dziadka i zaprowadził go do jednego z akwariów, a potem gwałtownym gestem zasunął żaluzje. Zaraz też do pomieszczenia weszła kasjerka. Z metalowej skrzynki wyciągała paczki pieniędzy oklejone banderolami.

– Jest pan przekonany, że chce pan zlikwidować wszystkie środki? Na zerwaniu lokat traci pan odsetki. Wypadałoby poczekać do marca.

– Proszę mnie już nie mamić. – Zbigniew machnął ręką i zaczął układać paczki z pieniędzmi, utyskując: – A pani jak najszybciej radziłbym się zwolnić. Wyjechać na grzyby, odwiedzić narzeczonego we Włoszech albo babcię, choćby była już na cmentarzu. To nie dla pani takie machlojki. I tak panią wyrolują. Jeszcze odsiedzieć swoje będzie pani musiała. Dobrze radzę.

Dziewczyna odsunęła się od wariata na bezpieczną odległość. Mrugała, nie wiedząc, jak zareagować.

– To będzie razem siedemdziesiąt sześć tysięcy czterysta pięćdziesiąt sześć PLN. Czy chce pan przeliczyć?

Zbigniew w odpowiedzi trzasnął tylko wiekiem walizki. Wylosował kilka paczek z pieniędzmi i wsuwał kolejno pod odprutą podszewkę płaszcza. Tunele zszywał dziś całą noc w Andelsie. Potem wszystko ładnie przyfastrygował i pospinał agrafkami.

– Pani Obidzyńska, toż to banda oszustów – zagrzmiał, zasuwając ekspres walizy. – Nie płacą chyba tak dobrze, aby warto było ryzykować więzieniem.

Wyszedł, z ulgą mijając wszystkich tajniaków. Do trzynastej brakowało jeszcze półtorej godziny, więc postanowił coś zjeść. Nic się chyba nie stanie, skoro i tak za nim łażą, będą go ochraniali także w barze mlecznym. Kiedy tylko zatrzymał się na światłach, przy kancelariach adwokackich, rozdarło się niebo. Zaczął sypać grad. Zbigniew postawił kołnierz płaszcza i ruszył truchtem do Stajni Jednorożców, jak tęczową wiatę przystanku tramwajowego Centrum przezwali złośliwie miejscowi.

Monumentalna konstrukcja inspirowana witrażami łódzkiej secesji doprawdy nie pasowała do pstrokatego centrum handlowego Central, klockowatych wieżowców Manhattanu ani w żadnym razie do zaniedbanej, pełnej starych, niewyremontowanych wciąż kamienic przy Mickiewicza. Ale przecież utrzymany w podobnym stylu lizboński dworzec kolejowy zaprojektowany przez Santiago Calatravę również budził sprzeczne emocje i gryzł się z zabytkową zabudową miasta.

Zbigniew na architekturze się nie znał. Czy podobał mu się zwariowany projekt Janka Gałeckiego? Ma się rozumieć! Tak też odpowiedział kiedyś w sondzie ulicznej. Ale, choć chłopak wykombinował budowlę arcyoryginalnie, Naumowicz rozumiał, dlaczego w Łodzi wieszano na Gałeckim psy. Zadaszenie nie tylko nie chroniło pasażerów przed niesprzyjającymi warunkami atmosferycznymi: deszczem, śniegiem ani tym bardziej gradem. Nieustannie hulał tam wiatr niczym na górskim stoku, a w upalny dzień promienie słoneczne operowały jak pod soczewką. Mimo to Zbigniew lubił stawać pod tęczą Equerstii. W słoneczne dni nawet bardziej niż deszczowe. Mrużył wtedy oczy i wpatrywał się w migoczące jaskrawe kolory, a błogi uśmiech wypływał mu na twarz. Co z tego, że była mało funkcjonalna, kiedy skutecznie poprawiała mu humor.

Nagle ktoś chwycił go za ramię i błysnął odznaką.

– Co pan odpierdala?

Naumowicz zawstydził się i pochylił głowę.

– Mam przyjemność z panem Piotrem Próchno? – wydukał jak uczniak, choć policjant miał o połowę mniej lat niż on dwie dekady temu. Słowem, dzieciuch był z tego nadkomisarza i Zbigniew nagle poczuł się okropnie stary.

– Nie, do cholery. Z Zorro – rzucił gliniarz i nasunął mocniej kaptur kangurki.

Zbigniew praktycznie nie widział jego twarzy. Czuł jednak, że chłop jest zasapany. Musiał biec za nim, odkąd wyszedł z banku.

– Na Diega de la Vegę pan nie wygląda – odparł całkowicie poważnie Zbigniew. – Maski panu też nie dofinansowali? Co za czasy.

Policjant roześmiał się szczerze.

– Zapomniałem, jaki z pana jajcarz – rzekł już łagodniej. – I niezły rebeliant. Prawie mnie pan zgubił.

– Zgłodniałem – starał się wytłumaczyć Naumowicz. – Zamierzałem wrócić, naprawdę.

– Nie wiem, jak mam to opisać w raporcie.

W odpowiedzi Naumowicz wręczył policjantowi walizkę. Rozejrzał się. Strażak zbyt długo otrzepywał śnieg z kasku, student uparcie próbował zrobić selfie na tle witraży. Jakaś obszarpana wiedźma puściła do Zbigniewa oczko, a potem wyciągnęła z kieszeni flaszkę i zajrzała do szkła*. Nie spodobało mu się, że policja do tak poważnej akcji zatrudnia meneli.

– Kiedy dostanę je z powrotem? – wydukał ze smutkiem.

– Trzy dni – odparł mężczyzna. – Jest całość?

Naumowicz hardo podniósł głowę i najlepiej jak umiał odegrał święte oburzenie.

– Za kogo pan mnie ma! Nie mam nic ważniejszego niż honor.

Policjant na moment odchylił kapuzę. Zbigniew dostrzegł charakterystyczne cięcie podbródka, typowe dla ludzi stanowczych i zajadłych.

Potem jeszcze długo wpatrywał się w plecy policjanta, który wsiadł do pierwszego podjeżdżającego tramwaju. Wraz z nim wkrótce wsiedli jego tajniacy. Nie było studenta z iPhone'em, strażaka ani menelki. Na przystanek wchodzili natomiast kolejni pasażerowie. Zbigniew poczuł dumę z dobrze spełnionego obowiązku. Nie mógł się nadziwić, jak łatwo mu poszło. Jeśli nie możesz walczyć jak lew, bądź lisem, pomyślał. Z tego, co mu się wydawało, uratował z rąk budżetu państwa jakieś dwadzieścia tysięcy. Zagonił w kozi róg nieuczciwych bankierów i na dodatek wygrał z ojczyzną. Panie Zbyszku, galanty z pana chwat, pochwalił się w myślach. A następnie ruszył do domu, by policzyć uratowaną gotówkę i zrobić sobie dryglową ucztę albo chociaż gorącego dziada**, bo od tych tajnych akcji wymarzł się okrutnie.

---

* Zaglądać do szkła (gwara łódzka) – pić wódkę.
** Dziad (gwara łódzka) – kapuśniak.

Gdańsk, 23 grudnia 2015

– Chcesz mieć mnie na oku? – odważyła się zażartować Sasza, kiedy dwie godziny później ruszyli z Waligórą do nowego gabinetu profilerki.

– Jest wręcz przeciwnie – odparł komendant, nie kryjąc wrogości. – Po tym numerze, który wykonałaś na moim przyjacielu, najchętniej pozbyłbym się ciebie natychmiast. Nieodwołalnie.

– Niestety nie od ciebie to zależy – dokończyła za niego i dodała: – Doceniam szczerość.

– Wartość dowódcy to nie liczba baretek na piersi, ale razów na dupie za obronę podwładnych – zauważył. – Ale nie pogniewałbym się, gdybyś na drugi raz kupiła sobie porządne okulary.

Załuska z trudem przełknęła zniewagę. Poprawiła te, które miała na nosie. Oczy jej się zaszkliły, z trudem hamowała płacz.

– Chcę, żebyś wiedział, że to wszystko jest dla mnie naprawdę bardzo trudne – wyszeptała. – Nie sądziłam, że to się tak skończy.

Ostatnie słowa wypowiedziała, łykając łzy. Waligóra zatrzymał się i przytulił ją jak córkę. Oddychał ciężko.

– Duch sam jest sobie winien – mruknął. – Nie pisnął ani słowa. Jak zwykle strugał bohatera. Ciesz się. Jesteś w czepku urodzona. Niezniszczalna.

Odsunął się i przywdział na twarz grymas uśmiechu. Sasza wydmuchała nos, zacisnęła usta w cienką kreskę. Była skołowana. Czuła w jego słowach fałsz i tylko czekała, kiedy komendant wyjmie właściwą kartę z rękawa. Ale widać jeszcze nie nadszedł ten czas.

– Zresztą, tak jest dla wszystkich lepiej – skłamał.

Nie odważyła się nic więcej powiedzieć. Wzięła się w garść i starała się myśleć konstruktywnie. Nic innego jej nie zostało. Rozumiała, że Konrad wybrał mniejsze zło. Nie chodziło o nią, o Roberta ani nawet o ocenę stopnia ich winy. Ludzkie sprawy mają mniejsze znaczenie, a emocje tylko przeszkadzają, kiedy stoi się na szczycie drabiny i choć serce boli, trzeba być wodzem. Tylko dlatego Waligóra zgodził się na tak postawione warunki. Musiał ratować twarz komendy, ale walczył i o utrzymanie stanowiska. A do Saszy nieoczekiwanie uśmiechnął się los. Dzięki osobistej interwencji generała policji została dziś przyjęta na cywilny etat do gdańskiej komendy. Nie miała uprawnień ani dodatków, które przysługiwały mundurowym, ale już od jutra Waligóra zobowiązany był wszcząć procedurę ponownego powołania jej do służby. Profilerka miała dostarczyć jedynie podanie, kwestionariusz osobowy, dokumenty stwierdzające wymagane wykształcenie i kwalifikacje zawodowe oraz dane o wcześniejszym zatrudnieniu. To wszystko od dawna leżało w biurku Konrada. Pani generał uznała, że przeprowadzenie rozmowy kwalifikacyjnej, ustalenie zdolności fizycznej i psychicznej do służby w policji oraz sprawdzenie w ewidencjach, rejestrach i kartote-kach prawdziwości danych zawartych w kwestionariuszu mogą sobie darować.

– O żadnym postępowaniu dyscyplinarnym, a tym bar-dziej procesie jawnym przed niezawisłym sądem, nie może być mowy – rzekła i jeszcze raz upewniła się, czy ich roz-mowa nie jest rejestrowana. – Plamy na honorze jednost-ki nie ma prawa być. Dlatego kwity tej pani muszą być czyste.

Sasza, podobnie jak wszyscy obecni w sali konferencyj-nej, wiedziała, co to oznacza. Cały zastęp wrogów. Falę nieskrywanej złości oraz konsekwentne podkopywanie jej i tak słabiutkiej pozycji w tej firmie. Nie było to sprawied-liwe, ale nie zaprotestowała, skoro wyżej postawieni w hie-rarchii się na to nie odważyli. Generałowi się nie odmawia. Zwłaszcza jeśli jest kobietą. Pierwszą w dziejach tych służb.

Były i dobre strony tego ponownego powołania. Saszę omijały testy wiedzy, sprawności fizycznej i psychologicz-nej. Jedyny warunek, jaki postawiono Załuskiej, to profe-sjonalne superwizje z rejestracją wizualną. Tak jak to jest zagwarantowane psychologom policyjnym na Zachodzie. Może inny funkcjonariusz zmartwiłby się nieustannym grzebaniem w jego duszy, ale dla Załuskiej, która już przed przyjazdem do Polski ledwie radziła sobie ze swoimi de-monami, było to jak zrządzenie losu. Z punktu widzenia zawodowego zaś znak, że w Polsce i pod tym względem za-czyna być normalnie.

Sasza nie wiedziała jeszcze wprawdzie, do czego ma być użyta oraz kto rozgrywa nią swoje karty, ale po wyj-ściu z komendy zamierzała zatelefonować do Dziadka. Nie miała złudzeń. Była znów potrzebna jako przykrywka i tylko dlatego uratowali ją od stryczka. Przyjdzie dzień odpłaty. Ale na to była gotowa od dawna.

Pokój, w którym miała od dziś pracować, znajdował się vis-à-vis sekretariatu Waligóry. Kiedy tam dotarli, konserwator zdejmował właśnie z drzwi starą plakietkę, w jej miejsce zaś przykręcał nowiutką złotą blaszkę z grawerowanym napisem „Dr Sasza Załuska, profiler". Kobieta wpatrywała się w nią z niedowierzaniem.

– Nie obroniłam jeszcze doktoratu – mruknęła i pomyślała, że to kolejna ściema.

Czuła znajome mrowienie na karku. Intuicja, nie wiedziała już, czy kobieca, czy też profilerska, podpowiadała, że pod jej nogami właśnie podpalono lont. Pytanie, czy już znalazła się w strefie zagrożenia, czy też dopiero ją tam poślą.

Kiedy jednak komendant wręczył jej kartę do drzwi z naklejoną na jednej stronie żółtą karteczką samoprzylepną, na której widniał kod wejściowy, na chwilę przestała myśleć o podstępach. Elektroniczny klucz mieli w tej komendzie tylko nieliczni funkcyjni. Reszta wciąż posługiwała się postpeerelowskim yeti i identyfikatorem laminowanym w punkcie ksero na dole.

– Nie sądziłem, że tak szybko awansujesz – roześmiał się tymczasem komendant. Zdawało się, że dla odmiany szczerze. – Nawet pezety znajdują się piętro niżej.

– Ani ja. – Sasza najpierw uściskała komendanta, a dopiero potem włożyła do czytnika kartę.

Drzwi się otwarły i kobieta natychmiast pojęła, czym tak naprawdę będzie jej awans. Gabinet ze złotą blaszką był doskonałą parabolą jej sytuacji. Wydmuszka. Tylko to słowo przyszło jej teraz na myśl.

Pokój miał wszystkiego siedem metrów kwadratowych, z czego w tej chwili sześć i pół zagracone było niepotrzebnymi meblami i wysuszonymi kwiatami doniczkowymi. Służył też sprzątaczkom jako przechowalnia na szczotki, mopy i puste bukłaki na wodę, w którą komenda musiała obowiązkowo zaopatrywać funkcjonariuszy. Nie było mowy o wstawieniu tutaj biurka, a tym bardziej podłączeniu komputera, nawet gdyby był wielkości chusteczki do nosa.

Sasza odwróciła się do Konrada.

– Co to ma być?

Wydął wargi i bez słowa pchnął ją do środka. Ledwie wcisnęła się tam ze swoim śmiesznym kartonowym pudełkiem, w którym miała przecież tylko podstawowe akcesoria. Natychmiast postawiła je na workach oklejonych taśmą. Inaczej do pokoju nie zmieściłby się Waligóra, który na swoim stanowisku nabawił się już małego brzuszka.

Trzasnęły drzwi. Konrad zapalił światło. Wyglądało na to, że umieszczono ją w klasycznym składziku, i jak na ten typ lokalu przystało, okien tu nie przewidziano. To Saszę zabolało najbardziej. Wreszcie zobaczyła realnie, gdzie Konrad widzi jej miejsce. On tymczasem wysunął w jej kierunku paczkę papierosów. Pomyślała, że jak teraz zaczną tu palić, to z pewnością poduszą się w ciągu kwadransa, ale zaczęła szukać po kieszeniach zapalniczki. Waligóra zaś zdjął mundur, zakasał rękawy koszuli. Przesuwał wiadra, wyciągał krzesła, jedno z nich podał Saszy. Usiadła, choć chybotało się niebezpiecznie. Miało tylko trzy sprawne nogi. Starała się nie ruszać i raczej wisiała w powietrzu, niż odpoczywała. Waligóra wziął sobie znacznie lepsze, czteronożne, jedynie bez oparcia. Zostało między kartonami, kiedy wyciągał siedzisko. Najwyraźniej żaden ze składowanych tutaj sprzętów nie był kompletny i nadawał się wyłącznie do spalenia.

– Jesteśmy w trakcie inwentaryzacji. – Konrad odczytał myśli Saszy i z pietyzmem położył czapkę na stos upranych i poskładanych w kostkę szmat do podłóg.

Potem znów wstał, z powyginanej szafy pancernej wyjął kryształową popielnicę. Kiedyś klasyk, który obowiązkowo ozdabiał biurko każdego dochodzeniowca. Sasza pomyślała, że choć ciasno tu i brudno, tak naprawdę to jedyne bezpieczne pomieszczenie. Bez kamer, czujników dymu i mikrofonów. Możliwe, że też solidnie wygłuszone. Nie bez powodu zamykane było za pomocą czytnika z kartą. I nie było konieczności wpuszczania tu techników w kombinezonach. Nikomu nie przyszłoby do głowy, że najtajniejsze rozmowy odbywają się w prostym składzie na szczotki i połamane krzesła.

A więc sprawa była jasna. Pokoik, przyjęcie do służby, pensyjka. To wszystko pokazówka. Choćby natychmiast wzięli się do roboty, nie posprzątają tej graciarni do Wielkanocy. Sasza nigdy nie będzie tutaj pracować. Paliła i czekała na dyspozycje.

– Pojedziesz do Łodzi – odezwał się Konrad i zaraz przeklął, a potem wsunął palec do ust.

Kryształowy antyk okazał się ukruszony i boleśnie pokaleczył komendanta. Krew kapnęła na wykładzinę, a potem na koszulę Waligóry.

Sasza podała mu chusteczkę. Owinął palec, przełożył papierosa do drugiej ręki. Zaciągnął się chciwie.

– Jutro Wigilia – przypomniała mu.

– Dwudziesty czwarty grudnia to dzień roboczy. Do pierwszej gwiazdki opędzisz rekonesans i może nawet spędzisz święta z rodziną. Potem znów tam wrócisz. Już z profilem.

– Tak jest – rzekła, choć wiedziała, że to szaleństwo. Oczekiwał niemożliwego.

Ale taki obrót spraw spodobał się Waligórze. Bez zbędnych pytań, filozofowania, jałowych dyskusji.

– Mają tam podpalacza – ciągnął. – Znasz się na tym?

Skinęła głową.

– Pamiętam, robiłaś taką prezentację o podpaleniach. Trzy typy: piroman, ubezpieczalnie i zemsta.

– Coś koło tego – mruknęła. Nie miała sił powiększać teraz jego wiedzy. Dym gryzł ją w oczy. Zdjęła okulary.

– Seryjny? Od kiedy jest problem?

– Tu dochodzimy do sedna – westchnął ciężko. Zgasił peta. Na filtrze widziała ślady jego krwi. – Nie chodzi o zwykłego piromana. To bomber. Wysadził wczoraj kilka budynków, a wcześniej próbowano rozpirzyć w drobny mak halę odlotów na Lublinku. Nie informowano o tym, bo zamach został udaremniony. Potrzebują wsparcia.

Sasza poczuła zastrzyk adrenaliny. Podniosła głowę. Krzesło pod nią zaskrzypiało i trzasnęło. Czuła się teraz jak wrona na gałęzi. Wstała.

– Co my mamy do tego?

On wciąż siedział i walczył z krwotokiem.

– Potrzebują profilu geograficznego – zaczął wymieniać. – I taktyki przesłuchań. Analityka kryminalnego. I kogoś od podpaleń, oczywiście.

– Cała ja.

Wreszcie rzucił zakrwawioną chusteczkę w kąt i znów włożył palec do ust.

– Może ktoś powinien to opatrzyć? – Rzuciła mu się na pomoc, ale Waligóra się odsunął.

Nie zwracał teraz uwagi na Saszę ani na drobną rankę. Chciał wyłuszczyć sprawę i kończyć spotkanie. Podporządkowała się.

– Jedziesz z budżetu Wydziału do Zwalczania Aktów Terroru CBŚ. Podlegasz mu. By nie wzbudzać paniki, nie informujemy, że podejrzewamy zamach. Ładunku nie znaleziono na lotnisku. Do wybuchu użyto „żywej bomby". Kobieta miała pod sukienką pas z tekturowych tulei, dalej zapalnik, trochę trotylu zakamuflowanego do postaci makaronu i palec na prymitywnym przycisku. Puściła go z nerwów na parkingu, w bramie, gdzie mieszkała. Prawdopodobnie zdecydowanie przedwcześnie. Na szczęście poza nią nie było ofiar.

– Przeżyła?

– Leżała w szpitalu na oddziale dla poparzonych. Utrzymywana w stanie śpiączki farmakologicznej, podłączona do respiratora. Nie obudziła się z niej. Szanse na przesłuchanie raczej żadne.

– To Polka?

Waligóra nie odpowiedział od razu. Nabrał powietrza, a potem wypuścił je ze świstem.

– Wiesława Jarusik, lat pięćdziesiąt dwa, architekt. Ale od lat nie pracowała w zawodzie. Prowadziła firmę sprzątającą. Jej córka, Jagoda Jarusik, wyszła za muzułmanina z Egiptu. Była jedną z ofiar listopadowego zamachu w Paryżu.

– O Boże! – Sasza zasłoniła usta dłonią.

– Nie udowodniono, czy młoda brała udział w zamachu, czy tylko znalazła się w nieodpowiednim czasie i miejscu. Nie można było dokonać identyfikacji. Ciało było rozkawałkowane. Przy zwłokach znaleziono jej paszport. Podejrzewamy, że Jarusik zgodziła się na ten numer, by odzyskać wnuki. Do tego samego zmuszona została matka dzieci.

– To wszystko brzmi absurdalnie! – zaprotestowała Sasza. – W Paryżu nie zginął ani jeden Polak.

Waligóra wyjął z teczki kserokopie akt. Przewertował i podał Załuskiej skan dwóch paszportów ze zdjęciem dziewczyny w hidżabie. Nie od razu Sasza odgadłaby, że to Polka. Czarne migdałowe oczy, pełne usta. Twarz szpecił jedynie duży nos z niewielkim garbem. Spojrzała pytająco na komendanta.

– Egipt. – Wskazał pierwszy blankiet. – A to Emiraty. Zwróć uwagę, że dokumenty są prawdziwe. Naklejono tylko specjalną folię na zdjęcie.

– Dlaczego nie huczą o tym telewizory? To przecież gruba sprawa.

– Nowa Europa – skwitował Waligóra. – Nie możemy nawet pisnąć, bo wiesz, jaka byłaby wrzawa na temat uchodźców, tolerancji i pomocy humanitarnej dla ofiar wojny.

Sasza pochyliła głowę. Rzecz była więc polityczna. Pewnie zajmują się tym wywiad, żandarmeria i wszyscy święci, ale to Załuską pani generał zdecydowała rzucić na pożarcie.

– Dziewczynka i chłopiec – ciągnął tymczasem komendant. – Dziś miałyby siedem i dziesięć lat. Zostały porwane trzy lata temu. Sprawą zajmowała się łódzka komenda, a potem prywatny detektyw. W aktach masz do niego kontakt. Zorganizował nawet nielegalne odbicie, ale sam cudem wyszedł cało z operacji. Opowie ci. Nie sądzę, by miał wiele takich spraw w Łodzi. W każdym razie ślad po dzieciakach zaginął.

– Co z panem Abdullahem Hamzawe-Jarusikiem?

125

- Skąd wiesz, że przyjął nazwisko żony?
- Dałeś mi akta. – Sasza się uśmiechnęła.
- Przed sekundą. – Waligóra odwzajemnił uśmiech.
- Facet starał się o azyl polityczny, ale to było przed wielkim halo z uchodźcami i chyba coś nie poszło. Więcej nie wiem. W każdym razie mudżahedin też zapadł się pod ziemię. Szukają go Europol i wszystkie służby, ale jeśli jest w Syrii czy Iranie, nigdy go nie znajdziemy. No, chyba że Allah go wezwie czy coś.

Sasza się skrzywiła. Duch zawsze mówił w ten sposób.

- A jeśli jest w Polsce? – zapytała.
- Taka koncepcja istnieje, choć wydaje mi się wielce niewiarygodna. Słuchaj, ludzie z Łodzi podadzą ci więcej szczegółów. Wolałbym niczego nie pokręcić – uciął temat. I podkreślił: – Nie wiemy, czy te sprawy się łączą.

- Podpalenia, piroman i dżihadyści – mruknęła Sasza. – Dużo tego jak na dzień pracy przed Wigilią.

Waligóra wzruszył tylko ramionami.

- Nikt nie oczekuje, że zrobisz ten profil w jeden dzień.
- Coś podobnego.

Waligóra wstał.

- Priorytet – powtórzyła twardo Sasza. – Co jest naszą sprawą, a co ich? Jakie mam wsparcie?

Waligóra wziął gabardynę*, otrzepał ją z niewidocznych pyłków. Milczał.

- Rozumiem.

Sasza pomyślała, że ledwie wyjęła jedną nogę z błota, to wpadła po pas do bagna. Widać mają ją za specjalistkę od spalonych akcji. Potrzebują jej jako kozła ofiarnego i przy okazji woła roboczego. Teraz zrozumiała słowa pani

---

* Gabardyna (slang policyjny) – marynarka od munduru.

generał: „My wiemy, jak cię najlepiej wykorzystać. Masz to, co niewielu posiada, ale i wielu zgubiło. Talent i narowistość. Uczciwość i nieustępliwość". Oto ja, „żywa bomba" na ochotnika. Zacisnęła dłoń na wizytówce najważniejszej kobiety w policji i zastanawiała się, czy gdyby teraz zadzwoniła pod numer dopisany na odwrocie długopisem, usłyszałaby głos człowieka, czy automatycznej sekretarki.

– Pewne jest, że tej rangi zamachu sprawca nie przygotowywał sam – odezwał się wreszcie Konrad. – Jeśli chodzi o wątek muzułmański, będzie ci łatwo. W mieście czterech kultur ta akurat jest nieznacznie reprezentowana. Prawie wszyscy kolorowi są na obstrzale ABW. Jest trochę polskich muzułmanów. Szacuje się na kilkaset osób wszystkiego.

– Profil jeszcze to zawęzi.

– Prawdopodobnie nie szukamy emigranta. – Zawiesił głos. – Zamachu w Paryżu nie dokonał uchodźca. To był Francuz z legalnym paszportem, niekarany, z nieposzlakowaną opinią. Trzecie pokolenie przeszkolone w Syrii. Nasz klient może być biały, stuprocentowo nasz. Ot, człowiek z Łodzi od pokoleń. Chuj wie teraz, kto w co wierzy. Ekumenizm. Szkoda, że oni nie myślą podobnie.

Załuska chciała spytać, czy to miał być żart, ale się powstrzymała. Bez trudu odczytała stosunek Waligóry do mniejszości narodowych. Wolała nie wchodzić na tak grząski teren.

– Dlaczego w Łodzi? – zapytała.

– A dlaczego nie? Miejsce dobre jak każde inne.

Wyciągnął polityczną mapę Europy wydrukowaną na papierze A5. Wstał, położył na krześle.

– Doskonałe miejsce wypadowe – kontynuował. – Ciszej, mniej służb niż w Warszawie. Widoczna gołym okiem bieda, a więc da się załatwić i ukryć wszystko. Do tego tanio i dużo wolnej przestrzeni. Przestępczość, jak przystało na drugą pod względem wielkości aglomerację w kraju, czyli znaczna.

– Kraków jest teraz drugi pod względem liczby mieszkańców – poprawiła go Sasza.

Waligóra jej nie słuchał.

– Wiele osób wyemigrowało na zmywak i do szkół. Reszta goli hajs w Warszawie, sporo znam łodzian na stanowiskach w Trójmieście. Zwłaszcza w naszym wieku. – Mrugnął do Saszy, gdyż dzieliła ich więcej niż dekada. – I młodszych, rzecz jasna. Zostali tylko ci, którym się tam wiedzie, i tacy, którzy nie mają wyjścia.

Nagle przerwał.

– Ciekawe, bo wszyscy ludzie z Łodzi są bardzo wporzo. – Zamyślił się. – Otwarci, pomocni. Nie spotkałem jeszcze chuja z Łodzi. Cwaniaka, zakapiora – tak. Prezesa pijaka. Kilku jebaków też. Ale żadnego tchórza. Nie dygacza.

– Żaden ci nie pasuje na bombera? – zaśmiała się Sasza.

– Mają swój rozbójnicki honor – obruszył się Waligóra. – To mi się podoba.

Wbił ostrze cyrkla w kropkę z napisem Łódź, zakreślił okrąg. W obrębie zaznaczonego koła znajdowały się Paryż, Sztokholm, Londyn, Budapeszt i Berlin.

– Jak widzisz, odległość z Łodzi do tych miejsc jest mniej więcej podobna – wyjaśnił. – W każdym z tych miast w Europie w ostatnim czasie zanotowano podobne incydenty. Większość pozostaje w danych operacyjnych. Z danych Europolu wynika, że zaplecze islamskich śpiochów może znajdować się u nas. Gdzieś mniej więcej tutaj. – Wskazał znów kropkę z oznaczeniem Łódź. – Na tym tonącym okręcie.

– Jak udało się to utrzymać w tajemnicy? – zapytała zaszokowana Sasza. – W dzisiejszych czasach! Po Paryżu, debacie o uchodźcach, ogólnopolskiej nienawiści do obcych?

– Misja jest tajna. Pod żadnym pozorem nie wolno nam wzbudzić paniki – zaczął komendant, choć Załuska i bez tego rozumiała powagę sytuacji. Po jej minie Konrad się zorientował, że nie musi nic więcej w tej kwestii dodawać. Nagle poczuła się dumna, że to jej powierzono tę misję. Konrad tymczasem kontynuował: – Oficjalnie śledztwo dotyczy piromana. Podpalenia to łódzka tradycja jeszcze z dziewiętnastego wieku. Fabrykanci ratowali się tak przed bankructwem, dziś kamienicznicy pozbywają się w ten sposób niechcianych lokatorów. A pozostali? No cóż... To się nazywa rewitalizacja miasta po łódzku. Nie ma tygodnia, by nie zwaliła się tam kamienica czy na którymś ze strychów nie zaprószono ognia. Nam to pasuje, więc przybiliśmy to na razie w jedno, dla mediów. Liczę, że Europol się myli i dostarczymy im na to twarde dowody. Gówno mnie obchodzi ta święta wojna. Wolę normalne dzieci w beczkach, starą dobrą mafię, choćby i białych kołnierzyków, czy nawet pavulon. Na islamie się nie znam.

– Podobno to religia miłości. Jesteś uprzedzony. – Sasza nie mogła się powstrzymać od złośliwości.

Obrzucił ją pogardliwym spojrzeniem.

– Twoim zadaniem będzie trzymać przykrywkę podpaleń najdłużej, jak się da. Masz pomóc im efektownie złapać piromana, bombera czy innego zjeba, który się bawi zapałkami. Ale przede wszystkim zbadasz naszą sprawę wywiadowczo, by ostatecznie ten ognisty węzeł rozplątać. Wsparcie masz w kieszeni. Korzystaj z tej wizytówki tylko w ostateczności.

Łódź, 24 grudnia 2015

Sasza wysiadła z wagonu i krótkim przejściem podziemnym wyszła wprost na postój taksówek. Stał tam tylko srebrny opel vectra bez koguta, z drzwiami oklejonymi reklamą Off Piotrkowskiej. Kierowca na widok Załuskiej zgasił papierosa i otworzył bagażnik, by schować walizkę pasażerki.

– Praca czy wypoczynek? – zagaił.

– Wypoczynek – odparła bez zastanowienia i ciaśniej otuliła się płaszczem.

Byłaby wdzięczna, gdyby taksówkarz zamknął okno i włączył ogrzewanie, ale nie odezwała się. Wiedziała, że w tym modelu temperatura wzrośnie dokładnie w momencie, kiedy będzie musiała wysiadać. Miała kiedyś taki wóz. Identyczną wersję, ze szwankującą wiecznie klimą i tapicerką ze sztucznej skóry w kolorze nude. Przez lata użytkowania spękała podobnie, praktycznie w tych samych miejscach. Piętnaście lat temu to był szczyt luksusu. Dziś jej dawna fura stoi już pewnie na złomowisku. Ale może zyskała drugie życie i jeździ w częściach, w takich autach jak to? Wypolerowane do czysta wewnątrz i z wyszpachlowaną blacharką, wciąż zarabiające na siebie niczym stara klacz na worek owsa.

131

– Dokąd jedziemy?

– Lutomierska sto osiem – powiedziała. – I będę potrzebowała imienny rachunek. Nie paragon. Ale najpierw proszę zrobić kilka kółek po mieście. Chcę się rozejrzeć.

Taksówkarz więcej się nie odezwał. Ruszył do komendy
wojewódzkiej, pozwalając Saszy w spokoju obwąchać się
z miastem.

Łódź jeszcze się nie obudziła. Po pustych ulicach wiatr
niósł kawałki papieru czy folii. Poza odgłosami leniwie ru-
szających tramwajów i gwiżdżącym wiatrem panowała
wszechobecna cisza. Drzewa ogołocone z liści. Szczerbate
kamienice. Zabite dyktą okna górnych pięter, wypalone
strychy, czarne dziury zamiast drzwi wejściowych. Niżej
zaś, na sztycach po odkutych balkonach, zwisające smętnie
lampki choinkowe. Fronty niektórych budynków zdobiły
murale, oszałamiające kolorem i formą. Sasza aż się wychyliła, by przyjrzeć się bukietowi kwiatów, kobiecie rozsypu-
jącej się na rękach ukochanego czy słoniowi na dachu uni-
wersytetu. Był i kosmita, fruwający dom, abstrakcyjna
konstrukcja mechaniczna z mnóstwem trybów oraz śrubek,
a nawet Artur Rubinstein w tęczowych kolorach na słynnej
zreinterpretowanej fotografii. Graffiti „POŻARł Nas" z mo-
tywami ognia dopełniało tę galerię, powstałą na zniszczo-
nych ścianach. Nie trzeba było znać historii sztuki, by czuć,
że prace wykonane zostały przez najlepszych streetowych
malarzy wielkoformatowych. Saszy spodobało się, że obrazy nie nawiązują bezpośrednio do historii Łodzi. Właściwie
tylko jeden zawierał w sobie motyw okrętu. W większości
były to abstrakcyjne, unikatowe prace, dające pole do inter-
pretacji i pobudzające do refleksji. To zaś, że powstały
w przestrzeni miasta, czyniło sztukę wysoką dostępną dosłownie dla każdego.

Kierowca włączył radio. Akurat trwała dyskusja na temat wczorajszego wybryku młodzieży na przystanku Piłsudskiego-Niciarnia. Stosunek seksualny nagrał komórką pasażer, film zaś opublikowały wszystkie media. Rozdziewiczyli trasę WZ – komentowali mieszkańcy Łodzi. To nadal lepsze love story niż *Zmierzch*, dodał ktoś inny, zapytany w trakcie sondy ulicznej przez dziennikarzy. Przypomniano też inne tego typu incydenty: seks na balkonie hotelu Polonia i zbliżenie nad fryzjerem na Piotrkowskiej. Rozgorzała debata o mieście miłości, nie meneli. Taksówkarz zerknął na pasażerkę we wstecznym lusterku. Sasza uśmiechnęła się do niego oczami, ale mężczyzna natychmiast przełączył na inny kanał. Z głośników popłynął *Nokturn*, opus 9 Chopina w wykonaniu Artura Rubinsteina.

Dalej Sasza podziwiała sznury przepięknych, choć zaniedbanych budynków. Całe kwartały budowli, niegdyś zachwycających pałaców fabrykantów, bezwstydnie ociekających złotem i zdobieniami rezydencji przemysłowców, którzy dorobili się na przędzalniach i farbiarniach bawełny, czy ich monumentalnych fabrycznych pozostałości. Dziewiętnastowieczne perły architektury mieszały się tutaj z postpeerelowskimi molochami. Bloki z płyty z zabytkową zabudową. Cegła z aluminium i szkłem. Załuska zawsze sądziła, że Łódź jest szara. Tak zresztą zapamiętała ją z wycieczki szkolnej. Taka zdawała się jej na zdjęciach w książkach. I tak ją też pokazywano w telewizji. Może to przez wszechobecny dym wydobywający się z fabrycznych kominów, który przez całe wieki przysłaniał urodę tego miasta w czasach jego świetności. Dziś, kiedy Załuska widziała Łódź bez ozdób, opustoszałą i wciąż ospałą, patrzyła na morze czerwieni. Cegła starych, rozsypujących się zakładów, nowiutka klinkierowa odrestaurowanych budowli

i karminowe tynki odnowionych pałacyków. Nawet bazgro-
ły na murach zwykle były w tym kolorze: „ŁKS nie czyta
książek"; „Całuj mnie Boguś w dupę – Tuwim"; „ŁKS Li-
manka życzy wesołych świąt i 100 latek na dodatek". „Widzew. To nie tylko moda, to życiowa droga. FCP", „Radek,
oddaj 20 zł".

Ruch na drodze był nieznaczny. Dotarli na miejsce
w ciągu kwadransa. Sasza ludzi widziała właściwie tylko
na przystankach. Czasem przemknął bokiem jakiś złomiarz z wózkiem albo rowerzysta po świeżo wytyczonej
ścieżce. Ale mimo wczesnej pory i tego pozornego spokoju
w bramach wystawały czujki. Załuska miała wrażenie, że
jest pod obserwacją kilkudziesięciu par oczu strażników
tego czerwonego miasta. Nigdy nie czuła się tak bardzo
obca, inna. Nie chodziło o strach. Raczej o poczucie bycia
intruzem, którego ciekawość i choćby szczery zachwyt niekoniecznie mogą się spodobać wartownikom Łodzi. Bo
choć na pierwszy rzut oka zdawać by się mogło, że to
tylko pojedyncze indywidua czekające z pustą flaszką
w ręku na świt, by pięć złotych spadło z nieba jak każdego
ranka; albo watahy w przykrótkich dresach, powracające
z wielonocnej imprezy. Już nie rozgrzane alkoholem i innymi środkami rzezimieszki ani też nie szukające wcale
nikogo, na kim mogłyby się wyładować. Wyłącznie zmęczone, pragnące ukojenia stworzenia nocne, które czekają
na pierwsze promyki słońca jak na znak, by ukryć się
wreszcie w szkatułkowej tkance miasta i oddać wartę isto-
tom dziennym. Istniejące tylko w Łodzi. I nigdzie indziej
niemogące znaleźć szczęścia.

– Jesteśmy. – Kierowca zatrzymał się przed komendą.
Sasza wysiadła.
– Ilu mieszkańców liczy miasto?

– Jakieś siedemset pięćdziesiąt tysięcy. Byliśmy drudzy. Teraz Kraków nas przegonił.

– Wiem – powiedziała Sasza. – Ale nadal macie drugą lokatę pod względem liczby emigrantów. Młodzi wam uciekają.

– Pani z urzędu statystycznego?

– Gospodyni domowa – odparła bez namysłu Sasza. – Ale uwielbiam podróże.

– Zupełnie jak ja – zaśmiał się kierowca z przekąsem.

– Wyjechałem z Łodzi tylko raz. Do Warszawy. Po wizę, jak szwagier pracę załatwił mi w Chicago. To było, jak robotę straciłem. Okradli mnie na Dworcu Centralnym. Powiedziałem sobie, że Łódź mnie woła. Jakoś tu przeżyjemy, na kupie. Niech Amerykanie się jebią. I więcej nie powtórzyłem tego błędu.

Sasza wysiadła z auta. Taksówkarz również. Podszedł do bagażnika, by wyjąć jej walizkę. Zmierzyła go od stóp do głów. Wyceniła jego pocerowaną kurtkę, zmechacony szalik. Zerknęła na rozdeptane buty. Trzymał się jednak prosto. Był gibki i tylko dekadę starszy od niej.

– To nieźle pan się kamufluje – skwitowała. – Musieli dostrzec w panu potencjał.

Uśmiechnął się, jakby powiedziała mu komplement.

– Ja nie mam już nic do stracenia. Życie to nie jest czas, by ginąć. Jednych leczy wiara, drugich canabinol – zacytował tekst rapowego numeru, który przed chwilą leciał w studenckim radiu.

Ujęło to Saszę. Nie wyglądał na hip-hopowca. Obstawiałaby raczej *Majteczki w kropeczki*. Miło się tak zdziwić. Zatoczył ramieniem koło. Kontynuował:

– Ten, kto chce coś osiągnąć, rusza stąd jak najszybciej. Miasto pustoszeje, fakt. A kogo widać? Głównie przegranych.

– Uderzył się w pierś. Posmutniał. – Tych, którzy nie mają dokąd pójść. No i artyści. Ciągną do nas tabunami. Oni nie potrzebują pieniędzy. Inspiracja im wystarczy. I marzenia. Ale jest też wielu, którzy wracają. Po latach, dziesięcioleciach. Z sukcesami na koncie lub bez nich. To miasto jest jak studnia. Nie da się z niego uciec.

– Przynajmniej tu pana nie okradną.

– A pani się nie odważą, jeśli zostanie pani na gospodarstwie. – Błysnął srebrną koronką, wskazując budynek komendy, i żwawo wskoczył do auta.

Sala była niewielka, dlatego wydawało się, że zgromadził się w niej tłum ludzi. Sasza rzuciła płaszcz na wolne krzesło, wyjęła z torby komputer. Otworzyła prezentację. Na ścianie wyświetlił się nagłówek: *Siedem typów podpalaczy. I dlaczego w 95 procentach to mężczyzna*. Sekretarka przyniosła jej latte z pianką, a na spodku małą czekoladkę deserową.

– Na podwójnym espresso – zaznaczyła.

Załuska zdziwiła się. Nie przypominała sobie zbyt wielu polskich komend, gdzie mieliby ekspres. Prawie zawsze pijała neskę w kubku naczelnika wydziału kryminalnego z napisem „Szef wszystkich szefów", ewentualnie plujkę sypaną do szklanki z puszki oklejonej przez dziecko „Mój ty aniołku".

– Cukier?

Skinęła głową i rozejrzała się po sali. Najwyraźniej funkcjonariuszy wezwano na prelekcję rozkazem, ponieważ większość była podenerwowana i wyraźnie się śpieszyła. Wcale by się nie zdziwiła, gdyby niektórych ściągnięto tu z urlopu. Dziś Wigilia Bożego Narodzenia. Biorąc pod uwagę, że słońce zajdzie około piętnastej, do pierwszej gwiazdki zostało kilka godzin. Niektórzy mieli w rękach lokalne gazety. Przekazywali je sobie, wskazywali coś na rozkładówce. Sasza miała ochotę dowiedzieć się, co za artykuł ich tak wzburzył, ale najpierw musiała wykonać zadanie. Zapowiadał się długi dzień. Nie było czasu na zbędne konwersacje. Wszystkiego i tak się dowie. To oni ją zaprosili. Chyba pierwszy raz nie była nieproszonym gościem w śledztwie.

Emocje trochę opadły i profilerka zaczynała już odczuwać skutki nocy w podróży. Z trudem powstrzymała ziewanie.

– Załatwiłaby mi pani jeszcze red bulla? – spytała szeptem sekretarkę, wciskając jej do ręki pieniądze.

Kobieta odmówiła ich przyjęcia, ale skwapliwie skinęła głową.

– Szef czeka na panią u siebie – dodała ciszej. – Chciałby ustalić pewne kwestie, zanim wyda dzisiejsze rozkazy.

Sasza zerknęła na zegarek.

– Czterdzieści minut – oświadczyła. – Będzie okay? Gdzie jest toaleta?

Ruszyła do wyjścia odprowadzana przez dziesiątki par oczu. Znów poczuła się nieswojo. Odwróciła się w drzwiach i wyjaśniła:

– Zaczynamy za dwie minuty. Od motywów, bo to jest kluczowe w ustaleniu typu sprawcy. Ale myślę, że to ja nauczę się więcej od państwa. W życiu nie byłam w mieście, gdzie statystyki wykazywałyby taką różnorodność podpaleń.

Części publiczności spodobały się jej słowa. Rozległ się charakterystyczny pomruk. Pozostali nie ukrywali niezadowolenia. Zaczęli wstawać z miejsc, wyjmować z kieszeni papierosy.

Załuska uznała, że teraz już z czystym sumieniem może się w końcu wysikać. Kiedy jednak tylko otworzyła drzwi, oślepił ją blask flesza. Odruchowo zasłoniła twarz przed fotografem, który mimo prób obezwładnienia przez mundurowych strzelił do profilerki kilkadziesiąt razy. Zdawało się, że używa karabinu maszynowego, a nie migawki. Wreszcie ktoś łebski przyszedł Załuskiej z pomocą i po prostu zatrzasnął drzwi.

– Ciekawe zwyczaje – mruknęła.

Z tylnego rzędu wstał postawny mężczyzna w bokserskiej kurtce i z kapturem na głowie. Ściągnął go i ruszył w jej stronę. Sasza zobaczyła szpakowate, nastroszone w irokeza włosy, kanciastą szczękę i zmrużone oczy. Zadarła głowę. Choć diametralnie zmienił image, bez trudu go rozpoznała. Podkochiwała się w nim platonicznie, kiedy kończyli razem kurs Brenta Turveya. Przystojniak przyjeżdżał do Huddersfield przez trzy miesiące, potem mówiono, że urodziło mu się dziecko, choć nikt nigdy nie słyszał, żeby był żonaty. Kurs skończył on-line. Coś obiło się Saszy o uszy, że wykłada na SWPS-ie w Warszawie, ale nie wiedziała, że pochodził z Łodzi. Może to współautorka dziecka go tutaj przygnała?

– Chyba nie tylko ja jestem ciekaw, jak to załatwiłaś. – Rafał Kościej podał jej plik gazet. Uśmiechnął się przy tym czarująco.

Sasza poczuła nagle, że miękną jej kolana. Skurwiel wiedział, jak używać swoich walorów. A potem przechylił zawadiacko głowę i wskazał na jej skórzaną kurtkę, której nie zdjęła, bo traktowała ją jak alternatywny mundur. I dopiero patrząc na kurtkę Kościeja, zrozumiała, że ma na sobie kropka w kropkę miniaturę własnej zbroi służbowej. Tyle że jego była ewidentnie nowa. Napy błyszczały, ściągacze na rękawach nie miały specyficznych kulek, które Sasza bezskutecznie próbowała usuwać maszynką do golenia. Jej katana była zindywidualizowana. Na lewym ramieniu aż po kieszeń na biuście była rozdarta. Stało się to jeszcze w Hajnówce, ale Sasza do dziś nie zdążyła jej naprawić. Rafał nagle zasznurował usta. Kiedy się nie uśmiechał, wyglądał groźnie i bynajmniej nie wzbudzał zaufania.

– Wtedy też miała ją pani na sobie – rzekł, rozglądając się czujnie wokół, bo wszyscy się im przyglądali.

– Gratuluję doskonałej pamięci. – Załuska podniosła głowę, choć nie miała zielonego pojęcia, o jakiej sytuacji mówi psycholog. – Zdaję mi się, że przeszliśmy już na ty.

– Zapomniałem.

– Nie sądzę.

– Nie zwykłem zaśmiecać sobie głowy niepotrzebnymi danymi.

Kobieta natychmiast poczuła, że płoną jej policzki. Dała się złapać w pułapkę prostego flirtu. Czuła się jak idiotka. A więc przybył, by ją sprawdzić. Będzie słuchał i oceniał jej wiedzę. A potem – była gotowa robić o to zakłady – wpieprzał się w jej opinie. Podważał wiarygodność. Rzucał kłody pod nogi i starał się wyeliminować. Jak dobrze to znała. Prosta prezentacja, którą pokazywała już w tak wielu miastach, nagle wydała jej się jednym z najważniejszych testów w karierze. Była przekonana, że Kościej musi zdać z dzisiejszego dnia raport. Pytanie tylko komu. Czy jest zatrudniony w tutejszej komendzie?

– Co tu robisz? – rzuciła, bo gra w otwarte karty wydała się jej nagle najskuteczniejsza.

– A ty?

– Pracuję. – Odchrząknęła.

Twarz mu skamieniała. Po czarusiu nie było nawet śladu. Saszę oblał zimny pot. Zresztą, zdaniem Załuskiej, taki właśnie był naprawdę: bezwzględny i despotyczny. To jej nie dziwiło. Oboje mieli rys psychopatyczny: determinacja, konsekwencja, precyzja, ośli upór w dążeniu do celu i niedostosowanie, trudności w podporządkowywaniu się, a z drugiej strony indywidualizm. Gdyby nie posiadali tego zestawu, nie doszliby w tej działce nawet do poziomu podstawowego.

– I właśnie o to chodzi – rzekł cicho.

Rozłożył gazetę. Na rozkładówce znajdował się tekst o podpalaczu z Łodzi, umajony ogromnym rysunkiem podobizny Załuskiej oraz z jej oficjalnym dossier w ramce. Co ciekawe, było kompletne. W jednej chwili pojęła, kto dał dziennikarzom te dane. A więc miała przed sobą szpicla. Przeleciała lead, śródtytuły i odetchnęła z ulgą. Choć dziennikarze podali prawdziwe nazwisko, na grafice zupełnie nie była do siebie podobna. W szczególności nie podobał jej się ten kulfon zamiast nosa i rozpuszczone na rusałkę włosy. Ale dzięki temu wciąż mogła pozostawać incognito. Dopiero teraz zrozumiała, dlaczego do komendy zakradł się fotograf. I choć z pewnością nie dostanie zgody na opublikowanie jej fotografii, będzie ją miał i sprzeda mediom, kiedy przyjdzie stosowna pora. Trudno, pomyśli o tym później. Co do Kościeja, jeszcze przyjdzie dzień odpłaty. Policzymy się, zdecydowała.

– Ja powinienem być tutaj zamiast ciebie – oświadczył Kościej, po czym wyszedł szybkim krokiem.

Sasza nabrała powietrza i wróciła do komputera. Adrenalina skoczyła jej na tyle, że nie czuła już potrzeb fizjologicznych. Nie czuła nic poza głupim poczuciem małego triumfu. Gdyby nie ten tłum w sali, z pewnością by się roześmiała. Co za dziecinada. Jak w przedszkolu. Zmęczenie minęło. Lęk przed wystąpieniem ulotnił się niczym dym z papierosa. A więc lokalny psycholog jest o nią zazdrosny. Musiał czytać jej akta osobowe. A nawet jeśli nie, to niewielkie środowisko. Plotka błyskawicznie niesie się po firmie. Facet nie rozumie, jak wykaraskała się po akcji w Hajnówce. Nie znosi jej. Gdyby mógł, utopiłby ją w łyżce wody. Same dobre wiadomości! Czyż zazdrość konkurencji nie jest miarą sukcesu? Skoro facet rzuca jej rękawicę, Sasza ją podniesie. I w żadnym razie nie da się wyrolować z tego zadania.

– Pierwsze, o co trzeba zapytać w sprawie ustalenia tożsamości nieznanego sprawcy, to motyw – zaczęła prezentację. – Kluczem do określenia typu podpalacza jest zadanie pytania: „dlaczego ten człowiek podpala?". W żadnym innym typie profilowania nie jest to tak ważne. Dopiero kiedy znamy tę odpowiedź, możemy mówić o ograniczeniu grona podejrzanych. Jest siedem typów podpaleń, a nie trzy, jak sądzi się obiegowo. A więc: oszustwa, zatarcie śladów zbrodni, próżność, zemsta, niepokoje społeczne, w co włączamy także terroryzm, lekkomyślność dzieci i nastolatków oraz działania chorych, czyli piromanów. Za chwilę będę je analizowała bardziej szczegółowo. Każde podpalenie charakteryzuje inny motyw, a więc tworzymy odmienny profil osobowości sprawcy. Dopiero potem zajmujemy się modus operandi, wizytówkami i rozwojem kryminologicznym. Trudność opinii w sprawach podpaleń polega na tym, że w tym typie przestępstwa nie ma cech wspólnych. To jest najistotniejsza kwestia. Jeśli odpowiecie sobie błędnie na pytanie: „dlaczego to zrobił?", nigdy nie uzyskacie prawidłowej odpowiedzi na kolejne: „czy, gdzie i ile razy zaatakuje?". Ten błąd będzie się multiplikował, gdy będziecie próbowali ustalić jego tożsamość, powstrzymać go, złapać na gorącym uczynku. W efekcie sprawca może na długo pozostać bezkarny. Czasem, zwłaszcza kiedy nie mamy do czynienia z piromanem, lecz na przykład terrorystą lub zabójcą, który jedynie zaciera ślady, na zawsze. Pamiętajmy także, że sprawca seryjny, a z takim mamy tutaj do czynienia, zawsze stara się rozwijać, uczy się, a im dłużej działa, tym jest skuteczniejszy. Kluczowe jest ustalenie jego pierwszego bądź drugiego dzieła, kiedy jeszcze popełniał błędy.

– A co z bomberem? Mamy tutaj ładunki wybuchowe. Nie jakiegoś podpalacza traw – padło z końca sali.

– Ogień, wybuch, eksplozja, a więc destrukcja przesunięta w czasie, to oczywiście symbol siły dla jednego i drugiego typu sprawcy. Wiąże się nieodmiennie z ideą wyższości i zwierzchnictwa. Są to więc działania podejmowane dla potwierdzenia własnej wartości, udowodnienia sobie cech męskich, zachowania godności. Sprawca musi coś zniszczyć, by wyjść z sytuacji z twarzą.

Sasza wyjęła z torby *Ziemię obiecaną*.

– „Goldberg się spalił dziś w nocy i to zupełnie na glanc" – przeczytała fragment. Przerzuciła kilka kartek. – „Miał dużo towaru? Miał dużo zaasekurowane. Bilans sobie wyrównał. Mądry chłop. Zrobi miliony".

Zamknęła książkę. Rozległ się pomruk dezaprobaty.

– Nawet w prostej sprawie o ubezpieczenie tam gdzieś pod spodem, w podświadomości sprawcy bądź zleceniodawcy, znajduje się zawsze pierwotna potrzeba oczyszczenia sytuacji. Ogień niszczy, ale uosabia także odrodzenie. Cytując Heraklita, to „sprawca przemian", jako że wszystkie rzeczy rodzą się z ognia i do niego powracają. W pewnym sensie ogień upodabnia się do wody. To czyściciel. Dawca mocy, gdyż zwycięża siły zła, a więc ciemności. W gruncie rzeczy działalność podpalaczy zbliżona jest do technik ofiarnych.

Sugeruje pragnienie zniszczenia czasu i doprowadzenia wszystkiego do końca.

– A więc mamy tutaj świra, który chce zburzyć Łódź – zaśmiał się jeden z policjantów z pierwszego rzędu.

– Szczegóły dotyczące prowadzonych przez państwa spraw będziemy omawiać indywidualnie, po odprawie. Ten wykład ma charakter ogólny, ponieważ, jak powiedziałam wcześniej, Łódź płonie niejednorodnie. I jeśli już pan tak naciska, mamy de facto do czynienia z potencjalnymi siedmioma typami sprawców.

– A co z kobietami? – Wstała jedna z policjantek, która najwyraźniej przyszła później i nie zmieściła się już na ustawionych krzesłach.

Siedziała na podłodze z innymi koleżankami, ale choć z daleka Sasza widziała tylko jej nastroszone pomarańczowe włosy, czuła jej charyzmę. W mundurze ćwiczebnym i ciężkich butach policjantka wyglądała okrutnie sexy. Sasza zwróciła uwagę, że żadnemu z obecnych mężczyzn nie przyszło do głowy ustąpić koleżankom miejsca. A może też te kobiety wcale tego nie oczekiwały.

– To odrębna kategoria – odparła. – Ponieważ, jak w większości zbrodni najcięższego kalibru, kobieta zwykle atakuje, pragnąc kogoś obronić. Osłania bliskich lub zostaje do tego zmuszona, znów z wyżej wymienionych powodów. Są rzecz jasna wyjątki: psychopatki i osoby chore psychicznie. Ale o ile te pierwsze jak najbardziej mogą być sprawcą seryjnym zorganizowanym, o tyle drugie co najwyżej seryjnym masowym. O ile wiem, w Łodzi obecnie mamy do czynienia raczej z tym pierwszym typem.

– Czyli to nie może być wariat?

– Nie jestem psychiatrą – burknęła Sasza. – Ani wróżką. Z tego, co wiem, jeszcze go nie schwytaliśmy.

Ale natychmiast przyszła jej do głowy Polka, której tuleje z trotylem urwały prawy bark i prawdopodobnie lepiej dla niej będzie, jeśli nigdy nie obudzi się z tej śpiączki. Gwarancji, że Wiesława Jarusik była w pełni poczytalna w momencie popełniania czynu, nie miała. Zdaniem Saszy bardziej prawdopodobne jest, że była ofiarą niż dżihadystką, ale teraz nie mogła się nad tym rozwodzić. Musiała kontynuować otwarty wykład i pilnować się, by nie powiedzieć za dużo. Jeśli w sali znajdują się osoby pracujące nad tą sprawą, nie zająkną się o tym, jak i Sasza, nawet słowem.

– Jak mamy w kontekście kluczowego pytania o motyw tak zawęzić dane, by oszacować, że jednak szukamy kobiety? – napierała znów marchewkowa seksbomba.

– Analiza wiktymologiczna. – Sasza wzruszyła ramionami.

– A ekspert pożarnictwa?

– Ekspertyza to podstawa w każdej sprawie. Nigdy nie analizujemy danych wyrywkowo, lecz holistycznie, globalnie. Nie można zatrzymać się na jednej hipotezie i próbować jej udowadniać za wszelką cenę. – Profilerka zbeształa policjantkę i zaraz się uśmiechnęła. – Wracając do kobiet. My naprawdę bardzo rzadko podpalamy w spektakularny sposób. Przykro mi, jeśli panie urażę, ale płeć piękna zasadniczo boi się wielkich przedstawień. A też ich nie potrzebuje, by wzmocnić poczucie własnej wartości. W dużym uproszczeniu: nie mamy potrzeby udowadniania swoich „cech męskich".

– A jednak do takich sytuacji dochodzi – upierała się pomarańczowa.

– Tak jak w każdej zbrodni kobiecej – skwitowała Sasza. – Była kiedyś ofiarą. Oddaje agresję.

– To wszystko?

– Kobiety są praktyczne. Kierują się logiką, a nie potrzebą popisywania się. Nie kierują agresji w nieokreśloną przestrzeń. Jeśli ten pan nie ustąpi pani miejsca, nie wysadza pani całej sali w powietrze. W większości przypadków kobieta kieruje przemoc w stronę krzywdziciela. Ewentualnie w grę wchodzi jego otoczenie.

– Ona by wysadziła – zaśmiał się jeden z młodych policjantów. Sasza zauważyła, że tych dwoje mogło w przeszłości łączyć coś więcej. Ale ze strony rudej to zamknięta sprawa.

Wskazała na młodszego aspiranta.

– Jak pan ma na imię?

– Szczepan.

– A pani? Tak, mówię o Nicole Kidman skrzyżowanej z Larą Craft.

Sala gruchnęła śmiechem.

– Zofia. – Policjantka się zarumieniła.

Sasza podeszła do Szczepana.

– Pan teraz ustąpi Zofii miejsca i przekaże kolegom, że potrzebne są cztery wolne krzesła. Wiem, że wszyscy jesteście feministami, ale ja się do nich nie zaliczam. I nie mogę patrzeć, jak faceci grzeją dupy, a baby siedzą pod ścianą. – Zawiesiła głos i zaraz dodała: – Chyba że panowie życzą sobie dziś detonacji. Bo ja bynajmniej. Córka czeka na Mikołaja, a ostatni pociąg do Warszawy odjeżdża o dwudziestej.

Bojowe dziewczyny zaczęły natychmiast protestować. Sasza tylko spojrzała na Szczepana.

– Panowie, trochę godności.

Nastąpiła rotacja miejsc. Pomarańczowa piękność siedziała teraz naprzeciwko Saszy.

– Kończąc sprawy genderowe – kontynuowała Załuska. – Jeśli już mamy do czynienia z podpalaczem płci pięknej, to raczej w domu, kameralnie. Na ofiary kobiety wybierają

145

bliskich lub samych siebie. Tego typu sprawy są łatwiejsze do wykrycia. Zwykle w takich razach nie jest konieczna pomoc profilera. Dobry detektyw poradzi sobie po kilku przesłuchaniach. I bardzo rzadko zdarza się, by kobiety były seryjnymi piromankami. Nie spotkałam się jeszcze w Polsce z przypadkiem sprawczyni, która moczyłaby się na widok ognia.

– A za granicą?

Sasza się zawahała. Odwróciła się do ściany, a potem potwierdziła.

– Ale łączyło się to z innymi zaburzeniami. Głównie psychicznymi, na przykład schizofrenią.

– Więc wariat nie, ale wariatka już tak – padło z sali.

Rozległ się gremialny śmiech. Sasza zmierzyła żartownisia potępiającym spojrzeniem. Chciała już ustawić Szczepana, by nie mieszał kolokwialnych pojęć z kwestiami medycznymi, ale nie zdążyła. Wstała ruda.

– A terrorystki? – krzyknęła. – Odpowiednio przeszkolone. Zajadłe. Świetnie zorganizowane i przebiegłe.

– To już inny temat – ucięła Sasza. – Proszę nie fabularyzować.

Akcja dogaszania famuł przy Ogrodowej dobiegała wreszcie końca. Zmęczeni strażacy pakowali sprzęt, zwijali węże. Dźwig, z którego polewano budynek z góry, właśnie odjechał, odsłaniając w całej okazałości rozmiary pogorzeliska. Tłum gapiów wystawał za rusztowaniami, gdyż był to jeden z większych pożarów w ostatnim czasie w tym mieście. Zniszczony został nie jeden budynek famuł, gdzie ujawniono źródło pożaru, lecz niemal cały rząd kamienic. Drewniane poddasza, w większości nabite łatwopalnymi gratami, okazały się doskonałą pożywką dla śmiercionośnego ognia. Zajmowały się od siebie niczym papierowe lampiony. Nie trzeba było długo czekać, by powstał efekt domina. Zanim rozpoczęła się właściwa akcja gaśnicza, ludzie leżeli pokotem, otumanieni śmiercionośnym dymem.

Od początku strażacy mieli problem nie tyle z ustaleniem źródła ognia, ile z przedostaniem się do środka budynku. W bramach leżały hałdy gruzu uniemożliwiające wjazd wozów strażackich, wejścia do klatek zaś zablokowano nielegalnie postawionymi płytami, które na nieszczęście lokatorów dodatkowo wzmocniono metalowym rusztowaniem. Właściciel budynku tłumaczył się, iż zainstalował te niezniszczalne konstrukcje w celu ustabilizowania przegniłych

147

stropów. Ale już teraz wiadomo było, że czeka go proces o stworzenie zagrożenia życia prawie czterystu osób. Rannych i poparzonych było około pięćdziesięciu, z czego większość przebywała w szpitalu jedynie na obserwacji, ale prokurator miał pełne ręce roboty. Każdej z ofiar należało się odszkodowanie i większość skwapliwie z niego skorzysta. Kiedy powstała panika, ludzie zaczęli się deptać nawzajem u wyjścia i większość obrażeń wynikała z tej przyczyny. Były to uszkodzenia mechaniczne, zatrucia czadem i w nielicznych przypadkach poparzenia żywym ogniem. Właściwie tylko ci, którzy skakali z okien, uratowali się bez szwanku. Niektórzy zdołali nawet ocalić część dobytku.

Ogólnie jednak był to widok godny rozpaczy. Hałdy brudnej, popalonej pościeli, ubrań i połamanych mebli otaczały budynek ze wszystkich stron. Na razie nie zezwalano tego sortować, a jak na ironię dopiero teraz się rozpadało. Niebo nad Łodzią zasnuło się chmurami i płakało nad losem pogorzelców mokrymi płatami śniegu, które topniały w kałużach.

Najbardziej ucierpieli dzicy mieszkańcy strychu pod numerem 17. Jak się okazało, drzwi do ich samowolnie zajętego lokalu zablokowane były sztabą, która pod wpływem temperatury stopiła się z futryną. Nie trzeba było wiedzy eksperta pożarnictwa, by pojąć, że zamknięcie z zewnątrz danego mieszkania oznaczało, iż ktoś chciał, by dwaj mężczyźni i kobieta zginęli śmiercią straszliwą. Ocalał tylko ich kompan – bezdomny, który tego wieczoru był nieproszonym gościem. Pojawił się wieczorem i nocował na tarasie. Kiedy ogień zajął poddasze, odciął mu drogę ucieczki do wyjścia. W efekcie został zdjęty z dachu przez straż i z niewielkimi obrażeniami trafił do miejskiego szpitala. Brano oczywiście pod uwagę, że mógł mieć udział w usmażeniu żywcem tej trójki.

Famuły na całej długości otoczono sztywnymi rusztowaniami. Każde z drzwi wejściowych opieczętowano i opleciono taśmami policyjnymi. Ulicę zamknięto aż do zakończenia oględzin. Technicy mieli pracy na tydzień. Ponieważ był to nie tylko teren pogorzeliska, lecz także miejsce zbrodni, za chwilę miała wkroczyć specjalna ekipa badawcza składająca się z prokuratora, ekspertów od pożarnictwa i techników kryminalistyki.

Rannych przewieziono do szpitala. Lokatorom, którzy zdołali opuścić płonący budynek na czas, miasto zapewniło lokale zastępcze. W mediach politycy prześcigali się w składaniu obietnic, jaką pomoc zaoferują ofiarom. Większość mieszkańców straciła dorobek życia. Nie było tego wiele, bo na Ogrodowej zawsze mieszkała biedota. Ale też od lat trwał tutaj konflikt z mafią mieszkaniową. Słynny już łódzki czyściciel kamienic Mieczysław Orkisz zwany Cybantem oraz jego ludzie z pewnością mogli się dziś spodziewać wizyty „smerfów".

– Było ciężko, Artur. – Do dowódcy brygady podeszła Anna Świderska, szefowa i założycielka stowarzyszenia ochotniczych jednostek ratowniczych w Łodzi. U jej stóp siedział piękny dalmatyńczyk w szelkach z logotypem strefy 998. Kobieta była rumiana, solidnie wyrzeźbiona na siłowni, a w kombinezonie z ogromnym napisem „STRAŻ" wzbudzała respekt z daleka. Mimo to młodszy brygadier Górecki wiedział, że ma do czynienia z pasjonatką ognia, samozwańczą ochotniczką, jego zdaniem – w niebezpiecznym tego słowa znaczeniu.

Podniósł głowę. Był zmęczony i to było widać. Prawdopodobnie ostatnie, na co miał teraz ochotę, to konwersacja ze Świdrem, jak sama lubiła o sobie mówić Anna. Zdjął metalowe buty i z ulgą zrzucił z siebie ciężką, chroniącą przed ogniem kurtkę. Pod spodem miał całkiem przemoczony podkoszulek. Cuchnął potem. Poprawił szelki od spodni. Wsunął stopy do butów trekkingowych. Wykręcił kucyk i związał go ponownie w cienką kitkę. Całe jego ciało parowało. Wytarł się brudnym ręcznikiem i szybko narzucił na plecy polar.

– Nikomu nie życzę takiej pracy. – Uśmiechnął się słabo.

Świderska się zmieszała. Najchętniej opowiedziałaby, jak bardzo mu zazdrości, ale to nie był ani czas, ani miejsce na takie wyznania. Zresztą była pewna, że Artur o tym wie. Świder zawsze marzyła, by pracować w straży, ale rodzice uznali, że to nie jest przyszłość dla ich jedynej córeczki. Skończyła antropologię kultury, wyszła za mąż, urodziła dziecko. Nie pracowała w zawodzie ani jednego dnia. Zajmowała się domem, całe lata była na garnuszku męża. Kiedy dziecko poszło do przedszkola, zgodził się, by dołączyła do lokalnej OSP. Podobała mu się w mundurze. Podziwiał ją na zawodach w remizie, ale kiedy zaczęła jeździć nocami do pożarów niemal na każde wezwanie, a potem wracała cuchnąca potem, zmęczona i rozdygotana, zmienił zdanie.

Pierwszy zgrzyt pojawił się, gdy Anna potajemnie złożyła dokumenty na zawodowca. Na szczęście nie dostała się trzy razy, a potem była już za stara na studia w WSP. Mąż liczył, że jeśli szybko postarają się o kolejne dziecko, wybije jej z głowy te pożarnicze kocopały. Próbował się do niej dobrać przy byle okazji. Anna robiła, co mogła: zapuściła włosy pod pachami, przytyła, wymawiała się bólem głowy i jajników. W końcu zaczęła unikać męża. Koleżankom opowiadała, że wymaga terapii. Koszmary z napastowaniem seksualnym budziły ją nawet z poobiedniej drzemki. Pod byle pretekstem sypiała w pokoju synka i tym bardziej angażowała się w sprawy ochotniczej brygady. Miała pomysły, zbierała pieniądze, unowocześniała sprzęt. Spędzała na ćwiczeniach więcej czasu niż w domu.

Rok później mąż zmusił ją do rozwodu z orzeczeniem jej winy, zdobył anulowanie ich małżeństwa w kościele z powodu braku pożycia i definitywnie odebrał synka. Kiedy pytano go o powód, twierdził, że Annę ogień bardziej podnieca niż on. Dopiero rok później Anna dowiedziała się od życzliwych, że już w trakcie ich małżeństwa przygruchał sobie młodą krawcową. Dwudziestosześciolatka nie protestowała przeciw zbliżeniom sześć razy dziennie. Oprócz synka Anny nowa żona Świderskiego wychowuje jeszcze trójkę własnych dzieci i podobno znów chodzi w ciąży. Wszyscy mają ich za przykładną rodzinę. Nie widzą problemu w tym, że po rozwodzie Anna została właściwie bez dachu nad głową. Gdyby nie pomoc rodziców, trafiłaby pod most. Wynajmowała klitkę na Żeglarskiej. Dobytku miała trzy większe reklamówki. Żadnego dorobku zawodowego, bo nigdy nigdzie nie pracowała. Plus awersja do mężczyzn i raz w tygodniu widzenie z synem. Była kompletnie sama. Przepłakała wiele godzin, nie wychodząc spod kołdry, nie jedząc.

Wreszcie doszła do jedynego wniosku: została jej tylko straż. Pojechała do schroniska, wzięła najbardziej wymizerowanego szczeniaka, jakiego mieli akurat na stanie, który wyrósł na prawie rasowego dalmatyńczyka, i zarejestrowała własny hufiec. Teraz wszystkie decyzje mogła podejmować sama. Połowa ludzi ze starej jednostki odeszła do niej, bo obiecała większe stawki za wyjazdy plus nowe kombinezony, dodatki żywnościowe, bony na sprzęt. Pisała wnioski do urzędu o dotacje i była na tyle upierdliwa, że dla świętego spokoju coś jej zawsze skapywało. Była jak taran. Wyrzucisz ją drzwiami, wejdzie oknem. Doprowadziła do powiększenia kompetencji swojej ekipy. Jej ludzie byli przeszkoleni w ratownictwie medycznym, zabezpieczali masowe imprezy i pomagali zawodowcom przy dużych akcjach gaśniczych. Ostatnio starała się o kwity na psy tropiące i udział w akcjach poszukiwawczych ludzi.

– Chcemy pomóc. – Wskazała rząd samochodów, z których wysiedli jej ludzie.

Wszyscy byli w identycznych kombinezonach – nowiutkich, z wyraźnym logotypem ich brygady. Artur pomyślał, że dobrze wyglądają na zdjęciu albo w telewizji. Nie to co on, zgniły kartofel. Człowiek przemaglowany przez wyżymaczkę. Nigdy nie lubił Anny i uważał, że dziewczyna ma kompletnego zajoba. Nie to, że jara się ogniem. Anna chciała władzy, upajała się nią. Wydawaniem rozkazów, przestawianiem ludzi jak pionki na szachownicy, walką z żywiołem. Ogień był tylko pretekstem. Anna miała w sobie mnóstwo nieprzepracowanej złości, której tylko w ten sposób – wojując z ogniem – mogła się pozbyć. Była gotowa do szalonych rzeczy, do brawury, narażania na niebezpieczeństwo siebie i innych. Pragnęła udowodnić wszystkim, choć tak naprawdę pewnie tylko jednej osobie, że jest kimś, że ten Ktoś nie docenił bohaterki. A takich samozwańczych wojowników, którzy pragną sławy bardziej niż prozaicznego pomagania innym, niesienia ratunku bez glorii i chwały, bacznie się w straży obserwuje. Są pierwszymi podejrzanymi w razie nasilenia się podpaleń. Gdyby na jaw wyszło, że ktoś od nich hajcuje budynki, bez wahania wskazałby tę larwę. Choć nigdy niczego nie można było jej zarzucić. Zawsze wyprasowana, punktualna i pełna stuprocentowych kompetencji. Zupełnie jakby urodziła się w koszarach wojskowych.

– Już po wszystkim, Świder. – Skrzywił się. – Jedź do domu. Choinkę ubierz z mężem.

– Mąż mnie zostawił.

Górecki westchnął. Chciał odpowiedzieć, by sobie znalazła nowego, ale zamiast tego rzekł:

– W czym chcecie pomóc? Za dziesięć minut będą technicy. Może mniej. Na stanowisku zostawiam też jeden oddział.

Podała mu dokument z pieczątką. Był oczywiście w folii, czyściutki, jakby znajdowali się w sterylnym laboratorium.

– Przeczytaj – poddał się. – Nie mam okularów.

– Długi jest. – Zrobiła minę sierotki Marysi, zawsze gotowej do poświęceń. – Generalnie, możemy popilnować terenu, wyeliminować ciekawskich przechodniów. Zabezpieczymy teren, by ekipa dochodzeniowa mogła w spokoju pracować. Musi być jednak na to wasza zgoda. Znaczy się twoja, Artur, dowódcy. Chłopaki z PSP już mi podpisali. Oczywiście będziemy do waszej dyspozycji, jakbyście nas potrzebowali – wyrecytowała.

Górecki był naprawdę bardzo zmęczony. Jedyne, o czym marzył, to kąpiel i wyro. Poza tym dobrze wiedział, że żadnemu z jego chłopców nie uśmiecha się pilnowanie pogorzeliska w święta. Takiej roboty mogli chcieć tylko fantaści Świderskiej.

– Ku chwale ojczyzny. – Zasalutował.

Podsunęła mu kartkę, która jakimś cudem wyfrunęła już z foliowej koszulki.

– Podpisz tutaj, że wam nie kolidujemy. – Podała wieczne pióro.

153

Artur w życiu na akcję nie zabrałby takiego sprzętu. Inna sprawa, że plastikowy bic w zupełności mu wystarczał. Złożył autograf i schował pod ramię kask. Dał znak chłopakom. Odpalili silnik, zaczęli cofać. Górecki ruszył wolno wzdłuż pogorzeliska, ale zanim wspiął się na drabinkę, krzyknął do Świdra:

– Nikt nie ma prawa tam włazić. Rozumiesz?

– Dopilnuję – obiecała Anna, ale kiedy tylko wóz, którym odjeżdżał Artur, zmienił się w czerwoną plamę za rogiem, włożyła lateksowe rękawiczki i ruszyła do wejścia.

– Czekajcie tu – poleciła swojej ekipie i wskazała błyszczącą krótkofalówkę. – Jakby co, będę na czwartym kanale.

Okropny dżinsowy gorset nie dopinał się na piersi żeńskiego manekina. Za to fluorescencyjna spódnica była w sam raz. Doskonale skrywała rząd kartonowych tulei po ręcznikach papierowych, do których nasypano po pół garści makaronu dla dzieci w kształcie literek, udających trotyl. Każda z rurek miała swoją sieć prymitywnych przewodów, które podłączono do najtańszej baterii o mocy dziewięciu woltów. Palec plastikowej Wenus o ułamanym nosie, lecz uszminkowanych flamastrem ustach spoczywał na przycisku najbardziej popularnej bomby wśród terrorystów z Bliskiego Wschodu. Można ją było przeszmuglować w częściach i złożyć w każdych warunkach. Także na pustyni, w dworcowej poczekalni czy choćby w więzieniu. Nawet tam paczka tanich klusek nie wzbudziłaby u nikogo podejrzeń.

– Nie ma prostszej i bardziej niezawodnej instalacji na świecie – wyjaśnił Jacek „Cuki" Borkowski, tutejszy pirotechnik. – System działa na odwrotnej zasadzie niż klasyczny ładunek wybuchowy. Po założeniu i podłączeniu przewodów do baterii urządzenie jest gotowe do strzału. Obwód tylko chwilowo jest przerwany. Gdy tylko uwolni się przycisk, energia elektryczna dotrze do zapalnika

155

i spowoduje zamknięcie obwodu. Następuje eksplozja. Oczywiście do wybuchu może dojść również w sytuacji, gdy ktoś majstruje przy którymkolwiek kablu, próbuje rozłączyć baterię albo rozerwie jedną z rurek z materiałem wybuchowym. Zasadniczo tylko miłośnicy świętej wojny noszą ten sprzęt dobrowolnie. Większość zakładników ma to ustrojstwo przyklejone do ciała solidnymi taśmami. Skrępowanie ofiary lub knebel nie wpływają zupełnie na jakość wybuchu. W tym przypadku mieliśmy do czynienia z pierwszą opcją. Polka wiedziała, na co się pisze, i nie stwierdziliśmy na jej ciele żadnych śladów przymusu. Warto też wiedzieć, że po założeniu tego kagańca nie ma procedury apelacyjnej. Przetestowano go tysiące razy w Czeczenii, Syrii czy Iraku. Z „żywej bomby" zostają po wszystkim wyłącznie mielone i rozkawałkowane kości. Siła rażenia jest tak wielka, że często nie udaje się rozpoznać rysów twarzy zamachowca. Zwykle identyfikuje się delikwenta po dokumentach, jeśli takowe miał ze sobą. Wiesława Jarusik miała w tym wszystkim całkiem sporo szczęścia.

– Jak to się stało, że przeżyła? – zwróciła się do eksperta Załuska.

Siedzieli w konferencyjnej na tajnej naradzie, w której uczestniczyli komendanci: pierwszy i drugi, oraz szefowie niemal wszystkich wydziałów jednostki. Kryminalni, terror, prewencja mieli po kilku wysłanników, ale większość nie odezwała się jak dotąd nawet słowem. Przed wejściem do sali każdy z uczestników podpisał oświadczenie o zachowaniu otrzymanych w dniu dzisiejszym danych w ścisłej tajemnicy. Wszyscy zdawali sobie sprawę z wagi sytuacji oraz zagrożenia, jakie niesie za sobą niekontrolowany przeciek.

Poza Załuską była w tym gronie tylko jedna kobieta. Krótko ostrzyżona blondynka o miłym wyrazie twarzy. Jak się okazało, szefowa dochodzeniówki w stopniu komisarza. Notowała każde wypowiedziane na spotkaniu słowo, gdyż po zakończeniu narady miała sporządzić skondensowany raport na użytek wszystkich służb. Na plakietce przytwierdzonej do jej munduru Załuska przeczytała: „Jolanta Brzezińska", ale nikt się do niej nie zwracał inaczej niż Henrietta.

– Szczęście, fart? – Pirotechnik wzruszył ramionami.

– Prawdę mówiąc, przeżyła to chyba na razie za dużo powiedziane.

Dopiero na tym spotkaniu Sasza dowiedziała się, iż Polka podejrzana o zamach terrorystyczny, w której sprawie teraz debatowali, miała urwany prawy bark i pogruchotaną nogę, poparzenia na twarzy oraz rozdrobnione narządy wewnętrzne. Przeszła szereg operacji, z których nikła część była udana. Szanse na jej przebudzenie były raczej mizerne. Nikt się nie łudził, że w najbliższym czasie dojdzie do przesłuchania. W zasadzie tylko czekali, kiedy ze szpitala przyjdzie wiadomość, iż serce kobiety przestało pompować krew do mózgu. Musieli przygotować na tę okoliczność wiarygodną wersję, gdyż siostra poszkodowanej groziła zażaleniem do ministra sprawiedliwości w sprawie zaniedbań w śledztwie. Na razie nie została wprowadzona w szczegóły, gdyż pracownicy szpitala WAM, do którego trafiła poszkodowana, również zobowiązali się do utrzymania tajemnicy. Dane o sprawie, które posiadała siostra Jarusik, pochodziły ze śledztwa prywatnego detektywa, ale policja dotąd odmawiała ich oficjalnego potwierdzenia.

– Lepiej by dla niej było, gdyby się już nie zbudziła – mruknął Karol Albrycht, pierwszy komendant jednostki wojewódzkiej. – Czeka ją tylko ból, cierpienie i hańba dla rodziny.

– Ale nie dla nas, Flaku – natychmiast zaoponował Drugi, jego zastępca. I łagodnie zachęcił pirotechnika: – No dalej, Cuki. Co tam jeszcze masz dla tatusia? Pierwszy, jak widzisz, znudził się i posmutniał.

Sasza zorientowała się, że między młodym szefem łódzkiej jednostki, zwanym jak widać całkiem oficjalnie Flakiem, a dwa razy starszym od niego narowistym Drugim (nie przybył na odprawę z plakietką ani nie był łaskaw się przedstawić, ale wiedziała, że nazywa się Szkudłapski) istniała silna toksyczna więź. Wciąż sobie przygadywali i za wszelką cenę starali się popisać przed nią lub kolejnymi występującymi ekspertami – tego Sasza nie była w stanie wiarygodnie ocenić. O ile Flak już na pierwszy rzut oka wyglądał na człowieka urodzonego do zajmowania stołka oficera i poza praktykami w Szczytnie prawdopodobnie nigdy nie bywał w terenie, o tyle Drugi świeże powietrze lubił zdecydowanie bardziej niż siedzenie na odprawach. Powierzone stanowisko wyraźnie go krępowało, ale wyglądało na to, że bezczelnością umie wywalczyć sobie bardzo wiele luzu. Krótko ostrzyżony, średniej budowy ciała. Czerstwy i ogorzały, jakby nie robił w życiu nic innego, tylko ganiał po boisku. Nosił mundur wice z nonszalancją typową dla wieloletniego przywódcy. A jednocześnie już z daleka wyglądał na klasycznego trepa, od dzieciaka chowanego na poligonie wojskowym lub milicyjnym. Nie przejmował się procedurami, gdyż miał je we krwi od pokoleń i umiał je obchodzić chyłkiem. Sasza nie zdziwiłaby się, gdyby zarówno Pierwszy, jak i Drugi byli „plecakami"* jednego nazwiska. Tylko to by

---

* Plecaki – w slangu policyjnym rodzaj nepotyzmu.

tłumaczyło, dlaczego młodszy wiekiem, lecz starszy rangą oficer pozwalał podwładnemu na tak odważne publiczne przygaduszki.

– Ładunek eksplodował przedwcześnie w wyniku drobnego błędu konstrukcyjnego – kontynuował pirotechnik.

– Nie dlatego, że zwolniła guzik.

– Pas się rozerwał? Kabel naruszył i doszło do niekontrolowanego bum?

Borkowski pokręcił głową.

– Ustaliliśmy, że stało się to w momencie, kiedy wsiadała do auta. Zgięła się, by zająć miejsce na tylnym siedzeniu – zaczął, ale spiorunowany wzrokiem przez Drugiego zatrzymał się.

– I? – zachęciła eksperta Sasza. – Poproszę wersję dla dzieci i humanistów.

Borkowski nabrał powietrza i kontynuował już pewniej:

– W większości przypadków przedwczesna eksplozja materiału wybuchowego w pasie powodowana jest niekontrolowanym przepływem energii elektrycznej do zapalników, które są już podłączone do kostek trotylu.

– A więc ktoś jej pomógł? – dociekała Załuska. – Chciał ją wysadzić. Taka jest hipoteza?

Zapadła cisza.

Sasza kolejno weryfikowała reakcje uczestników spotkania.

– Nie mamy dowodów – Henrietta pękła pierwsza. – Z kartonowych tulei zostały tylko strzępy porozrzucane w promieniu kilku metrów. Świadków brak. Ofiara nie złożyła zeznań. Brak poszlak do wątku terrorystycznego. W każdym razie oficjalnie.

– A więc bierzemy pod uwagę zabójstwo? – podsumowała profilerka. – Dlaczego nie wszczęto postępowania ze sto czterdziestego ósmego?

– To pani powiedziała – pośpiesznie zaprotestował komendant. – Sprawa została zakwalifikowana prawidłowo.

Załuska przerzuciła dokumenty. Podniosła głowę.

– Wypadek? – roześmiała się. – Eksplozja miała miejsce na Tymienieckiego dwadzieścia dwa, naprzeciwko loftów U Scheiblera. Już pomijam fakt, że chyba nikt z mieszkańców nie wierzy w pękniętą oponę.

– Awarię instalacji gazowej – sprostował pirotechnik.

– Media łyknęły to bez problemu. Wie pani, u nas często coś się psuje. Łódź jest starym miastem. Wszyscy mamy auta bez bluetootha, instalacje gazowe, którym dawno skończył się okres homologacji i przedłużony został na krzywy ryj, oraz mnóstwo starych kamienic.

Rozległ się gremialny śmiech.

Sasza machnęła ręką. Była pewna, że w loftach huczy od plotek. Musi po naradzie przepytać Henriettę, a po świętach udać się tam osobiście. Biorąc pod uwagę, jak skrupulatna jest policjantka, wysłała na zwiad połowę swojego zespołu i wie dużo więcej, niż może powiedzieć przy zwierzchnikach.

– Kim był kierowca?

– Nieustalona osoba.

– Skąd pewność, że wybierali się na lotnisko?

Henrietta przesunęła w stronę profilerki zafoliowany bilet lotniczy. Kierunek Egipt, wakacje all inclusive. Data wylotu pokrywała się z dniem tragedii.

– Potwierdziliśmy. Był taki lot. I taka pasażerka. Odprawy dokonano przez internet, tego samego dnia, z rana.

Zdaniem Saszy ta poszlaka to wciąż za mało dla sądu.

– Czegoś nie rozumiem. – Wskazała rząd tulei na manekinie. – Jak ta kobieta zamierzała przejść z tym przez bram-

ki? Nie mogła zapakować tego wszystkiego do torby i złożyć w łazience, jak jakiś McGyver?

– Aż tak dziecinnie proste to to nie jest – mruknął pirotechnik.

– Więc kto z nią współpracował?

– Na razie obstawiamy tego klienta. – Wyświetlono
slajd. – Zna go pani z dokumentów.

Ze zdjęcia na ekranie patrzył na Saszę arcyprzystojny
Arab. Żadnej brody mudżahedina, zajadłości w spojrzeniu, nawet śladu turbanu. Ubrany po europejsku, gład-
ko ogolony. Sprawiał wrażenie osoby wykształconej i, za-
ryzykowałaby Sasza – kosmopolity. Prędzej obstawiałaby
go jako sprawcę oszustw matrymonialnych niż członka
grupy terrorystycznej. Nie podzieliła się jednak tą re-
fleksją.

– Romek Abdullah Amadeo Hamzawe Jarusik. Ma więcej imion, ale krucho z czasem – kontynuował Cuki. – Nazwisko wziął sobie po ślubie z Jagodą. Podejrzewamy, że
miał też kilka innych żon: Brown, Wasilewski, Jatzkov i Gó-
ralczyk. Trwają czynności sprawdzające, czy te panie istnieją i gdzie mogą przebywać. Facet jest poszukiwany przez
Europol czerwonym listem gończym. Zakłada się, że wer-
bował kobiety w sieci na tak zwany seksualny dżihad. Irina
Kollar ze Słowacji ma z nim dziecko, ale jej matka była
mądrzejsza od Wiesławy i zablokowała tę miłość, zanim
minął drugi trymestr ciąży.

– Może nie mają tam w tiwi *Rozdartych serc* – zażartował
Drugi.

– To przecież dzieje się w Turcji, Wojtuś – zaoponowała
Henrietta.

– W każdym razie sprawa jest rozwojowa. – Cuki wyłączył projektor.

161

– A co z lotniskiem? – dopytała Sasza. – Jak Wiesława zamierzała pokonać bramki?

– Przez cztery miesiące przed zdarzeniem udawała ciężarną – pośpieszyła z wyjaśnieniem Henrietta.

– W wieku pięćdziesięciu dwóch lat?

– Moja matka urodziła mnie, mając czterdzieści pięć – żachnęła się Henrietta. – Wypraszam sobie!

– Dlatego jesteś taka mądra, Heniu – zaśmiał się Drugi. I zaraz dodał: – Problem w tym, że nikt nie domyślał się jej wieku, a ona się z nim nie afiszowała. Pokażcie foty pani babci i ten filmik z imprezy dla narciarzy w Klubie Oficerskim na Tuwima.

Henrietta wzniosła oczy do sufitu i fuknęła potępiająco. Reszta rechotała z Załuskiej, która miała minę, jakby poproszono ją o wyjaśnienie procesu dyfuzji.

– Tam odbywają się dansingi dla antyków. Umpa, umpa. *Sokoły, Moja matko, ja wiem*. U was się tak nie mówi? – roześmiał się Drugi.

Jolanta Brzezińska w tym czasie przejrzała materiały w komputerze i po chwili rozległa się muzyka. W rytm *Głębokiej studzienki* posuwistymi ruchami przemieszczali się po monumentalnej sali wystrojeni balowicze. Henrietta zatrzymała kadr na pierwszej parze.

– Nawet jak byłam mała, nie nosiłam takich spódnic! Nie dlatego, że nie miałam ochoty. Brakowało warunków. – Sasza aż zagwizdała. – Była modelką?

– W Modzie Polskiej – potwierdziła Henrietta. – Z Niemenową podobno chodziła na pokazach. W jubileuszowym pokazie Fashion Week wystąpiła. Chyba ze dwa lata temu. Mogła być taką naszą Inès de la Fressange.

– Gdybyśmy mieli swojego Lagerfelda – popisał się Drugi.

Wszyscy natychmiast na niego spojrzeli. Nie tylko Sasza była zaskoczona biegłością wicekomendanta w kwestii ikon świata mody. Podniósł do góry komórkę ze zdjęciami modelki i projektanta.

– Co, mam tutaj dostęp do sieci – zawstydził się nagle.

– W każdym razie córka zupełnie nie była podobna do matki – kontynuowała Henrietta, a Cuki pokazał zbliżenie twarzy poszkodowanej.

Wiesława miała trójkątną twarz, wysoko osadzone kości policzkowe i fryzurę na pazia ufarbowaną na pomarańczowo. Ale do niej to bardzo pasowało. Drobny nosek, szelmowskie spojrzenie i usta wykrojone w serduszko sprawiały, że była jak z francuskiego żurnalu lat siedemdziesiątych. Drobnokoścista, bardzo szczupła i wysoka nie przypominała wcale babci. Gdyby Sasza spotkała ją na ulicy, dałaby jej najwyżej trzydzieści pięć lat.

– Niesamowita, prawda? – Henrietta porozumiała się z Saszą wzrokiem.

– Szkoda kobiety – skwitował Drugi. I wskazał tancerza, który trzymał w ramionach Wiesławę. Był od niej niższy o półtorej głowy. – To przecież nasz Aleks! Że też wcześniej tego nie widziałem.

– Widziałeś – poprawiła go Henrietta. I zaraz dodała, by wyjaśnić Załuskiej: – To Aleksander Krysiak, prywatny detektyw. Zajął się sprawą córki Wiesi. Pomagał odbić te dzieciaki. Trwało to tak długo, tak ją pocieszał, aż biedak się zakochał. Może nawet użyła go do tej legendy z ciążą, bo jak ją zbieraliśmy spod loftów, płakał, że mieli się pobrać. Bardzo to wszystko przeżył.

Sasza zanotowała w kajecie, by jak najszybciej odwiedzić detektywa. Ekran na chwilę wygasł, a po chwili pojawiło się zdjęcie kolorowej poduszki z Elzą, bohaterką dziecięcej kreskówki *Kraina lodu*, opatrzonej miarką obrazującą jej wielkość oraz numerem dowodu rzeczowego. Obok leżał sznurek i duża kolorowa chusta. A zaraz potem wyświetlono kilka zdjęć z monitoringu.

– Znaleźliśmy to w archiwum, ludzie obsługujący serwery twierdzą, że to miał być żart, ale nikt w to nie wierzy.

– Słabo śmieszne w kontekście tego, co się stało – skomentował pierwszy raz poważnie Drugi.

Widać było taśmę, na której Wiesława stoi w kolejce do kontroli celnej. Kładzie swoją torbę, pasek i buty do wskazanego segregatora, identycznie jak ludzie przed nią, i czeka, aż celnik prześwietli jej rzeczy. Następnie nie przechodzi przez bramkę, lecz rusza obok.

– Jak to możliwe?

– Cóż – odchrząknął Drugi. – Ta pani przeszłaby bez problemu nie tylko przez bramki Lublinka. Firma, której była współwłaścicielką, wygrała przetarg na sprzątanie hali odlotów, przylotów i maszyn. Jarusik miała własny identyfikator oraz pozwolenie na wjazd bezpośrednio na płytę lotniska. Dostałaby się, gdyby tego chciała, do każdego samolotu. Także rządowego, gdyby takowy u nas wylądował.

Teraz na ekranie wyświetlono fotografię części telefonu komórkowego, które zabezpieczono po eksplozji. Sposób fragmentacji nie pozostawiał złudzeń co do użycia bomby. Saszy natychmiast zrobiło się zimno. Sądząc z tego, co zostało po urządzeniu, z ciałem kobiety nie było wiele lepiej. Jedyne słowo, jakie przychodziło do głowy, to groza. Załuska zacisnęła usta, wzięła się w garść.

– Billingi? Podsłuch? Bo coś znaleźliście – skwitowała.

Była pewna, że nie pokazują jej tego, by podnieść stawkę.

– Znacznie gorzej, pani psycholog – wtrącił się Flak. I zachęcił pirotechnika do wyjaśnień. Najwyraźniej to Cuki pełnił dziś funkcję nadwornego prelegenta komendy.

– Po zbadaniu pozostałości telefonu wykryliśmy, że tak się wyrażę, ciało obce tego modelu, a więc sprytne urządzenie przekaźnikowe umożliwiające przekierowywanie i nagrywanie rozmów oraz wszelkich wiadomości wraz z aplikacjami wymagającymi łącza internetowego. Na nasze szczęście sprzęt nie uległ zniszczeniu. Powiedziałbym więcej, był w stanie niemal idealnym. Nasi ludzie natychmiast wzięli się do roboty.

Sasza pokiwała głową z uznaniem. To już nie była prosta konstrukcja „bombki dżihadystki”: karton-bateria z kiosku--przycisk-drut, lecz zaawansowana technika, stosowana w Polsce wyłącznie w poważnych operacjach wywiadowczych. Na wszelkie inne tego typu operacje wciąż potrzebne były zgody: prokuratora generalnego lub ministra. A ci na byle podaniu autografów nie rozdawali.

– W dniu tragedii podejrzana dzwoniła do trzech osób – podjął wątek Cuki. – W przeddzień wysłała siedemnaście mejli tej samej treści.

Profilerka wzięła do ręki skan pierwszego listu. Był krótki i w języku polskim. Przeczytała.

– To fragment Koranu?

Pierwszy i drugi komendant jednocześnie pokiwali głowami.

– Chyba sama tłumaczyła – głośno pomyślała Sasza. – Dziwnie się to czyta.

– Może skopiowała z internetu – podsunęła Henrietta, po czym przekazała Saszy wydruk numerów wraz z listą danych kontaktowych.

Wyglądało na to, że wszystkie osoby, z którymi skontaktowała się Jarusik, mieszkały w Łodzi i, sądząc po personaliach, nie były cudzoziemcami.

– Oraz jeden esemes – kontynuował Cuki. Nie musiał zaglądać, by odczytać wiadomość. Zawiesił tylko na chwilę głos dla wzmocnienia efektu, po czym wyrecytował: – Dżiny zrobione są z ognia.

Załuska myślała szybko. Jej wiedza na temat islamu i kultury arabskiej nie była zbyt wielka. Ale w Sheffield, gdzie kiedyś mieszkała, miała sąsiadkę muzułmankę. Niezwykle sympatyczną i otwartą Irankę. Często rozmawiały. Saszę interesowało zwłaszcza, jak Nura poradzi sobie, gdy jej mąż weźmie za żonę znacznie młodszą dziewczynę. Nura musiała się na to zgodzić, ponieważ sama nie mogła zajść w ciążę, a pragnęła dzieci. Sasza wielokrotnie ją rozpytywała, jak wyglądają ich relacje, kto dziedziczy majątek, czy mogłaby się rozwieść i jakie ma faktyczne prawa. Nura od lat mieszkała w Anglii, więc opowiadała bez ogródek, nie szczędząc słów krytyki. O złych duchach rozmawiały zaledwie raz. Sasza nie potraktowała poważnie tych opowieści, gdyż Nura przedstawiła je jako zabobon funkcjonujący w świadomości prostych, niewykształconych ludzi na wsiach. Raczej atrakcyjny mit dla turystów niż zwyczaj, jakich w tradycji każdej religii jest bardzo wiele.

– Bóg stworzył ludzi z gliny, anioły ze światła, natomiast żyjące na odludziu dżiny narodzić się miały z ognia bez dymu – zaczęła czytać Henrietta. – Miały to być istoty niewidoczne, ale mogące przyjąć dowolną postać. Dobre dżiny usługują Bogu i pomagają ludziom, a zwłaszcza prorokom. Ale są też złe dżiny, zwykle żeńskie. Nocne duchy pustynne. Lubią się kryć w ruinach i opuszczonych grotach. Wedle legendy napadają i mordują samotnych wędrowców. Spłoszyć je może tylko jutrzenka. – Henrietta odłożyła kartkę. – Mają swoje nazwy, ale się nie wydrukowało.

Zapadła cisza.

– Dziwne – przyznała Sasza. – Ta sprawa jest bardzo dziwna.

– Prawda? – roześmiał się Drugi. – Gdzie otworzysz, tam bombka. I nic się nie klei.

– Do kogo podejrzana wysłała tę wiadomość o złych duchach?

Zapadła cisza. Komendanci się porozumieli.

– Nie chcielibyśmy, żeby wyciągała pani przedwczesne wnioski – zaczął Flak.

Sasza podniosła rękę, jakby dokonywała przysięgi.

– Jestem ostatnią, której zależy na ujawnianiu tajemnic tego dochodzenia.

– To osoba publiczna – kręcił dalej Flak.

– Rozumiem – zachęciła go Załuska.

– Nie wiem, czy to wskazane informować panią na tak wczesnym etapie śledztwa. Z drugiej strony pani generał poręczyła. Sam nie wiem.

– Przecież wszyscy w tym pokoju znają nazwisko adresata! – Drugi zerwał się z krzesła.

Wstał, zaczął chodzić po pomieszczeniu. Sasza odniosła wrażenie, że ma ochotę zapalić. Sama nie miałaby nic przeciwko. Na papierosie dowiedziałaby się pewnie znacznie więcej. Czuła, że Drugi aż kipi, by podzielić się z nią swoimi hipotezami. Może będzie im się dobrze współpracowało. Jeśli rzecz jasna trzęsidupa Pierwszy Flak na to pozwoli. Drugi miał jaja. Nie bał się odpowiedzialności. Lubił swoją robotę i najwyraźniej chciał jak najszybciej oczyścić

atmosferę. Dlatego zawsze będzie drugim. Jeśli ktoś ma nie-
wyparzoną gębę, bywa niewygodny. Nikt nie chce być zde-
maskowany.

– A niewykluczone, że i połowa urzędu, Flaku – wyrzucił z siebie wicekomendant.

– Nowo mianowana prezydent Łodzi – wyszeptał
w końcu Pierwszy. A potem z miną, jakby zrobił głupstwo,
klapnął na krzesło.

Sasza zrozumiała teraz, stąd te środki ostrożności, za-
tajenie danych, manipulacje. Sprawa była śliska. Miała
ochotę się roześmiać, ale tylko porozumiała się z zastępcą
wzrokiem.

– To dopiero początek. – Odpowiedział jej spojrzeniem
i uśmiechnął się, jakby właśnie zawarli przymierze.

Miał niesymetryczną, kanciastą twarz, szpakowate
włosy, niewielki brzuszek, ale był całkiem przystojny. Sasza miała słabość do wysokich mężczyzn, a Drugi należał
do tej rzadkiej grupy, która zmuszała sto siedemdziesiąt
pięć centymetrów Załuskiej do unoszenia głowy, kiedy słuchała, co mówi.

– Jakie jest tło tej informacji? – zwróciła się do komendanta.

Ten jednak wskazał zastępcę. Chyba miał dosyć na dziś.
A może powtarzał to tyle razy kolejnym służbom, które do
nich przyjeżdżały, że boi się, iż balon w końcu pęknie
i wszystko się wyda. Sasza w sumie go rozumiała. Jeśli
dziennikarze zwęszą taką aferę, komendant jako pierwszy
zawiśnie pod pręgierzem opinii publicznej. Może go czekać nawet postępowanie dyscyplinarne. Nie wszystkie informacje zostały zatajone legalnie. Na przykład siostra Jarusik może im jeszcze nabruździć, jeśli weźmie dobrego
adwokata.

Drugi za to chciał mówić. Nie bał się i aż roznosiła go energia, by schwycić tego byka za rogi, a potem go wzorowo powalić na łopatki.

– Kilka lat temu, zanim zaczęły się te ogólnoeuropejskie paniki w sprawie uchodźców, do naszego urzędu wojewódzkiego wpłynął wniosek o pozwolenie na budowę meczetu – zaczął. – Miał stanąć na Pomorskiej i sprawę wstępnie klepnięto. Miasto czterech kultur. Tolerancja. Działania prospołeczne. Powstał projekt dużego obiektu. Z minaretem, przedszkolem integracyjnym i galerią handlową. Ale, choć Bractwo Muzułmańskie wyłożyło na ten cel dwa miliony w keszu, budowa nie ruszyła. Oprotestowali to mieszkańcy Łodzi. Zbliżały się wybory. Zrobiono więc referendum. Wiadomo było, jaki będzie wynik. By się jednak nie narażać muzułmanom, projekt przekształcono na ośrodek kultury i sklep. Nie było też zgody na wielką salę projekcyjną, którą dżihadyści...

– Wojtek! – oburzył się Pierwszy. – Bój się Boga! Co Henrietta ma wpisać w raporcie dla Hani? Przecież to wszystko się nagrywa. – Wskazał leżący na stole magnetofon.

– Więc zakutańcy – poprawił się Drugi i puścił oko do Saszy.

Reszta zebranych zareagowała nieśmiałym śmiechem. Załuska zarejestrowała, że zastępca Flaka ma na imię Wojtek, prezydent Łodzi zaś Hanna oraz że tych troje łączy jakaś bliska zależność. Najwyraźniej nie tylko zawodowa.

– Więc co ja mówiłem? – Wojtek udał zakłopotanego.

– O zakutańcach i dżihadzie – podpowiedziała Sasza.

Tym razem śmiech był znacznie głośniejszy. Komendant zaś ukrył twarz w dłoniach.

– Gdzie wyznawcy islamu mogliby wznosić modły do Allaha – dokończył, nie podnosząc głowy. I dodał, nadymając się: – Tak proszę zarejestrować, pani Jolanto.

– Inwektywy usunęłam, szefie – zapewniła pośpiesznie Henrietta. – Każde słowo komendanta przepuszczę jeszcze przez maszynkę poprawności politycznej.

– Nie było więc zgody na wielką salę projekcyjną, w której muzułmanie mogliby nawoływać do świętej wojny – zbiesił się Drugi. Flak zmierzył go nienawistnym spojrzeniem. – Zmienił się architekt, uproszczono projekt. Wreszcie postawiono fundamenty, ściany, zamówiono okna. Budowa szła w tempie sprintu. Wszystko na bieżąco rejestrowały media. Wtedy, na jednym z ostatnich nadzorów, nowy wpadł do dziury i złamał sobie kark.

– Klątwa jakaś? – żachnęła się Sasza, z trudem powstrzymując rechot niedowierzania. Zaraz zasłoniła twarz dłońmi i poprawiła się skonfundowana: – Czy wy tutaj kręcicie jakieś reality show? To nie dzieje się naprawdę. Lynch wrócił do Łodzi czy jak?

Nikt się nie odezwał. Teraz wszyscy mieli ponure miny.

– Niewiarygodnie to brzmi, ale na wszystko mamy kwity – przyznał Drugi. – Klątwy też nie wykluczamy. Sprawę wałkowaliśmy w sumie trzy lata. Wypadek. Bezdyskusyjnie. Brak udziału osób trzecich. Klasyczny becep. Okazało się, że geolog wziął w łapę i źle obliczył odwierty. Powinni wiercić na dziewięciu metrach, a sięgnęli zaledwie pięciu. Tylko że na szóstym była soczewka.

– Że co? – Sasza nie udawała, że zna się na budownictwie.

– Soczewka wodna. – Drugi wzruszył ramionami, jakby wszyscy na świecie uczyli się tego w pierwszej klasie podstawówki. – Jezioro zamknięte. Podziemny zbiornik wodny.

Ciągnie się niemal przez całą Łódź. Na górze nie uświadczysz dziś ani jednej rzeki, ale mamy za to w chuj cieków wodnych.

– Stąd nazwa miasta – wtrąciła Henrietta. – Oczywiście pomijając przecinki Drugiego.

– Wprowadzasz naszego gościa w błąd – zbiesił się zwierzchnik. – Ja optuję za wierzbami. Porastały nasze rzeki i musiało to nasuwać nazwę.

– To bzdura! – Henrietta walczyła jak lwica.

– Słucham? – Sasza kręciła głową od jednego do drugiego. – O co chodzi z wierzbami?

– Łozy, łozia, Łódź – wypaliła natychmiast policjantka.

– Wymyślone bzdety! Dorabianie ideologii! – wprost pieniła się ze złości. W końcu wybuchnęła: – Tak naprawdę nikt nie wie, skąd nazwa miasta. Rzeka, na którą powołuje się Drugi, nosiła wtedy nazwę Ostroga. Potem przemianowano ją na Łódkę, od nazwy miasta.

Drugi pozwolił Henrietcie dokończyć, a w końcu zbył ją machnięciem ręki.

– Łódź położona jest na siatce podziemnych rzek – kontynuował. – Łódka, Jasień, Bzura, Sokołówka, Bałutka, Ner i wiele innych. Dziś w większości to liche strumyczki, które swój nurt mają pod ziemią, ale to za ich przyczyną to miasto powstało. To przy nich swoje maszyny parowe stawiali Scheibler, Poznański, Geyer i wielu innych. Tutaj też przez lata spuszczano do nich z fabryk całą tablicę Mendelejewa. W dziewiętnastym wieku nikt nie martwił się pikietami ekologów. Za komuny tym bardziej nikogo to nie obchodziło. Ostatecznie rzeki zabudowano. Dziś stoi na nich miasto. Słyszała pani pewnie o słynnych łódzkich kanałach.

– Nie – odparła zgodnie z prawdą Załuska.

– Podobno można pod ziemią przejść nimi do tajnych schronów, a także wyjść poza miasto i w licznych bunkrach przetrwać wojnę nuklearną czy zamach terrorystyczny. Jakby co, jesteśmy przygotowani na taką ewentualność. Polska zniknie, a ludzie z Łodzi przetrwają – zażartował, lecz nikt poza Saszą nie uniósł nawet kącika warg. Drugi przybrał znów poważny wyraz twarzy. – Większość włazów jest zalakowana od wewnątrz specjalnym zamknięciem przypominającym odnóża pająka. Gdy próbuje pani wepchnąć właz od ulicy, mocniej się zaciska. Jakoś muszą jeździć ulicami auta, autobusy, tramwaje. Niedobrze by było, gdyby zaczęli wpadać przez nie ludzie. Dlatego często stoją na nich kwietniki i dziś naprawdę mało kto wie, gdzie są wejścia. Ale pasjonaci historii, dzieciaki i poszukujący skarbów wciąż znajdują kolejne. Sam, kiedy byłem jeszcze szczawiem, zakleszczyłem się w takim jednym. Charakterystyczna rozeta przy Dworcu Kaliskim. Z góry wygląda jak pokrywa starej studzienki ściekowej. Jeśli będzie czas, zaprowadzę panią do Dętki. To suchy obecnie kanał, otwarty dla zwiedzających. Kiedyś służył do płukania deszczówką systemu kanałów. Nikt do końca nie wie, na jakiej bombie siedzimy i jaki jest dziś skład tych chemikaliów w podziemnych łódzkich rzekach. Proszę też pamiętać, że rzeki tylko miejscami są uregulowane. A ponieważ fabryk już w Łodzi nie ma, nikt już nie eksploatuje tak wyniszczająco strumieni. Rzeki więc zaczęły się pod ziemią odradzać. Natura woła o swoje.

– To dlatego pękają ściany Teatru Wielkiego – wtrącił się Cuki. – Ruchy tektoniczne zatrzymały też na pewien czas budowę Dworca Fabrycznego. Uskoki, niecka wodna. W efekcie znacznie częściej mamy w Łodzi do czynienia z zawaleniem stropu w kamienicach niż w innych miastach.

172

Cuki zatrzymał się na chwilę. Nabrał powietrza. Ale zaraz wykorzystał to Drugi. Walczył o uwagę jak lew.

– Wracając do architekta, w skrócie: geolog prognozuje na podstawie struktury gleby. U nas jest specyficzna: piasek, kurzawka, glina, piasek. Konstruktor na tej podstawie oblicza głębokość odwiertów do postawienia fundamentu. Im głębiej, tym drożej. Wiadomo. Funkcjonariusz Państwowej Straży Pożarnej musi też klepnąć odbiór związany z profilaktyką przeciwpożarową. Tych etapów jest więcej, oszczędzę pani.

– Dzięki. – Sasza już ziewała.

– Sprawdziliśmy każdego. Padło na geologa. Toczy się postępowanie. W każdym razie biegli orzekli, że umiejscowienie miasta na takim gruncie jest pośrednią przyczyną osunięcia się stropu budowli, a co za tym idzie, felernego tąpnięcia, w którego wyniku architekt kojfnął.

– Bardzo to wszystko ciekawe – przyznała Załuska. – Ale przepraszam, bo się zgubiłam. Co ma do tej sprawy krótka wiadomość tekstowa do prezydent miasta?

– No – zawahał się Drugi. – Chodzi o to, że Hanka zablokowała ten projekt całkowicie. Nie dała zgody, zamknęła obiekt. Tym samym członkowie Bractwa Muzułmańskiego umoczyli u nas w Łodzi kilka baniek. Budynek na Pomorskiej do dziś stoi pusty. Żelastwo rozkradli złomiarze. Czasem jeszcze nocują tam nurki. Ale już rzadko, bo dach przecieka.

– Nie mogli się spalić? – zażartowała Sasza. – Oczywiście korzystnie, po uprzednim ubezpieczeniu się.

– W tym problem – włączył się wreszcie pierwszy komendant. – Bo wtedy zaczęły się te inne pożary. A przedwczoraj dodatkowo w ruch poszły dwa ładunki wybuchowe. Cuki, pokaż pani, co znaleźliście na Włókienniczej.

Na stole stanęła skrzynka z makaronem. Sasza wzięła do ręki jedną z paczek. Kolor nie wzbudzał podejrzeń. Kształt przywodził na myśl makaron dla dzieci: samochodziki, literki, gwiazdki, serduszka. Opakowania były solidnie oklejone. Miały oryginalne naklejki z ceną i kodem kreskowym.

– Z pszenicy durum – odczytała i pokiwała głową.

– Taką ilością trotylu można wysadzić stadion Widzewa.

– Jest pani wolna – mecenas Jarosław Konowrocki wcisnął guzik interkomu, by powiadomić sekretarkę. – Wesołych świąt.

– I panu również, mecenasie. Niech pan uważa na cholesterol – padło ze słuchawki. – Pragnę przypomnieć, że mam urlop do szóstego stycznia.

– Oczywiście, pani Anko, sam podpisywałem. Odebrała pani kosz świąteczny? Żona zmyje mi głowę, jeśli zapomnę. A to puzderko dla synowej z Cienkiego Bolka?

– Przygotowane. Certyfikat kolczyków w komplecie. Cenę zamazałam. Logo lombardu jest praktycznie niewidoczne. Rachunek wpięłam w dokumenty dla księgowej.

– Czyż to nie niewiarygodne, jakie cuda mają jeszcze starzy ludzie zakopane w ogrodach willi na Starym Polesiu?

– Na Bałuckim Rynku można taką diamentową drobnicę dostać dwa razy taniej – odważyła się sprostować Anka. – Za taką cenę trzecią próbę by pan dostał. Trzysta trzydzieści trzy to nie złoto.

– To synowa, pani Anko. Nie córka.

– No i z pana pozycją kradzionych nie wypada kupować.

– Nie wypada to kobiecie po trzydziestce nosić złomu – fuknął. I ugryzł się w język, by Anka nie wyczuła pisma nosem, dla kogo tak naprawdę kupił biżuterię. Dodał więc pośpiesznie: – Taniej to jest w Kazachstanie. Tyle że nie dają rachunków. A podziemnych rzek mamy w Łodzi wiele. Z tego, co wiem, żadna nie spływa ropą.

– W istocie spływa chemikaliami, których składu nikt nie zna – zgodziła się Anka i dodała w myślach, że kiedyś to miasto trafi szlag w wyniku wielkiego wybuchu, ale powiedziała coś zupełnie innego. – W każdym razie znam taką jedną Żydówkę. Oczywiście Gienia chodzi do kościoła, bo Żydów w Łodzi już nie ma. Wnuki bierzmowała, komunię świętą co niedziela przyjmuje. Ale jeśliby pan mecenas potrzebował, to mogę pośredniczyć. Incognito by pan był. Bardzo dyskretna osoba. Ma dobre ceny, a targować się lubi. Jak to żydowska katoliczka.

Konowrocki nie zamierzał dłużej tego wysłuchiwać. Sam miał żydowskie korzenie, jak większość prawników w tym mieście i – gdyby pogrzebać w genealogii – wszyscy rodowici łodzianie. Ale tutaj lepiej się z taką wiedzą nie wychylać. W mieście czterech kultur antysemityzm kwitł nie tylko na murach kamienic, w zwrotkach osiedlowego rapu czy na ustach oddających hołd Galerze*. Szybko zmienił temat.

– Zapakowała pani w różową krepinę, jak prosiłem?

– Wszystko czeka w pokoju aplikantów – odparła asystentka jak automat.

Anka Chylarecka pracowała u Konowrockiego już jedenasty rok. Jeśli ona o czymś kiedyś zapomni, to komendę

---

* Galera – trybuna na stadionie ŁKS-u.

policji na Retkini ozdobi flaga Widzewa, a Włókienka* na spółę z Abramką i Limanką staną się turystycznymi maskotkami Łodzi. Zdaniem Konowrockiego to zupełnie niewykorzystany potencjał. Woonerfy, Stajnie Jednorożców i EC1 to oni mają u siebie. Gdyby zamiast inwestować w kulturę i sztukę, którą, jak wiadomo, większość robotniczego ludu ma w czterech literach, wzmocnić rozbójnicką sławę Łodzi, cudzoziemcy pchaliby się tu jak do Hawany. Każdy wychowany w cieplarnianych warunkach anglosaski wymoczek chciałby dostać lampion miedzy oczy od menela z Łodzi. Tylko jakby słońca na tonącym okręcie mniej. I tu Konowrocki widział pewną niedogodność. Ale są przecież baterie słoneczne, farelki. Całe wybrzeże Bałtyku żyje z utargu dwóch miesięcy w roku.

– Kosz owinęłam dodatkowym celofanem, bo strasznie leje – ciągnęła tymczasem wyliczankę Anka. – Pierogi i ryba po grecku są w lodówce. Niech pan pamięta o kaloszach. Ustawiłam koło wieszaka, razem z parasolem i osłonką na kapelusz. Zapowiadali dziś opady, także grad.

– Znów wyłączą prąd – mruknął adwokat. – Przynajmniej w centrum.

Wstał zza biurka, poprawił pod brodą apaszkę pamiętającą jego słynną mowę w procesie fałszerzy testamentów u boku obecnego rywala, mecenasa Brodniewicza, po czym włożył uszankę i podszedł do okna. Szarpał się chwilę z zabytkową klamką, by wreszcie uchylić skrzypiące skrzydło i wyjrzeć na ulicę Mickiewicza. Okolica zawiana była

---

* Ulica Włókiennicza, dawniej Kamienna, znajduje się tam pomnik Kochanków z Kamiennej, inspirowany piosenką A. Osieckiej. Ostatnio ulica zasłynęła skandalem, którego głównym bohaterem był B. Linda: w ramach protestu na jego słowa: „Łódź – miasto meneli" mieszkańcy uniemożliwiali realizację filmu A. Wajdy; dalej ulica Abramowskiego i Limanowskiego – zaliczane do najniebezpieczniejszych miejsc w mieście.

świeżym śniegiem, który padał nadzwyczaj intensywnie, stwarzając iluzję nastroju świątecznego, ale zaraz po ze-tknięciu z podłożem rozpuszczał się, więc na jezdni i chod-nikach powstały jeziora brei. Musi być w okolicy zera, skon-statował Konowrocki. Po czym do szklanej fifki włożył skręta, zapalił. Przyglądał się tramwajom wjeżdżającym na Przesiadkowo – to elegantsze określenie Stajni Jednorożców – i myślał, czy zdąży jeszcze podjechać po towar, czy lepiej wydzwonić dilera. Przed wigilią Szadź zaśpiewa pewnie podwójną stawkę. Zwłaszcza w taką pogodę. No i przyje-dzie z tym swoim ziomusiem, niedorobionym raperem, któ-rego adwokat nie znosił. Konowrocki był niemal przekona-ny, że tych dwóch łączy coś więcej niż zwykłe koleżeństwo. Zawarli jakieś braterstwo krwi czy jak? Jeden bez drugiego się nie rusza. Jak kiedyś milicjanci – jeden myśli, drugi gada. W tym przypadku obaj lubią napiąć muskuły.

– Co pan mówił? – ożywiła się sekretarka. – Nie dosły-szałam.

– Proszę odpocząć. Po Nowym Roku szykuje się nam dużo pracy – odparł i szybko schował się za wzorzystą fi-rankę.

Tuż przed przejściem dla pieszych, ewidentnie na zaka-zie, stał nowiutki mercedes GLC w kolorze czekolady dese-rowej. Silnik auta był włączony. Piękna chromowana rura wydechowa rozpuszczała właśnie hałdę brudnego śniegu na klapie pojemnika z piaskiem przeciwpożarowym. Tylne szy-by samochód miał przyciemnione. Za kierownicą brązowe-go SUV-a siedziała kobieta w czarnej peruce. Nieprawdopo-dobnie długo malowała usta w lusterku wstecznym. Mecenas Konowrocki był przekonany, że obserwuje jego okna. Byłemu prokuratorowi, a tym bardziej wziętemu obrońcy prawo ani pogoda nigdy nie przeszkadzały w dochodzeniu do swoich celów. Zaciągnął się więc tylko solidniej marihuaną, aż poczuł żar na wargach. Syknął i zgasił niedopałek w tureckiej popielniczce, którą następnie skrupulatnie umieścił w teczce z dokumentami. Zdawało mu się teraz, że kobieta z mercedesa uśmiecha się figlarnie, kiedy odgradzał pokój storami od świata.

– Na którą zamówić taksówkę? – odezwała się znów Anka.

Zdziwił się, bo sądził już, że się jej skutecznie pozbył.

– Poradzę sobie. – Rozłączył się. I dodał do siebie, niczym zaklęcie: – Idź już, babo, do kościoła. Barszcz gotuj. Uszka lep. Odchrzań się ode mnie.

Słyszał jeszcze przez chwilę, jak Anka krząta się po poczekalni. Wyobraził sobie, jak metodycznie owija szyję szalikiem w kolorze sraczki, wkłada moherowy beret klasyk i futro dopasowane odcieniem brązu oraz zmienia swoje czółenka krety na nie mniej seksowne kozaki z baranicą. Nie miał pojęcia, skąd brała te ciuchy, ale musiały być w Łodzi popularne miejsca z konfekcją *church collection* i z pewnością wydawali na nie dożywotnią gwarancję antygwałt. Bał się przez moment, że sekretarka zajrzy do niego, poczuje zapach marihuany, ale zaraz wsadził łeb między zasłony i patrzył z uczuciem ulgi, jak kobieta żwawo biegnie do tramwaju.

Była młodsza od niego o dwie dekady, ale z nim czas obszedł się łaskawiej. Inna rzecz, że młoda kochanka dobrze trzyma mężczyznę w pionie. Dla Anety schudł, zmienił styl ubierania się. Biorąc pod uwagę korzyści dla zdrowia płynące z regularności pożycia, nowe cycki lachona, z których przecież sam korzystał, botoks raz na trzy miesiące i wielkanocne pazury oraz te parę szmatek czy kilka gramów złota z lombardu, inwestycja wychodziła mu taniej niż stały karnet na siłkę, basen czy inne sporty, które go nigdy zbytnio nie interesowały.

Kiedy był już całkowicie pewien, że kancelaria jest pusta, po Ance zaś zostały tylko wypastowane krety, zadzwonił na podany w mejlu numer. Ktoś podniósł słuchawkę, lecz się nie odezwał. Mecenas także miał milczeć, ale nie wytrzymał.

– Borowiecki – podał hasło i odchrząknął, ale połączenie zostało już zerwane.

Ostrożnie położył słuchawkę na widełki. Podszedł znów do okna. Kobieta za kółkiem odwróciła się do tyłu. Najwyraźniej dała znak pasażerom ukrytym za ciemnymi szybami. Drzwi od ulicy się otworzyły. Wysunęły się nogi w pomarańczowych nakładkach na skórzane, ręcznie robione buty. Adwokat bez trudu rozpoznał model kultowych norweskich swims galoshes w barwach zbliżonych do lakieru auta. Sam miał identyczne kaloszki w kolorze pomarańczowym. Zacisnął mocniej wiązanie fularu pod szyją i usiadł za biurkiem. Mimo blanta wciąż był podekscytowany. Dziś pierwszy raz będzie miał okazję mówić z samym Ptysiem, zawodowym oszustem i obecnie głównym bossem czyścicieli łódzkich kamienic. Rzecz jasna, z wylizaną kartoteką, bo oficjalnie był rzutkim deweloperem.

Konowrocki był bardzo ciekaw, z jakiej przyczyny Leon Ziębiński, oficjalnie prezes konsorcjum deweloperskiego HUY Development & Co, który skupił już większość najlepszych obiektów w mieście, bynajmniej nie po to, by je remontować, lecz przeciwnie – by z nimi nic nie robić poza zawieszeniem płacht reklamowych, wybiciem okien i wystawieniem starych murów na działanie wody i czasu, udaje się dziś do jego biura. Choć Ziębiński pięknie opowiada w prasie o planach rewitalizacji Łodzi, wszyscy wiedzą, że więcej jest prawdy w legendzie o Ślepym Maksie niż w szalonych wizjach Ptysia o stworzeniu z Łodzi miasta potężniejszego od Warszawy – nowej stolicy handlu i kultury. Tylko władze miasta mogą dać się złapać na taki lep, bo to dobrze wygląda w sondażach.

Ziębiński nigdy nie skalał swych cherlawych rączek przemocą fizyczną, w każdym razie żadna z takich spraw nigdy nie została ujawniona, a jednak na sumieniu miał niejedną ludzką tragedię. Wyrzucał ludzi na bruk, wysiedlał całe kwartały ulic. Większość jego lokatorów trafiała pod most lub zasilała ośrodki pomocy społecznej. Nie ma większej zbrodni niż pozbawianie ludzi dachu nad głową. Bieda rodzi patologię, a ta się multiplikuje. Potem zostaje tylko efekt nakręconej sprężyny. Wściekłość i bezradność dzieli od zbrodni tylko cienka linia. Łatwo ją przekroczyć. Niestety, Konowrocki musiał w procederze Ptysia aktywnie uczestniczyć od lat. Cały czas miał jednak nadzieję, że znajdzie na szefa konsorcjum HUY jakiegoś haka i będzie mógł wycofać się z układu z twarzą. W przeciwnym razie spadnie wprost na dno, jak kilku słynnych łódzkich prawników, którzy zostali rzuceni na pożarcie mediom w śledztwie dotyczącym przejmowania kamienic.

Rozległ się domofon. Konowrocki nacisnął przycisk na biurku, a potem dyskretnie włączył kamerę umieszczoną w karniszu. Dlatego nalegał na spotkanie w biurze i dlatego też zasunął story. Obraz wychodził znacznie lepszej jakości. Włączył światło i modlił się, by tym razem nie doszło w śródmieściu do awarii. W Łodzi wystarczy kapka śniegu z deszczem, by instalacje zaczęły iskrzyć.

– Zna pan ten dowcip o wdowcu, który szukał żony? – rzekł Ptyś zamiast powitania.

– Obawiam się, że tego akurat nie słyszałem – odparł adwokat, odbierając z rąk Ziębińskiego płaszcz, który zaraz przejęli dwaj dobrze zbudowani ochroniarze.

To samo stało się z zabłoconymi kaloszami. Na nogach biznesmen miał teraz ręcznie szyte buty w kolorze koniaku.

– Zamieniam się w słuch.

– Nie napijemy się herbaty, mecenasie? – Prezes przekrzywił głowę. – Co za brak kultury.

– Sekretarka poszła już do domu.

Konowrocki nie mógł się oprzeć wrażeniu, że obcuje nie z człowiekiem, lecz z jaszczurką. Wąskie oczy, cienka kreska zamiast ust, uszy jak u dziesięcioletniego dziecka. Biorąc pod uwagę jego pokrzywioną fizis, w szkole z pewnością to on dostawał bęcki. Do tego tanie okularki i garstka lichych włosów na samym czubku małego łebka salamandry.

Życie jednak nauczyło Ptysia skutecznie działać spoza ringu. Ale choć Konowrockiemu sięgał ledwie do splotu słonecznego, jego klatka piersiowa wyglądała jak napompowana, choć możliwe też, że zwielokrotniała ją kamizelka kuloodporna, bez której nie ruszał się z domu. Konowrocki pomyślał: ile pracy wymagało dorobienie się takiej muskulatury. Zdawało się, że do potężnej jak miech klatki piersiowej omyłkowo doszyto cudze ręce. Białe jak ugotowane kraby, wymanikiurowane i ozdobione zegarkiem na złotej bransolecie. Co jednak było najważniejsze, Ptyś, jak przystało na białego bękarta przygarniętego przez Cyganów spod Zgierza, był giętki, inteligentny i cwany. Chyba też nie lubił niespodzianek.

– Facet wybrał trzy kandydatki. Dał im po sto tysięcy i obserwował, co zrobią – kontynuował Ziębiński. – Pierwsza zainwestowała wszystko w siebie: zrobiła sobie cycki, tyłek i nową twarz na obowiązkowego glonojada. Chcę być dla ciebie najpiękniejsza na świecie, wyjaśniła. Druga zainwestowała wszystko w niego. Nakupiła mu nowych ciuchów, wysłała do doktorów, odchudziła, odmłodziła i codziennie witała go lodzikiem z połykiem. Trzecia całą kasę zainwestowała w nieruchomości, akcje i obligacje państwowe. Nigdy już nie będziemy żyli w biedzie, mój słodki. Jeśli nasza miłość ma przetrwać, musimy mieć solidne oparcie. Będę rozsądnie zarządzać naszym majątkiem.

Ptyś wstał, obszedł biurko Konowrockiego dookoła i wysunął szufladę, w której adwokat trzymał pistolet hukowy Start-1. Wziął do krabiej dłoni zabawkę, przystawił do czoła prawnika. Odbezpieczył.

– Jak pan sądzi, mecenasie, która wybranka została żoną?

Konowrocki westchnął tylko ciężko, jakby był konwersacją znudzony. Powoli, lecz stanowczo chwycił rękojeść pistoletu i przesunął go w kierunku twarzy niewydarzonego jaszczura. Nie musiał sprawdzać, czy broń jest naładowana. Rano, kiedy tylko Ptyś zaanonsował swoje przybycie, osobiście załadował doń trzy oryginalne ślepe shorty kalibru sześć milimetrów. Plus dołożył kolejne trzy naboje amunicji ostrej. Wolałby dziś nie grać w ruską ruletkę.

– Pannę roztropną? – zgadywał adwokat, siląc się na uśmiech.

Ptyś długo wpatrywał się w lufę.

– Była przerabiana – stwierdził po długim namyśle.

Konowrocki poczuł w głosie prezesa cień strachu i nieskrywany szacunek. Opuścił broń, rozładował amunicję. Opadł na krzesło, czując, że właśnie podpalił lont na własnej łajbie. Nie miał wyjścia, zagrał va banque:

– Ja bym wybrał tę z dobrymi cyckami.

Ptyś wzruszył ramionami. Zapadła cisza. Wtedy w holu, na krzesełku w poczekalni, adwokat zobaczył klona młodego Wałęsy. Ten, kto przygotowywał mu legendę, miał widać zacięcie rekonstrukcyjne. Facet był zakonserwowany, jakby hibernował trzydzieści lat w kapsule czasu lub wycięto go z albumu stoczniowców lat osiemdziesiątych. Nowiutka skórka doliniarza, łysina czołowa, wąs i do tego czarne lakierki z podkręconymi czubami.

– Ta właśnie niewiasta została wybrana – potwierdził Ptyś i wskazał wąsacza, który zdawał się pogrążony w lekturze, choć nawet z daleka było widać, że jedynie udaje. Tytuł na okładce gazety, którą trzymał w ręku, znajdował się do góry nogami. – Oto Serge Mazur, nowy właściciel kamienicy na Traugutta dziesięć. Chodź, mój drogi, poznasz człowieka, który sprawi ten cud.

Konowrocki się zapowietrzył.

– Miasto jest właścicielem tego obiektu – próbował oponować. – Na remont wydali grubo ponad dziesięć milionów.

– Nic nie szkodzi, Jarek. – Ptyś się uśmiechnął. – Właśnie poznałeś kobietę, która ma najlepsze cycki. Nie będziesz chciał żadnej innej. Daj, Serge, te genialne kwitki.

Przed Konowrockim spoczęła najpierw pojedyncza kartka. Pożółkły ze starości, wykaligrafowany starannym pismem testament, z zachowaniem tremoru typowego dla starszych osób i właściwą datą. Konowrocki już wcześniej miał na ten budynek kilku klientów. Ale takiej jakości fałszerstwa jeszcze nie widział.

– Pan to wykonał? – zwrócił się do Mazura.

Serge złożył gazetę w kostkę i schował za pazuchę.

– To jest oryginał – skłamał bez mrugnięcia okiem.

– Testament dotyczy pana?

– Mojej małżonki. Laura przyjedzie wkrótce do Polski. Posiada duży majątek i nie jest jej łatwo zamknąć tych spraw w kilka dni. Prababcia Laury opiekowała się panią Jadwigą, a ta dzieci nie miała. Ostatni raz była widziana na stacji Radegast – przerwał. – Znaczy się na Marysinie.

– Wiem. – Konowrocki odłożył dokument.

Patrzył na Ptysia.

– Skoro to oryginał, co my mamy do tego, prezesie?

– To proces na lata. – Ziębiński wzruszył ramionami.

– Muszę wiedzieć, czy warto się bić. Pani Laura nie zamierza tutaj zostać, ustanowi mnie pełnomocnikiem. Pan Serge za kilka dni wyjeżdża.

– Nie tak od razu – zaoponował wąsacz.

– Dokument muszę potwierdzić u eksperta. Najlepiej nie z Łodzi.

Ptyś podniósł rękę.

– Nie ma mowy. To musi być ten ekspert, który wyda potem opinię w sądzie.

– Panie Ziębiński – przerwał mu Konowrocki.

– Leo – poprawił go Ptyś.

– Panie Leonie, to nie jest jakaś tam kamienica. To pałac. Tam miał być urząd miejski, sala balowa, nowoczesne centrum konferencyjne. Już teraz to cacko. Miniaturowe Schönbrunn, architektoniczny klejnot miasta. Jeśli założymy sprawę, a to fałszywka – postukał w dokument – wszyscy pójdziemy prewencyjnie siedzieć. Zwłaszcza po ostatnich aresztowaniach w tamtej sprawie.

– Ile weźmie biegły?

– Nie w tym rzecz. – Konowrocki machnął ręką. – Ja muszę mieć pewność. Zainwestowałbym w kilka opinii. Jeśli to się potwierdzi, odzyskamy ten pałac. Jeśli jednak choć jeden z ekspertów wyda opinię pozytywną niekategoryczną, leżymy.

– Nie wyda – zapewnił Serge.

Wysupłał zza pazuchy „Dziennik Łódzki" i wysypał na stół adwokata plik dokumentów. Konowrocki pojął, do czego potrzebna mu była gazeta i co tak naprawdę czytał za jej zasłoną wąsaty. Wszystkie kartki były pożółkłe i miały treść zapisów testamentowych. Konowrocki brał je kolejno do rąk i oglądał niczym dzieła sztuki. Bardzo różne adresy, nazwiska spadkobierców, odmienne charaktery pisma.

– To jest fałszywe? – spytał wreszcie.

– Nie wszystko.

– A które są prawdziwe?

Ptyś uśmiechnął się i zachęcił Serge'a.

– No, powiedz panu prawdę. To przecież nasz Papa Gaj.

– Niech pan zgadnie – rozochocił się wąsacz.

– Jeszcze nie podjąłem ostatecznej decyzji – zaoponował Konowrocki.

Ptyś machnął ręką.

– Przecież nie miałeś takiego wyzwania od lat. Będziesz działał jak prokurator, tyle że z zieloną lamówką. Będziesz moim tygrysem. – Ptyś rozchylił wąskie wargi i zasyczał jak kot. Trzeba przyznać, że całkiem udanie.

– Wstępna ekspertyza tego dokumentu to tysiąc złotych. – Adwokat wskazał testament główny.

Potem podniósł pozostały plik. Serge natychmiast wsunął papiery między strony dziennika.

– Tak się lepiej zachowują – pouczył adwokata.

– Za każdą z nich biegły weźmie po pięćset. – Konowrocki policzył kartki. – To razem będzie piętnaście, jak nic. Potem proces. Pełnomocnictwo trzydzieści, zastępstwo dziesięć. Świadkowie, eksperci. Nie wiem, czy gra jest warta świeczki. Mamy nową prezydent, ona nie odpuści. Chce się wykazać. Łódź ma być miastem kultury. Pałac wszystkim by pasował.

– Nie ma problemu. – Ptyś wzruszył ramionami. – Tak zaasekurowałem trzy kamienice na Wólczańskiej, że najwyżej się spalimy. Niech tylko Cybant wyjdzie ze szpitala.

Wtedy zgasło światło, a adwokat poczuł tępy ból z tyłu głowy. Upadł z myślą, że i tak bardzo dużo się zarejestrowało.

Cybant uchylił zasłonkę i zerknął, czy pielęgniarka jest u siebie, a potem skinął Bogusiowi na pożegnanie. Wypiął swój wenflon i zawiesił kroplówkę na haczyku.

– Miło było, sąsiedzie. – Poklepał go po wychudzonej ręce. – Czas na nas. Robota nie zając. Sama się nie zrobi.

Boguś Rakowiecki leżał nieprzytomny pod siecią przewodów podłączonych do wielkiego monitora, na którym Cybant widział mrugające linie. Jednostajne pikanie, zapach chemikaliów i medykamentów przywodził Mieczysławowi wspomnienia z dzieciństwa. Spędził w szpitalach pięć lat, z przerwami na rekonwalescencję. Na białaczkę zachorował w piątej klasie podstawówki. Pierwszy dawca szpiku znalazł się, kiedy Cybant z trudem kończył siódmą. Wyniszczony organizm odrzucał kolejne przeszczepy, także rodzinne. Między chemią a zabiegami miał dużo wolnego czasu i mnóstwo czytał. Wtedy też jego wychowawczyni Hanna Duwe odwiedzała go niemal codziennie. Przygotowała go do egzaminu do liceum, przyprowadzała kolegów. Cybant dziś był przekonany, że terroryzowała całą klasę, bo przybywali gromadnie, znosili książki, owoce, prezenty. Może i liczyli, że w końcu umrze, ale on się nie poddał. Cybant nigdy się nie dowiedział, czyj szpik uratował mu życie, ale Platyna zmuszała każdego, by został dawcą. W tamtych czasach to nie było popularne działanie. Samo wpisanie się do bazy jest niczym. Kiedy okaże się, że twój szpik jest potrzebny, zaczynają się schody. Pobranie szpiku jest bolesne i może być wyniszczające, zwłaszcza jeśli okaże się, że na białaczkę nie cierpi kilkuletnie dziecko, lecz chłop na schwał o wadze stu dwudziestu kilogramów. Wtedy nie można pobrać szpiku od drobnej kobiety noszącej rozmiar trzydzieści cztery. Cybant wiedział, że miał szczęście w nieszczęściu, bo choroba zaatakowała go, kiedy był dzieckiem. Przez lata z tyłu głowy czaiła się gdzieś myśl, że nowotwór może powrócić. Dlatego nie pił, nie palił, trzymał się z dala od narkotyków. Potem potoczyło się, jak się potoczyło. Może i Platyna przez niego przeszła na drugą stronę mocy.

Wyjął z torby podróżnej kitel, spodnie z płótna żaglowego, białe rehabilitacyjne klapki z Wróżką Zębuszką, jakie lubili nosić stomatolodzy w klinice, obok której mieszkał, i nonszalancko zarzucił na szyję stetoskop. Potem wsunął pod pachę kartę pacjenta, a następnie ostentacyjnie wyjechał z łóżkiem, na którym leżał Boguś, na korytarz.

– Co pan robi, doktorze?

Z naprzeciwka natychmiast podbiegła pielęgniarka. Poczuł od niej świeży smród nikotyny. Była czujna, podejrzliwa i nie wyglądała na miłą.

– Z którego doktor jest oddziału? Pierwszy raz pana tutaj widzę.

– Porodówka – mruknął, szarpiąc się z aparaturą. – Pani lepiej pomoże. Z tym go przecież nie zabiorę. Windę choć zawezwie. Co za ludzie! – narzekał.

– Ale – pielęgniarka wpadła w panikę – nikt mi nic nie mówił.

– Telefon pani bierze ze sobą na dymka, to niejasności nie będzie – huknął na nią Cybant i stanął wyprostowany. Stała zawstydzona i skołowana. Zaczął więc udawać, że przegląda kartę pacjenta. Z kieszonki na piersi pielęgniarki wyjął długopis, a następnie zamaszyście złożył nieczytelną parafkę. Oddał jej podkładkę.

– Jak pani ma na imię?

– Krystyna.

– No przecież, że mamy tam na górze pogorzelców z Ogrodowej. Większość żywa, opatrzona. Tyle że na jednego pacjenta przypada trzech policjantów. Siedzą nam na karku od rana. Ten też ma leżeć u nas. Z tej samej kamienicy go zgarnęli. Pytania?

– Ja po prostu nie jestem pewna, czy ten pacjent może być odłączony.

– On jest nieśmiertelny – mruknął Cybant i wcisnął off, a potem wyłączył urządzenie z gniazda.

W tym momencie Boguś otworzył oczy. Zakaszlał.

– No i widzi pani Krysia – zaśmiał się Cybant. – Cud. A jakby co, to może pani podyskutować z policją. Zapraszamy do nas.

Podjechała winda. Znajdujący się wewnątrz pielęgniarze pomogli Cybantowi wstawić łóżko z Bogusiem. Pielęgniarka zaś przyniosła jego rzeczy i kłaniając się, przepraszając, machała cała zarumieniona, aż skrzydło windy się zamknęło.

Protokół przesłuchania świadka
z 12 lipca 2015 roku

Ja, Wanda Środa, córka Wacława i Haliny, zamieszkała przy Kusocińskiego 10 na dziesiątym piętrze w bloku na osiedlu Retkinia, w drugiej śluzie, nie wychodzę praktycznie z domu, bo czekam na operację biodra, a winda w naszym bloku nie zawsze działa, jak powinna. Mieszkanie mam nieduże, ale więcej metrów nam nie trzeba. Syn już po studiach. Mąż był ratownikiem medycznym. Zwolnili go w ramach ograniczeń, jak kryzys przyszedł. Teraz pracuje w ochronie, głównie w Andelsie. Dorabia na taksówce. Niepijący.

Ściany w tym bloku cienkie, wszystko słychać. Nawet jak człowiek nie chce, to musi słuchać. A u Wiesławy Jarusik, wielkiej pani biznesmenki, co więcej butów miała niż w kościele kwiatów na Boże Ciało, czasem i było ciekawiej niż we *Wspaniałym stuleciu*. Dobra zawsze była z niej kobieta, za taką ją miałam. Jak kratę zdecydowałyśmy postawić, to bez kwękania się złożyła, a i potem cukru, mąki czy i grosza można było sobie wzajem pożyczyć. Broniłam jej wiele razy, nawet jak mówili, że ciapatego wnuki niańczyła, a ludzie ją palcami wytykali. Bo i znałam ten temat od lat, co miałam ją oceniać. Niech Bóg się tym zajmuje, nie moja to robota.

Najpierw siwych włosów jej siostra latawica przysporzyła. To Wiesia ufarbowała się na pomarańczowo i dalej do przodu. Taka była – niepoddająca się. Wiki wdała się kropka w kropkę w swojego tatulka pijaka, co go matka Wiesi i Wiktorii z domu wygnała. Potem latami córki alimenty jeszcze płaciły na tego łazęgę, aż wreszcie na raka czy inną francę zmarł gdzieś pod Szczecinem. Nikomu nie szkoda go było. Jak prawda potrafi czasem boleć, tak mówię. Mąż też dał Jarusik w kość, zdrowia napsuł ten łachudra. Za kołnierz nie wylewał, każda praca była mu „za niewygodna", a i ręka go świerzbiła bez powodu nierzadko. A zapowiadał się nieźle. Wysoki, ładnie na nim garnitur kiedyś leżał, nie powiem. Pokazy te organizował, co w nich na szpilkach Wiesia chodziła za młodu i odzież prezentowała.

Ale to była inna Łódź. To była Łódź w drugim rozkwicie. Komuna nam pracę dała i ludzie syci chodzili. Cała Polska do Łodzi na zakupy przyjeżdżała. Potem, jak te wszystkie fabryki padły, jak włókniarki się przekwalifikowały na handlary, sprzątaczki i na kasę do marketów poszły, tak ich chłopy nie bardzo tę transformację ustrojową dobrze znosły. Głównie na chorobę alkoholową zapadali, jeden po drugim, Bóg dobrodziej mojego oszczędził, a też było blisko. Mówiłam, że dziś wcale niepijący. Zakaz wprowadziłam. Embargo, znaczy się, na wódkę w chacie, boby do roboty nie chciał chadzać, a i licencję mogliby zabrać, jak szwagrowi mojemu.

192

Jarusik nie pił na początku gorzały, tylko wino, koniaki na tych pokazach, z oficjelami i elitą miasta się puszył. A potem to było dalej jak u wszystkich. Dobytek wyprzedał na spiryt Royal i ręka świerzbem mu zaszła. Nie raz i nie dwa Wiesia z małą Jagodą u nas na wycieraczce koczowały, aż się litowałam i dawałam koc, by nie pomarzły w przedsionku. Ale godności i wtedy Wiesia nie traciła. Dumna była. Nigdy z siniakami nie chodziła do szkoły, wstydu dziecku nie robiła. Tyle że za późno pojęła, że rozwód byłby na tego łajdaka najlepszą receptą. W końcu jednak pognała chłopa precz.

Młodsza, Wiki, chciała z domu uciekać jak najprędzej, ale zaszła w ciążę z najpopularniejszym kolegą ze szkoły. Muzyk ponoć, dziś w filharmonii gra czy może te mazaje na murach maluje, sama już nie wiem. Pechowo wybrała, bo wyparł się dzieciora, i Wiki, zanim brzuch jej urósł, już się wyskrobała i została z Wiesią.

Dalej było dobrze. Wiki skończyła szkołę. Nawet studia do trzeciego roku. Projektowanie ubioru, a potem grafiki czy coś koło tego. Zawsze była brudna od farby jak nieboskie stworzenie i dziwne pomysły miała.

Jagoda rosła. Śliczniutka i zdolna. Za to Wiki znów zaczęła szczęścia szukać, gdzie się dało. Romantyczna była kiedyś i wierzyła każdemu, kto jej bajki o rodzinie opowiadał. Nie minął rok, dwa, jak miała opinię puszczalskiej i z coraz to gorszymi łazęgami była widywana. Wszystko, panie Aleksandrze, artysty. Filmowcy, aktorzy, malarze czy inni tacy twórcy teatralni. Znaczy się ani grosza przy duszy i głowa w chmurach. Wreszcie jakiś film kukiełkowy robiła z którymś, zdołała go omamić, choć dziesięć lat od niej młodszy, i teraz żyją jak pies z kotem, na Bałutach podobno. Piją, tworzą i dzieci namnażają.

Nigdy jej u siostry potem nie widziałam. Nawet na pogrzeb siostrzenicy nie przyszła. Taka z niej artystka.

W tamtych czasach pani architekt to było coś, naprawdę. Ktoś z dyrekcji w biurze dostał bilet na wycieczkę do Egiptu, zachorował, nie pojechał w każdym razie, a ten bilet był dla dwóch osób. Wiesia przyjaciela nie miała, więc wzięła ze sobą córkę. Mała dobrze się uczyła, miała szesnaście, prawie siedemnaście lat i była jak promyk słońca, taka cera krew z mlekiem i czarne jak heban włosy, po tatusiu swoim, niech go osy pogryzą. Arabusy podobno tam oszaleli i nie puścili płazem matce, że taki skarb do Orientu przywiozła. Jagoda wróciła w każdym razie zbrzuchacona, a kimkolwiek ten ciapaty był, nie strzelał kapiszonami. No, ale tak wtedy wszyscy myśleli, Wiesia też, że rodzina to zawsze lepiej niż samotnie chować potomstwo.

Podwędzany wkrótce przyjechał do kraju. Jagoda zmieniła imię na Sana, jako że anioł jaki, niepokalane poczęcie, wie pani, pan, wiecie, taki żart na osiedlu chodził. Potem zaślubowali i żyli tak na kupie za pieniądze Wiesi. Ale po porodzie okazało się, że ten Arab to wcale nie był tatuś. Niedaleko pada jabłko, mówiłam już, a Wiesia płakała jak bóbr, za co ją tak karze. Kim był ojciec dziecka, Bóg raczy wiedzieć, ale to na pewno nie był ten nescafé. Urodził się biały, błękitnooki, no wprost polski chłopczyk. Może jaki norweski steward albo inny turysta w tym Kairze ją dopadł? Jagoda zabierze już tę tajemnicę do grobu. Ciapaty, muszę przyznać, piękny jak z telewizora. Nic dziwnego, że podobają się oni kobietom. Czarne gały, nieśmiały, zawsze się kłaniał, nie patrząc w oczy. Pomagał dźwigać zakupy i kratę roztwierać. Aż go nawet polubiłam.

Wtedy Wiesia zaczęła opowiadać, jaki z niego potwór. Jak chce Jagodę, znaczy się Sanę, w zasłony zakutać, w domu zamknąć, żeby dzieci niańczyła. I choć Wieśka była temu przeciw, Jagoda zgodziła się na takie dyktando. Może z miłości albo i głupoty. W sumie to czasami to samo. Rzadko ją widziałam, a jak wyszła po jakimś czasie, to jej nie poznałam. Grube babsko jakieś, nawet miałam pretensje, że obcą wpuszczają za naszą kratę. Okazało się jednak potem, że znów była w ciąży. Jego za to coraz rzadziej widziałam. Pięć razy dziennie na Lumumbowo latał, bo mieli tam taką małą świątynię. A dalej, jak urodziła czwarte, ale zmarło, to go właściwie już nie było wcale. Wiesia mówiła, że za granicę go wciąż wysyłają z darami dla uchodźców, a to dla biednych, czy jakoś. Pracą jego ręce nie skalały się nigdy. Nawet w żadnym kebabie go nie widziałam.

Jagody zresztą też nie. Urodziła te dzieciaki, a potem, miały może jedno – dwa, drugie – pięć latek, zostawiła je i wyjechała, pewnie puszczać się z innym brudasem. Widzieli ją nasi wspólni znajomi, co na saksy pojechali do tego samego Londyna. Wysadziła się w metrze w Paryżu, ponoć nawet twarzy nie było widać, tak ją bomba zmasakrowała. Mówili, że znów była w ciąży i to dlatego się wysadziła, ale to chyba bujda. Narkotyki jej dawali, też tak mówili. Wiki pojechała ją zidentyfikować. Zaprzeczyła, że to jej siostrzenica, nogi Jagody podobno nie rozpoznała. Ale przy zwłokach tej dżihadystki znaleźli dokumenty i zdjęcia jej dzieci. Może i podrzucone. A może i to była ona. Nie wiadomo. Ciotka nie przyjęła zwłok. Mogiła rodzinna Jarusików na cmentarzu podobno jest pusta. Oby Wiesia pierwsza tam nie zaległa. O to się modlę.

Do pracy, do biura architektów, jak się pan domyśla, Wieśka nigdy nie wróciła. Wszystko się posypało. Dostała wilczy bilet w urzędzie miasta, w ośrodkach kulturalnych. Wszędzie była non grata. Pomagała jakiś czas w pisaniu wniosków unijnych, ale to sezonowa robota, a dzieci miała na utrzymaniu troje plus czarną owcę, swoją siostrzyczkę, co do dziś po forsę na farby dla graficiarzy, swoich obszczymurów w dresach, przysyła. Albo z puszką dla powodzian kwestuje pod cmentarzem z innymi wegetariankami. Teraz ponoć dla uchodźców z Syrii zbiera. Wiki zawsze miała tupet i lewicowe poglądy. Pewnie miałaby czelność i do siostry przyjść, choć kiedy Jagoda przeszła na islam, jej się wyrzekła.

Wiesia zaczepiła się najpierw jako sprzątaczka w biurowcach. Nikt jej tam palcami nie wytykał, nie przygadywał. Mówiła, że takich jak ona, w fartuchach, po prostu nie ma. Są niewidzialni, dopóki podłoga aż lśni, blaty się błyszczą, a w kiblu nie znać śladów po wczorajszym śledziku. Mieszkanie sprzedała, kontakt mi się zerwał. Arab wnuki jej uprowadził. Tylko białego nie ruszał. Został chłopaczyna z babką, a potem w Rudzie Pabianickiej na działce bez prądu żyli. Resztę historii pan zna. Firmę założyła. Znów w szpilkach chodziła, ludzi zatrudniała, bo wygrała przetarg na sprzątanie lotniska. Słowem, stanęła na nogi. Wszystko zmierzało w dobrym kierunku. Dali jej karty dostępu na lotnisko, wejściówki wszystkie do samolotów, ale na karku miała tego islamistę. Nikt do końca nie wie, do czego on ją zmuszał, czym mamił. A ona widać zaparła się, żeby dzieciaki wyrwać z Orientu. Teraz się dziwią, że dokonała srogiej pomsty. Sama nie wiem, jak bym się zachowała, gdyby mnie to spotkało. No nie wiem.

Podpis. Data. I dopisek o zobowiązaniu zachowania powyższych zeznań w tajemnicy.

PS: Nikomu nie mówię o tym, bo i nikt mnie nie pyta. A zresztą, kto by mi uwierzył?

Sasza odłożyła stenogram. Spojrzała na detektywa, który siedział przed nią zrezygnowany na wzorzystej wersalce. Rozmawiali trzecią godzinę.

– W żadnym wypadku. – Aleksander Krysiak pokręcił głową. – Nie namówi mnie pani. Dla mnie to temat zamknięty. Nie zamierzam w tej sprawie kiwnąć nawet najmniejszym palcem.

Potem po raz kolejny powtórzył, że wszystko, co wiedział i zrobił w tej sprawie, przekazał policji zaraz po wypadku Wiesławy.

– Może pani zabrać dokumenty. – Wskazał stos papierów na stole. – Mnie one niepotrzebne. Zresztą, straciłem licencję.

Sasza szczerze się zdziwiła. Policjanci z Łodzi twierdzili, że to jeden z lepszych detektywów w kraju. Skuteczny, uczciwy i waleczny jak lew. Zerknęła na rząd pustych flaszek koło kaloryfera. Jedyne, co przychodziło jej do głowy, to choroba alkoholowa. Krysiak jakby czytał w jej myślach.

– Dobrowolnie zrezygnowałem. – Wstał i podszedł do prowizorycznego blatu kuchennego, nalał sobie coli. Gestem spytał Saszę, ale odmówiła, widząc, że w butelce zostało niewiele. Detektyw wypił duszkiem brązowy płyn, a potem resztkę prosto z gwinta. – Musiałem przepisać firmę na wspólnika. Przez sprawę Wiesi straciłem płynność. Już wcześniej miałem długi. Nie było innego wyjścia, by utrzymać firmę.

Stanął plecami do niej, a następnie ze złością zgniótł butelkę, tworząc z niej powykręcany zlepek plastiku. Zakręcił korek, by się nie rozwinęła, po czym pieczołowicie umieścił ją w koszu.

– W ten sposób zostałem szeregowym pracownikiem we własnej firmie. I tak powinienem być wdzięczny, że Paweł mnie zatrudnił. Miło też z jego strony, że nie wykorzystuje swojej pozycji, jak robiłem to ja wobec niego, kiedy zaczynał. Może ze względu na stare czasy, bo kilka wypraw po polskie dzieciaki jednak zrobiliśmy. – Zawiesił głos i wyznał z żalem: – Ale tak naprawdę to chyba z litości.

W tej chwili Sasza zrozumiała wszystko. Nie chodziło o żadną utraconą miłość ani emocje po stracie. Miała przed sobą faceta, który przez kobietę stracił honor. Rozumiała go jak cholera. Sama regularnie znajdowała się na takich zakrętach. Ale wiedziała też, że nie ma takiego bagna, z którego nie da się wyjść. Czasem wystarczy tylko zacząć działać, a czasem potrzeba wsparcia. Wtedy przydaje się osoba, która zmusi cię do aktywności siłą. Zdecydowała, że weźmie na siebie tę niewdzięczną rolę. Czuła, że wystarczy pchnąć detektywa znów w wir wydarzeń. Przecież jedyne, czego ten rzutki człowiek pragnął, to odzyskać twarz. Potem sam zacznie walczyć. To był silny typ. Miękki w środku, jak każdy wojownik, ale pieczołowicie zasłaniający się przyłbicą ze stali.

– Gdzie jest ten chłopiec? – rzuciła niby od niechcenia. – Pierwszy wnuk Wiesławy.

– Mieszka z ciotką, Wiktorią o.m.c. Gidyńską. Szlifuje chodniki i uczy się rapować.

– O.m.c.? – zdziwiła się Sasza.

– O mało co. W moich czasach popularne było „o.m.c. mgr", ale pani jest na to za młoda.

198

Sasza przyjrzała się Krysiakowi. Humor mu dopisywał. Chyba nie cierpiał tak bardzo, jak starał się to pokazać.

– Wie pan, że nieoficjalnie policja kwalifikuje wypadek Wiesławy do spraw terroru? Nie do końca skłaniają się do tego, że była niewinną ofiarą.

– To wszystko jakaś ściema – zdenerwował się Krysiak. – Te ładunki, dżihad.

– Kochał ją pan, prawda?

Aleksander Krysiak potarł powiekę i cmoknął znacząco. Widziała, że walczy z emocjami. Wściekłość wciąż mieszała się z bólem po stracie. Bezradność z chęcią wzięcia odwetu na rzucających kalumnie.

– Tak mi się wydawało – powiedział wreszcie. – Dałem z siebie wszystko, by te dzieciaki odzyskać. Pod koniec sam płaciłem za wyjazdy na Bliski Wschód. Wieśka nie miała już ani grosza. Była też taka hipoteza, że zrobiła to z rozpaczy. Nie płaciła od lat podatków, miała zaległości w płatnościach składek zdrowotnych pracowników. Cały czas zgłaszali się kolejni wierzyciele, bo zatrudniała i zwalniała ludzi, byle tylko utrzymać płynność. Nie powiem, miała w pracy opinię hetery. Ale życie ją do tego zmuszało. Trzeci raz, podczas ostatniej próby odbicia dzieci, nieudanej oczywiście, sam ledwie się wykaraskałem. Straciłem przez nią człowieka. Mojego najlepszego ucznia, który od początku ostrzegał mnie, że nie wolno ufać żadnej klientce uwikłanej w rodzinne historie z islamem. Ale był młody, a mnie pizdą zarosły oczy. – Zaśmiał się sztucznie, pokrywając zdenerwowanie. – Nigdy nie wrócił z Kairu. Po prostu zapadł się pod ziemię.

Sasza zanotowała ostatnią kwestię.

– Sprawa została zgłoszona? Jak brzmi nazwisko zaginionego?

Krysiak nagle się wściekł.

– Upokorzyła mnie. Potraktowała jak szmatę. Nie mogę sobie darować, że wcześniej nic nie zauważyłem.

– Ale teraz pan widzi prześwity?

– Całe mnóstwo. Na przykład to.

Wyjął z teczki komputer, podłączył do prądu. Wstukał hasło, rozległ się dźwięk ładowania programu. Wyszukał odpowiedni plik i otworzył. Sasza podeszła do monitora.

kiedy gdziekolwiek opublikowano „łódź, pożar, trwa
    akcja ratownicza"
zawsze
przesuń nadajnik o 10 kroków
zatrzymaj się przy: <kolor żółty> (~yellow)
zagraj bęben 10~ przez 0,25 taktów
zlokalizuj urządzenie: <kolor biały> (~white),
    minimalna wielkość 7×12×8 cm
dokonaj eksplozji
przesuń o −20 kroków
zagraj bęben 9~ przez 0,15 taktów
dokonaj samozniszczenia
kiedy nie zlokalizujesz: <kolor żółty> (~yellow)
dokonaj samozniszczenia
kiedy nie zlokalizujesz urządzenia: <kolor biały>
    (~white), minimalna wielkość 7×12×8 cm
dokonaj samozniszczenia
kiedy nie opublikowano kompletnie „łódź, pożar, trwa
    akcja ratownicza"
zagraj bęben 10~ przez 0,25 taktów
przesuń nadajnik o −50 kroków
dokonaj samozniszczenia
kiedy nie dokonano samozniszczenia

zmień {efekt} <kolor granatowy> (~navy blue)
<emotikon smile> na <kolor czerwony> (~red)
<emotikon heart> w komentarzu ~ *25 -->* *36*
www.dzienniklodzki.pl/forumczytelnikow_comment
www.gazetawyborcza.pl/forumczytelnikow_comment

– Ten skrypt – wskazał palcem – nie wierzę, że Wiesia
to napisała. Miała nawet problem z przelewami internetowymi. Tylko z konieczności używała poczty elektronicznej.

Sasza wyjęła z torby paczkę makaronu.

– Widział pan kiedyś u niej w domu coś takiego?

Detektyw wziął makaron do ręki, powąchał. Pokręcił
głową.

– Wiesia preferowała raczej polską kuchnię. Melzupa,
kiełbaski zapiekane z cebulą. Wątróbka, wie pani, jak w barze Anna na Tuwima.

Sasza zerknęła na zegarek. Za trzy godziny odjeżdżał jej
pociąg.

– Muszę iść.

Zerwała się. Chciała jeszcze obejrzeć pogorzelisko na
Ogrodowej. Cuki wydzwaniał do niej od półgodziny. Była
pewna, że jest już na miejscu.

– Też jestem spóźniony. – Krysiak rozejrzał się po kawa-
lerskim mieszkaniu.

Nierozpakowane pudła z książkami. Koło łóżka sterta
brudnych skarpet pozwijanych w kule. Lusterko na gwoź-
dziu. Obok kremu do golenia pojemnik po pieczonej kar-
kówce, której detektyw nie zdążył wstawić do mikrofalówki
i którą zjadł na stojąco, zanim Sasza przeczytała zgroma-
dzone w sprawie Wiesi akta.

– Poda mi pan nazwisko swojego człowieka? I numer
sprawy, jeśli łaska. Zgłoszenie było tutaj czy tam, w Egipcie?

Krysiak rozciągnął usta w złośliwym uśmiechu.

– Pani bywała w tamtych stronach tylko na wczasach w resorcie, co?

Sasza wzruszyła ramionami.

– W ogóle nie jeżdżę na wakacje.

Krysiak podszedł do wiekowej szafy pancernej stojącej w kącie i otworzył ją, bardzo sprawnie operując starodawnym pokrętłem. Załuska słyszała specyficzne klikanie i przypomniała sobie scenę z *Gangu Olsena*: „okleimy taśmą, żeby nie było hałasu".

– Fajny gadżet – rzekła do pleców detektywa, który wyciągał z przepastnej szafy kolejne pliki dokumentów.

Ułożył stos na stoliku obok papierów dotyczących Wiesławy.

– Tutaj ma pani wszystko o zaginięciu Sylwka. Był dla mnie jak syn.

Odwrócił się i kopnięciem zatrzasnął drzwiczki sejfu. A potem się rozpromienił.

– Zabrałem z lochów pod restauracją Lotniczą na Ewangelickiej. Zanim jeszcze Penetrator tam wpadł i cała granda pismaków. Ludzie wtajemniczeni całymi latami włazili tam i wyciągali co lepsze kąski. Sam wyniosłem trochę sprzętu bojowego, masek przeciwgazowych jeszcze z czasu wojny i skrzynkę granatów.

– Poważnie? – Sasza podeszła do szafy, przyjrzała się jej.

– Wygląda solidnie.

– Bo taka jest.

– A gdzie trzyma pan resztę? – Zrobiła niewinną minę.

– Amunicję i te wszystkie skarby, wie pan…

– Broń? – dopowiedział Krysiak. – Okazało się, że to wszystko był chłam. Część dawno zarchiwizowała się na Allegro, a rzeczy niedozwolone wysadziliśmy z chłopakami

202

po pijaku na poligonie. Imprę zrobiłem. To były stare, dobre czasy. Jeszcze żonaty byłem. Szkoda gadać. – Machnął ręką.

– Wrócę za dwa dni. – Profilerka się uśmiechnęła.

Zaczęła wkładać do torby papiery, ale nie mieściły się, więc Krysiak ruszył do kuchni w poszukiwaniu jakiejś reklamówki. W końcu podał jej kolosalną papierową torbę z nadrukiem PUCCINI. Sasza wzięła ją, ułożyła dokumenty.

– Pomoże mi pan, prawda?

Milczał chwilę, a potem znów się zaśmiał.

– Ale mnie pani podeszła. Ani się obejrzałem, a znów w tym siedzę.

Sasza powstrzymała się przed komentarzem, że wiele pracy to nie wymagało. Tak naprawdę aż się palił do współpracy.

– Chcę pomówić z chłopcem – oświadczyła.

– Maćkiem?

– Chłopcem, który miał stały dostęp do komputera Wiesławy. Maciejem Jarusikiem. Synem Jagody.

Krysiak pokręcił głową zrezygnowany.

– Już go sprawdzałem. Policja go przesłuchiwała. Wszyscyśmy z nim mówili.

– Wiem – potwierdziła Sasza.

– To nic nie da. Nawet jeśli coś wie, nie puści pary z gęby, a co gorsza, zacznie konfabulować. To nie on napisał ten skrypt.

– Skąd ta pewność?

Krysiak wskazał dokumenty.

– Sama pani zobaczy. To niemożliwe.

– Jak to?

– Prawie nie chodził do szkoły. Był zwolniony z obowiązku szkolnego ze względu na stan zdrowia. Matka go uczyła, trochę ci Arabowie w stowarzyszeniu. Generalnie był izolowany. Akceptuje w swoim otoczeniu tylko osoby, które dobrze zna. Dopóki pani go nie oswoi, nic z niego nie wyciśnie. Ja znałem go bardzo dobrze i dupa z tego.

Sasza aż zaniemówiła.

– Co z nim jest?

– Niby wszystko okay. Fizycznie nic mu nie dolega. Tylko jest trochę dziwny. Ponoć w dzieciństwie nie dawał się ubierać. Wrzeszczał, kiedy inne dzieci go dotykały, drapał się do krwi, miał ataki szału. Czasem bez powodu uciekał i siedział na huśtawkach w parku, a pół przedszkola go szukało. Potem to trochę minęło, ale do szkoły nie mógł chodzić. Ze specjalnej go usunęli. Podpalał ponoć materace w sali gimnastycznej.

Sasza podniosła głowę.

– To jest udokumentowane?

– Tak mówiła sąsiadka, pani Wanda. Ci, którzy mogli temu zaprzeczyć, nie żyją albo nie można ich znaleźć. Może po prostu nie lubi ludzi? Nie wiem, jak by na mnie wpłynęły takie przejścia. Dobry z niego chłopak, ale sprawia wrażenie tępego.

– Autyzm?

– Próbowali mu zdiagnozować zespół Aspergera, ale to chyba nie jest to. Jest cały czas pod obserwacją. Kto go tam wie, co mu siedzi w głowie.

Może robotyka i skrypty do odpalenia ładunków wybuchowych, pomyślała Sasza, ale nic nie powiedziała.

– Chcę, by pan ustawił mi spotkanie z tym chłopcem – powtórzyła Załuska. – Ale tak, by jego ciotka, ta artystka, nie robiła przeszkód.

– Nie sądzę. Ona w ogóle nie jest konfliktowa. Ta sąsiadka, Wanda, trochę przesadziła. Wie pani, niektóre gospodynie domowe są świętsze od papieża. Mają dużo wolnego czasu, nudzą się. Dalej wchodzi zazdrość, czasem nadmierna wiara. Siostra Wiesi to prawdziwa artystka. Trochę szurnięta, fakt, ale jej instalacje wideo zdobywają nagrody na zagranicznych festiwalach. Z pewnością będzie współpracowała. I jest jedną z niewielu osób, którą chłopiec uwielbia. Drugą była Wiesia, a potem Sylwek. Ten zaginiony – odchrząknął znacząco detektyw. – Mój były pracownik.

– Nie do końca chodzi mi o zwykłą rozmowę – przerwała mężczyźnie Sasza. – Chcę sprawdzić, czy Maciek brał w tym udział.

– Chłopiec, tak o nim mówiliśmy. On nie używa swojego imienia. To ma jakiś związek z jego zaburzeniami.

– Więc czy chłopiec w tym uczestniczył – poprawiła się odruchowo.

– W czym?

– Czy jest powiązany ze sprawą w jakikolwiek sposób.

– Czego więc pani oczekuje?

Sasza wskazała paczkę makaronu.

– Na początek dałby mu pan to i powiedział, że to prezent od taty.

– Przecież to manipulacja! – oburzył się Krysiak.

– Więc niech pan po prostu mu to pokaże – skorygowała prośbę Sasza. – A potem nie spuszcza go z oka. Gdyby się panu chciało notować, nie pogniewałabym się.

– Pani raczy ze mnie żartować!

– Nie śmiałabym.

– Mogę też robić zdjęcia. Bardzo to lubię, jeśli mam być szczery.

– Działa pan sam?

– W tej sprawie wolałbym tak. Resztkę godności muszę zachować. To się już ciągnie kolejny rok. Jeśli na mieście dowiedzą się, że znów to odgrzebuję, stracimy ostatnich klientów.

– Proszę nie ograniczać się do osobistej obserwacji. Naturalnym środowiskiem dzieciaka w jego wieku jest świat wirtualny. Facebook, twittery, snapy, whatsappy.

– O, w tym to on jest niezły. – Krysiak się uśmiechnął. Szykują się ciekawe święta.

Esmat zdjął już z półki wszystkie przyprawy, włącznie z barszczem białym w proszku i kolendrą w kulkach. Nie miał pojęcia, do czego Polacy ich używają, gdyż jego zdaniem w trakcie zasuszania zioła cały aromat znika. Nijak nie mógł jednak znaleźć oleju sezamowego. To był już trzeci sklep, który odwiedzili w centrum, i wyglądało na to, że czeka ich pielgrzymka do supermarketu, na co ani Esmat, ani Dobra nie mieli wcale ochoty. Ymann, przyszywana kuzynka jego ojca, która pełniła nieformalną pieczę nad Esmatem w kraju nad Wisłą, uprzedziła wychowanka, że na obiad będzie danie rybne curry, więc obędzie się bez szafranu, który zwykle zamawia w sieci, ale jeśli jego koleżanka jest wegetarianką, specjalnie dla niej ciotka wykona swoje popisowe danie.

Falafel smakował każdemu, na każdej szerokości geograficznej, a rodzina Sameha Yousry, męża Ymann, przeprowadzała się w ostatnim czasie już cztery razy. Pochodzili z Aleksandrii, podobnie jak rodzice Esmata. Los rzucił ich do Łodzi po rocznym pobycie w Londynie, dwunastu latach w Brukseli i tygodniu w Warszawie. Dopiero tutaj czuli się jak u siebie, choć córki i żony Sameha prawie nie wychodziły z domu w hidżabach. Na modlitwę przychodzono do nich. W loftach U Scheiblera, na Tymienieckiego 25, gdzie mieszkali, sąsiedzi niczemu się nie dziwili. Mieszkała tu elita Łodzi. Artyści, prawnicy, lekarze, architekci i pracownicy mediów. Choć wnętrze dawnej fabryki przypominało Alcatraz, nigdy nie czuli się jak w więzieniu. Zwłaszcza że Sameh od razu po przyjeździe otrzymał od Bractwa Muzułmańskiego misję, by zbudować w mieście pierwszy w dziejach Łodzi meczet.

Falafel Ymann nie miał wreszcie nic wspólnego z tym, co oferowano w budkach z kebabami, i Esmat liczył, że w ten prosty sposób uda mu się skruszyć nieco kamienne serce Dobrej. Sytuacja była sprzyjająca. Wyglądało bowiem na to, że Jonatan został zdyskwalifikowany w rozgrywce o dziewczynę. Zresztą przyjaciel pierwszy raz w życiu wcale mu nie współczuł.

Sezam użyty do potrawy musiał być świeży i montażysta dobrze wiedział, że to błahe zadanie jest tak naprawdę arcyważnym testem poziomu szacunku dla starszej osoby jego rodu. Bez butelki oleju sezamowego nie miał się co pokazywać z Dobrą u krewnych. W tym akurat Arabowie są bardzo podobni do Polaków. Kiedy zapraszają gości, obowiązuje zasada: „zastaw się, a postaw się". Prosty posiłek celebrowany jest tak, jakby to była uczta u sułtana. W Łodzi nie było ani jednego sklepu z żywnością halal, więc mięso odpowiednio zarżniętego zwierzęcia trzeba było sprowadzać z oddalonych miast, najczęściej z Warszawy. I choć Esmat nie uważał się za nazbyt religijnego, musiał przyznać w tej kwestii rację swoim rodakom. Każdy kawałek padliny w polskim sklepie uważał za brudny. Tłumaczył to zresztą znajomym ze studiów wiele razy. Nie chodzi o zadawanie zwierzęciu cierpienia, lecz o walory zdrowotne, perorował. Niemuzułmańscy rzeźnicy całkowicie odcinają zwierzęciu głowę, tracąc tym samym połączenie między mózgiem a sercem. Kiedy serce przestaje pompować krew, nie ma ciśnienia, by pozbyć się jej z ciała zwierzęcia. Jest udowodnione naukowo, że krew w mięsie przyśpiesza procesy gnilne oraz jest najlepszym pożywieniem dla bakterii. Dlatego też ludzie jedzący takie mięso są bardziej podatni na choroby i infekcje, dowodził. Bywają bardziej agresywni i mają kłopoty ze snem. Muzułmańscy rzeźnicy natomiast nie dokonują dekapitacji, a nacinają jedynie tętnicę główną. Krew wypływa pod dużym ciśnieniem z ciała i tym samym ono samo pozostaje czyste. Esmat nie odważył się jednak tłumaczyć tego Dobrej, która nie jadała nie tylko mięsa, ryb, ale nawet jajek. Liczył, że kiedy go pokocha, wiele cech uda mu się zmienić. O to, czy przejdzie dla niego na islam, nie musiał się martwić. Zachowywała się i czuła jak rasowa muzułmanka. Tyle że sama nie zdawała sobie jeszcze z tego sprawy.

Esmat uważał wybryk Jonatana z Hodą za znak od Allaha. Do przyjaciela żalu nie miał, ale Hoda była w jego oczach stracona. Nie chciał być czarnym aniołem i zawiadamiać jej ojca, jaką hańbę przyniosła rodzinie. Sama będzie musiała przedstawić wiarygodne fakty, które wystarczą do cywilizowanego zerwania zaręczyn. Ślubu nie będzie. W każdym razie Esmat jej za żonę nie weźmie i bardzo był z tego powodu rad. Co będzie, jak będzie – okaże się wkrótce. Inszallah. Teraz najważniejsze, że Dobra zdecydowała się zostać w Łodzi. Jej rodzice nie byli z tego powodu kontenci, ale jakoś przełknęli kłamstwo o montażu filmu. Nie pierwszy raz córka nie uczestniczyła w kolacji wigilijnej. Esmat wiedział, że jego rolą będzie teraz pocieszenie złamanego serca przyjaciółki, ale nigdy wcześniej nie miał tak wielkiej szansy na zbliżenie. Jeśli wszystko pójdzie zgodnie z jego planami, Dobra zaś spodoba się ciotce i wujowi, zamierzał jak najszybciej wręczyć jej zaręczynową biżuterię.

Dobra tymczasem oglądała flaszki w dziale monopolowym. Nad jej głową wisiał afisz „Alkohole za grosze". Kiedy odstawiała porto za trzynaście złotych na najniższą półkę, potrącił ją rumiany dresiarz. Butelka wypadła dziewczynie z rąk, stłukła się, a purpurowy płyn oblał nowy płaszcz Dobruchny.

– Jak łazisz, pizdo – rzucił w jej kierunku ostro wstawiony mięśniak.

Dobra zmełła w ustach przekleństwo i odsunęła się, wiedząc z doświadczenia, że z łódzkimi hewrami lepiej nie wchodzić w dyskurs. W tym momencie z działu z przyprawami wynurzył się Esmat. Każdy, kto pomieszkał w tym mieście chociaż tydzień, wiedział, że jego smagła skóra jest wystarczającym dowodem winy. Niektórzy rodowici mieszkańcy miasta czterech kultur na równi z miłością do przykrótkich dresów i białych skarpet obnoszonych z dumą nad cholewką adidasa nienawidzili obcych. Inny był Żyd, Arab, Hindus, a nawet Japończyk. A każda z tych nacji była zła, wroga i należało ją upodlić, zniszczyć, definitywnie skasować. Choć nie przeszkadzało im to zupełnie „po wszystkim" pójść na kebab o piątej nad ranem albo słuchać do upadłego muzyki z bollywoodzkich filmów na przemian z disco polo. Dresiarz jakby tylko czekał na taką okazję do bójki. Zdawało się, że testosteron rozpyla z każdego otworu ciała. Natarł na Esmata jak byk na czerwoną płachtę.

– Ale mnie, kurwa, wkurwiają te kurwy jebane – zagaił.

– Idziemy – rzuciła Dobra i chwyciła przyjaciela pod ramię.

Esmat jednak nie dał się wyprowadzić. Wyjął z kieszeni telefon i zaczął się cofać.

– Dzwoń, kurwa, Allahu zjebany, no dzwoń – atakował dresiarz. – Allah jest, kurwa, pierdolonym, kurwa, berłem? Kurwa, no.

Zaczęli szaloną pielgrzymkę po sklepie. Esmat nie powiedział ani słowa, natomiast agresor nakręcał się coraz bardziej. Chwilę mu jednak zajęło, gdzieś około sześciu kółek wokół działu ze słodyczami, zanim pojął, że Aleksandryjczyk nagrywa wszystkie jego bluzgi.

– Chcesz kręcić, zajebany brudasie? No chodź. No dawaj, kurwa, no dzwoń. Dobra!

W tym momencie do akcji wkroczyła zażywna ekspedientka. Podparła się pod boki i rzuciła dyszkantem:

– Sio, bałuciarzu. W sklepie nie można bluźnić!

Mężczyzna był jednak jak w transie.

– No co jest teraz, brudasie? Co jest? Co? Kurwa.

Nacierał na studenta, aż wreszcie udało mu się go chwycić za kurtkę. Przycisnął jego twarz do kamery i syczał, jakby się zawiesił:

– Brudas, brudas, brudas, brudas, brudas, brudas.

Szarpnął Aleksandryjczyka gwałtownie, a potem nagle odwrócił się i wyszedł.

– To było trochę dziwne – podsumowała sprzedawczyni.

Dobra roześmiała się w głos i przytuliła do Esmata. Tego dnia nie znaleźli sezamu ani nawet jego syntetycznego odpowiednika. Za to wrzucili nagrany film na profil fejsbukowy Esmata, a wszyscy ich znajomi solidarnie go udostępnili. W ciągu kilku godzin wideo miało pięćset tysięcy wyświetleń. Zanim Dobra z Esmatem dotarli na „wigilijny" falafel do Ymann, jeden z użytkowników zidentyfikował dresiarza.

To Damian Filutowski, zawodowy strażak. Po robocie rozbiera się na wieczorkach panieńskich. Znam kutafona. Moja była widziała na żywo jego lateksowe stringi i uprząż na dupie. Jakby co, tu jest jego adres. #sercołamacze

Ktoś wrzucił zdjęcie strażaka ocierającego się pośladkami o siedzącą na krześle kobietę. Można było w całej okazałości podziwiać jego liczne tatuaże i umięśnioną sylwetkę. Dopisek: „Strażak Filutek dorabia na boku" rozgrzał Facebook do czerwoności.

Czy w Straży Pożarnej dostali dyrektywy z góry, że gaszą domy dopiero po zgłoszeniu, iż pali się u białego Aryjczyka, sprawdzonego na trzy pokolenia wstecz?

A może seksgrupa tancerzy Filutka obsługuje tylko ogniste polskie emerytki?

Rozgorzała dyskusja, a fanpage grupy artystycznej Sercałamaczy mimo setek odlubień i kąśliwych komentarzy wszedł na pułap trzystu pięćdziesięciu tysięcy zasięgu.

Tutaj macie jego anons towarzyski. – „Będziesz wstydzić się swoich myśli i błagać na kolanach o więcej. Ogień to mój żywioł. Zdołasz go ugasić czy w nim spłoniesz?" – dopisał ktoś inny.

– W internecie nie ma anonimowości – podsumowała Dobra i spróbowała ryby z syntetycznym szafranem. Esmat nie czekał na kolejne znaki od Allaha. Z kieszeni wyjął aksamitne puzderko. Na poduszeczce spoczywał pierścionek z białego złota z trzydziestoma dziewięcioma diamentami. Obok zaś złota bransoleta do kompletu. Cała wysadzana rubinami, szafirami i inkrustowana nefrytem.

Sufit był całkiem czarny, dach zaś miejscami zwęglony na wylot. Nieregularnymi otworami w kształcie kalafiora do pomieszczenia wpadały jasne smugi światła. Rozlewały się wąskimi pasami po przestrzeni niczym palce Jezusa błogosławiące dawną siedzibę piekła. Pod warstewką osmalonej tkanki betonu na ścianach wiły się kable bez izolacji, gdyż wszystkie plastikowe elementy stopiły się w bezkształtną masę. Niżej było coraz mniej smoły. Czerń rozrzedzała się, gasła, by na wysokości lamperii prawie całkowicie zniknąć. Tutaj przestrzeń zachowała niemal oryginalne kolory, fakturę i wystrój. Dobrze było to widać na stojących przy ścianie obrazach. Te wysokie, panoramiczne, ustawione na sztorc dla zyskania większej przestrzeni ucierpiały tylko w górnej części. Wszystkie mniejsze, poza nalotem sadzy, nie nosiły większych śladów zniszczeń. Natomiast meble, szkło i przedmioty leżące na podłodze tworzyły potworny chaos. Nie była to jednak wina samego ognia, lecz pokłosie walki strażaków z żywiołem. Każde wnętrze po zakończeniu akcji gaśniczej wyglądało jak slums. Niemal cała przestrzeń strychu nosiła ślady zalania. Brudna breja znajdowała się w każdym zagłębieniu. W szczelinach pływały resztki piany, piasku, śmieci, a w powietrzu wciąż unosił się charakterystyczny swąd spalenizny. Sasza Załuska wiedziała, że ten zapach pozostanie w tym miejscu na całe lata, jeśli właściciel kamienicy nie wynajmie fachowców specjalizujących się w czyszczeniu pogorzeliska. Koszty wywabienia zwęgleń, osmaleń, a wreszcie usunięcie odoru będą niezwykle wysokie. Najpierw należałoby dokonać gruntownej selekcji wyposażenia, czy poza dziełami na blejtramach jest sens ratować cokolwiek z dobytku artystów.

Załuska po raz kolejny dziękowała w duchu Cukiemu za pożyczenie jej kaloszy na wizytę na miejscu zdarzenia. Szlam, po którym się poruszali, sięgał jej ponad kostkę, a dalej było tylko gorzej. Silny prąd ze strażackich węży przemieścił niektóre sprzęty. Meble były potrzaskane, niektóre obrazy całkiem podarte. Rzeźby utłuczone, elektroniczne urządzenia poprzewracane. Ale jak po każdym, nawet największym pożarze, część z nich można będzie oczyścić i dać im drugie życie. To nieprawda, że ogień bezpowrotnie niszczy wszystko na swojej drodze. Nie zawsze iskra wystarczy, by rozniecić duży pożar. Owszem, jest w stanie doszczętnie zamienić w pył rzeczy łatwopalne, lecz nie wszystko staje się jego pożywieniem. By ogień się rozhulał, by żarł, wymaga przede wszystkim czasu. Czasu i odpowiedniej dawki paliwa – wiedzą o tym nie tylko podpalacze, ale przede wszystkim strażacy. Ten żywioł sam z siebie nie istnieje. To energia, która jest w gruncie rzeczy krótkotrwała i, by zaistnieć, musi się czymś żywić. Sprawca nakarmił swojego potwora ropą, drewnem i szmatami. Zdawał sobie sprawę, że potrzebny jest upływ czasu i odpowiednie warunki, jak choćby dostęp tlenu. Każdy pamięta chyba ze szkoły doświadczenie z przykryciem świecy szklanką. Płomień gaśnie momentalnie, choćby karma w postaci wosku była podlana benzyną. To dlatego sprawcy podpaleń tak często wpadają. Ogień jedne ślady niszczy, tworząc następne. W tym przypadku śledczy mieli aż nadto dowodów i nie tylko nie wykluczali hipotezy zbrodni, lecz się do niej coraz bardziej skłaniali.

Ciała trójki lokatorów odnaleziono na samym końcu długiego korytarza, z dala od źródła ognia. Załuska widziała fotografie. Zwłoki ludzkie, zwinięte w nienaturalnych pozycjach kolankowo-łokciowych, bardziej przypominały woskowe lalki. Ich tkanki i skóra skurczyły się jak mięso w piekarniku. Nikt nie miał złudzeń, że dałoby się uratować tych ludzi, gdyby tylko sygnał przyszedł wcześniej. Deliberowano teraz, ile się spóźnili. Godzinę, dwie? Na sam szczyt płonącego budynku od razu wlano cysternę wody. To nie ogień jednak zabił mieszkańców poddasza. Nie upiekli się żywcem. Skutecznie chronili się przed płomieniami. Złudnie sądzili, że będąc daleko od źródła ognia, czyli zaryglowanych od zewnątrz drzwi wejściowych, ujdą z życiem. Instynkt podpowiadał im, by położyć się jak najniżej. Gryzący dym zawsze idzie w górę – stąd największe osmalenie na suficie – ale najbardziej śmiercionośne gazy, które ulatniają się w wyniku spalania, są niemal niewyczuwalne dla człowieka i tylko kwestią czasu pozostaje, by dostały się do układu oddechowego ofiar pożaru. Chodzi przede wszystkim o czad, głównego mordercę ulatniającego się w trakcie spalania drewna, gumy, plastiku czy papieru i tkanin. Bać się go powinni nie tylko pogorzelcy, ale wszyscy właściciele starego typu junkersów i kuchenek gazowych niepamiętających przeglądu. Tlenek węgla wiąże się z hemoglobiną dwieście dziesięć razy szybciej niż tlen, blokując tym samym jego dopływ do organizmu. Zaczadzenie to śmierć szybka i bezbolesna. Człowiek po prostu zasypia. Jeśli pomieszczenie jest szczelne, nie ma znaczenia, jak daleko znajdowało się centrum pożaru. To tylko kwestia czasu.

Miejsca ostatniego spoczynku pogorzelców zostały oznakowane numerami policyjnymi i białymi iksami. Nie namalowano kredą obrysu ciała, jak czyni się to w zwyczajnym miejscu zbrodni. Woda, której hektolitry strażacy wylali na to miejsce z dachu, pokrywała jeszcze dziś rano całą podłogę poddasza i została wypompowana dopiero przed dwiema godzinami. Dopiero wtedy na miejsce zdarzenia mogła wejść ekipa śledcza. Jacek „Cuki" Borkowski rejestrował oględziny na potrzeby śledztwa kamerą wideo. Wykonał też szereg fotografii, które pokazywał już Saszy w komendzie. Zapewnił przy tym, że nie zapomni tego widoku do końca życia, choć w swojej karierze widział już niejedno: rozkawałkowane zwłoki, rozdęte gazami ciała topielców. Uczestniczył też w wyciąganiu martwych noworodków z beczek po kapuście.

Pożar na Ogrodowej był ogromny, dogaszanie trwało dwa dni, ale zginęła tylko ta trójka z poddasza. Dwaj mężczyźni i młodziutka dziewczyna, której personaliów nie udało się jeszcze zidentyfikować. Pożar musiał zaskoczyć ich we śnie. Czwarty dziki lokator uratował życie i poza ręką zwichniętą od upadku nie miał praktycznie żadnych obrażeń. Nocował na prowizorycznym tarasie, więc kiedy rozpętał się armagedon, był odgrodzony od pożaru stalowymi drzwiami wyjściowymi na dach. Jako jeden z pierwszych został ewakuowany. Skoczył na skokochron rozpięty przez ochotniczą straż pożarną, nie zapomniawszy o swoim worku.

Pozostali nie mieli szans. Znajdowali się w zamkniętym pomieszczeniu niczym w puszce z rozgrzanym olejem.

Drzwi podpalacz zaryglował i zastawił starymi maszynami do szycia znajdującymi się na korytarzu. Okna poddasza od lat zabite były pilśnią, by przez dziury w futrynach nie padał im na głowę deszcz. Jedyny dostęp do światła i czystego powietrza dawały małe lufciki. Ale poza tłustym gołębiem lub bardzo chudym kocurem nie przecisnąłby się tamtędy nikt inny. Śledczy nie mieli złudzeń, że ten, kto wzniecił pożar, chciał, by ta czwórka zginęła. Użył ognia jak noża, siekiery czy broni palnej.

– Może i szukamy piromana – oświadczył na porannej odprawie pierwszy komendant. – Ale przede wszystkim masowego mordercy. Zimnego, wyrachowanego psychopaty, który jest sprawcą zorganizowanym.

– Co do tego ostatniego nie byłabym taka pewna – wtrąciła Sasza, ale Flak zignorował jej uwagę.

– Dożywocie – podkreślił. – Taka grozi mu kara. Chcę, żebyśmy go mieli jak najszybciej.

Makabra tego miejsca zbrodni polegała nie na odrażającym obrazie pośmiertnym wnętrzności, krwi i mięsa, lecz czymś wręcz przeciwnym. Skóra ludzka w zetknięciu z temperaturą skurczyła ciała ofiar. Wyglądali, jakby spali. Kobieta leżała na boku. Poza oskórowanym prawym ramieniem nie miała większych obrażeń. Mężczyźni zmarli dużo wcześniej. Aleksander Bajtel, plakacista i malarz wielkoformatowy, członek grupy artystycznej Łódź Kaliska, nie stworzy nigdy muralu, którego projekt został zatwierdzony przez Urząd Miejski. Miał to być wizerunek monstrualnego sępa żerującego na zgliszczach Łodzi. Szymon Zdziarski, twórca neopornograficzny, bardziej znany jako Wielki Bazgroł, najstarszy łódzki graficiarz i wulgarysta, nie oszpeci już niczego porcją odrażających rysunków z dymkami pełnymi niecenzuralnych wyrazów.

Cuki podniósł teraz plik spiętych zszywkami kartek, leżący na blacie kuchennym. Papier był tylko oprószony czarnym pyłem. Tekst był czytelny. Strzepnął go i zaczął czytać.

– To chyba jakiś wiersz – stwierdził i podał Załuskiej. Chwyciła go w dłoń ubraną w rękawiczkę, podniosła pod światło. Cuki nachylił się, by sprawdzić, na co patrzy.

– Tu był dopisek. Został wytarty – wskazała.

– Dla ...iny – przeliterował Cuki. – Aszkenazy. Odwrócił się.

– Myślisz, że to on? Byłby tak głupi, by zostawiać podpis?

– Uczestniczyłam w śledztwach, w których sprawcy zostawiali zaświadczenia z wojska, o fakturach z danymi nie wspomnę. – Profilerka wzruszyła ramionami. Oddała pogięty papier technikowi. – To jest w protokole oględzin, mam nadzieję.

– Zabezpieczone procesowo, a nawet pod względem kryminalistyczno-technicznym – odparł, po czym schował świstek do torebki na dowody.

W tym momencie usłyszeli kroki.

– O nie – jęknął Cuki. I szepnął: – To ta wariatka z samozwańczej OSP. Zaraz wracam.

Podszedł do posągowej dziewczyny w czarnej kurtce wzorowanej na mundurach policji. Na plecach miała odblaskowy napis STRAŻ, a na głowie czapkę, która rozwijała się jak policyjne kominiarki.

– Panie Jacku – odezwała się, udając nieśmiałość. – Przepraszam, że przeszkadzam...

– Pani Świderska, proszę natychmiast wyjść! – Borkowski nie silił się na uprzejmości. – Tu nie wolno wchodzić cywilom. Kto panią wpuścił? Nazwisko tego palanta. Zadbam, by został ukarany.

Dziewczyna cofnęła się przestraszona. Ale nie wyszła.

– Czekałam na pana – oświadczyła i nagle się rozpłakała. – Zrobiłam coś potwornego.

– Tak, wdarła się pani na miejsce zdarzenia i zadeptała ślady – zrugał ją wulgarnie Cuki.

Sasza nie podejrzewała, że Jacek potrafi tak bluźnić.

– Tak, tak – ryczała Świderska. – Ale ja nie chciałam.

– Nie pytam, czy pani chciała, czy nie. Stało się! Myślała pani, że się nie wyda?

– Przepraszam. Już mnie nie ma. Więcej nigdy tego nie zrobię – zapewniła ochotniczka, a potem wyciągnęła z kieszeni zabawkę. Był to nieduży samochodzik z klocków Lego Technic. Z anteną, metalowym podwoziem i prostym silniczkiem. Trzymała go teraz na dłoni, drugą ręką ocierając łzy. – To znalazłam, zaraz po pożarze. Zabrałam. Sama nie wiem dlaczego. Nie działa... Brakuje chyba kilku elementów.

– Won mi stąd! – huknął Borkowski.

Sasza chwyciła Cukiego za rękaw.

– Czekaj – powiedziała. I zwróciła się do zapłakanej dziewczyny: – Gdzie dokładnie znalazłaś tego robota?

Świder wskazała stertę przedmiotów. Na jej szczycie leżała połowicznie spalona torebka prezentowa z napisem PUCCINI – miniaturka tej, w którą Krysiak zapakował Załuskiej dokumenty wypadku Jarusik i sprawy zaginięcia jego pracownika.

Siedzieli w dworcowej poczekalni Łódź Kaliska, bo Cuki uparł się, że odwiezie Saszę na pociąg. Przypomniała sobie teraz słowa Waligóry: „Nie spotkałem jeszcze chuja z Łodzi. Cwaniaka, zakapiora – tak. Prezesa pijaka. Kilku jebaków też. Ale żadnego tchórza. Nie dygacza". Musiała teraz przyznać szefowi rację. Wszyscy tutaj byli nieco kolczaści, ale mieli swój honor. Poza tym polubiła ich wytrawne poczucie humoru.

– W miejscach, gdzie eksplodowały bomby, znaleźliśmy rozpuszczone kawałki kolorowej masy z elementami silniczka i antenką. Nie pasowało to do niczego. Nie było tam ładunku.

– Sądzisz, że to były takie robociki?

Oglądał dziecinną zabawkę i cmokał znacząco.

– W momencie eksplozji dokonuje ich samozniszczenia – stwierdził. – Ale jak je uruchamia?

– Linkiem internetowym.

Sasza wyjęła skrypt, który pokazał jej detektyw.

– To napisano na komputerze Wiesławy Jarusik.

– Babci bombki?

– Na jej komputerze. Z tego, co wiem, zrobiła to nieustalona osoba.

– Całą zawartość tego sprzętu mamy. Nikt wcześniej nie zauważył tego drobiażdżku. Skąd Krysiak to wyczarował?

Sasza pokazała Cukiemu wydruk.

– Podobno było wśród faktur i materiałów firmowych. Podobno. – Sasza podkreśliła to słowo. – Wiesława nie używała praktycznie komputera i dlatego Krysiak ma wszystkie kody i PIN-y. Pomagał jej też w księgowości. Kiedy urząd skarbowy zgłosił się o wyjaśnienia, musiał coś wydrukować. Wtedy znalazł to. Zobacz sobie, w tytule masz korektę faktury.

– Powinien przyjść z tym do nas. – Cuki się zmarszczył.

– Treść tego fragmentu nie pozostawia złudzeń. Musimy mieć ten komputer.

– Krysiak go ma – potwierdziła Sasza. – Myślę, że z radością się go pozbędzie.

– Nie sądzisz, że to dziwne? – głośno myślał Borkowski. – Babka się odpala, a facet do tej pory ma wszystkie jej dokumenty. Chodzi za nią do urzędu skarbowego. Rozmawia z rodziną. Podobno – zawiesił głos – czasem zajmował się Maćkiem, a już na pewno przelewał Wiktorii kasę.

– Choć podobno sam był w długach – dokończyła Załuska.

Wyjęła z kieszeni gumę do żucia w listku, urwała połowę, drugą oddała Cukiemu. Żuli w milczeniu.

– Rozumiem, że go prześwietliliście?

– Tak go Drugi przepytał, że oddał kumplowi firmę – potwierdził Cuki. – Aż Flak się obraził. Byli ponoć kiedyś partnerami. Na samym początku.

– Dlaczego odszedł z policji?

– Drugi powinien wiedzieć. – Cuki zbagatelizował pytanie. – Ale nie daj się zwieść, to Alik nadal jest tam szefem. Ten cały Paweł Kopeć to figurant.

– Mówił jeszcze coś o zaginionym Sylwku.

– Znam sprawę. Śmierdząca. Nawet była taka hipoteza, że Krysiak odpalił gościa na wyjeździe, bo mu ruchał Wiesię. To podobno nieprawda.

– Mnie przedstawił to inaczej.

– Wiem, wiem. Zaginiony w akcji odbicia dzieci innej muzułmańskiej Polki – zaśmiał się Cuki. – Jego dziewczyna ma na ten temat inne zdanie. Ale nie chce wnikać, bo jest z chujem pogniewana. Zostawił ją po kilku latach obiecywanek. Teraz ma fajnego chłopa. Nawet nie chce słyszeć o Sylwku.

– Jakie to zdanie?

– Że Krysiak był pijany i się wkurwił za donos.

– Jaki donos?

– No – Cuki próbował zrobić balona z gumy – wiesz, jak odbija się takie dzieciaki od Arabów?

– Domyślam się, że to nie negocjacje pokojowe.

– To regularne porwanie – potwierdził Cuki. – Sylwek był chwilę u nas. Po kursie podstawowym trafił do patrolówki, ale szybko wypadł, bo zdarzył mu się wyrok. No wiesz, pobił kogoś. Ten ktoś nie przeżył.

– A już się łudziłam, że to był zaginiony anioł.

– To nie do końca tak – powstrzymał Saszę Cuki. – Sylwek był kolorowy. Czaisz? Nie lubił, kiedy ktoś robił bekę z jego karnacji.

– Arab czy Murzyn? – Załuska odpowiedziała pytaniem na pytanie. – Prawdziwe miasto czterech kultur.

– A bo ja wiem? Gruzin, Żyd, Egipcjanin? Drzewa genealogicznego mu nie robiłem. Taki jaśniejszy. Kobietom bardzo się podobał. Co tam było na rzeczy, nikt nie dojdzie. Wiesz, jak na statku.

– Wiem. Wszyscy milczą. Wypadł za burtę. Nikt pary nie puści, za czyją sprawą.

– Mniej więcej – sapnął Cuki i zerknął na zegarek.
– Chyba musimy się ruszyć.

Sasza nie zareagowała. Myślała, jak łatwo Krysiak ją omotał. Skoro tak, zastosuje tym razem technikę uniżonego słuchacza według Sun Tzu. Nakarmi próżność Krysiaka, a potem poczeka, aż ten zacznie się popisywać i między wierszami zdradzać swoje triki.

– Widzę się z nim po świętach. Z radością go ponownie przesłucham.

Z głośnika podawano kolejne komunikaty. Sasza i Cuki na chwilę zamilkli. Wsłuchiwali się w skrzeczący głos, ale żadna z zapowiedzi nie dotyczyła pociągu Załuskiej.

– Jednego nie rozumiem – głośno myślał Cuki. – Babcia prawie została narzeczoną Allaha. Kto więc zagiął parol na meneli z Ogrodowej?

– I kto próbował wysadzić dwie kamienice na Wólczańskiej? – dodała Sasza.

– W sumie trzy. Ta trzecia sama się zawaliła. Podobno z powodu źle prowadzonych prac remontowych. HUY godnie walczy o swoje miano.

– To prawdziwa nazwa?

– Wyobraź sobie. Międzynarodowe korpo. A OSRAM brzmi lepiej? Kto ze starych Żydów założycieli w Ameryce mógł wiedzieć, że po polsku będzie to źle wyglądało?

– Większość amerykańskich Żydów uciekła z Europy.

– Masz rację, nie idźmy w to. – Cuki machnął ręką. – Zresztą tam robota nie znaleziono. Podobnie jak w przypadku architekta i meczetu.

– Sądzisz, że tam też była bombka?

Sasza zastanawiała się, zanim odparła:

– A ty wierzysz w tąpnięcie i bajeczkę o niezliczonych strugach Łodzi? Ale szczerze.

– Jak stoisz z czasem? – Cuki zerknął na zegarek.

– Mam jeszcze dziesięć minut. – Sasza wskazała zegar obok tablicy z rozkładem jazdy. – Wyluzuj.

Cuki porównał ze swoim czasomierzem.

– Pociąg jest trzy po. Nie trzynaście! Za chwilę się spóźnisz.

Oboje się zerwali i ruszyli szybkim krokiem na peron.

– Przejrzę pod tym kątem wszystkie stare sprawy, gdzie był jakikolwiek płomień – zapewnił Cuki i nagle zaczął biec. – Zatrudnię Henię i jej dziewczyny. Są sumienne.

Nagle się zatrzymał.

– To nie ten peron. Musimy dookoła. Kiedy wreszcie skończą Łódź Fabryczną?

Sasza zarzuciła torbę na plecy i wystrzeliła do przodu. Za chwilę zrównał się z nią technik.

– Poszukamy w ekspertyzach oględzin stopionych resztek masy z plastiku i dziecięcych zabawek – obiecał, ciężko dysząc.

Sasza tylko pokiwała głową. Nie miała sił nic powiedzieć. Zadyszkę złapała już po kilku pierwszych krokach.

– Tutaj. – Cuki stanął za żółtą linią. – Masz bilet?

– Skąd! – zdziwiła się kobieta. – Kupię u konduktora.

– Nastaw się, że do Warszawy nie ma Warsa.

– Najem się dziś w domu. Ty, mam nadzieję, też.

Cuki nie odpowiedział. Odwrócił się i dał znak kierownikowi pociągu, który stał w rozkroku, jedną nogą na peronie. Widząc dziwną parkę, wstrzymał odjazd i patrzył na nich z potępieniem.

– Porównaj zdarzenia w sieci – rzuciła szybko. – Pomogłabym ci, ale nie mam dostępu do danych.

Podszedł do nich konduktor. Zaczął szarpać się z drzwiami i siłą wepchnął Saszę do środka.

– Odjazd. Proszę zamknąć drzwi!

Sasza wsiadła wreszcie do wagonu. Ruszyła korytarzem. W końcu wychyliła się przez okno i znalazła miejsce, gdzie wciąż na peronie stał Cuki.

– Będziesz miała dostęp – powiedział i uśmiechnął się szeroko. – Poślę ci odpowiedni pakiet. Kiedy wracasz do Łodzi?

– Po świętach – zapewniła.

Pociąg ruszył. Cuki zaczął biec.

– Jeśli ten skrypt działa – mówiła szybko Sasza. – On potrzebuje pożaru, by eksperymentować na bombkach. Roboty nie od razu musiały być skuteczne. Trzeba się cofnąć...

Pociąg się rozpędził. Cuki momentalnie został w tyle. Sasza zamknęła okno i oparła się o ścianę. Głęboko oddychała. Nagle poczuła na sobie czyjś wzrok. Na odchylanym krzesełku przytwierdzonym do ściany siedział nastolatek. Udawał że czyta książkę, ale tak naprawdę bacznie się jej przyglądał.

– Przesuń się, Maciek. – Konduktor wyminął go sprytnie. Wyjął kajet i poślinił kopiowy ołówek. – Ma pani bilet? – zwrócił się do Saszy.

Sasza pokręciła głową. Nie była w stanie odpowiedzieć. Łapała powietrze małymi haustami.

– Ach, ci zakochani. – Uśmiechał się z politowaniem pracownik PKP. – Siwo na łbie, a we łbie kiełbie. Karta czy gotówka?

– Karta, jeśli można.

– Dokąd pani sobie życzy?

– Do Gdańska poproszę.

– I na co pani taka miłość? Jak coś pójdzie nie tak, zawsze może pani pójść na plażę. A tu co?

Sasza podniosła głowę i roześmiała się jak z dobrego żartu. Dopiero teraz pojęła, jak widział ich konduktor. Zdecydowała się nie wyprowadzać go na razie z błędu.

– Pan chyba nigdy nie był w Łodzi. – Uśmiechnęła się zalotnie.

– Na co tam bywać? Wszystko tam stare. To martwe miasto. Zombie.

– No tak – mruknęła Sasza. – Ciężko wjechać, ale jak już się jest, bardzo trudno się wydostać. Kawał historii.

Konduktor pokiwał palcem i się zaśmiał.

– Za komuny szykowali Łódź na stolicę Polski, bo Warszawa zburzona, a Łódź taka prężna, piękna niby. I wie pani co, komunikacyjnie to nawet byłoby oszczędniej. Gdyby nie przegrali z Wrocławiem Europejskiej Stolicy Kultury, to może jeszcze coś by z tego było.

– Pan jest z Łodzi?

– Dawno temu mieszkałem na Gdańskiej.

– Piękne kamienice.

– Kiedyś były piękne. Dziś poniszczone, sypią się. Ile trzeba pieniędzy, by to wszystko uratować. Ludzi bez wykształcenia, prostaków w śródmieściu zakwaterowali. Bez obrazy, ale patologia rodzi patologię. To wszystko przyjezdni. Scheda po komunie. Wszystko było wtedy dotowane. Rząd sztucznie utrzymywał fabryki, to i miasto kwitło. A teraz? Piją piwo, co je sami sobie nawarzyli prospołeczną kampanią. Chciałem sprzedać swoje mieszkanie, ale nawet stu tysięcy nie wziąłem. Łódź to bomba z opóźnionym zapłonem. Elitę wysiudali do bloków. W kamienicach hołota. To jest dla nich obce. Oni się z tym nie identyfikują. Mieszkają w poniemieckich, porosyjskich i pożydowskich budynkach. I co, przesiedli pani teraz pięćdziesiąt tysięcy ludzi? Dokąd? Wysadzi ich pani w kosmos? Lepiej zburzyć całe to miasto i postawić nowe. Tam się nic nie zmieni. Ten okręt tonie.

– Zburzyć, pan mówi? – Sasza zmarszczyła czoło.

– Albo jeszcze lepiej spalić – rozochocił się konduktor. – Taniej wyjdzie. Dwieście trzydzieści sześć złotych będzie razem. Doliczyłem zniżkę dla matki z dzieckiem. Może pani wróci do rozumu z tą Łodzią.

3. BABCIA BOMBKA

Pod niebem piorun się toczy:
wszystkie rzeczy osiągają naturalny stan niewinności.
Podobnie dawni królowie, bogaci w cnoty i w zgodzie z czasem,
chronili i żywili wszystkie istoty.

I-cing. Księga przemian, Richard Wilhelm, Warszawa 1994

Gdańsk, 24 grudnia 2015

Sasza podjechała już pod dom matki, kiedy nagle kazała taksówkarzowi zawrócić. Obejrzał się zdziwiony, ale posłusznie wykonał manewr.

– Tylko błyskiem, panie Kloska – popędziła starszego kierowcę, który woził ją kanciastym volviakiem za pół ceny, jeśli tylko był w pobliżu.

– Już myślałem, że pójdzie pani na wigilię jak menel – pokusił się o uwagę taksiarz, wskazując obłocone sztyblety Saszy i jej jasne dżinsy pochlapane sadzą, które próbowała całą drogę czyścić chusteczkami dla niemowlaków.

– Zapomniałam toalety z tafty – potwierdziła Załuska i zerknęła na płaskie od chmur niebo. – Ale takim wozem spokojnie da pan radę przed Gwiazdką.

– Robi się, miła pani, biegusiem – rozochocił się Kloska. – Nie jest jeszcze pełnoletnia ta sarenka.

– Pokryję koszt fotoradarów. Dziesięć minut i tyle samo z powrotem.

– Przyjmuję zakład. – Docisnął gaz, aż zapiszczały pedały.

– Jak nie, jak tak – zaśmiała się Sasza. – Takie wyścigi to tylko w domu.

233

Miasto było opustoszałe. Cała Polska śpiewała już kolędy z Margaret i łamała się z Ibiszem opłatkiem. Na stołach parował barszcz z uszkami, karp pławił się w galarecie. Sasza wyskoczyła z auta, wbiegła na piętro, otworzyła lodówkę i wyciągnęła z niej pakunek. Kiedy z lekką zadyszką wskoczyła na tylne siedzenie, taksiarz zauważył pod jej pachą zawiniątko w ekologicznej siatce, które niepokojąco grzechotało. Sasza ostrożnie ułożyła szkło. Odgłos jednak nie ustawał.

– To po taką toaletę wracaliśmy? – nie dowierzał. Znali się z Załuską nie od dziś. Kloska woził jej ojca, kiedy był jeszcze konsulem. Sasza była przekonana, że wtedy to volvo było szczytem luksusu. Niestety potem woził też Saszę na ciężkiej bani. Niektórych kursów zupełnie nie pamiętała.

– Bateria na wieczór?

Zamilkł. Sasza zrozumiała, że jej ulubiony kierowca traci do niej resztki szacunku.

– A co, buty niewyjściowe? – Roześmiała się i potrząsnęła jednym ze słoików. – Wigilia bez śledzia to impreza stracona.

Kloska zmierzył spojrzeniem bordową masę. Nie wyglądała apetycznie, ani – jego zdaniem – tak nie pachniała. Sasza uważała wprost przeciwnie. Wylosowała akurat ulubione „matiasy Basi". Ze smażoną cebulą, rodzynkami, morelami i śliwkami suszonymi. Na słodko, ale w sosie pomidorowym. Lekko pikantne. Jeśli nie było na nie chętnych, Załuska potrafiła samodzielnie zjeść tę pokaźną porcję. I prawdę mówiąc, poza swoją córką nie spotkała jeszcze osoby, której ten przysmak by nie odpowiadał. W pozostałych wekach były śledzie z cebulą, po żydowsku, w śmietanie lub z grzybami. Nie zdążyła zrobić więcej rodzajów przed wyjazdem do Łodzi. Jeśli o nią chodzi, karp mógł nie istnieć. A już zwłaszcza powinno się skasować tradycję jego mordu w wannie. Natomiast śledzie mogłaby jeść cały rok, podobnie jak szproty podwędzane typu winter. Zwłaszcza kiedy pisała profile.

– Tylko mi pani tego nie stłucze – zaniepokoił się Kloska. – Klienci będą kwękać, że rybami jedzie. Zarobek mam dzisiaj na całe ferie. Zlituje się pani nad człowiekiem.

– Trzymam na kolanach. Pan się nie martwi.

Przesunęła w kierunku kierowcy banknot i kazała się zatrzymać. Dom Laury udekorowany był, jak co roku, milionem lampek choinkowych, w miniaturowym ogródku zaś stał przerażający jeleń. Sasza aż się wzdrygnęła, kiedy przechodziła obok, a jego zęby i oczy zaświeciły się na czerwono, upodobniając figurę do diablątka. W tym samym momencie usłyszała ujadanie psa, a z głośniczka w podbrzuszu jelenia popłynęła straszliwa wersja *Cichej nocy*. Z całą pewnością wykonana przez gremliny. Niezły strach na wróble, pomyślała Sasza. Zdążyła postawić śledzie na ziemi, by poszukać kluczy, kiedy drzwi stuknęły i z domu wybiegła jej córka.

– Mama! – Karolina rzuciła się na Saszę z takim impetem, że omal się nie nadziały na poroże diabła.

– Chodźmy stąd, bo on się na mnie gapi – mruknęła profilerka.

– Jest niespodzianka!

– Ja też mam kilka niespodzianek. – Załuska ucałowała małą w czubek głowy i mocno przytuliła, bardziej sama napawając się bliskością z dzieckiem, niż tego potrzebowała dziewczynka.

– Tęskniłaś?

– Okropnie – zaszczebiotała dziewięciolatka i natychmiast wyrwała się z objęć Saszy. – Ale mało. Miałyśmy z babcią całą masę pracy.

– Pracy? Z babcią? – Profilerka rozpromieniła się i pogładziła Karo po twarzy. Rosła z niej piękna dziewczyna, choć okrutny niejadek. Dziś zapewne pożywi się jednym pierogiem i skórką od chleba. Zawsze kiedy Sasza wracała z podróży, przyglądała się małej w zachwycie, jakby to było obce dziecko, i nie wierzyła, że sama urodziła takie cudo. Kochała córkę najbardziej na świecie. – Gdzie masz czapkę, iskierko?

– W samochodzie.

– Fajowo. Dzięki temu autku będzie cieplutko.

– Prawda? – Karolina zakręciła się wokół własnej osi i położyła palec na ustach, a następnie zaczęła się skradać na palcach. – Teraz cii. Nic nie mów. Zaskoczymy ich.

W progu stał rząd identycznych kozaków Laury różniących się jedynie odcieniem brązu i wielkością sprzączki oraz jedne ciężkie trapery. Nad nimi wisiała wojskowa parka. Sasza zmarszczyła brwi. Nie przypominała sobie, by Karol, jej brat, nosił obuwie nasuwające na myśl służby porządkowe, a już zwłaszcza militaria. Migał się kiedyś przed wojskiem, jakby mieli mu tam zmienić płeć. Już prędzej spodziewała się po bracie kowbojek albo kolorowych kiksów. Czegoś, co wkładają mężczyźni pragnący za wszelką cenę się pokazać. Nie było też ręcznie robionych kajaków jego małżonki. Lenka miała prawie tyle samo wzrostu co Karol i nosiła rozmiar większy niż niejeden mężczyzna. Znaleźć dla niej szpilki było nie lada wyczynem, więc sama je projektowała, a potem zamawiała u szewca. Zwykle było to coś widocznego z daleka i wykonanego z kosztownych materiałów. Rzecz jasna na dwunastocentymetrowym obcasie. Karol strasznie chełpił się tym, że w pół roku zaobrączkował byłą pływaczkę i zmusił do robienia sobie klopsów.

Sasza z ulgą ściągnęła sztyblety wraz z brudnymi skarpetkami, które zawinęła w kule i wcisnęła do butów. Podwinęła spodnie do kostek, pozbyła się grubego swetra, a następnie wyjęła z torby śledzie i wkroczyła triumfalnie do pokoju, by Laura nie mogła nie okazać zachwytu. Matka Saszy uwielbiała zwłaszcza wersję Basi. To była bodaj jedyna rzecz, w jakiej zgadzały się z córką.

– Te śledzie to majstersztyk – mawiała. – Choć tyle razy prosiłam, by nie dawać tak dużo chili. To nie na mój żołądek.

Pokój był pusty. Tylko w telewizorze zmieniały się obrazki. Głos był wyłączony. Krzysztof Krawczyk poruszał ustami do baranka, a potem liczył bombki na choince. Teledysk pochodził jeszcze z lat osiemdziesiątych. Za chwilę na ekranie pojawiła się wiecznie młoda Anna Jantar. Otwierała usta, jakby brakowało jej powietrza.

Stół stał na samym środku salonu nakryty papierowym obrusem, poplamionym już zresztą barszczem. Większość potraw była nadjedzona, ale nie było ich tak wiele jak zwykle na wigilii u Laury. Kutia i ryba po grecku stały prawie nienaruszone. Sasza poczuła niepokój. Laura nie przepuściłaby okazji, by nie pochwalić się swoim dziewiętnastowiecznym, ręcznie haftowanym płótnem, które powinno od dawna znajdować się w muzeum. Spojrzała na córkę, ale dziewczynka miała niewzruszoną minię, a potem przyłożyła palec do ust i wskazała na drzwi balkonowe. Sasza zrozumiała, że coś dzisiaj na nią czeka. Wzięła więc widelec z nakrycia wędrowca i zaczęła pośpiesznie nakładać z półmisków, co jeszcze zostało. Kiedy zajadła wstyd, że się spóźniła, policzyła nakrycia. Było ich pięć, nie licząc wędrowca, którym okazała się dziś ona sama. Prawie wszystkie używane. Pod talerzykiem z grzybkami leżał kolosalny żelek różowa szczęka. Karolina natychmiast go pochwyciła i wsunęła do buzi.

– Szukałam jej – zachichotała.

Sasza rozejrzała się po pomieszczeniu.

– Gdzie ciocia? – zapytała.

Córka wzruszyła ramionami i wydała z siebie nieartykułowany dźwięk, gdyż miała zapchane usta, po czym zatopiła się w ekranie komórki Saszy, którą jakimś cudem zdołała już wyciągnąć z torby matki. Po dźwiękach Załuska zorientowała się, że córka gra w kartofla, jak nazywały Pou, wirtualną zabawkę, którą należało czyścić, karmić, zmieniać mu odzież. Aby zarobić na te wszystkie zabiegi, należało brać udział w rozmaitych zawodach. Saszę to nudziło. Nie rozumiała, dlaczego ta idiotyczna gierka tak wciąga dzieciaki, ale dla świętego spokoju zainstalowała kiedyś aplikację w telefonie. Teraz z jej powodu straciła na moment kontakt z dzieckiem.

– Halo, Ziemia. – Pomachała córce przed oczami. Była już lekko zaniepokojona. – Gdzie babcia? Gdzie wszyscy? Ile jeszcze mam czekać?

– Babcia śpi – odparła Karo, nie podnosząc głowy.

– Śpi?

– Słabo się poczuła. – usłyszała za plecami męski głos.

Sasza odwróciła się. Przed nią stał Duch. Miał na sobie flanelową koszulę, sprane do białości dżinsy i był na bosaka, jak Załuska. Jedyną różnicę w ich stroju robiły tylko okulary przeciwsłoneczne na gumce i pokaźna kula łokciowa, z którą mężczyzna wciąż musiał się przemieszczać.

Robert wskazał jej wygniecioną koszulę.

– Widzę, że również postawiłaś na klasykę.

– Ja, w przeciwieństwie do ciebie, po prostu nie zdążyłam się przebrać. – Podeszła i wtuliła się gdzieś w okolice jego pachy. Poczuła zapach wody kolońskiej, którą podarowała mu na urodziny. – Co tu robisz?

– Zmywam. Gniewasz się?

– Nie wiem – odparła szczerze Sasza.

Odsunął się i spojrzał na nią wyczekująco.

– Mam wyjść?

– Ej, babcia go zaprosiła. – Podeszła do nich Karolina. Oddała Saszy telefon. Przytulili się we trójkę. – Pogramy w uno? Nudzę się.

Sasza i Duch jęknęli niechętnie. Ale mała przesuwała już wigilijną zastawę i rozkładała karty. Nagle skrzypnęły drzwi balkonowe. Wbiegł wilczur z jęzorem przerzuconym na bok, jakby właśnie wyskoczył z kreskówki. Na głowie miał opaskę z porożem świątecznego renifera. Nic a nic mu nie przeszkadzała. Na grzbiecie zaś czerwone siodło z rączką, jakie noszą ratownicze psy w górach. Wesoło merdał ogonem i robił wszędzie mokre ślady. Za nim zaś podążał Łukasz Polak. Drugi poszkodowany przez Saszę w Hajnówce miał na sobie czarne usztywnienie ortopedyczne. Mężczyźni zmierzyli się wzrokiem i każdy z dumą zaprezentował rany po walce. Nawet Sasza się roześmiała.

– Szałowe wdzianko – zaśmiał się Duch.

– Szałowo to się w nim bierze prysznic – odparował Łukasz. – Pożyczę ci, jeśli kiedyś będę mógł to zdjąć.

– Dobra, wtedy się zamienimy. – Duchnowski zaprezentował usztywnioną nogę. – Z tym to dopiero jest ubaw, jak chcesz wejść do wanny.

Podał Łukaszowi kulę i natychmiast stracił równowagę. Omal się nie przewrócił. W tym momencie spadły mu okulary. Twarz miał wciąż opuchniętą, oczy podbiegnięte na granatowo. Sasza aż się przeraziła. Robert czekał na operację oka, ale sińce po postrzale dawno temu zniknęły. Skąd ten miś panda, zastanawiała się profilerka.

– Zaatakował mnie krawężnik przed szpitalem – wyjaśnił Duch i ponownie założył aviatory. – I bynajmniej nie był to mój przyjaciel Waligóra. To, że nikt mnie nie widział w nowym reality show „Zostań ninja", wcale nie znaczy, że go nie wygrałem.

Pies podbiegł do Saszy i próbował wcisnąć łeb do głaskania. Dyszał, jakby przebiegł maraton, a potem usiadł i podał jej łapę.

– Czyj to pies? – zachwyciła się Sasza. – Jest słodki.

– Nasz. Gwiazdkowy. – Karolina przytuliła się do zwierzaka. – On jest ze schroniska. Ma na imię Łukasz. – Wskazała Łukasza Polaka i plakietkę przytwierdzoną do obroży psa. – Łukasz i Łukasz. Śmiesznie, nie?

Sasza wstała.

– Który z was miał taki wspaniały pomysł? – Zmierzyła obydwóch mężczyzn karcącym spojrzeniem.

Obaj udawali, że nie słyszą reprymendy. Uśmiechali się tylko do siebie, jakby od dziecka nie robili nic innego, tylko jarali za szkołą szlugi i kopali piłę pod blokiem.

– To Święty Mikołaj nam go podarował. Mnie i tobie, mama. Duch i Łukasz tylko przyprowadzili Łukasza – pośpieszyła z wyjaśnieniem dziewczynka i mówiła to całkiem poważnie.

Sasza nie spuszczała wzroku ze skonfundowanych mężczyzn.

– Kto będzie z nim wychodził?

– Ja! – krzyknęła Karolina. – Przecież się zgodziłaś na psa. Obiecałaś.

– Na działkę, córciu. – Sasza pochyliła się do Karoliny, ale pies natychmiast wcisnął się między nie i sapiąc nieświeżym oddechem w twarz kobiety, wykonał zgrabny pad, po czym przewrócił się na plecy i odsłonił brzuch do drapania.

Łukasz chwycił kurtkę. Pożegnał się wzrokiem z Duchem.

– Będę leciał.

Przybił żółwika z Karoliną i już go nie było.

Duch objął Saszę ramieniem. Wskazał drzwi.

– Prawdziwy ninja potrafi być niewidzialny.

Ale Załuska nie roześmiała się.

– Co to za szopka? Zmówiliście się?

W odpowiedzi Duch objął ją i pocałował w usta.

– Zaraz ci wszystko wyjaśnię, kotek.

– Nie mów tak do mnie. – Kobieta odwróciła się plecami i z niepokojem obserwowała, co robi teraz jej córka. – My tu nie lubimy kotków, co, Łukasz?

– Tak jest, kotek – skwapliwie zgodził się Duch i tym razem dotknął ustami jej karku. – Ładnie pachniesz – wymruczał.

– Całują się – Karolina wzniosła oczy do sufitu. – Ale nuda.

Następnie zabrała Łukasza i zaprowadziła go na posłanie. Po chwili przyniosła tam kilka maskotek i sama też się tam położyła. Podniosła najbardziej uroczego pluszaka, pomachała psu przed oczami.

– Łukasz, poznaj Salcesona, syna Parówki. To jest Łukasz. Przywitaj się, Salcefiks.

Nacisnęła przycisk. Rozległo się elektroniczne szczekanie.

– Tak, Łukasz jest słodki. Salceson, nie bądź zazdrosny.

Tymczasem Robert wyjął z kieszeni niewielkie puzderko z weluru.

– Nie znałem rozmiaru – wytłumaczył się i poprawił okulary. – Wesołych świąt.

– Co to jest? – Sasza podparła się pod boki, ale widać było, że się cieszy. Pochyliła się do Ducha i cmoknęła go w policzek. – Też mam coś dla ciebie, ale nie tutaj.

– Nawet chyba wiem co. – Robert pogładził Saszę po pośladkach, aż oblała się rumieńcem. Strząsnęła jego rękę.

– Głupi!

Wreszcie wzięła prezent, rozwiązała kokardę i podniosła wieczko. Wewnątrz znajdowało się niewielkie urządzenie w kolorze złota.

– Co to ma być? – Nie ukrywała zawodu.

– Miniaturowa lornetka noktowizyjna – wyjaśnił z dumą Robert. A potem wyciągnął zza pleców płytę bez opakowania. Rozerwał kopertę bąbelkową. – I najnowszy program do profilowania. Amerykański. Nie potrafię wymówić nazwiska tego gostka, sama sobie przeczytasz. Może przyda ci się w tej Łodzi?

Kobieta klapnęła na krzesło. Roztarła kark. Robert podszedł i zaczął ją masować. Sasza z przyjemnością się temu poddała.

– Chyba musimy pogadać – powiedziała zniżonym głosem. – Ta sprawa mnie przerasta.

– Ale nikogo jeszcze nie skasowałaś?

Pacnęła go dłonią. Złapał ją w locie i pocałował w zagłębieniu.

– Ja nie. Ale parę osób ktoś tam anulował. Mam sieczkę w głowie. Nawet nie wiem, od czego zacząć. Tyle zdarzeń. Otwieram jedno pudełko, wyskakuje kolejne, kolejne i następne. A w każdym jest trup. Słowo, puszka Pandory to przy tym jolka.

– Aż tak źle?

– Brakuje tylko papugi, żeby dostać kota – mruknęła Sasza, ale zaraz przerwała, bo zauważyła, że Duch ma już na nogach buty, a w ręku czapkę. – Co robisz? – Załuska zmarszczyła czoło. Dopiero do niej dotarło, że szykuje się do wyjścia.

– Jadę na Mazury – odparł jak gdyby nigdy nic. – Jak teraz wyruszę, dojadę na pierwszą. Obiecałem twojej mamie, że poczekam, aż przyjedziesz. Musiała się położyć. Źle wyglądała.

– Na Mazury? Z tą nogą? – Sasza wskazała kulę. – Nie możesz prowadzić.

– Ja nie mogę? – Robert silił się na uśmiech. – Może jestem trochę zmęczony. Ale tylko dlatego, że muszę wstawać wcześniej, niż się położę.

Sasza stanęła pod ścianą. Była wściekła.

– Trzeba było tu nie przychodzić – powiedziała i ruszyła do drzwi wyjściowych. Otworzyła je. – Zdążyłbyś do swojej rodziny na kolację. I nie musiałbyś się tak poświęcać.

Chciała dodać, że nikt go tu nie zapraszał, ale zdołała zacisnąć usta, zanim powie jedno słowo za dużo. Czuła się okropnie. Jakby ktoś dał jej cukierka, pozwolił odwinąć z opakowania, a potem zabrał i sam skonsumował. Była też wściekła na siebie. Złapała się na tym, że dzisiejszą niespodzianką Robert sprawił jej ogromną przyjemność. Jednak to, że wpadł tylko na chwilę i wychodzi w momencie, kiedy powinni być razem, kiedy ona chciałaby się do niego przytulić, pogadać i po prostu poczuć bezpiecznie, stawiało ją na równi z nielegalną kochanką, którą przecież nie była. Niby nie, ale podobnych sytuacji, kiedy zostawiał ją sam na sam z problemem, było już bardzo wiele. Wpadał do niej na noc, wychodził przed świtem. Czasem, w niedzielę, zostawał na śniadanie. Mimo iż formalnie był rozwiedziony, jego była żona widywała go zdecydowanie częściej niż Sasza. W pewnym sensie to rozumiała, bo tamta kobieta była przecież matką jego dzieci, a Robert starał się być dobrym ojcem. Utrzymywał dobry kontakt zarówno z suchym szwagrem, jak i ze swoją eks.

Tylko że wiele elementów tego układu od dawna niepokoiło Załuską. Po pierwsze, prawie cały czas była sama. Czuła się też jednym z jego alternatywnych światów, do którego uciekał raz na tydzień, czasem rzadziej. To nie był satysfakcjonujący ją związek. Duch znał córkę Saszy, jej matka go uwielbiała, brat pożyczał mu płyty z muzyką i potrafili dyskutować o Żyle godzinami. Szczegóły historii związanej z Łukaszem Załuska czuła się w obowiązku opowiedzieć Duchowi, kiedy jeszcze odwiedzała go w szpitalu po sprawie Okularnika. Tymczasem ona nigdy nie dostąpiła zaszczytu nawet przekroczenia progu świata Ducha. Imiona jego córek znała tylko z wymówek, kiedy wymykał się z jej łóżka. Żonę widywała na zdjęciu w komórce. Pokazywało się za każdym razem, kiedy uruchamiał wyświetlacz. Wiedziała, że jego ojciec nie żyje, o matce nigdy nie zająknął się nawet słowem. Dużo mówił o swoim rudym kocie i jego przygodach, ale nie miała okazji przekonać się naocznie, czy zezowaty Duch istnieje naprawdę.

W domu Roberta była tylko raz. Przed wypisaniem ze szpitala poprosił, by przywiozła mu czyste ubranie. Nieotynkowany klocek, boazeria, ściany pomalowane na czerwono i wszędzie plakaty Beatlesów. Nie mogłaby tam żyć, nawet po gruntownym remoncie. Na każdym kroku czuła inną babę. W łazience wciąż stały jej kosmetyki, na szczotce splątane włosy. Szlafrok przybrudzony przy kołnierzu. Niewątpliwie nie był jedynie eksponatem. W kuchni piętrzyły się zestawy dań obiadowych w słoikach. Przy łóżku fotografie. Zwłaszcza tego nie rozumiała. Jak można zaprosić kobietę do sypialni i zmuszać ją do oglądania swojej eks z czasów narzeczeństwa. Dlatego Załuska nie zabawiła u Ducha więcej niż trzy godziny i uciekła z tego domu, kiedy tylko nadarzyła się okazja. Postanowiła, że już nigdy więcej jej noga tam nie postanie.

Spotykali się wyłącznie u niej. Zaś Duch nie prostował, nie zmuszał jej do wyznań. Jakby to wszystko całkiem mu odpowiadało. I tak zapewne było. Mógł po prostu wstać, wykręcić się ważnym powodem – służbowym albo dziećmi – i tyle go widziała. Ale trwało to już tak długo, że Sasza chciała więcej. Już nie interesowały jej tylko randki. Chciała zamieszkać razem, tworzyć życiowy związek. Sugerowała Robertowi swoje potrzeby, ale on udawał, że nie słyszy, nie rozumie. Raz powiedziała mu o tym wprost. Usłyszała, że dostaje sto dwadzieścia procent jego wolnego czasu. Więcej niż córki. Szybko się wycofała. Nie widzieli się miesiąc. Ale miała urodziny, Duch przybył z kwiatami. Znów wszystko wróciło do normy. Najwyraźniej czuł się winny, bo zaczął mówić o statusie domu, którego nie można sprzedać; nieuregulowanym spadku, rozdzielności majątkowej i fobii społecznej jego byłej. Podobno miał na to nawet dokument.

Kiedy Sasza go wyśmiała i zarzuciła mu, że wykręca się sianem od odpowiedzialności, a z jej łóżka zrobił sobie prywatną agencję towarzyską, obraził się. Może i było to zbyt dosadne, ale wściekłość narosła w niej do tego stopnia, że nie potrafiła być dyplomatką. Potem było tylko gorzej. Duch udawał, że nic się nie stało, a w sercu Saszy narastała kamienna skorupa. Coraz bardziej miała dosyć tej fikcyjnej relacji. A jednocześnie trwała w tym. Przywiązała się do

245

Roberta i wierzyła, że faktycznie ją kocha, jak zapewniał w chwilach uniesień. Bo na tej linii zawsze między nimi wszystko było cacy. Może dlatego ta relacja wciąż jeszcze się trzymała. Chemia, feromony, dopasowanie ciał i dobra znajomość potrzeb. Tylko czy to jest materiał na związek? Sasza była co do tego sceptyczna. Z Duchem nie dało się o tym mówić. Jak ognia bał się poważnych decyzji. Chciał się bawić, śmiać. Nieustannie ze wszystkiego żartował. Więc nie rozmawiali o tym, dokąd zmierza ich relacja. Od dawna żadne nie podejmowało drażliwego tematu. Spotykali się u Saszy, zawsze kiedy Karolina była u babci. Kobieta, nauczona jak pies Pawłowa, wiedziała, że będzie miała zajętą tylko noc. Po wyjściu Ducha od samego rana miała cały dzień dla siebie. W sumie myślała, że przyzwyczaiła się do tego stanu rzeczy. Jak się okazuje, znosiła to bardzo źle.

– Kiedy wyjeżdżasz? – zapytał Duch i jak zwykle przybrał na twarz wyraz troski.

Wyciągnął dłoń, pogładził Saszę po policzku. Była w tym geście czułość, ale pierwszy raz Załuska poczuła, że nie chce już tego dotyku. Zdecydowała nie zmuszać się więcej do trwania w czymś, co jest wbrew jej prawdziwym potrzebom.

– Kiedy ty wrócisz z Mazur – fuknęła, a następnie zatrzasnęła drzwi.

Łódź, 24 grudnia 2015

Nie ma takiej przeszkody, której mężczyzna nie pokona dla kobiety. Tysiące kilometrów, zdobycie fortuny, awans społeczny. Jeden dla oblubienicy pójdzie do piekła i wróci ze złotym runem w garści. Inny kupi bilet na helikopter wodny w Nicei. Jeszcze inny usunie owłosienie z pleców, a potem zainwestuje w pedikiur. Bywają i tacy, dla których szczytem poświęcenia będzie wciśnięcie się w garnitur oraz wizyta u jej babci. Choćby wokalne popisy uprawiał dotąd wyłącznie na Galerze, będzie śpiewał radośnie kolędy i chwalił zakalec, który staje mu w gardle między *Gloria* a *in excelsis Deo*. I nie zająknie się, że na Dwójce zaczęły się skoki narciarskie, a Żyła ma ostatnią szansę na uratowanie honoru ojczyzny. Każdy z nich robi to dla ukochanej, nawet jeśli wcale o to nie zabiegała. Warunek jest jeden: naprawdę mu na niej zależy.

W przeciwnym wypadku – jeśli nie traktuje jej poważnie – nie podniesie ręki, by zgasić światło w kiblu, choćby włącznik znajdował się tuż nad jego głową. Wtedy bowiem każdy prawdziwy mężczyzna stosuję zasadę wszechstronnego zastosowania, zwaną potocznie ekonomicznym racjonowaniem energii. Jestem zmęczony, nie zauważyłem, strasznie boli mnie noga, głowa, ucho. Mam dużo pracy. Mnie to nie przeszkadza. A ty nie mogłaś? Naprawdę, jesteś małostkowa. Jeśli baba będzie naciskać, wykorzysta ten drobiazg jako pretekst, by się z relacji wymiksować i uciec z pola bitwy, a przy tym uniknąć migreny, która zawsze go dopada od jednostajnego jazgotu jej utyskiwań.

Może być też tak, że uzna, iż nie opłaca mu się wojować, bo w nocy jej ciało może się jeszcze przydać. Wreszcie pstryknie to światło, ale wcześniej wytłumaczy sobie, że tak naprawdę zrobił to dla własnego komfortu, gdyż raziło go w oczy, a w ogóle to miał ochotę na drzemkę.

Leon Ziębiński był dziś wyjątkowo wyspany i ostatnie, czego pragnął, to ciemność. Skinął na kelnera i kazał zapalić więcej kandelabrów. Potem sprawdził, czy we wiaderku z butelką Moët & Chandon Bicentenary Cuvée Dry Imperial 1943 jest wystarczająca ilość lodu. Kupił ten rarytas okazyjnie za cztery tysiące złotych, choć normalnie powinien zapłacić jakieś tysiąc czterysta dolarów. Nie był pewien, czy nie został oszukany. Następnie zerknął na zegarek i z trudem opanował drżenie rąk. A jeśli znów nie przyjdzie? Jeśli i tym razem Rene wystawi go do wiatru? Ptyś starał się o jej względy już prawie pół roku i nigdy nie pragnął niczego bardziej niż jej przychylności. Nijak nie mógł sobie wytłumaczyć, dlaczego ta krnąbrna, niemłoda już przecież brunetka wciąż nie zgadza się należeć do niego. Zdobywał już większe góry, ale Renata Orkisz stwarzała jak dotąd najwięcej problemów. Była jednocześnie dla Ptysia największym życiowym wyzwaniem, co – oboje to wiedzieli – najbardziej go rajcowało.

– Wszystko przygotowane – zameldował szef sali Domu Towarzystwa Kredytowego przy Pomorskiej 21, którą tego dnia Leon wynajął na całą noc. – Kiedy tylko podjedzie taksówka, podamy ostrygi.

Trzasnęły drzwi. W holu zaroiło się od obsługi. Ptyś zarejestrował, iż płomienie świec na moment przygasły. W długim korytarzu musiał powstać przeciąg. A więc przyszła. Przełknął głośno ślinę i wyprostował się na krześle. Puzderko, które przygotował dziś na zmiękczenie uporu Renaty, miło uwierało go w bocznej kieszeni marynarki. Nie mógł się doczekać jej miny, kiedy zobaczy prezent, który przygotował na tę okazję. Był z siebie dumny. I czuł, że tym razem uda mu się osiągnąć cel. W zanadrzu trzymał coś ekstra. Coś, na czym jej bardzo zależy. Czego jeszcze nikt nigdy nie zrobił dla kobiety.

– Strasznie tu zimno – powiedziała zamiast powitania Rene i klapnęła na złocony fotel, nie zdejmując kożucha. Ponieważ Ptyś wpatrywał się w nią maślanymi oczami i milczał jak zaklęty, ściągnęła wściekle różową czapkę i wcisnęła ją do kolorowej torby uszytej z banera reklamowego. Leon skrzywił się na ten widok, ale zaraz się pocieszył, że kiedy już ją zaobrączkuje, wybije jej z głowy te artystyczne dziwactwa. Przecież mogłaby podkreślać swoją urodę złotem, luksusową galanterią i strojami ze szlachetnych materiałów. Była wszak w prostej linii ostatnią łodzianką z rodu Poznańskiego, choć bardzo starała się to ukrywać. Leon nie był pewien, co bardziej ją uwierało: sława bękarta czy to, że w jej żyłach płynie żydowska krew. Całe życie dziewczyna przemieszkała na Bałutach, a jej przyjaciele i sąsiedzi hołdowali antysemickim poglądom. Był czas, że i ona sama pisała na murach *Jude raus*, choć wiedział, że dziś się tego wstydzi.

Rene poczochrała teraz smoliste włosy, które rozsypały się na jej plecach. Naturalne fale żyły swoim życiem. Jeden kosmyk wpadł jej do nieprzyzwoicie wydatnych ust. Wyjęła go niedbałym gestem białą jak alabaster ręką. A potem spojrzała na Leona tymi swoimi migdałowymi oczami, ciemnymi jak zimowa noc nad Arturówkiem. Mężczyzna zatonął w ich specyficznym wyrazie tęsknoty, nieskończonego smutku, który nie opuszczał jej nigdy, choćby kpiła i śmiała się w głos.

– Jaką masz sprawę, Ptyśku? – zażądała konkretów i wyjęła z kieszeni maszynkę do skręcania papierosów.

Nawet nie starała się udawać sympatycznej. Głos miała szorstki, stanowczy. Choćby jakiś naiwniak złapał się na jej boski wizerunek, ten tembr i barwa jej wokalu demaskowały całą siłę jej osobowości. Leon poczuł, że kocha ją jeszcze bardziej. I choćby znów dostał kosza, nigdy się od niej nie uwolni. Nikt poza nią i jego świętej pamięci macochą, despotyczną i krnąbrną Romką, nie miał śmiałości traktować go tak protekcjonalnie. Ba, po chamsku! Skinął na kelnera, by przyniósł popielniczkę, sam zaś wstał, by podać jej ogień. Trzymał zapalniczkę na tyle wysoko, by nie musiała pochylać głowy, co jak zwykle doceniła.

– Ostatni dżentelmen – mruknęła z uznaniem i dodała jakby z żalem: – Zaraz muszę do chaty. Dziś Wigilia. Dla nas to niemałe święto, Leo.

Ziębiński chciał odpowiedzieć, że przed nim Rene nie musi udawać, iż przywiązuje do tego taką wagę, ale w tym momencie podszedł kelner ze srebrną tacą. Podał mięczaki na ogromnych paterach. Zaraz też wokół zaroiło się od mężczyzn w białych marynarkach. Strzelił korek od szampana. Na stole wciąż przybywało wysublimowanych dań. Rene odwróciła się za siebie, bo kurtyna naraz się rozsunęła i na prowizorycznej scenie Renata zobaczyła orkiestrę symfoniczną, a za plecami muzyków stał chór Vivid Singers w wieczorowych kreacjach. Koncert zainicjowały delikatne smyczki, a zaraz potem odezwał się kontrabas. Na scenę wkroczył mężczyzna przebrany za Freddiego Mercury'ego i gruchnęły pierwsze takty *We Will Rock You*.

Rene uśmiechnęła się wdzięcznie do towarzysza i pomachała jednej z chórzystek.

– Cześć, Agata! – krzyknęła. – Pięknie wyglądasz.

Kiedy koncert *Queen symfonicznie* trwał w najlepsze, Ptyś wziął do ręki kieliszek i podniósł go w kierunku Rene.

– Wesołych świąt, najdroższa – szepnął.

Rene nie mogła tego usłyszeć, bo zapewne by zaprotestowała, nie szczędząc Ptysiowi wyzwisk. Zamiast tego uśmiechnęła się radośnie i też chwyciła swój szampan. Wychyliła go, jakby to było ruskie wino musujące z Biedronki, i odstawiła kielich na stół.

– Muszę lecieć, ale chyba najpierw zjem – zaśmiała się.

Leon oparł się wygodnie i zaczął jej doradzać, czego powinna spróbować.

– No i co, Leo – zagadnęła Rene, kiedy już się trochę posiliła. – Nie masz na co wydawać pieniędzy? Czego ty właściwie ode mnie chcesz?

– Ja? – Udał, że nie rozumie. A potem przesunął w jej kierunku aksamitne puzderko. – Tylko tego, co zwykle.

Rene włożyła do ust porządny kęs ryby. Zmierzyła aksamit zimnym spojrzeniem i pokręciła stanowczo głową.

– Nie wyjdę za ciebie – odparła z pełnymi ustami.

– Artu? – Leo przekrzywił głowę. – Przecież to gołodupiec i tchórz. Nie wiem, dlaczego to tolerujesz.

– Frajer, zgadza się – potwierdziła i wycelowała w Ptysia wskazujący palec. – Już się z nim Cybant policzył. Ale był w moim typie, a ty, przykro mi, nie jesteś. Nie iskrzy, nie kocham cię. Lubię cię, szanuję. To jednak nie wystarczy. Poza tym jesteś ode mnie dwadzieścia pięć centymetrów niższy.

– Czternaście.

– Policzyłam w obcasach.

Leo przesunął puzderko bliżej.

– Zamówiłem to dla ciebie. Otwórz, a zmienisz zdanie.

Rene wyjęła z ust ość. Odłożyła ją na brzeg talerza. Przepłukała usta szampanem i zdecydowanym gestem uchyliła wieczko pudełka. Wewnątrz znajdował się klucz. Ośmiokątny klucz na nieduzym kółku. Kobieta odłożyła widelec.

– Kupiłeś mi dom? – spytała.

– Nie – odparł pewny, że tym razem dopiął swego. – Spaliłem. A to jest klucz do grobowca twojego pradziadka.

Rene się rozpromieniła.

– Rozgryzłeś kod na mapie skarbów?

– Lepiej. – Ptyś wypiął muskularną pierś. Uśmiechnął się chytrze. – Znalazłem przejście. Twój posag od dziś jest bezpieczny, najdroższa.

Rene skrzywiła się, otarła usta serwetką, ale nie odpyskowała. Leon poczuł, że przyczółek już jest w jego rękach. Była chytra i chciwa jak on. Razem daleko dojdą. Nie zdziwił się, kiedy wstała.

– Więc jedźmy tam. Masz wystarczającą ilość trotylu?

– Dziś nie. – Leon znów był władczy, jak w pracy. Ani śladu po rozmydlonym spojrzeniu. – Musiałem wysadzić kilka kamienic. Psy niuchają. Poczekamy kilka dni.

Rene była wyraźnie zawiedziona. Usiadła, dzióbnęła widelcem łososia, a potem wyssała kolejno wszystkie ostrygi. Skorupy rzucała wprost na stół i doskonale się przy tym bawiła. Leon obserwował ją bacznie, wreszcie zmrużył oczy,

chwycił za czubek palców. Były chłodne i drobne. Poczuł,
że już jej nie wypuści.

– To jak będzie? Jaka jest twoja decyzja?

– Na dzisiejszy wieczór? – Spojrzała na Ptysia spod oka.

– Na całe życie – zapewnił skwapliwie.

– Kelner – krzyknęła Rene i wskazała butelkę drogocennego Moëta. – Poproszę drugą flaszkę tego samego!

– Tata zamieszka w pokoju Anety – zdecydowała Dorota Mucha i włączyła choinkę.

Lampki i stroiki były wszędzie: w kuchni, łazience, nawet na skrzynce gazowej przed drzwiami wejściowymi. Tam zaś, gdzie ich nie było, przyklejono paski z diodami. Dawały zaiste trupie światło. Jakby gospodynie na piętrze umówiły się na jakieś świetlne zawody. Co gorsza, do osiedlowego sklepu rzucili wersję synchroniczną. Wszystko w okolicy migotało i grało. Jeśliby święta potrwały kilka dni dłużej, mogliby organizować dyskoteki przed blokiem.

– Ale tam nie ma gdzie spać – niemrawo zaoponował Dariusz, mąż Doroty i zięć Zbigniewa Naumowicza. – Dopiero co Anecia się wyprowadziła. Przypominam, że zdecydowałaś wtedy wyrzucić całkiem dobry tapczan. Dałem za niego prawie tysiąc złotych. Dopiero co biurko na całą ścianę zamówiłem pod wymiar. Stolarz miał montować w przyszłym tygodniu.

– I bardzo dobrze! To się je sprzeda za dobre pieniądze. – Dorota klasnęła w dłonie i spojrzała krzywo na męża. Nie omieszkała go jednak dyskretnie kopnąć pod stołem. Trajkotała dalej: – Wersalkę widziałam na Allegro w dobrym stanie. Na naszym osiedlu ktoś sprzedaje. Trzy bloki stąd.

Już się prawie zgodziłam na sto pięćdziesiąt złotych. Stan dobry, nieznacznie zużyta. W ulubionym zielonym kolorze tatusia. Kapę ładną kupimy w Ikei. Będzie przytulnie, jak w domu. Jak możesz, Dareczku, myśleć teraz o sobie, o swoim gabinecie, w obliczu takiej tragedii. Tatuś nie ma dachu nad głową. Mieszkanie mu spłonęło!

Ukryła twarz w dłoniach. Zdawało się, że za chwilę się rozpłacze. Łkała, potrząsała teatralnie głową i zawodziła, jakby ktoś umarł. Darek pomyślał, że zrobiłaby furorę jako płaczka na pogrzebach. Szkoda, że ta profesja wyszła już z mody. Dorota wyłaziłaby wreszcie czasem z domu i miałby chwilę wolnego dla siebie. Była w tym rozpaczaniu niezła, choć w tym gronie tylko stary Naumowicz łapał się na ten pokaz. Chwycił córkę za rękę i próbował pocieszać. Darek musiał się ratować. By nie wybuchnąć, wstał od stołu i zaczął wstawiać brudne naczynia do zmywarki. Lubili się z teściem jak pies z kotem. Koncepcja wspólnego mieszkania, która wyglądała na nieuniknioną, znaczyła wyłącznie kłopoty dla Darka, bo córeczka tatusia zawsze wiedziała, jak urobić starego, by sypnął groszem. Naumowicz spał na forsie. Dorota z pewnością wykombinowała, że ogoli starego na tyle, by szybciej spłacić kredyt mieszkaniowy ich jedynej córki Anetki.

– Dobrze, że mamusia tego nie dożyła – lamentowała coraz głośniej. – Boże, jak dobrze, że tej nocy tata musiał wyjechać.

– No, szczęście w nieszczęściu – potwierdził radośnie Zbigniew i dołożył sobie kolejną porcję makowca. – Nie było mnie w domu, a ludzie mówili, że to jakiś armagedon był.

– A właściwie to dokąd tata pojechał? – zainteresował się Dariusz.

Wiedział, że Zbigniew nie znosił podróży, a od dwudziestu lat, poza wyjazdem do sanatorium, nigdy nie nocował poza domem.

– Dareczku, zrobiłbyś dziadkowi jeszcze herbatki? – krzyknęła do męża Dorota. – I ja też poproszę. Albo nie, zrób kawę. Ekspres włącz. Kapsułki są w drugiej szufladzie od dołu. Raz się żyje. Może wiśniówki się tata napije? Sama robiłam. Według przepisu babci.

– Smakowity – pochwalił ciasto Zbigniew, ale może miał na myśli trunek, który właśnie w ozdobnej karafce ustawił na stole nachmurzony zięć. – Przerosłaś mistrzynię, córeczko.

Dorota natychmiast się rozpogodziła.

– Będzie u nas tatusiowi doskonale. Wreszcie każdego dnia obiad domowy, a nie jakieś bary mleczne. I okolica spokojna. Normalni ludzie. Żadnych meneli. Na Widzewie nie ma pożarów. Ja w każdym razie nie pamiętam, żeby straż pożarna jechała.

– To blokowisko – wtrącił się Dariusz. Klapnął na swoje miejsce i zaczął rozlewać wiśniówkę do kieliszków na wysokiej stopce. – O blokasy nikt się nie bije. Czyściciele drą koty o stare kamienice.

– Kto z normalnych ludzi mieszka dziś w kamienicy – żachnęła się Dorota.

– Cały Paryż, Berlin, nawet Szanghaj – mruknął Darek. Ale nikt go nie słuchał.

– I centralne jest, toaleta w mieszkaniu, a nie jak w dziewiętnastym wieku – ciągnęła tymczasem Dorota. Powtórzyła: – Będzie nam tutaj razem cudownie.

Migające sekwencyjnie lampki na świątecznym drzewku doprowadzały Dariusza do szału. Nie słuchał już żony. Myślał tylko o tym, że dopiero, z wielkim trudem i scenami jak z łzawego serialu, pozbył się dwudziestopięcioletniej córki, która oszukiwała ich przez trzy lata, że studiuje, a zamiast tego zrobiła sobie cztery operacje plastyczne, jeździła po świecie i imprezowała. A teraz przez najbliższe dwadzieścia lat będzie musiał spłacać jej kredyt na mieszkanie i jakby tego było mało – hodować starego, który, co z przykrością stwierdzał, mimo podeszłego wieku trzymał się jak wiejski razowiec.

– Gdzie Anecia? – Dariusz obejrzał się na drzwi. – Może zadzwoń do swojej córki, bo coś długo jedzie z tego kościoła.

Dorota machnęła ręką.

– Zakochani.

I nachyliła się do ojca.

– Narzeczonego Anetka ma nowego. Podoba mi się ten chłopak. Młody, ale zaradny. I nie żaden mięśniak jak ten były zapaśnik. Szczupły, wysportowany. Taki, wiesz, tatuśku, przystojniak. Podobno oświadczył się po dwóch miesiącach. Czy to nie romantyczne?

– Tylko najpierw musi się rozwieść – mruknął Darek.

– Czepiasz się. Przynajmniej ustatkowany. Dzieci chce mieć. Sam mi mówił.

– Ty nie wiesz, co faceci mówią, żeby zbajerować kobietę.

– Dobrze, że ty wiesz – prychnęła do męża, a do ojca zrobiła dzióbek. – I samochód jej dał. – Po czym wypiła duszkiem kieliszek nalewki i zamachała przed nosem. – Ale mocna. Chyba się upiłam.

– Jasne, samochód – ziewnął Darek. – Wciąż na niego jest zarejestrowany, więc nie dał, tylko pożyczył.

Chwycił komórkę i wybrał numer córki. Na klatce schodowej zagrał Lenny Kravitz. Po chwili otworzyły się drzwi i weszła długonoga piękność w skromnej granatowej mini z białym kołnierzykiem i płaskich baletkach. Mimo pluchy na zewnątrz nie znać było na nich nawet śladu wilgoci. Włosy miała związane w koński ogon, dzięki czemu jej twarz wydawała się jeszcze bardziej trójkątna. Dziewczyna była opalona, delikatnie umalowana, a jedynymi elementami niepasującymi do wizerunku były pstrokata hipsterska kurtka z futrem na kapturze oraz kolorowe tipsy we flagi różnych państw.

– Francuska modelka! – Dziadek wybiegł jej na powitanie.

– Dziadziuś! – Aneta przytuliła się, zawczasu rzucając pod drzwiami wielką sportową torbę wypchaną po brzegi ciuchami. – Przepraszam za spóźnienie. Mama mi mówiła. Jak się bałyśmy!

Zbigniew schował się z wnuczką w głąb korytarza i wcisnął jej do ręki plik pieniędzy.

– Od Mikołaja – mrugnął. – Tylko nic nie mów tacie.

Dziewczyna cmoknęła Zbigniewa w policzek i schowała pieniądze do torebki. Potem ruszyli razem do stołu. Matka zerwała się i zaczęła nakładać córce górę jedzenia na talerz.

– Jadłam już, mamo.

– Znów się odchudzasz? – oburzyła się Dorota. – Przecież dziś Wigilia.

– Połamiemy się opłatkiem – rzekła Aneta. – Przyniosłam właśnie z kościoła.

Wszystkim się to spodobało. Zaczęli sobie składać życzenia, całować się. Darek skorzystał z okazji i wyłączył choinkę. W zamieszaniu Dorota na razie nic nie zauważyła.

– Pokaż dziadkowi – zachęciła córkę, kiedy wreszcie usiedli. – Pokaż, co dostałaś od Błażeja.

Aneta wyprostowała dłoń o nieprawdopodobnie długich palcach. Na serdecznym palcu błyszczał brylant wielkości ziarnka grochu.

– Ile karatów? – Dziadek założył okulary.

– Nie wiem. – Aneta spuściła skromnie wzrok. – Mam w domu certyfikat. To białe złoto. Najwyższa próba. Potem wyjęła spod zabudowanej sukienki łańcuszek z wisiorkiem do kompletu.

– A kolczyki? – zaniepokoiła się matka.

– Chyba muszę je zastawić w lombardzie.

– Jak to?

– Nie mam na czynsz. W tym miesiącu zarobiłam tylko siedemset złotych.

– Mówiłem, żebyś poszła do jakiejś normalnej pracy – narzekał Darek. – Kredyt płacę ja. Czynsz kosztuje dwieście złotych. Co ty robisz z pieniędzmi!?

– Tato, mam gigantyczne koszty. Wiesz, ile kosztują kosmetyki, siłownia, solarium, ciuchy! A jeszcze benzyna. Muszę czymś jeździć na castingi.

– W Łodzi mamy najlepiej rozwiniętą komunikację w Polsce! – zaoponował ojciec, wieloletni rzecznik prasowy MPK. – Ponad osiemdziesiąt linii autobusowych, dwadzieścia dwie tramwajowe. O korkach nie wspominając. Mogłabyś też jeździć na rowerze. Oszczędziłabyś na siłowni.

– To sprawa wizerunkowa, a nie pragmatyczna – oburzyła się córka. – W modelingu to normalne. Muszę w siebie zainwestować, bo wypadnę z gry. I tak dobrze, że jeszcze mnie biorą do sesji. Jestem strasznie stara jak na debiut.

– Stara? – zaśmiał się dziadek. – To ja jestem stary. Ty masz całe życie przed sobą. I jesteś śliczna jak gwiazda filmowa.

– Dziadku, muszę konkurować z nastolatkami. Wiesz, jak trudno jest ukryć wiek na zdjęciach? Biorą mnie głównie do pokazów. Mam na szczęście dobry wzrost.

– Po tatusiu – rzekł z dumą Darek.

Zapadła cisza.

– Dziadek u nas zamieszka – odezwała się Dorota.

– Koszty się zmniejszą. Pomożemy ci.

Darek zmierzył żonę nienawistnym spojrzeniem. Jak zwykle podjęła decyzję bez porozumienia z nim. Ale nie skomentował. Czekał na rozwój wydarzeń. Wieczór się przecież nie skończył.

– Mam pomysł, jak zarobić więcej i szybciej – odezwała się Aneta. – Tylko potrzebuję gotówki.

– Szybciej i więcej – zaśmiał się Darek. – To mi pachnie czymś nielegalnym.

– Przeciwnie, tato – zaoponowała Aneta.

– Jedz. – Matka podsunęła jej talerz. – Najpierw zjedz, a potem porozmawiamy.

– Nie, no słucham – zaśmiał się szyderczo Darek.

– Niech dziadek też posłucha, co to za interes. Może w niego wejdzie.

Zbigniew cmoknął znacząco.

– Czemu nie? Akurat zamknąłem lokaty. W sumie mam trochę wolnych środków do zainwestowania.

Aneta po kolei obrzuciła wzrokiem wszystkich domowników. Wskazała swoją biżuterię.

– Błażej ma dostęp do tanich brylantów. To wszystko kupił za pół ceny od Arabów. Oni teraz wyprzedają się, żeby ratować bliskich. Uchodźcy potrzebują pieniędzy i dokumentów.

Sięgnęła do kieszeni i wysypała na stół garść różnych sztuk złotej biżuterii.

– To wszystko możemy kupić za jedną trzecią wartości. Kruszce idą w górę, bo jest wojna na Bliskim Wschodzie. Sprzedamy po normalnej cenie i w ciągu pół roku mieszkanie będzie spłacone.

– To nie jest kradzione? – Ojciec nie dowierzał. – Jeszcze tego brakuje, żeby mi CBŚ zapukało do biura.

Aneta pokręciła głową.

– Oni sami się proszą, żeby wymienić to na dolary albo euro. Polska ich nie interesuje. Przyjeżdżają tutaj po dokumenty i status uchodźcy. Potem jadą na Zachód.

– Nie podoba mi się to. – Darek kręcił głową.

– Ty się zawsze wszystkiego boisz. – Dorota zaczęła sprzątać ze stołu. Waliła porcelaną, jakby polowała na insekty.

– A ja chętnie spotkam się z twoim chłopcem – rzekł Zbigniew. Uśmiechnął się konfidencjonalnie. – Pojutrze będę miał na ręku sporo gotówki. – Podniósł swoją wysłużoną teczkę ze skóry. Wyjął z niej trzy papierowe koperty. Otworzył i rozłożył na stole pliki banknotów w banderolach.

– Tato! Skąd masz tyle forsy? – Dorocie z wrażenia spadł mały talerzyk i potłukł się z hukiem. – I chodzisz z tym po mieście? A jakby cię napadli?

– To na szczęście – zaśmiał się Naumowicz i zaczął opowiadać o nocnym telefonie, miłym policjancie i aferze z bankiem. O noclegu w najlepszym hotelu w mieście i torciku węgierskim oraz tajniakach na Przesiadkowie.

– Ale ojczyzna nie wszystko mi zabrała. Uratowałem twój posag, Anetko. Teraz to zainwestujemy i Zorro może się schować.

Dariusz, słysząc to wszystko, czuł, że jest w jeszcze większych kłopotach, niż się tego spodziewał przed godziną. Dorota naprawdę się poryczała i nic a nic nie udawała. Tylko Aneta siedziała niewzruszona, jakby zawstydzona.

– Tatusiu, czy możesz mi podać ten numer? – odezwała się w końcu córka. – Ten numer na komórkę, do przemiłego komisarza Próchno.

– Nadkomisarza – sprostował bardzo spokojnie Naumowicz. – Jak tylko sprawa wypłynie, będzie z pewnością po awansie.

Dariusz wstał.

– To wy dzwońcie – rzekł. – A ja idę odśnieżyć samochód.

– Przecież nie pada.

– Idę zapalić! – krzyknął Dariusz. – Tak, palę. Od dwudziestu lat. I nie zamierzam się więcej ukrywać. Bo wygląda na to, że dzisiejszą noc wszyscy spędzimy na komisariacie. A tej forsy, obym nie był złym prorokiem, tata już nie zobaczy.

– Co ty mówisz, Dareczku?

– Czy tata nie ogląda telewizji, nie słucha radia? To klasyczny przekręt na legendę. Dorota, puknij go w głowę, bo mnie nie wypada!

Zbigniew wyjął zmiętą kartkę. Wybierał kolejno numery: na komórkę – abonent czasowo niedostępny, na komisariat – wszystkie linie są zajęte. W końcu na 997 – za chwilę twoje połączenie będzie zrealizowane. Jeśli chcesz pozostawić wiadomość, wciśnij 1, *for english press 2*.

– To numer na policjanta. Jest jeszcze na wnuczka, gazownika i wiele innych. Sprowadzają się do jednego: zero przemocy, maksimum zysku. Ktoś dobrowolnie oddaje innej osobie swoje pieniądze. Sprawa nie do udowodnienia. Czy tata potrafi sobie przypomnieć, jak przemiły policjant wyglądał?

– Miał bluzę z kapturem. Niebieską. Sportowe buty, takie czarne, z czerwonymi wstawkami. Wysoki, szczupły.

– A twarz? Kolor oczu, nos? Wie ojciec, ilu mężczyzn w Łodzi nosi takie ciuchy?

– Miał dołek w podbródku i nie był stary.

– I był też niezwykle miły. Jak każdy dobry oszust. Czy tata ma jakiekolwiek potwierdzenie, że oddał obcemu facetowi w kapturze pięćdziesiąt tysięcy złotych wbrew swojej woli?

– Pięćdziesiąt siedem – sprostował Zbigniew i zamyślił się. A potem wyjął kartkę i odczytał: – O dwunastej trzydzieści osiem ten przemiły skurwysyn wsiadł z moimi pieniędzmi do tramwaju numer dziesięć na stacji przesiadkowej Centrum.

– Tam wszędzie jest monitoring, a w każdym nowoczesnym tramwaju są kamery – ucieszył się Dariusz. – Jedziemy do Centrali Nadzoru Ruchu MPK, naszego centrum dowodzenia wszechświatem. Któraś musiała go zarejestrować. Zaraz zadzwonię do swoich chłopców.

Zbigniew wstał i chyba pierwszy raz od ślubu z jego córką uściskał Dariusza.

– Ja go rozpoznam – zapewnił.

Czyściutki perłowy mini zwolnił do setki przed naj-brzydszym budynkiem świata, który tak zachwycił Terry'ego Gilliama, aż obiecał, iż nakręci go z lotu ptaka w jednej ze swoich produkcji. Na razie zamiast cyrku Monty Pythona mieścił się tutaj łódzki oddział telewizji, a kilkadziesiąt poważnych firm, w tym banki, miało swoje macierzyste siedziby. Mimo iż teren naszpikowany był kamerami, a ochrona nie wpuszczała cywili za próg małego Pałacu Kultury, choć widok z dachu zapierał dech w piersiach, aż roiło się wokół od świętujących z flaszkami w rękach. Miejsce było kluczowe na imprezowej mapie miasta, gdyż znajdował się tutaj słynny kurwidołek pod gołym niebem, zwany potocznie Czesią. Jeśli ktoś poszukiwał tego typu usług nie drożej niż za pięć dyszek, jechał pod telewizję i wybierał jak w ulęgałkach. Czasem trafiały się egzemplarze nieco przechodzone, wybrakowane lub wadliwe zupełnie, ale każdy użytkownik second handu musi się liczyć ze skutkami wyboru rzeczy vintage.

Aneta zatrzymała się na przystanku autobusowym przy ulicy Sienkiewicza, gdzie zgromadził się kwiat najstarszych kurtyzan Łodzi. Odsunęła szybę i mimo danej obietnicy, że nie będzie palić w aucie, odpaliła czekoladowego papierosa.

Błażej nie od razu ją dostrzegł. Skinął ręką, by zaczekała, i dokończył zbieranie opłat za ochronę. Aneta wiedziała, że dzierlatki, jak je nazywał, lubią go. Był gładki, przyjemny w obejściu i zawsze pogodny. Życie zaś te kobiety zasadniczo miały ciężkie, a większość z nich wolała nawet tę robotę niż osiem godzin przy maszynie włókienniczej czy farbiarni, gdzie straciły najlepsze lata.

– Co tak wcześnie? – Nachylił się do dziewczyny i pocałował ją namiętnie.

Nawet nie zająknął się o dymie, który wdmuchała mu przy tym do płuc.

– Stęskniłam się – odparła szczerze.

Pomachał swoim podopiecznym na pożegnanie i wsiadł od strony pasażera. Aneta natychmiast ruszyła pod światła.

– Zapnij pas, bo będzie pikać – rzuciła.

Położył jej dłoń na udzie.

– Nie poznałbym cię – rzekł, oceniając jej wyjątkowo grzeczny przyodziewek. – Podoba mnie się to nawet. Możemy w takie coś kiedyś zagrać.

Zaśmiała się i zmierzwiła mu włosy.

– Byłam przecież u starych. Nie odważyłam się w lateksie.

Odwrócił się do niej i pocałował za uchem.

– I jak? – wychrypiał. – Dziadek płacze?

– Nie bardzo. Podobno oszwabił cię na trzy koperty.

– Z niego to niezły Zorro – zdziwił się Błażej.

– Nawet się nie zorientowałeś?

– Niech mu będzie na zdrowie. Polubiłem go. Ma charakter.

Mknęli na Księży Młyn, gdzie Aneta miała loft. Najmniejszy, jaki miał syndyk, ale też kupiony okazyjnie, bo za metr kwadratowy ojciec zdołał wytargować mniej niż tysiąc złotych. Trzypoziomowe mieszkanie do dziś było niewy-kończone na dwóch piętrach, ale dół Aneta zafundowała sobie kompletnie odjazdowy. Odkryta cegła, na podłodze merbau, a u sufitu autentyczne pofabryczne lampy kupione na wyprzedaży w Wi-Mie. Kuchnia z Ikei. I tak nikt w niej nie gotuje. Stół dziadek wykonał osobiście. Zamiast sofy w kącie leżał wielkich rozmiarów materac bez ramy. W takiej przestrzeni cokolwiek się postawiło, wyglądało obłędnie. Tylko matka jęczała, że to mieszkanie nie nadaje się dla dzieci. Jeszcze spadną z tych kręconych schodów!

– Na razie nie zamierzam się rozmnażać – powiedziała wtedy Aneta, choć dziś zastanowiłaby się dwa razy, bo o Błażeju myślała bardzo poważnie.

– Wyjedziesz, ja stanę na twoim miejscu. – Zatrzymała się przed szlabanem.

Błażej wysiadł z auta i pomaszerował po swoje bmw.

Wyjechał i zatrzymał się na Tymienieckiego. Aneta odpaliła silnik.

– Czekaj przy windzie.

– Dziś nie mogę, słodka – wymruczał przez szybę. – Powstrzymaj żądzę.

Dziewczyna zmartwiła się i posłusznie wygasiła silnik. Wysunęła swoje długie nogi i podeszła do jego auta.

– Co się dzieje?

– Dzieciaka muszę odwiedzić – mruknął. – Mikołaj, te sprawy.

Nic nie odpowiedziała. Wtedy wysiadł i mocno ją przytulił.

– Chcę cię o coś prosić.

– Ale może przyjedziesz potem? – Przykleiła się do niego jeszcze bardziej. – Nie będę się jeszcze kładła. Poza tym mam twoje złoto, które pokazywałam starym na wabia.

Najśmieszniejsze, że dziadek złapał haczyk. Ojciec jak zwykle się cykorzy.

– Może przyjadę – rzucił Błażej. – Ale słabo to widzę. A ten złom możesz sobie zostawić.

– Naprawdę? – Rzuciła mu się na szyję.

– Zarobiłaś. – Wsunął jej rękę pod spódnicę. Natychmiast rozchyliła nogi. – Nie masz majtek! – prawie krzyknął. – Tak pojechałaś do starych?

Uśmiechnęła się figlarnie.

– Przecież wiedziałam, że się potem widzimy. To było dosyć emocjonujące.

– Ja myślę. – Wsunął dłoń głębiej.

Aneta przymknęła oczy.

– Chodź do mnie. Tylko na chwilę. Potem pojedziesz – błagała.

– Sam nie wiem – łamał się Błażej.

Nagle coś zachrobotało. Bmw się zatrzęsło.

– Co to? – Dziewczyna odskoczyła przestraszona.

– Pakunek wiozę dla Leona.

– Tego dewelopera?

Czar prysł. Chłopak znów był poukładany, rzeczowy.

– Chcę, żebyś mi coś przechowała.

Otworzył tylne drzwi, wyjął starą walizkę.

– To przecież dziadka.

– No jasne. U ciebie będzie bezpieczna. A jakby mnie zgarnęli, będziesz miała na adwokata – zażartował i przerzucił część pieniędzy do nowiutkiej torby Hilfigera w soczystym kolorze pink, którą Aneta sama wybrała z katalogu jako prezent gwiazdkowy, po czym wręczył ją dziewczynie.

– Ale to nie wszystko.

Otworzył bagażnik i wystawił dwie plastikowe skrzynki z dziurkami. Dokładnie takie, w jakich wozi się pieczywo.

Aneta nachyliła się, by zobaczyć, co jest pod plandeką. W stertach leżały równo ułożone paczki z makaronem. Obok w woreczkach dostrzegła kuchenne timery.

– Przechowałabyś mi?

– Po co ci to?

– To? – Błażej wskazał makaron. – To są właśnie diamenty Arabów. Mówiłem ci, dobrze zainwestowałem tę kasę.

Aneta nic nie rozumiała. Chciała zapytać, co zrobi z resztą gotówki w walizce dziadka, ale nie miała odwagi. I tak wrzucił do jej torby więcej, niż się spodziewała.

– Moja głupiutka ślicznotka. – Chwycił ją za policzki i ścisnął.

Odskoczyła.

– Bolało – poskarżyła się.

Znów był przesłodki. Gładzenie, dotykanie, całusy. Palce wędrujące po wewnętrznej stronie ud. Czuła, że za chwilę popłynie. Zacisnęła nogi. Z trudem wydostał dłoń.

– Nie bądź taka mimoza. Znamy się.

Aneta wyjęła telefon i zrobiła im selfie z góry.

– Skasuj to – zdenerwował się.

Udała, że to robi.

– Już – zameldowała.

– Na pewno?

– *Content not found* – zapewniła. – Dlaczego tak się boisz, że ktoś mnie z tobą zobaczy? Mama dziś cały wieczór broniła cię przed starym.

– Nie o to chodzi.

– To o co?

– Jeśli będę dziś mógł, przyjadę – zapewnił Błażej. – Pogadamy.

Zatrzasnął klapę bagażnika. Rozległ się ludzki krzyk. Klapa odskoczyła, z bagażnika zaś wysunął się wielki wojskowy brezent. Spadł wprost w brudną kałużę. Aneta podbiegła i zobaczyła w bagażniku człowieka. Był skrępowany i najwyraźniej tylko na chwilę odzyskał przytomność. Usta miał zaklejone taśmą izolacyjną. Twarz jednak nie nosiła śladów razów. Wyglądał, jakby był pod wpływem środków usypiających.

– Nic mu nie dolega – zdenerwował się Błażej. – Nie widziałaś tego.

– To Konowrocki – szepnęła. – Adwokat.

– Znasz go?

Aneta skwapliwie zaprzeczyła.

– To osoba publiczna. Występował w kilku słynnych procesach. Znam go z gazet.

Bezwiednie dotknęła pierścionka i wisiorka z diamentami, które dziś prezentowała rodzicom jako podarunek od Błażeja. A następnie chwyciła skrzynki z makaronem oraz walizkę dziadka i wstawiła je do bagażnika białego mini. Potem pośpiesznie wsiadła za kółko i bez pożegnania ruszyła pod szlaban na Tymienieckiego 25. Kiedy parkowała, zastanawiała się, co będzie, jeśli Jarosław zniknie, a co gorsza jego zwłoki wypłyną gdzieś na Zdrowiu. Ile czasu zajmie śledczym, by dojść, że samochód, którym ona aktualnie jeździ, jest zarejestrowany na nazwisko tego prawnika?

Gdańsk, 27 grudnia 2015

– Jutro znów wyjeżdżasz?

Karolina leżała już w łóżku, wtulona w ramię Saszy. Matka przeczytała jej właśnie codzienną porcję *Magicznego drzewa*. Kuki, Gabi i Blubek walczyli z cieniem smoka. Fabularne miasto płonęło. Sasza zdjęła okulary i odłożyła książkę na podłogę, ale trafiła na plecy psa.

– Cholera jasna!

– Łukasz też słuchał. – Dziewczynka wychyliła się z łóżka, Łukasz zaś natychmiast wyciągnął w jej kierunku łapę. Ponieważ nie trafił, wywrócił się na podłogę brzuchem do góry, zrzucając przy okazji lampkę z nocnej szafki. Żarówka się spaliła. Zapadła ciemność. Karolina się rozmarzyła.

– Jaki on słodki.

– Też jestem słodka – stękała Sasza, zbierając z podłogi oświetlenie. – Zwłaszcza jak pędzę do kiosku po nową żarówkę.

Dziewczynka wybuchnęła śmiechem. Łukasz wlazł na łóżko, błyskawicznie zajął miejsce Saszy i wystawił brzuch do drapania.

– To nie jest śmieszne, Luks.

– Właśnie że tak.

Dziewczynka wtuliła się w futrzany podbródek zwierzaka. Wreszcie Sasza też się roześmiała i wcisnęła na nieduży tapczan od ściany.

– Nie mogłyśmy dostać jakiegoś pudla? Ten kudłacz waży tyle co ja.

– Przecież nie lubisz pudli.

– Trzeba chodzić z nimi do fryzjera. Ja nie chodzę, a z psem bym musiała?

– Łukasz nie musi chodzić do fryzjera.

Sasza pogładziła córkę po włosach. Pocałowała w czubek głowy, podniosła drobne rączki do ust.

– Muszę pojechać. To moja praca – powiedziała. – Ale niedługo wrócę.

– Wiem – ziewnęła dziewczynka. – Ale będę mogła oglądać z babcią *Taniec z gwiazdami* i seriale?

– Byle nie ten, w którym sułtan ucina wszystkim głowę.

– W *Alicji w Krainie Czarów* Królowa Kier też skraca wszystkich, a to przecież bajka – odparowała dziewięciolatka.

Sasza się roześmiała. Jakby słyszała samą siebie.

– Nie bądź taka hej do przodu. – Cmoknęła Karolinę w czubek głowy, a potem dodała łagodniej: – Moja krew.

Nagle Łukasz zerwał się i ciężko dysząc, zeskoczył z łóżka. Od razu zrobiło się luźniej.

– On waży tyle, co mały konik. – Karolina się uśmiechnęła. – Jemu wydaje się, że jest yorkiem.

– Chyba szczeniaczkiem yorka – mruknęła Sasza. – Teraz spać. Jak zaraz nie zaśniesz, znów spóźnimy się na SKM-kę.

– Czyli mogę oglądać z babcią?

– Czy ja mogę ci czegokolwiek zabronić? Niezłego mają kostiumografa w tym serialu – ziewnęła Sasza i naciągnęła kołdrę pod brodę. Przy ustach miała guziki. – Szlag! One same się przemieszczają?

Karolina omal nie udusiła się od gwałtownego chichotu. Córka dobrze wiedziała, że Sasza ma „guzikową fobię" i nie znosi, kiedy zapięcie znajduje się przy twarzy. Mała zawsze odwracała poszewkę, by zrobić matce psikusa.

– Myślałam już, że nie zauważysz.

– Ja wszystko widzę i wszystko mogę. Zapamiętaj – odparła Sasza i objęła dziewczynkę ramieniem. – Mogę nawet jutro zaspać na ten cholerny pociąg.

– Mama!

– Co? Jest taka choroba.

– To mów „choroba".

– Choroba jasna, bo zaraz północ. Jutro nie ma sylwestra.

– Ale jest wolne.

– Jak dla kogo.

Pięć minut później Karolina już spała. Oddychała miarowo, z rozchylonymi ustami. Sasza zaś jeszcze długo leżała w łóżku małej i myślała nad sprawami w Łodzi. Była już prawie pewna, że należy je rozdzielić. Z pewnością mają tam piromana, ale to było raczej proste do wykrycia. Natomiast pozostałe kwestie trzeba było przeanalizować i połączyć. Zdaniem profilerki bomber używał pożarów w Łodzi do uruchamiania swoich ładunków, a sprawa Wiesławy z lotniska oraz jej córki mogła stanowić tło sytuacji. Jej zdaniem nie była to geneza, lecz raczej konsekwencja tego, co dziś działo się w tym mieście. Intuicja podpowiadała jej jednak, że trzeba przekopać się przez sprawę „żywej bomby", by znaleźć motyw agresora. Jedno nie ulegało wątpliwości.

Mieli do czynienia z terrorystą. Nieważne, jaki miał kolor skóry. Chciał zastraszyć znacznie większą liczbę osób niż tylko tych, których jego przemoc bezpośrednio dotknęła. Profilerka doskonale wiedziała, że skuteczne utajnienie spraw przez organy ścigania nie jest mu na rękę, dlatego będzie starał się być brutalniejszy i stwarzać coraz niebezpieczniejsze sytuacje.

Profil do takiej sprawy jest obarczony dużym marginesem błędu. Ofiara ataku terrorystycznego niekoniecznie jest tożsama z celem ataku. Jej wybór zaś może być całkowicie przypadkowy. Nic nie musi łączyć jej ze sprawcą. Dlatego wiktymologia tu nie wystarczy. Będzie musiała pogadać z ludźmi z ABW. Na pewno mają na oku cudzoziemców w Łodzi. Bardzo możliwe, że Wiesławy faktycznie użyto do zamachu i należy ją traktować jako ofiarę, nie jako sprawczynię. Tym Sasza musiała się zająć najprędzej. Wstała i poszła do biblioteczki, którą spełniały w ich mieszkaniu przemysłowe półki z aluminium. Wyjęła *Encyklopedię terroryzmu* i kilka innych książek o profilowaniu tego typu sprawców. Interesowały ją cztery spojrzenia na terroryzm: naukowców, członków władz, społeczeństwa i samych terrorystów oraz osób z nimi związanych i sympatyzujących. Każda z tych grup inaczej postrzegała ten problem. Sasza zagłębiła się w analizie ostatniej grupy. Ci, którzy dokonują zamachów, wyrażają zwykle pogląd, że grupa trzymająca władzę w miejscu, gdzie się znajdują, bezpodstawnie ich prześladuje. Kto w Łodzi mógł czuć się wyalienowany, pozbawiony praw, gnębiony? Kto stanowi dosyć licznie reprezentowaną grupę?

W tym momencie zadzwonił dzwonek. Sasza niechętnie odłożyła książkę i podeszła do judasza. Na klatce schodowej stał Łukasz Polak. Miał na sobie kurtkę motocyklową, a pod pachą trzymał kask. Sasza wahała się, czy udać, że nie słyszy, ale Łukasz znów nacisnął dzwonek. Odsunęła jedną zasuwę, a potem zawróciła i przymknęła drzwi córki.

– Jest noc – burknęła, kiedy mężczyzna wszedł do korytarza. Zaplotła dłonie w ciasny węzeł na brzuchu, tworząc rodzaj tarczy. Dopiero teraz sobie przypomniała, że jest w dresach i za dużej koszuli ojca. Włosy miała upięte byle jak na czubku głowy. Na nosie stare okulary, zresztą z boku poklejone kropelką. Nosiła je tylko po mieszkaniu. Z pewnością nie wyglądała najlepiej. Zagryzła wargi.

– Przepraszam, że wam przeszkadzam. – Łukasz pochylił głowę. On dla odmiany wyglądał kwitnąco. Wyrzeźbiona szczupła twarz, łagodne spojrzenie, kanciasta szczęka. Takich mężczyzn uwielbiały wszystkie teściowe. Ani śladu depresji. Odrobina smutku w oczach przydawała mu jedynie tajemniczości. Do tego te klawe ciuchy, jakby był jakimś pieprzonym Rustem* udającym się do klubu motocyklowego.

– Jest Duch? – Uniósł podbródek, wskazując wnętrze mieszkania.

– On tu nie mieszka.

Speszył się.

– Nie chciałbym, żeby sobie pomyślał, że mu wchodzę w szkodę. – Uśmiechnął się czarująco.

Poczuła znajome motyle w brzuchu. Nie była w stanie powstrzymać reakcji organizmu. Feromony, chemia. Wciąż na nią działał.

– Nie interesuje cię, co ja myślę?

---

* Rust Cohle – jeden z bohaterów amerykańskiego kryminalnego serialu telewizyjnego pt. *Detektyw*, grany przez Matthew McConagheya.

Łukasz poprawił kask, który wysunął mu się spod ramienia. Zwiesił głowę.

– Pomyślałem, że może mógłbym czasem spotkać się z Karoliną. Pomówić, pobyć. Poszlibyśmy do kina.

– Jutro wyjeżdżam – weszła mu w słowo Sasza. – Nie wybieram się do kina.

Łukasz podniósł głowę zaskoczony.

– Chodziło mi o film dla dzieci. *Zwierzogród* albo *Księga dżungli*. Coś takiego. Może wyznaczyłabyś nam jakiś termin.

– Nam? – zapowietrzyła się Sasza.

– Bo samej Karolci pewnie byś ze mną nie puściła.

– Raczej nie – przyznała Załuska, ale zaraz złagodniała. – Ale jak wrócę, możemy o tym pogadać.

– Na ile wyjeżdżasz?

– Nie wiem – skłamała. – Zadzwonię.

– A może pani Laura poszłaby z nami? Karolina czułaby się bezpieczniej.

– Możemy o tym pomówić, jak wrócę – powtórzyła Sasza i poprawiła włosy.

Czuła się przy nim jak kocmołuch. Chciała, żeby już sobie poszedł i nie oglądał jej w takim stanie.

– Ładnie wyglądasz. – Znów się uśmiechnął. – Tak naturalnie.

– Zawsze byłam ładna, więc jestem przyzwyczajona – fuknęła.

Udało się jej go rozbawić.

– Fajnie było wczoraj.

– Po prostu w dechę.

– To co, mógłbym zadzwonić do twojej mamy? Ona się zgodziła.

– Jak to?

– Nic jej nie powiedziałem. Ona chyba myśli, że my... No wiesz.

– Nic z tego nie będzie, Łukasz. – Mocniej ścisnęła brzuch. – Idź już. Jutro muszę strasznie wcześnie wstać.

– Gdybyś czegoś potrzebowała, dzwoń.

Skinęła głową i otworzyła szerzej drzwi. Wyszedł bez pożegnania. Szybko zasunęła wszystkie zamki i stała chwilę oparta plecami o zimny metal, ale wcale tego nie czuła.

– On ma dziewczynę, wiesz? – Karolina wychyliła się ze swojego pokoju.

Saszy serce podeszło do gardła. Dziewczynka musiała słyszeć ich rozmowę.

– Myłaś zęby? – zaatakowała Sasza.

– Siku mi się zachciało.

Karolina czym prędzej pomknęła do łazienki.

– Wiedziałam. – Sasza podążyła za nią i nie czekając, weszła do toalety.

Nałożyła na obie szczoteczki pastę i podała tę mniejszą małej. Potem odwróciła klepsydrę i wskazała, że Karolina ma czyścić tak długo, aż przesypie się piasek.

– Ma jakąś dziewczynę, ale ciebie bardziej lubi – dodała córka, zanim przystąpiła do znienawidzonej operacji.

– I powiem ci, że ja go lubię. A ty?

Sasza szybko wsunęła szczotkę do ust. Szorowała zęby i pluła pastą do zlewu, jakby nic innego się teraz nie liczyło. Kiedy skończyła, odwróciła się do córki i zapytała:

– Który ci się bardziej podoba: Duch czy Łukasz?

– To ma być twój chłopak, nie mój.

– No to mi pomogłaś. Poza tym za stara jestem, żeby mieć chłopaka.

– Nie jesteś jeszcze taka stara – pocieszyła matkę Karolina. – Wujek też nie jest taki młody, a się ożenił.

Zegar zaczął wybijać północ.

– Możemy obchodzić sylwestra – pisnęła radośnie Karolina.

– Karo, to dopiero za kilka dni!

– Dam radę! Bez problemu doczekam północy. Łał!

– Choroba jasna, szlag, kurczaki, blaszka – rozzłościła się na niby Sasza i chwyciła córkę na barana, a potem wśród pisków i poszczekiwań psa, który oczywiście dołączył do ferajny, ruszyła na antresolę.

Łódź, 28 grudnia 2015

Hotel Polonia Palast na zdjęciach wyglądał znacznie lepiej niż w rzeczywistości. Obsługa była jednak bardzo miła i Sasza szybko dostała klucz do pokoju na najwyższym piętrze. Chwyciła walizkę i ruszyła do windy. Ze zdziwieniem spostrzegła, że nie będzie nią jechała sama. Niewysoki mężczyzna w trzyczęściowym garniturze na jej widok wstał z krzesełka, na którym najwyraźniej spędzał czas swojej pracy, włożył kluczyk, odblokował urządzenie i zaczął procedurę otwierania kolejnych zabytkowych skrzydeł. Trwało to niemiłosiernie długo. Sasza przez chwilę rozważała wejście schodami, ale konsjerż się oburzył, kiedy mu to zaproponowała.

W 1910 roku, kiedy budynek powstał jako jeden z najnowocześniejszych hoteli w Łodzi, konstrukcja dźwigu była prawdziwą rewolucją technologiczną. Podobnie jak centralne ogrzewanie, światło elektryczne, pralnia chemiczno-elektryczna, telefony i bieżąca woda. O bogatym wyposażeniu nie wspominając. Dziś zabytek wyłożono od środka płytą pilśniową i lustrami na całych ścianach, chlubę designu złotych lat osiemdziesiątych. Załuska wiedziała od recepcjonistki, że to tutaj, a nie w łódzkim Grand Hotelu kręcono większość scen kultowej komedii *Va banque*. Jechali w milczeniu. Sasza wsłuchiwała się w metaliczny chrobot windy i miała ochotę poznać historię tego miejsca, lecz mężczyzna nie był skory do rozmów.

Dźwig się zatrzymał. Powtórzyła się procedura otwierania i w końcu Sasza wydostała się na wolność. Na podłogach leżały pałacowe wykładziny, ale drzwi do większości pokoi pomalowano farbą olejną. Otworzyła swój numer. Był po gruntownym remoncie. Pomieszczenie urządzono z gustem oraz dbałością o zachowanie klimatu tego miejsca.

Sasza podeszła do największego okna balkonowego. Klamkę usunięto. Wiedziała, że goście masowo kradli zabytkowe elementy. Kilka razy przybywali tutaj niewydarzeni samobójcy, gdyż widok z okna był obłędny. Z tego akurat pokoju można było podziwiać jednocześnie sobór Aleksandra Newskiego oraz właśnie odrestaurowane Nowe Centrum Łodzi.

Sasza rzuciła walizkę pod okno, wyjęła z niej komputer i szybko zalogowała się do sieci. Internet nie działał. Walczyła z systemem jeszcze jakiś czas, by wreszcie chwycić laptop pod pachę i ruszyć do komendy na Lutomierską. Kiedy wyszła, padał gęsty kapuśniaczek, schowała się więc w podcieniach i zapaliła papierosa. Zaraz podszedł do niej chudy jegomość, by wysępić parę złotych. Tym razem dała potrzebującemu jedynie kilka papierosów i odmówiła wsparcia finansowego. Była w Łodzi dopiero niecałą godzinę, a już pięć osób zdążyło opróżnić jej kieszeń z moniaków. Trzy podeszły na dworcu, jak tylko wysiadła, dwie dopadły ją przed hotelem, kiedy taksówkarz wypisywał jej rachunek. Zastanawiała się, czy może się świeci, czy też to taki łódzki zwyczaj naciągać turystów. Żaden z żebraków nie wyglądał na bezdomnego, choć większość zapewne cierpiała z powodu kaca. Wszyscy byli niezwykle kulturalni i mili. Schludnie ubrani, pozbawieni specyficznego odoru, który zwykle towarzyszy ludziom żyjącym na ulicy. Musieli gdzieś mieszkać, gdzieś się kąpać. Prośbę o wsparcie traktowali jako sposób zarobkowania i bardzo chętnie dzielili się z nią swoimi historiami. Sasza w żadnym innym mieście nie widziała tylu sympatycznych meneli. Poza tym nie była pewna, czy ma zwidy, czy może dostrzega to wyłącznie z racji swojej choroby. Zdawało jej się, że w Łodzi ludzie piją bez opamiętania: na ulicy, skwerkach, w podcieniach pod kolumnami, w bramach, nawet na parkingach. Pod ścianami pięknych zabytkowych budynków, między zaparkowanymi drogimi samochodami widziała walające się flaszki po różnego typu trunkach, niekoniecznie najtańszych. Najpopularniejsze były małpki cytrynówki oraz orzechówka Absoluta. Łodzianie zdecydowanie woleli mocniejsze alkohole. Z rzadka tylko widziała puste puszki po piwie.

– Wyzbierane przez najbiedniejszych. Skuteczniejszych złomiarzy mają tylko w Detroit – wyjaśnił jej potem taksówkarz, chwaląc się jednocześnie, że kontynuuje tradycję kierowcy od pokoleń. Jego pradziad jeździł u Poznańskiego z towarem między farbiarnią a węzłem kolejowym.

– Nigdy nie spodziewałem się, że spędzę życie za kółkiem. Klasa biol-chemu, studia medyczne, potem lata pracy w ratownictwie. Nie ma już mojej jednostki. Przeżyłem łowców skór, dzieci w beczkach, ze czterech piromanów i nastoletnich zabójców ze Zdrowia. Kilku kumpli poszło siedzieć za pavulon, dwaj w Krainie Wiecznych Łowów – wódka ich zabiła, reszta dalej pije. Widziałem w tym mieście więcej niż niejeden glina. A potem nagle wilczy bilet.

Redukcja etatów. To wróciłem do korzeni. Nawet koguta nie mam, ale rachunek pani wystawię. Płacę podatki, nie oszukam pani jak na Dworcu Centralnym w Warszawie.

Sasza dosyć często słyszała podobne opowieści. Wzruszał ją szacunek mieszkańców do historii Łodzi, tradycji, lecz w niektórych przypadkach ci sami ludzie zawdzięczają społeczny upadek właśnie nadmiernemu przywiązaniu do tego miejsca.

– Stąd się nie wyjeżdża. Po co? Tu jest wszystko. Morze, góry, rzeki. Wiedeń i Paryż. Gdyby jeszcze były pieniądze, by to wszystko odnowić. To niewykonalne. Jesteśmy za blisko stolicy.

Sasza rozłożyła na stole schemat sieci tramwajowych w Łodzi. Na prowizorycznej mapie znajdowało się jedenaście zaznaczonych iksów. Cztery z nich były zielone, reszta żółta.

– To są miejsca spalonych budynków, które dostałam od Cukiego – zaczęła. – Budynki mieszkalne, drewutnie, kontenery na śmieci, pustostany. Wzięliśmy pod uwagę ostatnie sześć lat. Wszystkie „korzystne" podpalenia na razie dajemy na bok. Nie ma ich.

Byli tylko we czwórkę: Drugi, Henrietta, Cuki i Sasza. Flak wyjechał na święta do córki w Norwegii. Wracał po Nowym Roku i liczył, że do tego czasu „ekipa specjalna", jak określił powyższy zespół, dojdzie do konstruktywnych wniosków i po powrocie będzie miał się wreszcie czym pochwalić zwierzchnikom.

– Dlaczego sześć? – spytała jak zwykle precyzyjna Jolanta Brzezińska.

– Właściwie należy brać pod uwagę znacznie dłuższy okres, bo ten może nie obejmować pierwszych eksperymentów podpalacza, ale mamy mało czasu – wyjaśnił Cuki.

– To nie do końca tak – zaoponowała Sasza. – Jeśli przeanalizujemy te zdarzenia, ustalimy jego modus operandi.

To nam z kolei wystarczy, by wyznaczyć jego bezpieczną strefę działania. Sprawca zawsze atakuje na terenie, który dobrze zna. Może pracował tutaj, mieszkał albo stąd pochodzi. Robi to podświadomie. Wybiera taki teren, gdzie jest minimalne ryzyko złapania. Tutaj prośba do was. Musimy wiedzieć, dlaczego wybiera te, a nie inne lokalizacje. Jak działa? To wiemy. Trzeba to tylko poukładać.

– Ja mogę się tego podjąć – zgłosiła się Henrietta.

– Dobry wybór – mruknął Drugi.

– Weź pod uwagę, jakie materiały stosuje do swoich podpaleń. Skąd może je brać? Czy są łatwo, czy trudno dostępne.

– Łatwo. – Drugi wzruszył ramionami. Był wyraźnie znudzony jej przydługim wywodem. Na razie, jego zdaniem, nie odkrywała Ameryki. – Ropa, benzyna, zapałki i sterta śmieci. Czego chcieć więcej? Ogniu, krocz za mną.

– Dobrze by było zrobić tabelę. – Sasza nie przejęła się komentarzem komendanta. – Chodzi o jego progresję. Zobaczymy ją, kiedy Henrietta rozpisze wszystko w Excelu.

Brzezińska podziękowała Saszy uśmiechem.

– Jak się rozwija? Na czym polegają ulepszenia? – kontynuowała Załuska. – Zdarzeń jest dużo. Liczę, że uda nam się wyabstrahować jego podpis. Mam co do tego pewne hipotezy. Potem cofniemy się do początków, by znaleźć strefę buforową.

– Czyli gdzie sprawca mieszka? – upewnił się Drugi.

– Dokładnie – potwierdziła Sasza. – Może to jednak nie być konieczne. Jeśli się nie mylę, sprawcę będziemy mieli najpóźniej w sylwestra. Wystarczy dobra praca operacyjna.

Uczestnicy odprawy spojrzeli po sobie.

– Zaraz wyjaśnię, dlaczego uważam, że ten wątek jest najprostszy, ale też najpilniejszy – oświadczyła Sasza. – Piromania rozwija się najintensywniej w czasie dojrzewania. Osoba, która cierpi na ten rodzaj zaburzenia, musi podpalać. Potrzebuje ognia, podnieca ją to. Stara się stworzyć coraz większe dzieło. Coraz bardziej spektakularne, wzbudzić coraz większy strach. Chodzi o poczucie władzy. Tak naprawdę nie chce nikogo krzywdzić. To w gruncie rzeczy tchórz. Kiedy go złapiecie, sam się podda, przyzna i chętnie o wszystkim opowie. Trzeba iść w taktyce przesłuchania w Herostratesa.

– W co? – Tym razem zmarszczył się Cuki.

– W sławę, jaką przyniosło mu podpalanie. W wielkość jego dzieła. Prześledziłabym media społecznościowe. Tam skupia się jego uwaga. To młody człowiek. Zaraz dojdę do jego cech psychofizycznych.

Przerzuciła stertę kartek.

– Zakładam, że pierwszych eksperymentów dokonywał w swoim miejscu zamieszkania. To były niegroźne zabawy z ogniem. Może już nawet nikt ich nie kojarzy, ale on je pamięta. Może brać pamiątki. Musi mieć coś, co mu przypomina jego „karierę". Dlatego zatrzymanie trzeba przeprowadzić cicho, bo jeśli się pomylimy, on to wszystko zniszczy.

– Spali?

– Schowa. I zniknie na jakiś czas. Zahibernuje się.

– Dlaczego niektóre punkty są na żółto, inne na zielono? Nie rozumiem klucza – znów wtrąciła się Henrietta.

Sasza wzięła długopis i połączyła żółte punkty: Cmentarna, Franciszkańska, plac Dąbrowskiego, Milionowa, Więckowskiego, Struga, Narutowicza. Wyszedł z tego nieregularny wielobok. Sasza postukała w sam środek figury – okolice placu Wolności.

– Tutaj jest jego punkt startowy. Stąd wyrusza na łów.

– Jeździ tramwajami? – zaryzykowała Henrietta.

– Bardzo możliwe – potwierdziła Sasza. – Ale może też docierać do nich na piechotę, a dopiero jako odwrót stosować transport komunikacją.

– W większości tramwajów jest monitoring.

– Nie będziemy przecież przeglądali teraz miliona taśm – zbiesił się Drugi.

– Można to potraktować jako dowód pomocniczy – przyznała Sasza. – Jeśli będzie miał lewe alibi albo zacznie zaprzeczać, że był w tych miejscach w danym czasie.

– Co z zielonymi?

Sasza wzruszyła ramionami i podała komendantowi długopis.

– Proszę bardzo.

Zanim Drugi połączył punkty, odezwała się Henrietta:

– One są na linii ulicy Zgierskiej. To może być szesnastka, jedenastka, czwórka i czterdzieści sześć.

Drugi natychmiast narysował linię dzielącą wielobok. Tylko pożar na Ogrodowej i na Starym Rynku wystawały zza figury.

– I co nam to daje?

– To zdarzenie miało miejsce sześć lat temu. – Sasza wskazała okolice przystanku na Starym Rynku. – Spłonął składzik drewna na tyłach kamienicy. Nic poważnego. Kilka poparzonych kotów. Straty na kilkaset złotych. Natomiast ten pożar miał miejsce przed świętami. – Oznaczyła famuły na Ogrodowej. – Zobaczcie, to zbyt blisko placu Wolności, jego punktu startowego. Na tyle się rozwinął, że gdyby nie silne emocje, nigdy nie poważyłby się na takie ryzyko.

Potem wróciła na Stary Rynek.

– Na ten przystanek nie dojeżdża szesnastka ani jedenastka. Czwórka też nie.

– Sugerujesz, że obrał sobie czterdziestkę szóstkę?

– Sugeruję, że może mieszkać w Zgierzu – poprawiła komendanta Załuska. – Nie w Ozorkowie, nie w okolicy Helenówka. W Zgierzu i to niedaleko przystanku tramwajowego. Ma dwadzieścia pięć – trzydzieści lat, wykształcenie zawodowe. Nie był w wojsku. Nie ma żony, stałej partnerki, dzieci. Prawdopodobnie jedynak. Może mieć rodzeństwo, ale dzieliłaby je duża różnica wieku. On byłby młodszy. Jest samotny. Może mieszkać z rodzicami. Raczej dobrze sytuowani, choć on nie może swobodnie dysponować pieniędzmi. Sądzę, że pracuje. To typ sprawcy zorganizowanego, ale ta praca nie jest kreatywna, nie spełnia się w niej, nie daje mu satysfakcji. Zaburzenie wzorca męskiego. Silna matka. W dzieciństwie był poddawany ostrej dyscyplinie lub był karany niewspółmiernie do winy.

– Ty mi się pchasz do gipsu – zaśmiał się Drugi. – Wróżka prawdę ci powie. Może mi też powróżysz?

Sasza zmierzyła komendanta długim spojrzeniem.

– Twoja żona trzyma cię pod pantoflem – zaczęła, a Henrietta i Cuki zaczęli się śmiać. Zamilkli jednak, kiedy kontynuowała: – Nie pozwala ci wchodzić do kuchni, gdzie znajduje się jej królestwo. Każe wkładać kapcie, kiedy wracasz do domu. Bo mieszkasz w domu zbudowanym przez teściów. Panuje w nim sterylny porządek. Swoje mieszkanie w bloku wynajmujesz jako lokatę kapitału. Dwójka dzieci. Jedno kończy liceum, drugie zaczęło studia. Jeździsz samochodem, który nie skończył pięciu lat, i to jest jedyne miejsce, gdzie jesteś panem i władcą. Twoja garderoba zajmuje więcej miejsca w szafie niż odzież żony. Masz komplet koszul w takim samym kolorze i taki sam zestaw butów. Lubisz broń.

Zapadła cisza.

– Trójka – powiedział Drugi. – Najmłodszy syn ma trzynaście lat. I to ja w domu gotuję.

– Jeśli ona ci pozwoli.

Drugi się zamyślił.

– Skąd wiedziałaś o mieszkaniu na Widzewie?

– Spędziłam ostatnio z tobą dobrych kilka godzin. – Sasza wzruszyła ramionami.

– No, muszę powiedzieć, że bolało, ale kilka rzeczy odgadłaś celnie.

Sasza zmierzyła go czujnym spojrzeniem.

– Tu akurat strzelałam. Masz stanowisko, solidną pensję. I wyglądasz mi na gościa, który twardo stąpa po ziemi. Poza tym, jakby coś poszło nie tak, typ taki jak ty z lokalu dodatkowego robi garsonierę.

– Teraz już przesadziłaś.

– Może więc wrócimy do sprawy?

– A może przerwa na papierosa?

– Chętnie. Jak skończymy?

– Wybacz, ale nie jesteś jeszcze moją żoną, by brać mnie pod but.

Sasza zrozumiała, że uraziła Drugiego.

– Przepraszam. Sprowokowałeś mnie. To był taki żart. Bardzo głupi. – Przerwała.

Drugi wyjął papierosa i podszedł do okna. Skinął na Saszę. Dołączyła do niego. Henrietta i Cuki pochylili się nad schematem, który przed chwilą wyrysowali, i zażarcie nad czymś dyskutowali.

– Moja żona nie żyje – oświadczył wicekomendant. – Miała raka.

Sasza pochyliła głowę.

– Przykro mi. Czuję się jak idiotka.

Drugi zaśmiał się i podniósł jej podbródek. Potem położył dłoń na jej twarzy, a Sasza na to pozwoliła.

– Ale z tym pantoflem miałaś rację. Mieszkam z teściową. Walczymy o każdy garnek.

Uśmiechnęła się półgębkiem. Drugi zabrał rękę. Zapatrzył się w okno.

– Najpierw to było naturalne. Oboje cierpieliśmy. Wygodnie mi było z powodu dzieci. Ktoś musiał się nimi zajmować, kiedy uciekałem do pracy. A dom jest duży. Zawsze można się przed sobą ukryć na innym piętrze. Teraz już ciężko się z tego wykaraskać. Ona się zestarzała, wymaga opieki. Ja lubię gorącą zupę i jakoś tak wyszło.

– Naprawdę mi głupio.

– Daj spokój. – Zgasił papierosa w doniczce i wrócili do stołu.

Henrietta odchrząknęła, Cuki milczał.

– Miałaś jeszcze jakieś rewelacje – odezwał się Drugi.

– Chyba że wy chcecie poddać się psychoanalizie.

Sasza oblała się rumieńcem i wyciągnęła skrypt robota znaleziony w komputerze wnuka Wiesławy Jarusik. Podała każdemu z zebranych kopię. A potem czerwonym pisakiem oznaczyła dwa punkty: przystanek Zachodnia Zielona i Zachodnia Bałucki Rynek.

– Tutaj miały miejsce eksplozje – powiedziała. – W dniu, kiedy płonęła Ogrodowa. Możliwe, że ładunki uruchomiono za pomocą tego skryptu. To inny sprawca. Korzysta z dzieła piromana jak z zapalnika.

– One też znajdują się blisko linii tramwajowych – zauważyła Henrietta.

– Dokładnie w miejscach, gdzie ludzie się przesiadają – dodał Cuki. – I tutaj tych linii jest więcej. Nie da się na podstawie dwóch ataków stwierdzić, gdzie mieszka, gdzie pracuje. Ustalić tych stref, znaczy się.

Sasza kiwnęła głową.

– Ale da się ustalić motyw.

– Nie jest nim spowodowanie zagrożenia życia i zdrowia ludzi?

– Też. – Sasza pokiwała głową. – Jednak moim zdaniem to nieudany zamach. Taka wprawka.

– Ponieważ nie było ofiar w ludziach?

– Ponieważ jego celem, moim zdaniem, nie jest zabijanie. To terrorysta. On chce, byście się bali, ale też komunikuje.

– Niby co?

– Moim zdaniem on tym wybuchem próbował spowodować awarię. Chciał pozbawić Łódź prądu i sparaliżować miasto.

Niebieskim kolorem zakreśliła lotnisko na Lublinku.

– A następnie je spalić.

Ktoś zapukał do drzwi. Zajrzała młoda ruda policjantka. Drugi dał jej znak.

– Wiesława Jarusik nie żyje – zameldowała Zofia Lech.

Kiedy po kilku godzinach jazdy wśród pustynno-górzystego krajobrazu środkowego zachodu Ameryki Północnej na linii horyzontu dostrzeżemy nagle płaską sylwetkę Las Vegas, ten nowy obraz, nowa dwuwymiarowa forma staje się zdarzeniem w przestrzeni. To nagłe wtargnięcie formy wymyślonej przez człowieka burzy harmonię, zakłóca porządek poddającego się rutynie wywołanej długą podróżą, rozproszonego, nieuważnego patrzenia, lecz przede wszystkim niweczy monotonię naturalnego krajobrazu. Skupia uwagę i budzi emocje. Miasto jest dziś czymś zupełnie innym, niż je postrzegano w dziewiętnastym czy nawet dwudziestym wieku. Mówi się coraz częściej o ekomiastach. O optymalnie zagospodarowanych połaciach, gdzie wygodnie, bezpiecznie i w harmonii z poczuciem estetycznym mieszkałoby maksymalnie pięćdziesiąt tysięcy osób. Tak też stwarza się nowe osiedla – na wzór małych miejscowości. Z własnym sklepem, szpitalem, przedszkolem i obowiązkowo świątynią. Wszystko zaś otacza ordynarnym murem bądź jego ekwiwalentem w postaci rzędu modrzewi czy choćby banerów reklamowych. Wszystko po to, by zapewnić mieszkańcom maksimum komfortu przy jednoczesnym zachowaniu pragmatyzmu, jakie winno cechować aglomerację. Jaki rodzaj doświadczenia może spotkać człowieka w Łodzi?

Edward Kawecki najbardziej lubił projektować przestrzenie półpubliczne, ponieważ w ich stworzenie wpisany jest zawsze pewien rodzaj napięcia. Jego zadaniem było uwieść, zachwycić, a jednocześnie onieśmielić i sprawić, by człowiek użytkujący przestrzeń półpubliczną nie poczuł się zbyt u siebie i by przypadkiem nie przyszło mu do głowy zatrzymać się tu na dłużej. Może dlatego właśnie Edward został architektem, ponieważ nie wymyślał budynków, nie stawiał wyłącznie ścian, lecz prowokował określone, łatwe do przewidzenia już na etapie projektu zachowania ludzi, którzy potem te przestrzenie użytkowali. Posiadał więc pewien rodzaj niezbywalnej władzy: tworzył role społeczne, ale też i dyscyplinował myślenie. Wiedział, że choćby mury skruszały, zachowania ludzkie zostaną. Zawsze takie same, jak je zaplanował architekt przed laty. Choćby nie wiem jak potomni pragnęli zmieniać otaczający ich świat.

Bo do kogo tak naprawdę należy miasto? Zawsze i wszędzie do flanerów, czyli próżniaków, którzy swoje szczęście znajdują między frontami budynków, na ulicach miast. Wszędzie, byle poza własnymi czterema ścianami. Dziś obraźliwie zwie się ich często menelami. Piją, zawsze pili i pić będą. Cóż im zostało? To jednak oni są główną tkanką miasta. Chłop zawsze będzie siedział w zagrodzie, garnął się do pieca i bał hałasu miasta. Aglomeracja zaś naturalnie rodzi flanerów. Przechadzają się ulicami bez celu, wystają w bramach. Pustkę w sobie wypełniając wrażeniami wokół. Czy istniałoby bez nich miasto? Puste budynki go przecież nie tworzą. Oczywiście prawdziwych próżniaków nie ma już zbyt wielu. Większość dzisiejszych miast wypełnia nieprzerwany ruch kołowy, rytmiczny rwetes, tygiel kulturowy i wyspy zbudowane na wzór współczesnych wsi. Mieszkańcy zaś „wsieją", ukrywając się we fragmentarycznych enklawach, które zwą swymi domami, gdzie grzeją tyłki i mają gdzieś półpubliczną przestrzeń, którą z trudem próbują stworzyć dla nich architekci. Dlatego Łódź była bodaj ostatnim miastem w Polsce, gdzie to archaiczne pojęcie miało rację bytu i gdzie architekt z powołania, jakim był Kawecki, mógł zbudować swój rajski park.

Edward szedł jak zwykle pieszo, witając się z lokalsami i rozdając na prawo i lewo drobniaki na wódkę. Znali go, lubili, bo i nie różnił się wizualnie od nich. W swojej wyświechtanej kurtce, kupionej na wagę w lumpeksie Nic Podobnego, zawadiackim czerwonym kaszkiecie, rozdeptanych wojskowych trepach i ze starą leicą przerzuconą przez ramię, bo nigdy nie wiadomo, kiedy spotka się w Łodzi piękny detal. Choć urodził się tutaj, pochodził z rodu architektów w trzecim pokoleniu, estetykę wyssał z mlekiem matki i wciąż znajdował nowe elementy godne uwagi. Niezliczona wielość sów jako symbolu mądrości i przybytku, lwów oraz orłów – siły i władzy, a także pęki kądzieli i koła zębate jako symbol włókienniczej Łodzi. Fotografował te elementy i włączał w swoje projekty, oczywiście upraszczając je i raczej inspirując się nimi, niż rżnąc jak idiota ze ściągi na kartkówce.

Dziś miał spotkanie wyjątkowe. Rzadko bowiem się zdarzało w Łodzi, by mógł podjąć się zlecenia o takim rozmachu. Nie mówimy rzecz jasna o forsie, ponieważ nie była ona Edwardowi aż tak bardzo potrzebna, lecz o wizji, którą mógł wkrótce wcielić w życie. Gmina muzułmańska zleciła mu zbudowanie budynku, który w swej prostocie będzie jednocześnie meczetem, twierdzą, a jeśli zajdzie taka potrzeba, i centrum handlowym niebudzącym wątpliwości urzędników. Ed głowił się nad tym trzy miesiące.

Wiedział, że gmina podchodzi do sprawy poważnie. Jeden budynek postawili już prawie na Pomorskiej, ale był to zwykły klocek, który uwłaczał zmysłowi estetycznemu każdego szanującego się architekta.

– Może i dobrze, że temu panu się zmarło – powiedział, kiedy spotkał się z szefem stowarzyszenia, pełniącym w Łodzi funkcję nieformalnego imama. – Za taką zbrodnię architektoniczną to i tak nieduża kara. Wszak budynki są niemal wieczne, a duch ich twórcy jest zawsze między tymi ścianami.

– Szkoda tylko, że zamiast świątyni władze Łodzi wolą kolejny supermarket. Nawet mihrab* im nie przeszkadza. Twierdzą, że to świetne miejsce na pokój gospodarczy dla pracowników – usłyszał w odpowiedzi Kawecki.

Zatrzymał się przed dawną fabryką Scheiblera i nacieszył wzrok bryłą, która niewątpliwie była zdarzeniem w przestrzeni: czerwona cegła, wieżyczki na wzór fortu, wysokie okna, niczym we współczesnym zamczysku. A potem ruszył do holu, pokonał rząd rur podtrzymujących strop, które nasuwały na myśl nieodmiennie filmowe więzienia, i zadzwonił do drzwi o numerze 2016. Otworzyła mu zapłakana dziewczyna.

– Jo pana wysłał? – wydukała Hoda.

Edward pokręcił głową.

– Jestem architektem – powiedział. – Ja do pana Barakata. W sprawie projektu.

– Zawołam tatę – odparła i odeszła, kręcąc biodrami.

---

* Mihrab – znajdująca się w ścianie meczetu nisza wskazująca muzułmanom kierunek na Mekkę.

– A, to pan. – Wyszedł mu na spotkanie krępy blondyn w czerwonych okularach, idealnie podkreślających jego rumiane policzki. W jego żyłach nie płynęła nawet kropla arabskiej krwi. Był stuprocentowym Słowianinem. Uśmiechnął się lepko i skłonił uniżenie. – Proszę, zapraszam.

Następnie fuknął coś po angielsku do dużo starszej kobiety o orientalnej urodzie, która pojawiła się w korytarzu z tacą wypełnioną słodyczami. Na głowie nosiła chustkę, lecz twarz miała odsłoniętą. Ona dla odmiany z całą pewnością nie była Polką. Pośpiesznie ustawiła smakołyki na niskim stoliku, a potem bezszelestnie ukryła się w jednym z pokoi, które promieniście odchodziły z pomieszczenia głównego.

Edward podziwiał chwilę loft urządzony ze wschodnim przepychem, bogaty w złocone tkaniny, bibeloty i zastawiony od góry do dołu starymi książkami. Kiedy usiedli, rozłożył na stole komputer i pokazał swój projekt. Prosta geometryczna bryła o wysokości dwunastu metrów z wysuwaną wieżyczką, mogącą osiągnąć poziom dwudziestu pięciu metrów i spełniać funkcję minaretu. Nawet osobie całkowicie pozbawionej wyobraźni nasuwała skojarzenie z wieżyczką snajpera. Z bocznej całkowicie przeszklonej ściany w długim rzędzie wysuwały się maskujące pokrywy, które w razie niebezpieczeństwa mogły zostać zatrzaśnięte, tworząc z budynku niezniszczalny bunkier. Jeśli pokrywy nie były zatrzaśnięte, do budynku wchodziło się z każdej strony. Bramy nie były zamknięte. Dziedziniec budynku miał być pozornie otwarty dla wszystkich.

– O coś takiego mi chodziło! – krzyknął Barakat, a chwilę potem wyczarował na stole torbę z pieniędzmi. – Kiedy może pan zacząć budowę?

– Budowę?

Edward chciał pokazać prezentację, kosztorys, ale muzułmanin już go nie słuchał.

– Muszę dać panu naszą ochronę, by nie było jak ostatnim razem.

– Spadek tektoniczny. – Edward wzruszył ramionami. – Mój poprzednik spadł do dziury w wyniku tąpnięcia. Podczas oddania nadzoru. Czy tak?

– Allah jest wielki – roześmiał się Rahem i zaraz uśmiech zamarł mu na twarzy, ponieważ dwóch osiłków wprowadziło do pomieszczenia młodego blondyna z dolną wargą pękniętą od uderzenia.

– To ty?

Jo podniósł dumnie głowę.

– Oto jestem.

– Co masz mi do powiedzenia?

4. KOCHANKOWIE

Oczy mają niebieskie i siwe,
dwuzłotówki w kieszeniach na kino,
żywią się chlebem i piwem,
marzną im ręce zimą:

Kochankowie z ulicy Kamiennej
pierścionków, kwiatów nie dają.
Kochankowie z ulicy Kamiennej
wcale Szekspira nie znają.
Kochankowie z ulicy Kamiennej.

Wieczorami na schodach i w bramach
dotykają się ręce spierzchnięte,
trwają tak czasem aż do rana,
kiecki są stare i zmięte.

Kochankowie z ulicy Kamiennej
tramwajem jeżdżą w podróże.
Kochankowie z ulicy Kamiennej
boją się gliny i stróża.
Kochankowie z ulicy Kamiennej.

Aż dnia pewnego biorą pochodnie,
w pochód ruszają, brzydcy i głodni.
„Chcemy Romea – wrzeszczą dziewczyny
– my na Kamienną już nie wrócimy”.
„My chcemy Julii – drą się chłopaki
– dajcie nam Julię, zbiry, łajdaki”.
        Idą i szumią,
        idą i krzyczą,
amor szmaciany płynie ulicą…

...Potem znów cicho,
potem znów ciemno,
potem wracają znów na Kamienną.

Kochankowie z ulicy Kamiennej,
Agnieszka Osiecka

– Dwa, sześć, trzy, pięć. – Do kontuaru oficera dyżurnego podbiegł niewielki mężczyzna lisek w odblaskowej kurtce z kreszu pamiętającej na żywo zaczeskę Lou Reeda typu „alf" i wytrajkotał rząd cyfr, jakby podawał kod PIN.

– Zaraz, to nie piekarnia – rozległo się z dyżurki. – Sześć, trzy co?

Lisek powtórzył bezbłędnie matematyczną litanię, a potem uciekł, jakby go gonili.

Zbigniew Naumowicz wymienił spojrzenie z siedzącym obok młodzieńcem, który na kolanach trzymał pudełko po notebooku, w ręku zaś branżowy magazyn protetyki stomatologicznej otwarty na temacie numeru: *Zatrzymane dolne zęby trzonowe drugie*. Zbigniew natychmiast odwrócił wzrok, gdyż nieopatrznie rzucił też okiem na zdjęcia zgniłych zębów, pokiereszowanych szczęk i sączącej się z leczonych ran krwi. Wszystkie fotografie wykonano w niebieskim świetle jarzeniówek szpitalnych, na tle różowej jamy ustnej.

Poczekalnia komisariatu była pełna. Krzeseł tylko cztery. Zbigniew zajął swoje przed dziesiątą i dopóki go nie wywołają, nie zamierzał nikomu zwalniać miejsca. Naprzeciwko miał Syryjczyka z tłumaczką, oboje tak niewielkich rozmiarów, jakby mieli po kilkanaście lat i byli rodzeństwem. Z rozmów zorientował się, że cudzoziemiec ma kłopot z dokumentami. Za ich plecami stał facet w szarym garniturze, z kluczykami do nowiutkiego audi, którymi się ostentacyjnie bawił. Dalej szczerbata blachara z foliową torebką udającą jakąś znaną markę; człowiek o miękkich nogach i żółtej czuprynie przytrzymywany przez konkubinę, która wyglądała jak jego matka i co jakiś czas wychodziła na papierosa (wtedy zostawiała Żółtaszka, jak ochrzcił go Zbigniew, wciśniętego między szczebelki kaloryfera, by się nie osunął po ścianie). A także cały zastęp starych wariatek, które słyszały głosy, dostawały listy o popełnionych zbrodniach w Głogowie, Rykach i Narewce, gdziekolwiek to było. Wyglądały zwyczajnie. Były schludnie ubrane. Dopiero po pięciu minutach nakręcania się można było się zorientować, że to schizofreniczki. Jedna nawet przyjechała z zagranicy, by zgłosić, że pan prokurator groził jej śmiercią i zadenuncjował jej syna do urzędu skarbowego. Ponoć całą noc spała w samochodzie, a jeszcze musiała dziś wrócić do Los Angeles, by odebrać wnuka z przedszkola. Wszystko to było na tyle ciekawe, że dopiero w trzeciej godzinie oczekiwania Zbigniew domyślił się, że „gajer" jest z ambasady, Syryjczyk zgubił dokumenty, a raczej mu je niby ukradli, Żółtaszek zaś jest tutaj wbrew swojej woli, gdyż konkubina domaga się, by się przyznał do winy i ją przeprosił.

– Ile to jeszcze potrwa? – Ambasador spojrzał na plastikowy zegar i prychnął, kiedy znów usłyszał od dyżurnego, że jeszcze kolejne dwie godziny.

Najchętniej, jak wszyscy płci męskiej w tym pomieszczeniu, przesiadłby się obok czwartej użytkowniczki krzesła, ale to miejsce zajmował Zbigniew. Rzucał więc w kierunku kobiety nie do końca dyskretne spojrzenia. Ta zaś była urody miłej dla oka, ale Zbigniew nie odważyłby się nazwać jej śliczną. W żadnym razie nie chodziło o wielką krostę na czole, która niweczyła gładkość jej twarzy, ani też siatkę zmarszczek wokół oczu, które zdradzały jej wiek średni. Po prostu była jakby poza czasem, ani ładna, ani brzydka. Ale patrzenie na nią było doświadczeniem kojącym w tym grajdole. Ubrana jak kiedyś ubierały się porządne kobiety – w bordowy wełniany płaszcz z futrzanym kołnierzem, gładkie kozaczki na niedużym obcasie i beret z antenką, do którego przymocowała starą broszkę. Co miała pod spodem, Zbigniew nie widział, bo odkąd tutaj razem zasiedli przed dziesiątą, nie rozpięła nawet jednego guzika, nie rozwinęła apaszki z szyi. W ręku trzymała *Żar* Sándora Máraia i zatopiła się w lekturze, jakby świat zewnętrzny nie istniał. Zbigniew choćby za ten tytuł polubił kobietę, a nawet gotów byłby się z nią ożenić, gdyby był młodszy, gdyż nie każdy doceniał piękno tej opowieści. Dawniej za pomocą tego właśnie dzieła wybitnego węgierskiego pisarza testował ludzi. Ktoś, kogo nudziła ta ciasna opowieść, nie był godzien mienić się nikim więcej niż znajomym Naumowicza. Ładna natomiast zyskiwała kolejne punkty, gdyż czytała Máraia w oryginale.

Znów kogoś wprowadzono do śluzy, ktoś wyszedł, ale miejsca w poczekalni wcale nie przybyło.

– Sześć, dwa, jeden, jeden. – Podbiegł kolejny szalony matematyk.

Miał czapkę w dłoni, kiedy meldował PIN, a potem zniknął, jak każdy z nich. Tego dla odmiany dyżurny nie zrugał, choć wyglądał znacznie dziwniej niż Lou Reed w butach na koturnie i twarzy pożyczonej od Artura Barcisia, ale jak się potem okazało, facet przyjechał na komendę kolarzówką.

Trzasnęły drzwi prowadzące do śluzy. Cała sala zamarła. Wychyliła się gruba policjantka w błękitnym swetrze z włochatej dzianiny. Podniosła kajet i wyczytała rodzaj przestępstwa, z jakim zgłaszał się do oficera delikwent. Sprawcy i podejrzani mieli rzecz jasna pierwszeństwo. Ich wprowadzano na komisariat bez kolejki, w obstawie, choć, co ze smutkiem stwierdził Zbigniew, rzadko w kajdankach. Reszta petentów kiblowała tutaj od rana i nic nie zapowiadało, że coś się poluzuje.

– Kradzież laptopa – huknęła na cały głos funkcjonariuszka.

Wszystkie oczy skierowały się na człowieka, który zwalniał krzesło obok Zbigniewa.

– Garaż podziemny? Wartość mienia? Świadkowie, zdjęcia, dowody? – Policjantka wypytała mężczyznę na korytarzu i zanim poszkodowany schował się w śluzie, każdy z uczestników tutejszej imprezy znał sprawę, z jaką ktoś inny wcześniej przyszedł.

Zanim młody protetyk zebrał swoje zabawki, pudełka, gazetki i odzienie, Zbigniewa owionął zapach mocnej wody kolońskiej, wolne miejsce obok zaś zajął Ambasador.

– Nie ustąpisz kobiecie? – naburmuszył się Żółtaszek.

– Daj spokój, Oli – łagodziła konkubina.

– Taki wygalantowany, że musi siedzieć – kwękał. – Pan nie widzi, że kobiety stoją?

Ambasador tymczasem odwrócił się do okna i dalej bawił się kluczykami.

– Cicho tam, Gidyński! Bo na dołek wrzucę! – padło z dyżurki.

Wtedy poderwała się kobieta z książką. Wskazała swoje miejsce przyjaciółce Żółtaszka-Oliwiera.

– Proszę, niech pani skorzysta.

Konkubina Gidyńskiego machnęła tylko ręką.

– Ja zaraz i tak wyjdę zapalić. On zawsze tu taki nerwowy. Wspomnień nie ma najlepszych.

Ale nie wyszła już ani razu.

– A pani do jakiej sprawy? – zagaiła uprzejmie.

– Ja? – Kobieta z książką rozejrzała się i spłoniła uroczo aż po czubki lekko spiczastych uszu, kiedy zorientowała się, że wszyscy jej teraz słuchają. – Na Allegro kupiłam kilka rzeczy i zostałam oszukana.

– Nie przysłali? – dociekała prawie Gidyńska.

– Gdzieżby! Przysłali rzeczy niezgodne z opisem, więc odesłałam. Ale poza poniesionym kosztem nie otrzymałam zwrotu pieniędzy.

– Pani żartuje!

– Mało tego, musiałam zapłacić za zwrotne przesyłki! – oburzała się dalej kojącym głosem ofiara zakupów on-line.

– Zawsze wiedziałem, że to banda oszustów, te internety – wtrącił się Gidyński.

– Kradzież dokumentów! – padło zza śluzy. Policjantka musiała zmarznąć, spisując zeznania dzisiejszych poszkodowanych, bo na sweter narzuciła teraz jeszcze bardziej włochate poncho. Tak w żeńskiej wersji musiał wyglądać niebieski potwór J. Sullivan.

– Pan i pani. – Wskazała palcem małych Syryjczyków. Nagle dostrzegła Gidyńskiego. – Gwałt? – Wymierzyła palec w jego konkubinę. – To pani dzwoniła dziś rano?

Kobieta głośno się roześmiała.

– Tyle szczęścia to ja w życiu nie mam.

Podszedł Ambasador. Ale nie zdążył się włączyć do dyskusji, bo policjantka wymierzyła do niego z podkładki na dokumenty i rzuciła władczo:

– Pan czeka. Nie jestem ośmiornicą.

– To mogłoby być ciekawe – mruknął Zbigniew.

– Pani stąd idzie – szepnęła tymczasem konkubina Gidyńskiego do kobiety z książką. – Nic pani nie wskóra. Lepiej już zawołać chłopaków z Piwnej. Jeden telefon i cała kwota wróci wraz z odsetkami.

– Co pani? – oburzyła się kobieta. – Mam prawo złożyć doniesienie. Moja strata niewielka, ale ci oszuści działają dalej. Są bezkarni.

– Na ile panią oszukano?

Kobieta wyciągnęła z teczki dokumenty.

– W sumie jakieś pięćset złotych.

– Wie pani, że Rosłoniowa nawet nie spisze zgłoszenia. Tak zakręci, że sama się pani wycofa. Każe pani iść do sądu. Walczyć w cywilnym. Bez szans.

– Żyjemy w państwie prawa.

Konkubina machnęła ręką.

– Trzymaj się, dziewczyno, od tego miejsca z daleka. Dobrze radzę.

– Wyłudzenie. – Włochaty potwór znów otworzył furtkę transferową.

Zbigniew się podniósł.

– A ja kiedy? Moja sprawa jest poważna.

– Nie ma prowadzącego. – Policjantka wzruszyła ramionami. – Wciąż przesłuchuje.

– Zięć załatwił nagrania. Wszystko wam dałem! – zbiesił się Zbigniew. – Jak wy zbirów łapiecie, jak pracujecie, skoro wszystko macie na tacy, obywatele za was sprawy wykrywają, a wy nawet przesłuchać poszkodowanego nie możecie. I to po trzech dniach!

– Mam pana na uwadze – odparł niebieski potwór zwany Rosłoniową i powtórzył jak automat: – Proszę czekać albo przyjść jutro rano.

Zbigniew wstał. Zerknął na krzesło, na którym wysiedział pół dnia, a potem zerknął za okno i się przeraził. Było już całkowicie ciemno. Podszedł do kontuaru, gdzie dyżurny wypełniał jakieś tabelki.

– Tak? – huknął, nie podnosząc głowy znad papierów.

– Trzeci raz przychodzę, żeby wskazać złodzieja – zaczął bardzo uprzejmie.

– Jeszcze ze dwie godziny najmarniej – powtórzył swoją mantrę oficer.

Co chwila coś mu przerywało. Odbierał zgłoszenia, wydawał dyspozycje.

Podbiegł kolejny matematyk.

– Trzy pięć dwa zero – rzucił.

Dyżurny wbił numery do jakiejś maszyny, zanotował je w kajecie i siorbnął kawy.

– Najlepiej przyjść przed szóstą. Prawie nie ma wtedy ludzi. Nic nie poradzę. Kolejka jest. Demokracja. Każdy jeden ma sprawę niecierpiącą zwłoki.

– Chuj ci w dupę – rzucił Zbigniew i odwrócił się na pięcie, po czym głośno trzasnął drzwiami.

Dopiero na schodkach zastanowił się, co zrobił. Ale zaraz wybiegł do przedsionka Żółtaszek. Był zaskakująco żwawy, już się nie słaniał. Poklepywał staruszka po plecach i łasił się. Za nim wyleciała jego konkubina.

– Zuch, dziadku. To mi się spodobało. A z kim masz kosę? Za co cię wzięli?

Zbigniew ocenił wartość obojga i postawił ostatecznie na panią Gidyńską.

– Gdzie mieszkają ci chłopcy, co ich pani reklamowała tej młodej damie?

– Dwa domy od nas, na Piwnej. – Uśmiechnęła się do Naumowicza.

Zbigniew sięgnął do kieszeni i wyciągnął banknot.

– Zapłacę za fatygę, a chłopcom za dobrze wykonaną robotę – zapewnił.

Gidyński już sięgał po banknot, już go prawie miał w garści, kiedy znikł mu z oczu i pojawił się w dłoni jego kobiety.

Na twarzy Gidyńskiego malował się teraz wielki zawód. Natomiast kobieta odpaliła kolejnego papierosa, wcisnęła pieniądze Naumowiczowi do kieszeni i rzekła:

– Chwila, moment. Sprawdzimy tylko, czy to prawda, że zatrzymali nam synka do tego pożaru.

– Przecież go wzięli – jęknął Gidyński. – Pytanie tylko na ile. Wanda widziała.

Zaśmieli się oboje.

– Wanda widzi wszystko, nawet to, co się nie wydarzyło. Idź, tatko – zachęciła konkubenta kobieta. – Wyciągnęła rękę do Zbigniewa. – Wiki jestem. A ten pijak to Oliwier, mój hasbend czy coś koło tego. Ale przed panią w łańcuszku tośmy nie ślubowali. Dzieci mamy razem, zapisane w urzędzie. Kiedyś to był najładniejszy chłopiec na Bałutach. To było chwilę temu – zaśmiała się.

– Zbyszek Naumowicz – przedstawił się i cmoknął Wiktorię w dłoń.

– To ciebie skroili wczoraj na pół banieczki na Zemście Jednorożców?

Zbigniew zacisnął usta, ale potwierdził niezaprzeczalny fakt. Wyglądało na to, że trafił w dobre ręce.

– Ile odpalisz?

– Zależy, ile pani odzyska – odparł z naciskiem na „pani".

– Mój chłopiec dałby radę całość z odsetkami. – Odwróciła się. – Ale jak go wzięli, pójdziemy do kogo innego. Wtedy gwarancji nie daję.

– Tam jest pani syn? W areszcie?

– Wiktoria, jeśli już. Żadna ze mnie pani. – Znów pstryknęła zapaliczką. Skierowała paczkę tanich papierosów w kierunku Zbigniewa. Wziął jednego, powąchał i włożył do ust, ale zakrztusił się już po pierwszym machu.

– Mam nadzieję, że to podpucha starej Środowej, ale kto to dzisiaj może wiedzieć. Sąsiadka siostry od lat donosi na mnie na psiarnię. A Wieśka się nią opiekowała. Dupę jej myła, zakupy targała. Taka zapłata.

Przerwała, bo z komendy wybiegła właśnie zapłakana kobieta w bordowym płaszczu. Kołnierz z futra odpiął się i wisiał smętnie, apaszka wysunęła się z kieszeni. Zbigniew zarejestrował, że pod spodem kobieta nosi zgrzebną sukienkę z kołnierzykiem, jak wzorowa uczennica uszykowana na egzamin. Márai gnieździł się pod pachą, dokumenty były pomięte. Pakowała je teraz ze złością do torby. Rozmazany pod oczami tusz nie przydawał jej uroku.

– I co, kochaniutka? – zaćwierkała Wiktoria. – HWDP?

– Miała pani rację – przeklęła w odpowiedzi zapłakana, ale swoim piskliwym głosikiem tylko wszystkich rozbawiła. – Za chwilę muszę być w pracy.

Zbigniew pokiwał głową.

– Pani jedzie z nami – zaproponował i machnął na taksówkę, ale jakoś żadna nie chciała się zatrzymać. – W kupie siła. Mnie też nic policmajstry nie pomogły, a mam tutaj nagranie z monitoringu. – Poklepał się po kieszeniach. – Sam łachudrę znajdę. Z pomocą pani Wiktorii, ma się rozumieć.

Puścił oko do miłośniczki Máraia.

– Tylko papiery przerzucają – przytaknęła grzeczna. – Kazała mi do sądu iść. I to cywilnego! Podobno nie dotrzymałam czternastodniowego terminu na zwrot. Przecież to jest jawna kradzież!

Wreszcie zatrzymał się obtłuczony wóz z przetartym tygrysem na siedzeniach.

– Bez rachunku – krzyknął kierowca, a potem zauważył kobietę Żółtaszka. – Siema, Oliwierkowa. Całuję rączki. Gdzie trza?

– Czekaj na nas, bo starego wcięło – rzuciła do niego Wiktoria i ruszyła po konkubenta. Ten już jednak wytaczał się z komendy wielce zadowolony.

– Cybancik czyściutki. Fałszywy alarm. Wyszedł ponoć ze szpitala. Szukali go do przesłuchania na Widzewie, ale ulotnił się z OIOM-u i jeszcze zakładnika wziął.

Po czym ucałował Wiktorię w sam koniuszek nosa.

– Moja kochaniutka. Takiegoś pięknego synka urodziła.

– Toż on nie mój! Kuzyn przyszywany. Ale fakt, na Bałutach to każdy niby własny – huknęła kobieta i dodała:
– A dozór odhaczyłeś?

– A żem zapomniał. – Oliwier odwrócił się na pięcie, rozwarł na oścież drzwi i krzyknął przez całą poczekalnię rząd cyfr. – Bydzie?

– Idź, bo psami poszczuję – odparł życzliwie dyżurny. Widać im mniej godzin do końca służby, tym bardziej stawał się przyjazny. – Widzimy się za tydzień, pijaczyno.

– Niech ci Bóg w dzieciach wynagrodzi, platfusie. Tfu – splunął za siebie. – Bo jeszcze jakie szpotawe wyjdą.

Dyżurny tylko się zaśmiał. Do kontuaru podszedł tymczasem kolejny delikwent, zdjął puchową kamizelkę. Pod spodem miał policyjną kurtkę.

– Co jest, Szczepek?

– Doniesienie chciałem złożyć.

Dyżurny wybuchnął serdecznym rechotem, ale natychmiast umilkł, ponieważ przy kontuarze stała już naburmuszona matrona w futrze. Wyglądała na przyzwyczajoną do wydawania rozkazów. Bez ceregieli położyła na blacie czerwoną kopertówkę, odchrząknęła i już otworzyła usta, by wydać polecenie, lecz dyżurny wstał i momentalnie zmienił się we wzorowego brata łatę pechowego aspiranta.

– Znowu sensory ci zaiwanili? – Przekrzywił głowę, przywdziewając na twarz minę dobrego wujka.

– Trzy miechy, jak pracuję, i cztery sensory szlag trafił – jęknął młody policjant.

Wyglądał, jakby za chwilę miał się rozpłakać. Dyżurny wcisnął odpowiedni guzik pod blatem. Furtka transferowa się otworzyła. Młody funkcjonariusz niepewnie ruszył w jej kierunku.

– Idź do Zośki, pod piątkę. Tej rudej – pośpieszył z wyjaśnieniem dyżurny i dyskretnie pokazał rozmiar jej biustu, a potem zamiast kąśliwej uwagi rzucił kilka słów pocieszenia: – Skopiuje z poprzedniego zgłoszenia. Dwie minuty i po sprawie.

– I tak właśnie oni działają – mruknęła Wiktoria. – Dobrze, że własnego fiuta z domu nie zapomniał, boby się odlać nie mógł.

Kiedy cała czwórka ruszała w kierunku taksówki, słyszeli jeszcze piskliwy głos matrony w futrze:

– Moje nazwisko Konowrocka.

– Dzień dobry, pani mecenasowo. – Wyprężył się dyżurny. – Pani coraz młodsza.

Kobieta nie zareagowała na tani komplement. Wyjęła z miniaturowej torebki puzderko w podartej różowej krepinie.

– Chciałam złożyć zawiadomienie o zaginięciu.

– Domniemywam, że był tu jakiś arcycenny drobiażdżek. Czy tak?

311

Kobieta nabrała powietrza, a potem zaczęła chaotycznie opowiadać:

– Mąż zakupił to przed świętami. To chyba miała być niespodzianka. Pojechałam dziś do kancelarii. W pokoju aplikantów znalazłam kwiaty, w lodówce potrawy świąteczne, kalosz męża w progu, porzucony ot tak, w bezładnej pozycji oraz puste to to. – Przesunęła w kierunku policjanta aksamitne puzderko.

Funkcjonariusz nachylił się, raczej udając zainteresowanie, niż przejmując się zgłoszeniem kobiety. Na sobie miała wiele takich błyskotek. Jedna mniej, jedna więcej. Nie sądził, że mogło to robić jakąś różnicę.

– O! A ile było warte to cacko?

Konowrocka zmierzyła funkcjonariusza zimnym spojrzeniem.

– Żądam spotkania z komendantem. Dziś mija trzecia doba, jak mąż nie wrócił na noc, nie odezwał się. Podejrzewam, że został uprowadzony.

Ale tego Wiktoria, Zbigniew i reszta ekipy już nie słyszeli. Jechali właśnie taksówką do domu Wiki i Oliwiera, by ustalić szczegóły operacji „Piotr Próchno".

– Cybancik, tu ciocia – zaćwierkała przez telefon Wiktoria, kiedy dojeżdżali na Piwną. – Klienta mam na procent. Na psiarni go spławili. Nie dopuszczam takiej możliwości. Ptysiem zajmuje się Renatka. Daj jej szansę. A Zbychu to nasz nowy przyjaciel.

Zbigniew pokiwał głową i rozsiadł się wygodniej. Coraz bardziej mu się te przygody podobały.

– Zorro wymierzył mu sprawiedliwość. Tak myślałam, że się ucieszysz. Ścignij łamagę, bo szkoda człowieka. Nasz chłop.

Odłożyła słuchawkę.

– Dziesięć procent dla mnie i dwadzieścia dla synka. Kosztami możesz obciążyć Błażeja.

– Błażeja?

Wiktoria roześmiała się dobrotliwie i znów wyjęła papierosy.

– Spokojnie, dziadku. Wiemy kto, za ile i gdzie. Już chłopcy do niego pojechali. Zorro lewiznę zrobił, Ptyś go rozliczy. Chyba nie myślałeś, że w Łodzi da się jeszcze kogo anonimowo skroić. A tak na marginesie, chcesz wiedzieć, kto cię wystawił? Bo czasem to jest informacja niewarta żadnych pieniędzy.

– A jeśli wolno spytać, czym się pani zajmuje tak na co dzień? – zagwizdał z podziwem Zbigniew. – Bo chyba nie haraczami. Za delikatna pani na taką robotę – skłamał.

Wiki się zamyśliła.

– W sztuce robię – odparła po długim namyśle.

Taksówkarz się odwrócił.

– To wielka artystka jest! Wielka!

– I niezrozumiana – zaśmiała się Wiktoria.

Podała mu swoją wizytówkę. Była przezroczysta. Zbigniew musiał ją podnieść pod światło, aby cokolwiek odczytać: „...artysta plastyk, wideoperformer”.

– Oboje w sztuce robimy. – Żółtaszek objął konkubinę i pokazał poranione dłonie. – Ona lata do Nowego Jorku na wernisaże, a ja ciupagi góralskie walę na sztuki. Mam mały zakład w szopie za domem. Dziennie maszyna wypluwa trzysta, czterysta egzemplarzy. W hurcie za dychę opylam. Potem turysty je na Krupówkach kupują, że niby ręczna robota. Górale za leniwe są na stanie przy tokarce.

– I z tego, mój drogi Zbigniewie, żyjemy. – Uśmiechnęła się Wiki. – Ile sztuki, tyle hajsu.

– Pan się tutaj zatrzyma – odezwała się pierwszy raz zapłakana Ładna.

Nagle wszyscy przypomnieli sobie o jej istnieniu.

Taksówkarz zerknął na współpasażerów. Nikt się nie odzywał. Kobieta otworzyła torebkę i zaczęła szukać w niej portfela.

– Nie trzeba – powstrzymał ją Zbigniew. – Rozmyśliła się pani?

– Ja jednak nie chcę nikogo krzywdzić. Nie będę nasyłać im oprawców do domu, nawet jeśli sobie zasłużyli – odparła ze łzami w oczach. – Bóg ich ukaże.

– O, z pewnością. I powracająca fala zmiecie w pył – zakpiła Wiki, po czym ze złością zgniotła w ręku pustą paczkę po papierosach. Wyciągnęła rękę. – Miło było poznać.

Kobieta wyszła bez pożegnania, jakby wstydziła się tego towarzystwa.

– Doniesie? – szepnął Zbigniew, ale Wiki tylko się zaśmiała. – Już jesteś nasz, Zbychu. Równy z ciebie ziomuś.

– I dodała, patrząc, jak sylwetka kobiety niknie w Staromiejskim Parku: – Zawsze szkoda mi takich dobrych dziewczyn. Klasyczny syndrom ofiary. Dlaczego matki nie uczą swoich córek, że świat nie składa się z samej tęczy? – Posmutniała.

– To się nie składa? – zdziwił się szczerze Oliwier-Żółtaszek.

– Faceci mają odwrotnie – fuknęła mu w odpowiedzi Wiki. – Dopiero około czterdziestki widzą pełną paletę barw. Szans, możliwości, celów do osiągnięcia. Różnica polega na tym, że w tym wieku większość kobiet nagle się dowiaduje, że ta tęcza z bajki, w którą od dziecka wierzyły, to złudzenie optyczne i wszystko tak naprawdę jest po prostu białe. A jeśli ma być kolorowe, trzeba samemu to sprawić.

– Demonizujesz – próbował ją pocieszyć Zbigniew.

Wiki pierwszy raz spojrzała na niego z szacunkiem.

– Mówię nie tylko o sobie. Życiu trzeba stawiać warunki. Żądać, rozliczać i egzekwować, a jeśli jest konieczność, karać.

– Jestem za – zgodził się Zbigniew. – Wolę tę filozofię niż czekanie na karę boską, apokalipsę czy inne fale.

– To się Cybant ucieszy. – Oliwier zatarł ręce.

– Cybant? – zmarszczył się Zbigniew. – Znam tę ksywkę i jednego człowieka, który mi do niej pasuje.

Ale nie rozwijał tematu, bo nagle wszystko wydało mu się relatywne. W mieście bezprawia rządzi ten, kto ma najcięższą pięść. Będzie kasa, zakopią z Orkiszem topór wojenny. Zbigniew był gotów na nowy sojusz. Chyba najwyższy czas dołączyć do grona Zorro, Rumcajsów i innych łódzkich Janosików. Miał już dosyć bycia frajerem.

Bernadetta Inglot była już bardzo spóźniona. Wyjęła z kieszeni stary zegarek na dewizce i sprawdziła, czy powinna dzwonić do szefowej, by wyznaczyła zastępstwo do oprowadzenia wycieczki. Do Parku Ocalałych miała jeszcze jakiś kwadrans, jeśli dalej będzie szła w tym tempie. Jeśli ruszy truchtem – spóźni się kilka minut, zacznie biec – zdąży na czas. Lata temu ślubowała jednak – dokładnie w dniu, w którym prysły jej marzenia lekkoatletyczne – że nigdy, przenigdy nie puści się więcej biegiem. Nie biegała do autobusów. Pozwalała, by uciekł jej tramwaj, na dworce kolejowe i lotniska docierała zawsze pół godziny przed czasem. Nigdy nigdzie się nie śpieszyła. Wolne, spokojne życie bardzo jej odpowiadało. Jeśli coś miałoby się wydarzyć przedwcześnie, wolała, by umknęło jej sprzed nosa, niż miałaby gnać na złamanie karku. Do dziś. Przez swój cholerny upór, by być praworządna i honorowo zgłosić zakamuflowaną kradzież na policję, teraz była zmuszona rzucić się w miarowy kłus, a potem regularny galop. Bieganie kiedyś sprawiało jej wiele radości. Bardzo szybko unormowała początkową zadyszkę i już po chwili w jej organizmie zaczęły wydzielać się endorfiny. Miarowy rytm, odklejenie od rzeczywiści, cudowne kołysanie całego ciała. Rozpłynęła się w znajomej przyjemności.

Przecięła truchtem wciąż pachnący nowością, zbudowany zaledwie przed trzynastoma laty park upamiętniający osoby, które przeszły przez getto Litzmannstadt. Zgrabnie wyminęła kilka ostatnich świerków, numerowanych oraz osobiście posadzonych przez ocalałych z Holokaustu w czasie drugiej wojny światowej, a następnie przekroczyła most nad Łódką i ruszyła alejką Arnolda Mostowicza wysadzaną imiennymi tabliczkami ocalałych. Tam się zatrzymała. Pozdrowiła uśmiechem Karskiego, który patrzył na park ze swojej ławeczki na kopcu usypanym pośrodku parku, i znów, już bardzo wolnym krokiem, weszła na brukowany trakt, na którego końcu w pełnej okazałości widniał oszałamiający architektonicznie budynek Centrum Dialogu, gdzie pracowała.

Nie była Żydówką, jak zresztą większość ekipy instytucji kulturalnej, która zajmowała się zbieraniem i archiwizowaniem materiałów dotyczących łódzkiego getta i historii z nim związanych. Robili różne akcje mające na celu ocalenie od zapomnienia historii dotyczących łódzkiego getta. Jego mieszkańcy przez całe lata zmuszani byli do morderczej pracy na rzecz Niemców. Szef administracji żydowskiej Chaim Rumkowski do końca przekonywał, że kolaboracja z okupantem pozwoli łódzkim Żydom przetrwać wojnę. Do łódzkiego obozu pracy transportami przewieziono Żydów z Austrii, Czech, Luksemburga, Rumunii, Węgier i likwidowanych gett z Kraju Warty. Żydzi szyli niemieckie mundury, odlewali broń i amunicję na potrzeby swojego tyrana. Z getta sukcesywnie usuwano dzieci i starców, a potem też chorych, umierających. Nikt, kto nie nadawał się do pracy, nie miał prawa przebywać w Litzmannstadt. Wszystko na próżno. Getto zostało wyizolowane z miasta jako pierwsze w kraju, zlikwidowane zaś jako ostatnie pod sam koniec okupacji.

Ani Bernadetcie, ani jej rodzinie nigdy nie przeszło przez myśl, że jej praca może wiązać się z ryzykiem, choć bywało, że w towarzystwie zadawano jej tendencyjne pytania. Antysemityzm w Polsce kwitł. Mogłaby wydać na to certyfikat. Po pewnej dawce alkoholu okrutne żarty o Żydach krążyły przy stole nawet wśród starannie wykształconych biesiadników. Bernadetta zawsze okazywała swoje oburzenie. Dlatego też wielu miało ją za przechrztę, choć od dziecka chodziła do kościoła i swego czasu, właśnie po lekkoatletycznej porażce, zamierzała wstąpić do klasztoru. Mniszką nie została, uciekła przed habitem jeszcze w nowicjacie, ale dobrze znała dramat wykluczenia. Dlatego teraz całe swoje serce wkładała w tę pracę. W to, by świat nigdy nie zapomniał o krzywdzie uczynionej narodowi żydowskiemu przez popleczników Hitlera.

– Ludzie, my wszyscy, mamy nieograniczoną moc czynienia dobra. I nieograniczoną moc podążania za złem. Mamy wybór – mówiła teraz po angielsku do mieszanej wycieczki, która zebrała się przed wejściem do budynku.

Cudzoziemscy turyści stali pod parasolami, ponieważ pogoda była pod psem i nieustannie siąpił deszcz. Bernadetta wiedziała, że większość starszych osób może mieć łódzkie korzenie, choć w ich paszportach pyszniły się różne flagi nie tylko państw europejskich. Stali wpatrzeni w horyzont parku i tylko czasem spoglądali na nią oraz w foldery, które trzymali w rękach. Nastolatkowie, jak zwykle, regularnie rozrabiali. Czas wojny to dla nich okres porównywalny do ery mezozoicznej. Nudzili się jak mopsy i robili sobie selfie telefonami umieszczonymi na

długich patykach. Być może zostali do tej podróży na-
kłonieni przez krewnych. Z jej doświadczenia wynikało,
że niektórzy muszą dojrzeć do wiedzy. Choć bywa, że
ludziom nawet w wieku średnim nie starcza wyobraźni,
by pojąć ogrom dramatu, jaki stał się udziałem narodu
żydowskiego. Niestrudzenie więc cytowała słowa Jana
Karskiego: – Możemy zdecydować, że będziemy bandy-
tami. Możemy zdecydować, że będziemy dobrymi ludźmi. Bóg pozostawił nam możliwość wyboru. Wielu ludzi
wybrało zło.

Potem ruszyli do kopca i opowiedziała im więcej o Kar-
skim. Ta postać interesowała nawet największych zuchwal-
ców. Co tam Radegast! Nazwa prędzej kojarzyła się tym
dzieciakom z gatunkiem czeskiego piwa ewentualnie bożka
czczonego kiedyś w okolicach Moraw. Z rzadka tylko któryś
kojarzył ją ze stacją Marysin na trasie Łódź Widzew–Zgierz,
skąd 29 sierpnia 1944 roku odszedł do Auschwitz ostatni
transport łódzkich Żydów. Na wyobraźnię młodych Polaków nie działał nawet słynny tunel śmierci, w którym wy-
chowani w wolnej Polsce nastolatkowie mogli na własnej
skórze poczuć, jak to jest iść do komory gazowej. Za to
Karski, właściwie Jan Kozielewski, urodzony w Łodzi, słynny polski łącznik, który narażając własne życie, przedosta-
wał się z okupowanej przez Niemców Polski na Zachód, by
przekazać informacje o sytuacji w kraju, był dla nich jak
postać z książek Fleminga.

– Pojmany, torturowany, usiłował popełnić samobój-
stwo, byle tylko nie ujawnić posiadanych informacji – ciągnęła Bernadetta spokojnym tonem i jak zwykle na tym etapie opowieści zarejestrowała, że młodzież zaczęła wreszcie
jej słuchać. Wciągnęli się w tę awanturniczą historię. Film
zaczął się wyświetlać. Piękny żołnierz państwa podziemne-

go, ceniony za odwagę, uczciwość i roztropność. Polski patriota i, co nadzwyczajne, nie-Żyd. Nasz krajowy James Bond. Facet, którego życie przypominało powieść, choć niestety wszystko wydarzyło się naprawdę.

– Zapisał się w historii jako człowiek, który powiedział światu o zagładzie Żydów, i jednocześnie jako ten, którego świat nie wysłuchał.

– Jak to? – Jeden z młodych schował na chwilę komórkę i oddał koleżance wysięgnik do selfie.

Wtedy odezwała się starsza kobieta. Oczy miała zaczerwienione, choć nie płakała. Zaczęła recytować w jidysz. Ku zdziwieniu Bernadetty młody człowiek rozumiał każde jej słowo.

– Hitler postanowił wymordować wszystkich Żydów w całej Europie. To jest koniec. Polacy mają straty. Polacy cierpią. Wszyscy cierpimy, tylko jest różnica. Wojna się skończy, Hitler zostanie pokonany, twój naród wyłoni się z wojny, a Żydów nie będzie. Taka jest różnica między nami. Nas wymordują.

Zapadła cisza. Ruszyli w milczeniu do budynku.

– To słowa Leona Feinera, przedstawiciela Bundu, do Karskiego.

Dalej Bernadetta opowiedziała o tym, co widział Karski w obozie tranzytowym w Izbicy Lubelskiej, myśląc, że to Bełżec, i co potem opowiadał kolejnych politykom, wielkim postaciom na Zachodzie: Felixowi Frankfurterowi, sędziemu Sądu Najwyższego, a zarazem jednemu z najważniejszych postaci żydowskiej diaspory w Stanach Zjednoczonych, słynnym w owym czasie pisarzom: Wellesowi, Koestlerowi, a nawet samemu prezydentowi Stanów Zjednoczonych Franklinowi Delano Rooseveltowi. O nagich ciałach pozostawionych na ulicach, których nie chowano, bo ludzie nie mieli na podatek. Liczyło się każde ubranie, więc je zdejmowali. Kobiety bez piersi z dziećmi. Dzieci z obłędem w oczach z głodu. Żebractwo, wymiany, każdy oferuje coś na sprzedaż. I strach, cisza, kiedy idą niemieccy oficerowie. Brak człowieczeństwa. Jakieś piekło. I niemiecka pogarda.

Bernadetta zatrzymała się przed wystawą ocalałych. Każda z osób miała na tej tablicy swój krótki życiorys oraz epilog, co dzieje się z nią dziś. Bernadetta zawsze w tym miejscu kończyła wycieczkę i pozwalała ludziom pozostać ze swoimi myślami. Pożegnała się z nimi słowami Karskiego:

– Drugi grzech pierworodny został popełniony przez człowieka na skutek narzuconej sobie niewiedzy, niewrażliwości, interesu własnego lub hipokryzji czy też bezdusznej racjonalizacji. Ten grzech będzie prześladował ludzkość do końca świata.

Kiedy ludzie rozpierzchli się po ośrodku, z końca sali ruszył do niej mężczyzna w pełnym garniturze. Wysoki, raczej zamożny. Miała wrażenie, że gdzieś go już widziała. I to całkiem niedawno. Z jego postawy, sposobu patrzenia i energii, która z niego emanowała, kiedy przemierzał hol, wywnioskowała, że ma do niej jakiś żal. Czuła wrogość, choć im był bliżej niej, tym szerzej się uśmiechał. Ten nieszczery grymas na jego twarzy przywodził jej na myśl kadr z filmu *Maska*. Poczuła niepokój. Ciałem wstrząsnął dreszcz. Nigdy wcześniej nie czuła nic podobnego. To jeszcze bardziej ją przeraziło. Odwróciła się więc na pięcie i znów podbiegła, by schować się w gabinecie, ale dopadł ją w ostatniej chwili pod drzwiami. Bernadetta rozejrzała się po przeszklonym korytarzu. Byli sami.

– Czy to pani uczestniczyła w ostatniej sesji „Żywej Biblioteki”? – rzucił bez wstępów.

Zdziwiła się. Negatywne emocje natychmiast opadły. Pomyślała, że intuicja ją zawiodła. Postanowiła więcej odpoczywać. Centrum Dialogu od trzech lat organizowało projekt mający promować tolerancję i ideę poszanowania praw człowieka. Zamiast sztywnych wykładów na dany temat uczestnicy spotykali się z „żywą książką", czyli z człowiekiem wyróżniającym się ze społeczeństwa. Innym, a więc często wykluczonym, obarczanym stereotypami. Tak naprawdę reprezentującym określone strachy społeczne i uprzedzenia Polaków. Projekt w tym roku nie był realizowany. Nie udało się zgromadzić wystarczających środków. Za to rok temu w ramach „Żywej Biblioteki" można było porozmawiać przez pół godziny z matką samotnie wychowującą dziecko, niewidomą, głuchym, muzułmaninem, osobą ciemnoskórą, matką niepełnosprawnego dziecka, queerem, weganką lub byłą narkomanką.

– Tak – potwierdziła, dumnie podnosząc głowę. – Byłam jedną z „książek".

– Jest pani lesbijką?

– Czy to coś zmienia?

Mężczyzna nie do końca zapanował nad mimiką swojej twarzy. Kącik ust nieznacznie wykrzywił mu się w dół. Wyciągnął kluczyki do auta i kompulsywnie zaczął się nimi bawić. Wtedy Bernadetta przypomniała sobie, gdzie go spotkała. To było dziś, na komisariacie. Siedział obok starszego pana, którego obrabowano na stacji Centrum. Do głowy cisnęły się pytania. Szedł za nią? Jest tutaj nieprzypadkowo? Jak się tu znalazł? Czego chce? Co to dla niej znaczy?

Ale strach minął. Czuła jedynie pogardę. Kolejny bęcwał posługujący się w życiu stereotypami. Nie zamierzała chować głowy w piasek. Wyprostowała się. Wydęła hardo wargi.

– Ma pan z tym jakiś problem?

– Ty żydowska szmato – syknął i wyszedł.

Pół godziny później Centrum zamykano i szefowa pozwoliła też Beni wyjść wcześniej. Przewodniczka zadzwoniła do swojej dziewczyny, ale Zofia nie odbierała. Pewnie jest na zdarzeniu, pomyślała. Albo kogoś przesłuchuje. Wykonała jeszcze jeden kontrolny telefon, lecz ponownie usłyszała głos automatycznej sekretarki. Wiedziała, że Zosia nie ma dziś nocnej służby. Oddzwoni, kiedy będzie mogła. Zdecydowała, że wróci do domu i zrobi kolację. Tak dawno nie spędzały romantycznego wieczoru.

Przestało już padać i nie było wcale mrozu. Z parku Ocalałych wyszła wolnym krokiem na Chłodną. Potem Smugową, do Franciszkańskiej. Od Wolborskiej weszła do parku Śledzia. Zdecydowała, że skróci sobie drogę do placu Wolności i przespaceruje się aleją wzdłuż oczka wodnego do pomnika Mojżesza. Zajrzała do oka śledzia, gdzie teoretycznie można było obejrzeć jedną z podziemnych rzek Łodzi, ale szybka nad kanałem jak zwykle była ublocona i uwalana zgniłymi liścimi. Park był opustoszały. Tylko na horyzoncie majaczyły sylwetki dwóch dresiarzy. Kierowali się do stołów szachowych w dalszej części zieleńca. W oddali rozbrzmiewała muzyka. Chyba rap. Młodzi wyglądali na agresywnych. Krzyczeli coś do siebie, w rękach mieli puszki z piwem. Bernadetta instynktownie obejrzała się za siebie. Poza nią i tymi dwoma w parku nie było nikogo. Nagle poczuła się niepewnie. Przyśpieszyła. Spacer o tej porze to chyba nie najlepszy pomysł. Jednocześnie była przecież w samym centrum miasta. Ze wszystkich stron widać było rozświetlone ulice. Ludzie śpieszyli się do domów. Miasto pulsowało wieczorną energią. Jak nietoperz budziło się do życia o zmierzchu.

Kiedy zza drzewa wyłonił się cień, od razu pomyślała o nim. Szedł w jej stronę tym samym rozkołysanym krokiem jak w Centrum Dialogu. Choć widziała tylko czarną sylwetkę, bo stał pod snopem światła latarni, była pewna, że chce zrobić jej krzywdę. Tym razem nie skończy się na wyzwiskach. Nie odpuści jej. Jego złe zamiary czuła na karku. Pomyślała o śmierci. O tym, że to tylko cienka linia. Choć było zaledwie kilka stopni powyżej zera, nagle zrobiło się jej gorąco. Nie mogła złapać powietrza. Stała chwilę w stuporze, aż wreszcie zdołała cofnąć się o krok.

Nie, nie będę biegła. Drugi raz tego dnia nie złamię zasady, zdecydowała. Zaraz jednak odwróciła się i zrobiła wielki sus po trawniku, do jezdni. Łudziła się, że jeśli oboje znajdą się w pobliżu ludzi, agresor odpuści. Pomyliła się.

Wprawnym chwytem przycisnął ją do tylnej wiaty przystanku, zasłonił usta dłonią i zadarł spódnicę. Rozerwał rajstopy, zdarł majtki. Kiedy poczuła rozdzierający ból, po prostu się poddała. Zacisnęła pięści tak mocno, że aż poczuła w zagłębieniu dłoni coś mokrego. Odwróciła głowę, starając się oddychać nosem. Brakowało jej powietrza. Dusiła się. Słyszała głosy ludzi idących ulicą. Śmiechy, radosne rozmowy, stukot odjeżdżających tramwajów, klaksony. Ktoś krzyczał do telefonu. Jakaś matka wołała swoje dziecko. Szczekał pies. Wiedziała, że od ulicy dzieli ją jedynie szerszy pas trawnika.

Zdawało się jej, że tortura trwa w nieskończoność. Raz za razem rozrywał ją na wskroś, aż wreszcie sam opadł z sił.

Wtedy popełnił błąd. Odsłonił jej usta. Nabrała powietrza i krzyknęła. Nie był to artykułowany dźwięk, raczej dziki wrzask. Nie była w stanie wydusić żadnego słowa. Potem znów zamilkła. Uderzył ją pięścią w skroń, a potem poprawił z drugiej strony. Na chwilę straciła przytomność, a kiedy się ocknęła, zaczął od nowa. Ale spodnie miał już zapięte. W ręku trzymał gałąź. Myślała, że koniec drąga sięgnie do jej wnętrzności i wyjdzie przez gardło. Nie miała już sił krzyczeć. Tylko raz za razem cicho pojękiwała. Ból zlał się w jedno. Czuła miarowe pulsowanie. Nie mogła rozchylić oczu. Coś ciekło jej z nosa, z warg. Pod językiem zaplątał się ząb, zaraz potem drugi. Skupiła się na tym, że nie ma na dentystę, choć była to zupełnie bezsensowna myśl. Już pogodziła się, że umrze, kiedy nagle przestał. Słyszała, jak pada. Zwala się na ziemię obok jej stóp. Ale gałąź została w niej. Niczym pal, na który wbijano kiedyś czarownice. Wtedy zemdlała.

Kiedy się ocknęła, nachylał się nad nią dzieciak o posturze siłacza, w raperskim stroju. Świecił jej w oczy telefonem.

– Obudź się. Żyjesz? – W jego głosie słyszała strach. – Musisz zapierdalać do szpitala.

Zasłoniła usta dłonią ze wstydu, że straciła kilka zębów. Potem zobaczyła swojego oprawcę. Leżał na boku z twarzą obitą na miazgę. Nie ruszał się. Wzdrygnęła się i bojaźliwie odsunęła, ale gałąź wciąż w niej tkwiła. Zacisnęła zęby z bólu. Kiedy je otworzyła, dostrzegła na trawie kluczyki, którymi ten człowiek bawił się na komendzie i potem – w Centrum Dialogu.

– Nie możesz tu zostać – powtarzał młody raper w czapeczce i okularach. – Nie możesz, kurwa.

Wyglądało, jakby przemawiał do Beni już dłuższy czas i tylko ona dopiero teraz odzyskała fonię. Potem wskazał wózek do wożenia złomu, na który drugi, niemal identyczny mięśniak próbował zapakować faceta w garniturze. Zwinął go wpół, jak wozi się dywany, i starał ulokować ciało w przyczepce. Sprawa przerastała go jednak technicznie. Głowa wystawała w każdej pozycji.

– Pomóż mi – poprosiła.

Chwyciła się wiaty. Młody zaś próbował wydobyć z niej kawał drewna. Bezskutecznie. Poczuła tylko, że krew ciekne z niej jeszcze większym strumieniem. Ból był tak straszliwy, że znów zaczęła wyć.

– Ja pierdolę, w co się wjebaliśmy – histeryzował drugi falsetem, patrząc na to, co nadal z niej wystawało, i dodał, chwytając się za głowę: – Spierdalamy, Szadź. Niech się dziwka martwi. Zaraz będą tu pały.

– Nie. – Szadź odwrócił się do ziomka. – To mogła być twoja matka, człowieku.

– Ale nie była! Coś się taki, kurwa, gadatliwy zrobił – jęknął Szron błagalnie. – Pierdolony, kurwa, anioł stróż. Ja pieprzę, co za frajer. Wisi mi, co z tym hyclem będzie. Spierdalajmy!

– On miał samochód – odezwała się Bernadetta. Pokazała wylot ulicy Północnej. – Wyszedł stamtąd. Gdzieś tam zaparkował.

W tym momencie zadzwoniła jej komórka. Kobieta wyjęła z kieszeni aparat i przyłożyła do ucha. Łzy momentalnie napłynęły jej do oczu. Nie była w stanie wydobyć ani słowa.

– Gdzie jesteś, Beniu? – Zofia była rozdrażniona. – Od godziny próbuję się dodzwonić. Nie wrócę dziś szybko. Mamy zgłoszenie.

– Przyjedź po mnie do Śledzia – wychrypiała Bernadetta. – Miałam wypadek. Nie dam rady iść.

Rozłączyła się.

– Ty zapierdalaj do szpitala – Szadź potrząsnął nią – a my gnoja wpierdolimy do Zdrowia i chuj.

– Szacun, bro i dzięki za pomoc – odezwała się, bryzgając na mięśniaka krwią przez szpary po wybitych zębach. Z trudem powstrzymywała się przed kolejnym omdleniem, a następnie dodała stanowczo: – To wy musicie spierdalać. Po tym numerze wjebią was na zawsze do pierdla. Ja się może jakoś uchowam. Tę chwałę biorę na siebie. Stoi?

Wskazała kluczyki do auta gwałciciela. Szadź przeszukał zwłoki. Wydobył portfel z dokumentami.

– Radź se – rzucił i szarpnął kumpla.

Benia zdołała jedynie unieść dłoń i złożyć palec wskazujący oraz serdeczny w uniwersalny znak: „Bujaj się".

Szadź przyjrzał się jej bardziej wnikliwie, a potem uśmiechnął, odsłaniając swoją słynną dwójkę. Wyglądał upiornie, a mimo to Bernadetta poczuła do niego sympatię. Szron z ulgą chwycił wózek i prawie go podniósł, żeby jak najszybciej opuścić miejsce zbrodni.

Kobieta patrzyła za nimi i myślała, że na świecie jest jednak sprawiedliwość. Kiedy jej wybawcy zniknęli z horyzontu, podczołgała się do zwłok. Patrzyła na miazgę zamiast twarzy swojego oprawcy i czuła satysfakcję. Był martwy, lecz nadal nienawidziła go, jak nigdy nikogo na świecie. Bolał ją każdy fragment ciała, każda komórka, ale nie myślała o tym. Oddałaby teraz wszystko za wiedzę, kim był ten gnój. Jak się nazywał. Była przekonana, że to nie był jego pierwszy raz. A potem przyszło jej na myśl, czy w przeciwieństwie do niej on załatwił dziś swoją sprawę na komendzie.

– I chuj śmiertelny wbijam ci w serce – splunęła martwemu mężczyźnie w twarz. – Zemsta nadeszła. I dotrzymałam słowa. Niech płacze mała żmija. Skolopendra ma maczetę w szparze.

Nagle urwała. Odwróciła się gwałtownie. Była przekonana, że ktoś ją obserwuje. Zmrużyła oczy i od strony ulicy dostrzegła zmierzającą w jej kierunku sylwetkę. Kiedy mężczyzna się zbliżył, poczuła, że robi jej się słabo. A potem ktoś ją dźwignął i usłyszała:

– Niech się pani nie boi.

KOMENDA MIEJSKA
PAŃSTWOWEJ STRAŻY POŻARNEJ
w Łodzi, ul. Zgierska 47

ANALIZA POŻARU
dużego – numer ewidencyjny zdarzenia:
0 501 002 –0188
powstałego w dniu 23 grudnia 2015 r.
w budynku mieszkalnym
w Łodzi, przy ul. Ogrodowej 17

Dane podstawowe
Numer ewidencyjny zdarzenia: 0 501 002–0188.
Data zgłoszenia do stanowiska kierowania:
23.12.2015 r.
Prawdopodobna data i godzina powstania zdarzenia:
23.12.2015 r., około godziny 00.30.
Rodzaj zdarzenia: pożar duży.
Przypuszczalna przyczyna powstałego zagrożenia:
podpalenie.
Nazwa: budynek mieszkalny, trzypiętrowy.

Właściciel: Administracja Nieruchomości
„HUY-Development".

Najemca mieszkania nr 261 (pomieszczenia,
w którym powstał pożar): Aleksander Bajtel
Rodzaj obiektu, w którym powstało zdarzenie:
budynek murowany, trzypiętrowy (+ parter).
Przeznaczenie obiektu, w którym powstało zdarzenie:
budynek mieszkalny, wielorodzinny.

**Zauważenie zdarzenia, ewentualne przyczyny
późnego zauważenia**
Zauważenie zdarzenia: około godziny 01.58.
Zgłoszenie informacji o zdarzeniu: o zauważonym
pożarze MSK Łódź powiadomił:
- Pani brak nazwiska osoby zgłaszającej, nr tel.
  519-322-790, płomienie wychodziły już z okien
  mieszkania;
- Pan Borowiecki, nr tel. 571-427-172, płomienie
  wychodziły już z okien mieszkania.
Osoby zgłaszające nie potrafiły określić dokładnie
adresu zdarzenia.
Przyczyny późnego zauważenia: nocna pora, okna
mieszkania objętego pożarem umiejscowione
od strony podwórza, zabite płytą pilśniową.
Rozmiar zdarzenia w chwili zauważenia przez zastępy
PSP: na podstawie rozpoznania wstępnego
dokonanego przez pierwszego KDR o godz. 02.11,
pożar w chwili dojazdu jednostek PSP był w fazie
rozwiniętej, płomienie wychodziły z okien niższych
partii budynku.

Zgłoszenie zdarzenia do stanowiska kierowania:
- pierwsze zgłoszenie wpłynęło w dniu
  23.12.2015 r. o godzinie 02.02.22, nieprecyzyjny
  adres zdarzenia;
- drugie zgłoszenie nieprecyzyjne wpłynęło w dniu
  23.12.2015 r. o godzinie 02.03.09, nieprecyzyjny
  adres zdarzenia.

Sasza przerzuciła kilka stron. Analiza miała ich dwadzieścia siedem.

Rozpoznanie oraz jego wyniki
Rozpoznanie pośrednie: obiekt nie był wcześniej
rozpoznawany w zakresie warunków budowlanych
i instalacji, nie istnieje taki obowiązek.
Rozpoznanie bezpośrednie:
- w chwili przybycia pierwszych jednostek na
  miejsce zdarzenia stwierdzono pożar na strychu,
  trzecim i drugim piętrze (kamienica w lewej
  oficynie, od podwórka), którego płomienie
  wychodziły już z okien mieszkania i sięgały
  trzeciego piętra;
- dostęp do miejsca pożaru był utrudniony ze
  względu na wąskie gabaryty bramy wjazdowej,
  przez które nie przejedzie wóz strażacki,
  zaparkowane samochody, zabarykadowane drzwi
  na klatkę schodową, zalany betonem hydrant;
- w trakcie rozpoznania ustalono, że w budynku
  przebywają osoby, nie tylko w pomieszczeniach
  objętych pożarem, oraz że istnieje bezpośrednie
  zagrożenie życia i/lub zdrowia osób

przebywających w kamienicy lewej oficyny oraz znajdującego się w niej i przy niej mienia;

- droga wyjścia odcięta silnym zadymieniem;
- istnieje jedna brama wjazdowa na teren posesji, brak możliwości wjazdu na wewnętrzny plac budynku, brak możliwości ustawienia drabin mechanicznych i podnośników pożarniczych.

st. kpt. Artur Górecki – z-ca d-cy zmiany w JRG 2:

- zabezpieczenie miejsca zdarzenia,
- wstępne i szczegółowe rozpoznanie sytuacji,
- wykonanie dostępu na klatkę schodową,
- sprawienie drabiny do okna mieszkania objętego pożarem,
- podanie siedmiu prądów wody w natarciu,
- ewakuacja osób poszkodowanych i zagrożonych,
- prace rozbiórkowe.

kpt. Wacław Gintowt – oficer operacyjny MSK:

- szczegółowe rozpoznanie sytuacji,
- koordynacja działań wszystkich służb na miejscu pożaru,
- ewakuacja osób poszkodowanych,
- współpraca z zespołem ratownictwa medycznego.

Dowodzący przejmujący dowodzenie od swojego poprzednika akceptował wcześniej podjęte decyzje. Decyzji ingerujących w przyjęte i realizowane przez poszczególnych dowodzących założenia taktyczne nie podejmowano.

– Akcję przeprowadzono wzorowo – odezwała się Henrietta. – Wszyscy ludzie, którzy wtedy tam byli, są do naszej dyspozycji.

Sasza przerzuciła jeszcze sześć podobnych analiz. W niektórych miejscach były poznaczone markerem. Henrietta podeszła i wskazała numer telefonu oraz nazwiska osób zgłaszających. Przerzuciła plik kartek i znalazła analizę pożaru szczęki handlowej na Zielonym Rynku, zapisaną na zaledwie trzech kartkach. Wskazała numer telefonu podkreślony przez Saszę. Ołówkiem, bardzo ładnym charakterem pisma wykonano dopisek: „publiczny odbiornik telefoniczny – plac Wolności".

– Myślę, że to był jeden z jego pierwszych.

Sasza podniosła dokument. Spojrzała na datę.

– Pięć lat temu. Jesteś wspaniała.

– Nie chwal dnia przed zachodem. – Henrietta wygrzebała ze spisu wydruków niewielką kserokopię billingów dołączoną do akt ogromnego pożaru fabryki klejów, która spłonęła tego lata na łódzkich Kurczakach.

– W tej sprawie też dzwonił z tego telefonu.

Uśmiechnęły się do siebie.

– Musi mieć CB radio – zaczęła Sasza. – Słucha meldunków straży pożarnej. Wie, co i gdzie się pali. To był środek dnia. Był jednym z ostatnich zgłaszających.

Rzuciła papiery na stół.

– Ale z drugiej strony to mógł być każdy.

– Tej budki już nie ma. – Henrietta podniosła głowę. – Usunięto ją kilka lat temu. Ten numer nie istnieje. Sprawdziłam w telekomunikacji.

– To niby jak zadzwonił? Przekierowanie na komórkę?

Henrietta włożyła do ust koniec ołówka, zagryzła.

– Nie mam pojęcia.

– Może taką budkę z numerem można gdzieś kupić? Może je złomują? – strzelała Sasza. – Nikt dziś nie używa tych telefonów. Nie ma tam urzędu pocztowego, muzeum?

Henrietta kręciła głową.

– Ale to on. – Wskazała plac Wolności. – Tutaj ma swoją bazę. Znów podał nazwisko z książki.

– Hersz – odczytała Sasza.

Spojrzała na Henriettę, która tylko wzruszyła ramionami.

– To jedna z moich ulubionych powieści o Łodzi. Abraham Hersz występuje w odpowiedzi na antyżydowską *Ziemię obiecaną*. *Bracia Aszkenazy*.

Sasza zerwała się i wybiegła z pokoju Henrietty do konferencyjnej. Dopadła posegregowanych akt archiwalnych, które godzinę temu wspólnie układały na stołach, by je usystematyzować według nowych hipotez. Zaczęła na chybił trafił przerzucać dokumenty, robiąc przy tym znów potworny bałagan. Henrietta nie zdołała powstrzymać profilerki. W ciągu kilku minut część papierów znów była wymieszana. Im dłużej jednak Sasza szukała, tym było gorzej.

– Czekaj, pomogę ci. – Policjantka starała się ratować sytuację. – Tylko powiedz, czego szukasz.

– Mam! – z triumfującym okrzykiem Sasza wygrzebała zafoliowany i lekko osmalony świstek, który z Cukim znaleźli na Ogrodowej.

– To on napisał. – Wskazała palcem odręczny dopisek „Aszkenazy". – Nie wiedziałam, co to może znaczyć. I patrz tutaj: „Dla ...iny".

– Jakiś poeta wariat? – zdziwiła się Henrietta. – Co nam to daje?

Sasza usiadła, wyciągnęła papierosy, ale zaraz je schowała.

– Co z tym świadkiem, który uratował się z ogniska? – zmieniła nagle temat. – Ten bezdomny.

335

– Wyszedł ze szpitala przed czasem. Nie miał ubezpieczenia. Bał się pewnie, że go podliczą.

Sasza pokręciła głową.

– On go znał. Widział go. Musimy go znaleźć.

– Szukamy go – zapewniła spokojnie Henrietta. – To lump bez adresu. Nie daję żadnej gwarancji.

– Analiza fonoskopijna?

– Nie ma materiału porównawczego, ale... przesłuchałam nagrania. To było upiorne. Mrówcza robota.

– Wiem, jesteś wielka – przerwała jej Sasza i wskazała numery budek telefonicznych oraz telefonów komórkowych, które wyabstrahowała z akt Brzezińska. – Ale twoim zdaniem to ten sam głos?

– Wydaje mi się, że tak – podkreśliła Henrietta. – Choć dobrze by było dać to najpierw ekspertom do oceny.

– Nie na tym etapie – przerwała jej Załuska. – Jeszcze będziemy miały wiele takich głosów do analizy. Nie wolno nam wydawać budżetowych pieniędzy na takie bzdety. Damy, kiedy będzie pewność, że to on.

– A może mieszka w pobliżu placu Wolności? – zasugerowała Henrietta. – Może to jest prostsze, niż nam się wydaje.

– Chcesz puścić ludzi na taki hektar? Jeden kwartał w Łodzi to osiem w Barcelonie. Tylko go spłoszymy.

Wstała. Zaczęła mówić:

– Mamy już bardzo dużo. Działa co najmniej pięć lat. Jest zorganizowany. Czyta książki. Pisze wiersze. Na tym świstku są jego paluchy. Jeździ tramwajem. Prawdopodobnie mieszka w Zgierzu.

– Flaku nie spodoba się ta hipoteza. – Brzezińska się skrzywiła.

– Dlaczego?

– Nic jej nie potwierdza poza twoją, powiedzmy, dedukcją.
Wszedł Borkowski. W jednym ręku miał kebab, a w drugim puszkę z colą. Sasza przełknęła ślinę. Nagle poczuła się bardzo głodna.

– Co nowego?

Kobiety zamilkły.

– Henrietta chce puścić ludzi w okolice placu Wolności – zameldowała Sasza.

– Zwariowałaś? – Cuki omal się nie zadławił. Przełknął i dodał z pełnymi ustami: – Jak Drugi się dowie, będziemy tu wszyscy kiblowali aż do sylwestra.

– To powiedz lepiej, co ty zrobiłeś, bo ja mam potąd słuchania nagrań i analizowania stenogramów pożarniczych. Na razie wciąż jesteśmy w ciemnej dupie.

Sasza zdawała się nie słuchać. Szukała czegoś w komórce. Nagle wstała.

– Gdzie jest biblioteka?

Oboje spojrzeli na profilerkę jak na kosmitkę.

– Na Gdańskiej. Chcesz sobie wypożyczyć kryminał na wieczór?

– Tomik poetycki – odparła Sasza. – Ten wiersz nie był taki zły. Czytałeś?

– Skupiłem się na pobraniu śladów daktyloskopijnych i analizie pisma tej łajzy. A z wierszokletów znam tylko Leśmiana.

– I w zupełności ci wystarczy – pochwaliła go Sasza. A potem wskazała dokumenty. – I co ci wyszło?

– Z paluchów nici, a resztę śladów trafił szlag w wyniku zalania.

– No to bosko – jęknęła Henrietta. – A przecież według pani profiler to tylko pikuś. Na karku mamy jeszcze ten drugi, znacznie poważniejszy wątek.

Sasza zaczęła się ubierać. Cuki dopiero teraz spostrzegł, że zostanie z Henriettą sam. Nie licząc tego składu makulatury.

– Może nam wyjaśnisz? – zaatakował Załuską. – Nie mam na głowie tylko tej jednej sprawy. Przed chwilą Zocha pojechała do trupa. Jakaś dziewczyna w obronie własnej zaciukała zboka.

– O Dżizas. – Henrietta zasłoniła usta dłonią. – A ja od wczoraj zajmuję się taką drobnicą.

Sasza stała w drzwiach, ale w obliczu nowych informacji zawróciła.

– Chciałam sprawdzić, czy Aszkenazy to pseudonim artystyczny. Jest taka grupa poetów, którzy żyją z udziału w konkursach poetyckich. Jeśli jest na tyle dobry, że dzięki swojej twórczości zdobył choć złotówkę, będzie tam jego nazwisko. Jeśli nie, to będzie czas stracony. Każdy dziś może pisać i publikować.

– Niestety. – Cuki połknął ostatni kęs kebabu.

Profilerka nie widziała w ich twarzach entuzjazmu. Wyglądało, że na tym froncie została sama. No cóż, pomyślała, zwycięzcy robią to, czego innym się nie chce. Widzą sukces tam, gdzie inni widzą tylko przeszkody. Ruszyła do drzwi.

– Gdzie to zdobyłeś? – Wskazała opakowanie umazane w sosie. – Bo umówiłam się z Krysiakiem. Miał coś dla mnie sprawdzić.

Cuki wrzucił papierową kulę do kosza i wydał radosny krzyk triumfu, kiedy trafił do celu.

– W Bułgarskiej – odparł. – Ale najlepszy kebab w mieście jest na wylocie na Stryków. Ciposzka się nazywa. Maciej Stuhr zrobił sobie przed nim zdjęcie i wrzucił na fejsa, bo gdyby użył nazwy w skeczu, nikt by mu nie uwierzył.

– Zachęcające – roześmiała się Sasza. – Każę się tam zawieźć.

– Koniecznie wrzuć na insta – zaśmiewał się Cuki.

– A tak przy okazji – mruknęła Sasza – ktoś sprawdził, jak chodzą posty z waszych pożarów w mediach społecznościowych?

– Henia to zrobi – zgłosił Brzezińską na ochotnika Cuki.

– Zaraz zawiozą mnie do Kochanówki* – zdenerwowała się Henrietta.

– Byle na oddział D, to sobie wreszcie odpoczniesz – zaśmiał się Cuki.

– Ale najpierw ciebie odstawię na Tylną** – odparowała policjantka i wymaszerowała z pokoju.

Sasza pokiwała głową.

– Dobra, ja się tego podejmę. Tylko skołuj mi fajnego fejka.

– Jakieś propozycje nazwisk?

– Może być na przykład Karol Borowiecki – zaproponowała. – Tylko daj jakieś mało burackie foto.

– Siajowe u nas się mówi.

– Bardzo mało siajowe. Albo nie, wiesz co, zrób mi dwa. Pójdźmy na całość. Drugie na moje własne nazwisko.

– Żartujesz?

– Dlaczego? Każdy dziś ma konto na Facebooku, nie? Tylko zdjęcie wydrzyj od tego fotografiny, co mnie dopadł przed świętami. Chcę je autoryzować, zanim rozpowszechni wszystkie moje krosty na nosie.

– To sobie możesz sama załatwić. – Cuki wyjął telefon i kliknął klika razy. – Wysłałem wizytówkę. Facet pracuje w „Dzienniku Łódzkim". Będzie miał też dobre zdjęcia pożarów. I gapiów. Kręci także filmy, które wrzuca do sieci.

---

* Kochanówka – szpital psychiatryczny w Łodzi.
** Tam mieścił się najsłynniejszy w Łodzi klub gejowski, już nie istnieje.

– Źle zaczęliśmy. – Błażej spojrzał w lusterko wsteczne.
Jarosław Konowrocki pudrował sobie właśnie zaczerwienione miejsca po odklejeniu taśmy izolacyjnej z policzków. Mimo zastosowania maksymalnie kryjącego podkładu i zapewnień ekspedientki w drogerii, że produktu używają gwiazdy kina i telewizji, by zamaskować wszelkiego typu niedoskonałości, włączając w to blizny po oparzeniach, na twarzy adwokata wciąż widniały czerwone pręgi.

– Już wszystko powiedziałeś, Zorro – syknął mecenas.
– Nie pogrążaj się.
Ze złością wrzucił lusterko do drzwi bocznych auta i zaczął zmywać maskę z twarzy.

– To był bardzo zły pomysł – utyskiwał.
Martwił się, czy zdąży to zetrzeć, zanim dojadą na miejsce. Zamiast korekty wizerunku osiągnął tyle, że był wypacykowany jak jakaś drag queen.

– Dostałem błędne dyspozycje, mecenasie – tłumaczył się dalej kierowca, zadowolony, że Konowrocki wciąż jeszcze z nim rozmawia. – Szef kazał mi zabrać klienta na Popiełuszkę, a pan wszystko zepsuł, dokonując gwałtownego zwrotu w tył.

– Zwrot przez sztag jest możliwy tylko na łajbie, mały – zaśmiał się adwokat, mile połechtany pochlebstwem chłopca na posyłki Ptysia. Przez głowę mu przemknęło, czy nie wziąć Błażeja do swojego zespołu, kiedy dojdzie do wielkiej kulminacji. Ale tylko obrzucił chłopaka spojrzeniem i zdecydował zaczekać z oświadczynami. Nigdy nie wiadomo, co zastaną w Rudzie. – Skup się teraz na drodze. Przyjdzie jeszcze dla mnie czas odpłaty.

Błażej natychmiast umilkł i podkręcił radio. Ela Piotrowska z Eski rozpytywała właśnie lokalnego polityka o strategię rewitalizacji społecznej miasta.

– Zgaś to i zarzuć jakąś muzykę. Byle nie żadne bongo, bongo dla pierdzieli.

– Może być rap?

– Czemu nie? – Adwokat przysunął się do okna.

Byli już w Rudzie Pabianickiej, dzielnicy starych willi żydowskich przemysłowców. Były ulubioną lokacją wszelkiej maści filmowców. W najsłynniejszej z nich David Lynch kręcił *Island Empire*, a w innej, przeniesionej już z Rudy do łódzkiego skansenu, Ted Dekker i Frank Peretti surrealistyczny horror *House*.

Błażej sięgnął do schowka i wyciągnął telefon. Podłączył bluetooth.

– Ale jest grubo – ostrzegł. – I rapuje babka.

– Lubię ostre kobity.

– Tej nie chciałby pan poznać – zaśmiał się Błażej Zorro. – Nagrywkę dopiero co wypuściła. Pierwszy numer z płyty *Chuj wielki i trzy bąbelki* wrzuciła do sieci *for free*. Trzysta tysięcy ściągnięć od premiery. Jest wykurwista! Bestseller, normalnie. Znaczy się, bardzo w dechę.

– Włączaj, zamiast tak pierdolić. Zaraz dojeżdżamy.

Skręcili wreszcie w ulicę Popioły. Na większości budynków nie było numerów. Większość też stała pusta lub była otoczona ochroną, ponieważ właścicielem było miasto

341

i znajdowały się tam obiekty użyteczności publicznej. Dziś, w przerwie świątecznej, poza kilkoma cieciami i szczekającymi psami nie było tutaj prawie nikogo. Dawniej w tej części wydobywano rudę darniową, stąd nazwa miejscowości, która po wojnie została częścią administracyjną Łodzi. To jedna z najstarszych ludzkich osad w tej okolicy. Według archeologów osadnictwo istniało tutaj już cztery tysiące lat przed naszą erą. W 1466 roku wizytował ten rejon Jan Długosz, który wspomina o osadzie hutniczej zwanej Kuźnica Chocianowska, a tak wcześniej, ze względu na liczne kuźnie w okolicy, w których wykonywano lemiesze do pługów, nazywano Rudę Pabianicką. W dziewiętnastym wieku była to osada żydowskich przemysłowców, którzy prześcigali się nawzajem w stawianiu coraz piękniejszych domów. Każdy detal był zdobiony, inkrustowany, wszystkie zaś utrzymane w niepowtarzalnym stylu, nieco gotyckim, niczym małe zameczki z marmuru i drewna. W czasie wojny i tuż po niej teren ten zamieszkiwali głównie Niemcy. Uzbroili wspaniałe domy w jeszcze więcej elementów dekoracyjnych, dokładając do fasad drewniane zdobienia, przeszklenia werand i czerwone dachówki. Pozostawione budynki jednych zachwycały, innych przerażały. Nikogo jednak nie pozostawiały obojętnym.

Samochód zatrzymał się przed piękną, choć mocno zrujnowaną willą. Dół miała murowany. Na wyższej kondygnacji znajdowały się rozległe werandy. Dawniej tworzyły zapewne ażurowy wzór, były w całości przeszklone, a ich okiennice pobielone. Dziś ktoś zabił okna na głucho płytą pilśniową, by nie szalały w nich wichura, deszcz i śnieg, który właśnie pokrywał okoliczne ogrody i niedoskonałości architektoniczne budynku. Zanim adwokat wysiadł z wozu, willa wyglądała jak miniatura zamku złej królowej z bajki o Królewnie Śnieżce.

– Jesteśmy, szefie – podlizywał się dalej Błażej.

Pokiwał się chwilę do rytmu i z żalem wyciszył wierszowane przekleństwa Skolopendry, a następnie sprawdził lokalizację w GPS.

– Hołowczyc mówi, że to tutaj.

Konowrocki podniósł głowę znad telefonu.

– Kim jest ta dziewczyna?

– Jaka dziewczyna?

Konowrocki wskazał na odtwarzacz, w którym wciąż szumiały wulgarne pomruki raperki, i przysunął swój telefon na stronach wyszukiwania internetowego do twarzy Zorro. Z ekranu patrzyły na Błażeja bursztynowe oczy. Twarz kobiety niemal całkowicie zasłaniały pióropusz i silikonowa maska z dżetami. Trudno było też domyślić się kształtu głowy czy koloru włosów raperki, ponieważ kolorowe pióra opadały jej na twarz. Głowę okalał kołnierz z futra stylizowany na ekozebrę. Widać było jednak wąskie usta, które w niczym nie przypominały glonojada Anety, i siatkę mimicznych zmarszczek, po których Konowrocki domyślił się, że kobieta nie jest już młoda. Błażej tylko wzruszył ramionami.

– Nikt nie wie, kim jest ta laska. Dlatego jest na nią taki fejm.

– Idziemy – zarządził adwokat i schował telefon.

– Szef kazał mi czekać – zawahał się Błażej, ale zgasił silnik.

Konowrocki zapiął płaszcz.

– Zaparkuj dwie ulice dalej i przyłaź – rzucił, a następnie ruszył w kierunku dwóch zardzewiałych prętów, na których przed laty musiała być zabytkowa furtka.

Drzwi do willi były zamknięte. Wyjął klucz i dwukrotnie go przekręcił. Klamka ustąpiła po dopchnięciu jej barkiem.

343

Wpadł do środka z hałasem i ze zdziwieniem stwierdził, że wewnątrz nie ma nikogo. Ruszył więc przed siebie, wprost do zejścia do piwnic. Na drewnianych skrzynkach stała dopiero co wygaszona świeca. Wosk był jeszcze ciepły. Obok leżał odręczny rysunek na zgniecionej kartce. Oznaczono na nim ulice Ewangelicką i Pabianicką, schron OC w budynku fabryki ALBA i ściany działowe obiektów. Pod spodem ktoś oznaczył czerwonym krzyżykiem wejście do lochów. Zanim Błażej wszedł do pomieszczenia, Konowrocki zmiął kartkę w papierową kulę i ukrył ją w kieszeni.

– Wracamy – rzekł do kierowcy. – Spóźniliśmy się.

– Dlaczego mnie nie aresztowali? – powtórzyła z trudem Bernadetta i podniosła głowę, ale ponieważ nie doczekała się odpowiedzi, szczelniej przykryła się szpitalnym prześcieradłem. Pachniało chlorem i było sztywne jak papier ścierny.

Zofia siedziała obok na rozklekotanym zydelku, który piszczał przy każdym jej poruszeniu. Położyła dłoń na udzie przyjaciółki, ale ta wzdrygnęła się, więc policjantka natychmiast ją cofnęła. W oczach miała łzy.

– Wszystko będzie dobrze – powiedziała Benia, choć sama w to nie wierzyła. – Nie martw się, Zosiu.

Policjantka otarła twarz rękawem. Nie była płaksą. Chyba nigdy wcześniej Benia nie miała okazji widzieć jej słabości. Obie wiedziały, że to reakcja na bezradność w obliczu dramatu, jaki stał się udziałem Beni. Kobieta została już wstępnie przesłuchana. Za kilka godzin miał tu przybyć psycholog, który, zgodnie z przysługującym ofierze prawem, udzieli jej wsparcia. Ale Bernadetta wybrała najgorszą z możliwych dróg poradzenia sobie z traumą – udawała, że nic się nie stało. Zofia to widziała. Dlatego się martwiła, dlatego się poryczała. Podobnych kobiet widziała już bardzo wiele i znała finał takiego obrotu wydarzeń. Takich przeżyć się nie zapomina, one nie znikają jak wytarte gumką myszką. Trzeba je przepracować, inaczej rany otworzą się w nieoczekiwanym momencie, kiedy wszystkim będzie się wydawało, że ofiara dawno wróciła do żywych.

– Powiadomiłam swoich szefów. Powiedziałam, co nas łączy, i poprosiłam, by nadali tej sprawie priorytet.

Zofia znów była twarda. Mówiła stanowczo i choć wiedziała, że brzmi absurdalnie, wchodząc w rolę zawodowca, będąc najbliższą dla Beni osobą, nie umiała inaczej. Może tak jest na razie lepiej. Może nie mają innego wyjścia. Ale też nie chciała, nie zniosłaby, gdyby przyjaciółka się rozsypała.

– Odmawiam złożenia doniesienia – oświadczyła nagle Bernadetta. – Zadzwoń do mojej szefowej i uprzedź, że na razie nie będę przychodzić. Nie mów, co się stało.

– Beniu, to nie ma znaczenia! – krzyknęła Zofia i znów wyciągnęła rękę. Zacisnęła ją na dłoni przyjaciółki, choć ta próbowała się wyswobodzić. – Nie możesz tego zrobić. Nie wolno ci odpuścić!

– Mogę – wydobyło się spod prześcieradła. Teraz Bernadetta była już przykryta po sam czubek nosa. – I zrobię to. To przestępstwo ścigane na wniosek. W przeciwieństwie do zabójstwa.

– Nie będziesz ponownie wiktymizowana – zapewniła zapalczywie Zofia. – Nie pozwolę na to!

– Jak niby chcesz temu zapobiec? – Benia zaśmiała się kpiąco. – Dziś przeszłam pierwsze przesłuchanie. O gałęzi musiałam mówić trzy razy. Jakby nie mogli sobie sami zmierzyć tego pala. Ta kobieta nie zanotowała ani słowa. Nie nagrała moich wypowiedzi. Kiedy stąd wyjdę, wezwie mnie ponownie. Na komisariacie będą słuchać tego twoi kumple. Drzwi będą otwarte, każdy będzie chciał wiedzieć, co czułam i ile było tych pchnięć. Oraz dlaczego nie krzyczałam, dlaczego nie wołałam pomocy. Dlaczego i jak go uderzyłam. A może powinnam była udawać, że mi dobrze. To by się skończyło na kutasie.

– Przestań! – Zofia zatkała uszy.

– Bo najsłabszy element to jego zmasakrowana gęba, prawda? – Benia nie usłuchała przyjaciółki i wciąż mówiła: – Czym pani go uderzyła? Jak zdołała go pani powalić, mając w sobie ten drąg?

– Ja cię proszę! – Zofia rzuciła się na łóżko Beni i objęła ją, a usta zamknęła pocałunkiem.

Bernadetta odepchnęła ją ze wstrętem.

– To się stało. Miałam nadzieję, że go zabiłam, i to byłaby najlepsza rzecz, jaka mogła się zdarzyć na finał tej historyjki. Idź już. Chcę zostać sama.

Zofia z ulgą spełniła prośbę Beni. Nic już nie będzie takie samo. Była w niej wściekłość, nie dziwiła się temu. Sama nie wiedziała, jak zachowywałaby się po czymś takim.

– On nie był z Łodzi – powiedziała, odwracając się. Nacisnęła klamkę, lekko uchyliła drzwi. – Był tutaj przejazdem, ale to seryjny. Mamy jego DNA.

– Gratuluję – przerwała jej Benia i spojrzała w okno, bo na chwilę wyjrzało słońce. Ale to był tylko delikatny promyk, który zniknął jak resztka jej optymizmu. – I co z tego, że dowiem się, jak ten skurwysyn miał na imię? Wciąż istnieje. Szesnaście osób ratowało mu życie. Wciąż kutas jest żywy.

Zofia zatrzymała się w drzwiach i wpatrywała zakłopotana w rozwścieczoną Bernadettę. Przyjaciółka nigdy nie była taka wulgarna. Co się z nią stało?

– Dzięki tobie kilka podobnych spraw zostanie wykryte. Pracuje nad tym specjalna ekipa.

Bernadetta uśmiechnęła się z politowaniem.

– Szkoda tylko, że ten chuj wciąż leży w śpiączce. Może się obudzić i zeznać, że go sprowokowałam, że się jedynie bronił, a właściwie to całkiem bez powodu urwałam tej kurwie pęto. W sumie żałuję, że nie miałam noża. Byłaby, kurwa, perfekcyjna pani domu. Przynajmniej tyle.

– Nigdy tak nie przeklinałaś. – Zofia pokręciła głową i zmarszczyła się. – To ja zawsze byłam barbarzyńcą.

– Nigdy nie doświadczyłam takiej podłości, takiego upokorzenia. Nigdy nie czułam takiego wstydu. Nikt nigdy nie przeciął mnie na pół – wyrzuciła z siebie wściekle Benia i odsunęła prześcieradło, by Zofia mogła w całej okazałości podziwiać jej ciało poznaczone ranami. Krótka fizelinowa koszulka ledwie zasłaniała jej łono, na którym miała założoną pieluchę. Uda aż do kostek były podrapane, jakby przedzierała się nago przez drut kolczasty. – Przez kilka najbliższych miesięcy będę szczała krwią. Wolałabym być bardziej skuteczna. Jakie są szanse, że ten gnój przeżyje?

– Są szanse – usłyszały męski głos.

Bernadetta natychmiast przykryła się aż po szyję. Do pomieszczenia wszedł Drugi. W ręku miał wiązankę goździków ozdobionych paprotką oraz czekoladki. Za nim dreptała Jolanta Brzezińska z pustym słoikiem po oliwkach, wypełnionym w trzech czwartych wodą. Bernadetta znała oboje. Bywała z Zośką na nieoficjalnych imprezach policyjnych. Nigdy nie deklarowały, że mieszkają ze sobą, ale chyba wszyscy wiedzieli, jaka relacja łączy je tak naprawdę. Wicekomendanta szczerze lubiła. Wojciech Szkudłapski był narwany i nieobliczalny. Nie przebierał w słowach, ale Benia kilka razy rozmawiała z nim o zmarłej żonie. W środku był miękki jak plastelina. Przeżył swoje i radził sobie z problemami, jak umiał. Gdyby nie interesowały jej kobiety, Drugi dawno byłby już jej mężem. Właśnie dlatego zaczerwieniła się jak burak i poczuła obnażona. Komendant był ostatnią osobą, z którą chciała mieć teraz kontakt.

– Ale niewielkie – dokończył. I dodał: – A jeśli skafandrowi uda się jednak z tego wyjść, w paczce hycla podwieszą, zanim odbędzie się pierwsza rozprawa.

– Ona nie chce składać doniesienia – poskarżyła się Zofia.

Drugi spojrzał kolejno na kobiety i wręczył Beni bukiet, z kieszeni zaś wyjął książkę w zwykłym szarym papierze pakowym. Musiał sam ten prezent przygotować.

– Teraz powinna odpoczywać. – Drugi wygonił wszystkich z pokoju i zajrzał przez szparę w drzwiach, by sprawdzić reakcję Beni na tytuł sprezentowanej opowieści.

Bernadetta uśmiechnęła się w odpowiedzi. Były to *Dzienniki* Sándora Máraia.

– Znam je prawie na pamięć.

– Ale w oryginale. – Uśmiechnął się i zaraz pogonił wciskającą się do pomieszczenia Zofię. – Wypad z baru. Odwiedzisz ją wieczorem. Piromani, zwyrodnialcy i zbóje grasują, a obywatele sprawy za was wykrywają – zażartował, naśladując ton Pierwszego komendanta. – Do roboty!

Zofia nie posłuchała jednak szefa. Poczekała, aż Drugi i Henrietta wyjdą, a potem wróciła pod salę, gdzie leżała Benia. Miała dziś wolne i zaplanowała, że teraz będzie blisko niej, choćby miały ją dzielić od kochanki ściana i zastęp pielęgniarek.

Wtedy zobaczyła mężczyznę, który wypełniał przy trotuarze dokumenty szpitalne. Policjantka przesłuchująca Benię rozmawiała także z nim. To on przywiózł ofiarę gwałtu do izby przyjęć. Dzięki niemu się nie wykrwawiła. Za jego sprawą przeżył też agresor. Oboje zapakował do swojego wozu i nie martwiąc się o krew na tapicerce, gnał przez zapchane miasto jak na sygnale. Wyglądał zwyczajnie w starej kurtce z supermarketu, materiałowych spodniach i zmechaconej czapce w paski, włożonej na czubek głowy jak u jednego z sąsiadów w czeskiej bajce. Zofia poprawiła marynarkę, wyprostowała się i jakby miała na sobie mundur, ruszyła w kierunku świadka.

– Pan przywiózł poszkodowaną?

Pokiwał niepewnie głową. Zofia wyciągnęła z kieszeni odznakę. Pozwoliła mu się przyjrzeć policyjnej gwieździe przytwierdzonej do czarnego etui, a następnie przedstawiła się, podając stopień służbowy, i wyciągnęła mały notes, w którym zwykle robiła odręczne notatki na zdarzeniach. Na samej górze zapisała: Roman Środa. Podkreśliła dwukrotnie. Taksówkarz.

– Wiem, że już pana przesłuchiwano.

– Dwa razy – potwierdził. Nie należał widać do gadatliwych.

Zofia schowała notesik.

– Właściwie to chciałam panu podziękować.

– Mnie? – zdziwił się.

– Uratował ją pan.

– Po prostu przejeżdżałem – nagle się rozgadał. Czasem ukrycie notesu i odznaki czyni cuda. – Jestem ochroniarzem w Andelsie. Tutaj w centrum widzę mnóstwo rzeczy. Nie ma służby, żebym nie musiał interweniować. Ale coś takiego, pani mi wierzy, widziałem pierwszy raz w życiu. To było straszne. Ona musiała tam długo leżeć i nikt nie zareagował. Nikt nie wszedł do tego parku, choć to było na samym skraju. Ludzie, wie pani, maszerowali ulicą. Może się bali? Może mają mnóstwo spraw? Było tam dosyć ciemno. Ja sam, jak pierwszy raz tamtędy jechałem, nie byłem pewien, czy to może nie jest dobrowolny seks. Wie pani, młodzi ludzie w Łodzi mają taką fantazję. Na przystankach, w oknach.

– Czytuję „Dziennik Łódzki".

– Ale potem, jakieś dwie godziny później, może i dłużej, musiałem jechać tą samą drogą. Zapomniałem telefonu. Ważna rzecz w dzisiejszych czasach. Zwłaszcza że to służbowy. Mieszkam na Retkini, korki. Jazda w tę i z powrotem trochę mi zajęła. I wtedy patrzę, a ona się tam czołga. Facet leżał jakoś tak bezwładnie, na boku. Pomyślałem, że to nie jest normalne. Jakby to była para, toby się przecież przytulali, nie? Zresztą zimno, dawno by poszli do knajpy się napić.

– No raczej – wydusiła z trudem Zofia.

– I wie pani co? – Nagle się zamyślił. – Bo teraz sobie przypominam, że jak ją podnosiłem, to w oddali widziałem dwóch uciekających drabów.

– Drabów?

– W takich luźnych strojach: kaptury, sportowe buty. Wie pani, młodzi kibice, choć nie chcę nikogo obrażać. Bo może wcale nie było tak, że to ten galanty ją skrzywdził? Może to ci dwaj dresiarze ją zaatakowali, a on jej bronił. Może oni ją też chcieli zakatować, ale się spłoszyli.

Zofia zamarła. Słuchała w napięciu.

– Dlaczego tak pan uważa?

– Bo oni wyraźnie uciekali. I mieli ze sobą wózek. To wydało mi się dziwne. Zresztą potem porzucili go na skraju parku. Koło stolików szachowych.

Zofia wyciągnęła notes.

– Gdzie dokładnie? Rozpozna pan ten wózek?

– Wózek tak – potwierdził. – Był charakterystyczny, jak do zbierania złomu. Jakby przerobiony ze sklepowego, na

351

solidnych dużych kołach i z budką z drewna. Wiele żelastwa można do niego zapakować. Bo tych dwóch to widziałem tylko z daleka, z tyłu.

Zofia odetchnęła z ulgą. Jeszcze tego brakowało, by dwaj dresiarze zeznawali przeciwko Beni.

– Coś jeszcze pan sobie przypomina?

Pokręcił głową.

– Już chyba nic.

– Mówił pan o tym wcześniej?

– Wcześniej? – zaniepokoił się. – Czy mówiłem?

– Policjantce, która wcześniej pana przesłuchiwała. Czy pan to zeznał?

Pochylił głowę. Widziała, że szuka dobrego wytłumaczenia. Zdenerwował się. Cały drżał.

– Pan się nie boi. – Dotknęła jego ramienia. – To się zdarza.

– Na śmierć zapomniałem. To wszystko działo się tak szybko – tłumaczył się teraz nadgorliwie. – Ale jak trzeba, to powtórzę do protokołu. Nie ma problemu. W każdej chwili. Bo ja chciałem tylko pomóc. Zapomniałem o tych drabach. Pracuję w ochronie. Łatwo mnie pani znajdzie.

– Nie ma takiej potrzeby – zapewniła pośpiesznie Zofia. – Przekażę koleżance.

– Jakby co, znajdzie mnie pani w hotelu Andel's. Pracuję na zmiany. Po czterdzieści osiem. Teraz już jestem spóźniony, ale sytuacja wyjątkowa. Szef zrozumiał. Pani koleżanka uprzedziła.

Zofia podziękowała skinieniem i wyciągnęła dłoń. Uścisnął ją z obawą. Rękę miał suchą, dużą i porządnie spracowaną.

– Teraz same kobiety przyjmują do policji? – Uśmiechnął się. W jego oczach Zofia dostrzegła szczerość. – Widziałem tylko jednego mężczyznę tutaj, a tak to same babki.

– To ze względu na delikatność tej sprawy – ucięła.

Nagle Roman wyrwał dłoń z uścisku. Pogrzebał w kieszeni i ze zwitków paragonów wygrzebał zapisaną karteczkę.

– Co ze mnie za kiep! Prawie żem zapomniał. Oni wsiedli do samochodu. Nowoczesne, piękne bmw. Zupełnie przypadkowo zanotowałem numery.

Podał Zofii. Teraz już miała pewność, że pierwsza musi znaleźć tych dwóch „sportowców". Znaleźć ich i wybadać, jak będą zeznawali.

– „Gdy Łódź urosła w siłę, niechętnie przyjmowała przybyszów. Mieszkańcy miasta byli jednak niegodziwi i rozpustni. Pogardzali prawem boskim oraz ludzkim. Bóg zamierzał je zniszczyć, ale zgodził się, że daruje życie jego mieszkańcom, jeśli wśród nich znajdzie się przynajmniej dziesięciu sprawiedliwych. W tym celu wysłał do Łodzi swoich aniołów, by spędzili w mieście noc. Dwaj cherubini wędrowali ulicami i wtedy zobaczyli wszystko: morderstwa, złodziejstwo, oszukaństwo, gwałty i wszechobecne kłamstwo. W Łodzi sprawiedliwych było więcej niż dziesięciu. Były ich setki, tysiące. Ale złych miliony. Bóg nakazał dobrym duchom, by wyprowadzili prawych z miasta, gdyż rankiem zostanie zniszczone. Tyle że najszlachetniejsi odmówili pójścia z aniołami. Nikt nie chciał być ocalony. Nikt w nic już nie wierzył. Akceptowali zło, patrzyli na nie i żyli w nim jak w zanieczyszczonym powietrzu. Jahwe rozkazał więc zniszczyć miasto wraz z mieszkańcami i roślinnością w całym okręgu. Wkrótce nad Łodzią zaczął unosić się gęsty dym.

Aszkenazy, menel z Łodzi".

Cuki odłożył kopię listu i spojrzał na Saszę.

– Jest tego więcej. – Profilerka przesunęła w kierunku technika gruby plik kartek. – Skarży się na wszystko: rewitalizację społeczną, alkoholizm dzieci, skrzyżowanie przy wydziale prawa, gdzie wciąż się korkuje, budowę estakady. Nie podoba mu się Zemsta Jednorożców i maska Vadera w EC1. Wkurzają go cykliści i woonerfy.

– Przyznam, że nigdy nie słyszałem określenia Zemsta Jednorożców. Stajnia, owszem – wtrącił z uśmiechem Cuki.

– Ale niezłe, trzeba przyznać.

– To już nie są epizody agresji słownej – przerwała mu Henrietta. – Jacuś, to klasyczny świr!

Jacek „Cuki" Borkowski wylosował kolejny list i zaczął czytać.

– „Stoję pod tą kolorową wiatą i myślę sobie, ile to musiało kosztować. Ile wziął do kieszeni prezydent, ile urzędnicy, a ile budowlańcy, które to paskudztwo zbudowali. To jest nikomu do niczego niepotrzebne. Lepiej, by zainwestować te pieniądze w tanie wino i rozdać młodym po bramach".

– Wysławia się poprawnie. – Sasza wzruszyła ramionami. – Sprawnie pisze. Jest wykształcony. Może nawet ma studia. To nie jest prosty chłopak oderwany od tokarki.

– Nawet ciekawie sparafrazował historię Sodomy i Gomory – dodała Henrietta.

Sasza się obruszyła.

– To jest kropka w kropkę przepisane z Wikipedii. Mają tam widać dobrych redaktorów.

Obie spojrzały na technika. Siedział zamyślony, wertując kolejne pisma, które udało się Saszy zgromadzić dzięki uprzejmości lokalnych dziennikarzy. Wiedzieli wszyscy, że teraz trzeba redaktorom dać jakiś kąsek, bo choć obiecali, że na razie nic nie napiszą o świrze podpalaczu, sami zaczną węszyć. Cuki i Henrietta od początku byli przeciwni pomysłowi profilerki, by wprowadzać dziennikarzy w sprawę. Ale nie mieliby teraz tego składu makulatury.

– Ma komputer oraz drukarkę. – Cuki obrócił wydruk i obejrzał z każdej strony. – Tego dotykało pewnie kilkadziesiąt osób, ale nie sądzę, by był na tyle głupi, żeby zostawiać ślady. Może jak przyjdzie nowy list. Dlaczego właściwie nas o tym nie zawiadomili?

– Wiesz, ile takich listów przychodzi codziennie do gazet?

– Ile?

– Dużo – prychnęła Henrietta.

– Nieprawda – wtrąciła się Sasza. – Dziś prawie wszystkie świry piszą mejle. A raczej wylewają żółć w komentarzach pod artykułami.

– Więc powinniśmy o tym wiedzieć wcześniej. – Cuki spojrzał znacząco na Saszę, ale ta znów wzruszyła ramionami.

– Listy otwiera asystentka redaktora naczelnego. Nawet ich nie czytywała. Widziała podpis i chowała do odpowiedniej szufladki. Święta kobieta. Mogła przecież wyrzucać do kosza. Kiedy zadzwoniłam, czy w redakcji nie wiedzą czegoś o konkursach poetyckich, ktoś sobie o tym przypomniał. Był taki Aszkenazy, usłyszałam, ale pisał prozą. I dostałam to. Nie sądzę, aby ktokolwiek z redakcji przywiązywał do tego wagę. Swoją drogą, musiało go to ostro wkurzać.

– Nigdy nie opublikowano żadnego z nich?

– Tylko raz. – Sasza wskazała bardzo długi manifest pisany wersalikami. Chciała go odczytać, ale widząc miny Cukiego i Henrietty, zdecydowała, że jedynie im to streści. – Rzecz o pominiętym pokoleniu, czyli o ludziach w wieku czterdziestu–pięćdziesięciu lat, którzy wchodzili w dorosłość w momencie przemiany ustrojowej. Dokładnie wtedy, kiedy rozpędzony pociąg o nazwie Łódź wykoleił się właśnie z torów. To oni najgłośniej krytykują młodych

politycznych ratlerków, którzy zajmują stanowiska urzęd-
nicze i podejmują kontrowersyjne decyzje. Aszkenazy pisze o historii miasta. Ma w tym dużo racji. O wielokultu-
rowości w dziewiętnastym wieku, wyrugowaniu wszystkich
Niemców, Żydów i Rosjan po wojnie, czasach komuny,
podczas której inwestowano w zakłady i stworzono, jak to
on nazywa, *Seksmisję*. Chodzi o miasto kobiet. To one przez
lata pracowały i utrzymywały domy, dzieci. Jego zdaniem
sfrustrowani mężowie zajmowali się zawodowym piciem.
Szybko degenerowali się, umierali. Często kobiety zosta-
wały z dziećmi same. A kiedy nastawiona na rynek
wschodni Łódź podupadła, znów one zostały z tym kłopo-
tem na barkach. Faceci byli już dawno na orbicie promili.
Jego zdaniem dzisiejsi chłopcy, ich wkurw, przemoc i fru-
stracja wynikają też z tego. Rozbite rodziny, patologia
i brak wzorca męskiego. W innych miastach nie jest to tak
widoczne. Ale też w innych miastach w śródmieściu faktycznie nie ma tak wielu komunałek. To chyba jedyne
miejsce na świecie, gdzie elity mieszkają w blokowiskach,
a kamienice zaludnia biedota. Dowiadujesz się o tym od
pierwszej osoby, którą tu spotykasz. Czasem nie zdążysz
wysiąść z pociągu.

– Hej, hej. Ja mieszkam na Abramce. Zważaj sobie – zareagowała Henrietta, śmiesznie obniżając głos.

Sasza uniosła ręce w geście kapitulacji. Roześmiały się.

– Coś w tym jest – mruknął Cuki i wziął do ręki manifest. – Znam tych gości z Tkalni Łódzkiego Menela. Nawet
mam koszulkę i kubek. Jak każdy porządny łodzianin. To
dobre chłopy. Ale jaki to ma związek z naszym świrem? Nie
wierzę, że to któryś z dokumentalistów. Działają ostro na
rzecz miasta, aktywizują innych. Jaką mamy pewność, że to
jest nasz Aszkenazy?

Sasza postukała w list inspirowany zniszczeniem Sodomy i Gomory. Przewróciła kartki. Sam podpis „Aszkenazy, menel z Łodzi" znajdował się na drugiej stronie.

– To przysłał trzy tygodnie przed pożarem na Ogrodowej – powiedziała. – Wcześniej podpisywał się samym nazwiskiem. Przez najbliższy tydzień tego nie opublikują, ale potem... – Sasza rozłożyła ramiona. – Też chcą mieć coś z tego tortu. Już zwęszyli temat. Sądzę, że już nie jeden, ale kilku reporterów grzebie przy naszym piromanie.

Obok położyła wydruk znaleziony w pogorzelisku. Odwróciła. Podpis był identyczny, jakby skopiowany.

– Sugerujesz, że wiersz jest wydrukowany na kartce, która pochodzi z recyklingu? – zastanawiał się Cuki. – To durne.

– Nikt nie obiecywał ci naukowca pracującego nad nieziemskim grafenem. – Sasza pokręciła głową. – Obstawiam, że używali jednej drukarki. Przydałoby się to potwierdzić lub wykluczyć.

Cuki skrzywił się. Henrietta się nadęła.

– Ostatnio, kiedy ja proponowałam badania fonoskopijne, byłaś bardziej gospodarna – wytknęła Saszy, śmiertelnie obrażona.

Sasza przyznała policjantce rację, a potem oświadczyła:

– Oni się znają. Jest między nimi połączenie.

– Kto?

– Piroman i bomber.

– A może to ta sama osoba?

Sasza stanowczo zaprzeczyła.

– Myślę, że bomber jest starszy. I w przeciwieństwie do piromana jest stąd. Może nawet od pokoleń. Wiem, że to dziwne, ale w jakimś stopniu kocha to miasto. Może należy do pokolenia pominiętego. To wykształcony facet, któremu nie wyszło. Dawałabym mu czterdzieści – czterdzieści siedem lat. Musi być sprawny fizycznie. Nawet jeśli uruchamia bomby zdalnie, za pomocą linków internetowych, musi dostarczyć te roboty w określone miejsca. To ryzykowne. Trzeba wejść, zostawić, podłączyć i wyjść niezauważonym. A to wymaga dobrej kondycji. Pamiętajmy, że nikt nie widział nic podejrzanego w interesującym nas przedziale czasowym i w promieniu kwartału.

– Może piroman mu je zostawia? – zasugerował Cuki.

– Albo ten dzieciak.

Sasza się zamyśliła.

– Wnuk Jarusikowej? Może? W każdym razie między nimi jest połączenie.

Henrietta zaplotła dłonie na brzuchu i przedrzeźniała Saszę i Cukiego:

– Może, może... Morze jest szerokie i głębokie. A może wymyślicie coś sensownego, bo Flak zaraz urwie nam łby.

Cuki przyjrzał się Brzezińskiej i nieoczekiwanie stanął po stronie Załuskiej.

– Nie denerwuj się tak, Henia. Jak już któregoś będziemy mieli, wyciśniemy tego drugiego.

– Raczej tak. – Sasza pochyliła się i zaczęła przeszukiwać torbę. – Chcę wam coś pokazać.

Ale zamiast rewelacji usłyszeli tylko stek wyzwisk.

– Zgubiłam swój notes – oświadczyła Sasza, podnosząc głowę spod stołu.

– Miałaś tam nazwisko sprawcy? – zaśmiał się Cuki.

– Prawie – fuknęła.

– Jaką korporacją jechałaś? – Henrietta natychmiast zaoferowała pomoc. – Zaraz zadzwonimy. Znajdzie się.

– Problem w tym, że ten facet nie był z korporacji. Wsiadłam na dworcu, nie miał koguta. Wypisał mi wprawdzie rachunek, ale pieczątka jest niewyraźna. Nie pamiętam, jak wyglądał, siedziałam z tyłu. Cholera, zawsze ciućmok.

– Że co? – roześmiał się Cuki.

– Ciamajda. Nie ma wyjazdu, żebym czegoś nie zgubiła.

– Co tam było?

– Notatki do profilu, terminy spotkań, analiza pożarnicza.

– No to lepiej, żeby nie wpadło w niepowołane ręce.

– Pozostaje tylko liczyć na mój okropny charakter pisma – westchnęła Sasza.

– Mamy tu w Łodzi niezłych biegłych z zakresu pisma. To przecież centrala spraw o fałszowanie testamentów – uśmiechnął się Cuki.

Ale Sasza go nie słuchała.

– Rozpoznam jego głos. Wiem, co mówił. Pamiętam cały przebieg rozmowy.

Cuki wstał.

– Jak już coś sensownego ustalisz, daj znać. Pomogę. Teraz, wybacz, mam kupę ważniejszych zadań niż szukanie notesu.

Sasza zaczerwieniła się ze wstydu.

– Na przykład gwałt, zabójstwo i kilka rozbojów sprzed tygodnia do ogarnięcia – dokończył Cuki.

Henrietta też się podniosła.

– To jak spiszesz profil, damy go wszystkim – powiedziała. – Może coś skojarzą.

Sasza pokiwała głową.

– Od razu to zrobię. Mogę tutaj zostać? W hotelu nie mam internetu.

– Chcesz go umieścić w sieci? – zaśmiał się Cuki i włożył do ust miętówkę.

Wyszli.

Kiedy Sasza została sama, zadzwoniła do pierwszego taksówkarza, z którym jechała przed świętami, ale mimo że opisała wygląd auta i głos mężczyzny, nie potrafił jej pomóc. Zdawała sobie sprawę, że jej wyjaśnienia są mętne. Poza tym wciąż jeszcze liczyła, że notes został w hotelu, zagrzebany pod ubraniami w walizce. Na razie rozłożyła „Gazetę Wyborczą" i przeczytała wywiad z Ryszardem Wienckiem i Bartoszem Wejmanem, których słowa kropka w kropkę pożyczał do swoich listów Aszkenazy:

„Łódzki menel to człowiek zadziorny, zaradny i honorowy. Pełen chęci do działania. To jest miasto, w którym mistrzem może zostać aktor i ślusarz, pokojówka i muzyk, szwaczka i prawnik. Tyle że jedna osoba pracuje w Hollywood, inna została lekarzem, a jeszcze inna trafia do więzienia. Nie chcemy powiedzieć, że to pokolenie przegrane. Nie jest również pokrzywdzone. Uważamy jednak, że jego reprezentanci mogliby zrobić dużo więcej, gdyby nie wchodzili w dorosłość w tym momencie".

Odłożyła gazetę i zaczęła spisywać cechy nieznanego sprawcy. Kiedy skończyła, wzięła się za ponowną analizę połączeń telefonicznych. Czuła, że jeśli dopadną piromana, dojdą do Aszkenazego.

Tak jak się spodziewała, kolejne numery były niedostępne. Nie dziwiło jej to. Piroman dzwonił z kart prepaidowych, które potem niszczył. Kiedy jednak wybrała najstarszy numer – ten do budki stojącej przed laty na placu Wolności, uzyskała połączenie. Rozległ się rwetes. Dobiegły ją dźwięki głośnej muzyki oraz zagłuszające ją wrzaski kobiet.

– Halo?

– Portki się palą – padło w odpowiedzi. – Ej, Filutku, to pewnie żonka do ciebie. Niegrzeczny chłopiec.

Połączenie zostało przerwane.

Sasza natychmiast wybrała numer jeszcze raz. Tym razem była bardziej stanowcza.

– Policja. Kto mówi?

– Już cię szukają. – Tym razem głos był inny, bardziej piskliwy. – Proszę pani, proszę pani, jakiś ekshibicjonista grasuje na Brusie. Cały golusieńki. Tylko świecącą rakietę ma na kutasie. I sypie z niego truskawkowe konfetti.

Rozległ się gremialny śmiech, a potem znów trzask odkładanej słuchawki.

Sasza natychmiast zadzwoniła do Cukiego.

– Nie, nie znalazłem jeszcze twojego notesu – rzucił wielce znudzony. – Kupię ci nowy. Z kłódeczką i nagraniem głosowym. Będziesz mogła spokojnie opisywać w nim swoje sekrety.

– Sprawdzałeś ten numer do budki?

– Budka nie istnieje. Zdjęli ją ze trzy lata temu. Numer jest nieaktywny. Masz to w aktach.

– Wiem – odparła Sasza. – Tylko że przed chwilą dwa razy połączyłam się przez niego z jakąś pijaną babą.

Damian Filutowski skończył palić dunhilla i rzucił niedopałek pod nogi koledze, lecz ten nie zwrócił na niego uwagi. Wziął więc ostatni łyk piwa i uznał, że czas kończyć afterek. Puszkę zgniótł jednym mocnym plaśnięciem, jakby była z papieru, po czym celnie trafił nią w plecy kumpla, który odrzucił ją dalej i zamiast dołączyć z głośnym zaśpiewem, jak czynił to każdego roboczego wieczoru, nadal zawzięcie dyskutował z blondynką w cętkowanej kurtce. Filutowski zagwizdał, zawinął kółko biodrami, ale żaden z Sercołamaczy z zespołu się nie ruszył. Osiągnął tylko tyle, że ludzie zgromadzeni pod Saspolem zaczęli wskazywać go sobie palcami. Wtedy do Damiana dotarło, że coś jest nie tak. Powoli, wnikliwie przeleciał spojrzeniem wszystkie twarze kumpli. Żaden z tancerzy nie patrzył mu w oczy. Udawali, że są pogrążeni w dyskusji albo, co gorsza, w rozmyślaniach. To ostatnie nigdy im nie wychodziło. Pierwszy raz w życiu poczuł się wykluczony.

– Co jest? – rzekł strażak, nieoczekiwanie przybierając na twarz wyraz troski i niedowierzania.

Odpowiedziało mu krępujące milczenie. Damian chciał błagać: powiedzcie coś, choć mięsem trzepnijcie. Nie jestem przecież trędowaty. Ale chyba jednak był.

– Wypad – syknęła cętkowana blondyna. – Nie lubię cię, brudasie.

Damian wstał. Hardo podniósł kanciasty podbródek, który tak bardzo podobał się kobietom, i poprawił szelki w barwach ŁKS-u. Wreszcie pojął, w czym rzecz. Dziś murek przy placu Komuny Paryskiej zajmował łańcuszek wściekłych chippendalesów, którzy zostawiali go z tym zleceniem samego. Ruszył więc, by przebrać się w swój strój sceniczny. Znajdowali się w połowie Pietrynki, jak pieszczotliwie zwano w Łodzi ulicę Piotrkowską, a do przystanku, na który za kilka minut wjedzie zabytkowy sanok, miał dwie przecznice szybkim truchtem. Damian wiedział, że śpieszyć się nie musi, bo pasażerki przed występem najpierw ustawią się w długaśnej kolejce na jedynej stacji benzynowej na świecie, gdzie sprzedaje się więcej wódki niż paliwa.

– Tylko jeden? – zapiszczały wystrojone w cekiny czterdziestolatki, objuczone reklamówkami brzęczącymi od butelek, kiedy Damian wrócił do pojazdu w strażackich spodniach podtrzymywanych jedynie szelkami. Czerwone stringi wpijały mu się w tyłek. Uchylił kasku z plastiku udającego służbowy. Drzwi się zamknęły. Sanok ruszył z głośnym brzęczeniem. Z głośników rozbrzmiała muzyka. Tomasz Adamkiewicz, kierujący zabytkowym tramwajem, specjalnie przyśpieszył i co jakiś czas pociągał za sznurek, dzwoniąc na auta i pijanych pieszych.

– Aniu, mamy tylko jednego chłopca. Tak zamawiałaś?

– Ale za to jaki Herkules! – zapiszczała Anka Chylarecka, podchmielona gwiazda dzisiejszego wieczoru. Kilka dni temu dostała papiery rozwodowe i z okazji ponownego wejścia na rynek koleżanki zrobiły jej fetę. Strzeliły korki od szampana.

Ktoś rozsypał jej nad głową brykiet z pociętych stuzłotówek, do rąk zaś wcisnął certyfikat Wytwórni Papierów Wartościowych oraz reklamówkę oryginalnych peerelowskich prezerwatyw w opakowaniach. Większość pochodziła z krajów byłych republik radzieckich. Napisy i opakowania były znakowane cyrylicą.

– Osobiście poprzekłuwałam je szpilką – mrugnęła koleżanka z oszałamiającą trwałą na głowie. – Niech ci się darzy.

Damian trochę powywijał biodrami wokół głównej postaci wieczoru, a potem wyjął wąż strażacki i odpalił z niego zimne ognie. Robił z nim wygibasy, pozorował ruchy frykcyjne, a następnie wsunął go Chylareckiej między nogi. Liczył zapewne na nieśmiałe chichoty i krygowanie się, ale Anka z lubością przylgnęła do Filutowskiego i zerwała mu z grzbietu skórzany płaszcz. Na widok jego wyrzeźbionego torsu wszystkie kobiety wprost oszalały. Rzuciły się na niego, przewróciły na podłogę i po chwili był już goły jak go pan Bóg stworzył. Gumki czerwonych stringów – gwarantowany gwóźdź programu – nieoczekiwanie eksplodowały, a zainstalowana na przyrodzeniu rakieta z truskawkowym konfetti obsypała wszystkie najbliżej stojące uczestniczki show. Wtedy zadzwonił telefon.

– Ej, Filutku, to pewnie żonka do ciebie – mruknęła jedna z kobiet, która zdołała podnieść słuchawkę. – Niegrzeczny chłopiec.

Damian nie mógł odpowiedzieć, bo doświadczał właśnie jawnej napaści, obmacywań i obślizgłych czułości nie tylko od głównej rozwodniczki. Stwierdził z odrazą, że przed wejściem na pokład sanoka uczestniczki imprezy okrutnie się

365

narąbały, a ponadto większość z nich nie miała zwyczaju stosowania płynu do płukania jamy ustnej. Nagle usłyszał charakterystyczne klik, klik i chwilę potem wszystkie, jak jedna, opuściły go na rzecz babskiej ciekawości.

– Już jesteśmy na fejsie – poinformowała go Anka. – Jak się wabisz, słodziaku?

– Brudas – krzyknęła autorka najpopularniejszego postu dzisiejszego wieczoru. – To on!

Nagle wszystko się zmieniło. Strażak wcześniej narzekał na napalone czterdziestki, ale chyba tylko dlatego, że nigdy nie doświadczył żeńskiej zemsty dojrzałych kobiet. Nagle kotki z rynku wtórnego zamieniły się w czarownice. Zaczęły odprawiać wokół zdrajcy swój odwetowy taniec. Rozległ się damski rap.

Widział, jak chowają jego rzeczy. Potem powaliły go znów na pokład i zaczęły skakać jak na trampolinie. Każda władza deprawuje, ale władza absolutna deprawuje absolutnie. Damian z trudem wydostał się spod masy kobiecych pup i biustów, a następnie doczołgał do drzwi. Nijak nie mógł ich jednak otworzyć. W lusterku wstecznym widział prowadzącego pojazd, dawał mu nieme znaki, aż wreszcie motorniczy zlitował się nad tancerzem. Uwolnił jedno skrzydło. Jedynie na tyle, by Damian mógł przez nie zwiać przed hordą rozwrzeszczanych bab.

Filutowski żwawo ruszył ulicą, zasłaniając kutasa jedynie papierową rakietą. Rekwizyt był już pusty. Dyndał smętnie w rytm jego kroków, a choć przechodniów nie było wielu, to strażak i tak czuł się jak pajac. Przebiegł więc przez jezdnię i ruszył trawiastym wąwozem. W oddali dostrzegł grupkę mężczyzn w sportowych ciuchach. Natychmiast skręcił do wylotu kanału Lindleya, który prowadził do miasta i kończył się w Muzeum Kanału „Dętka". Tamtejsza studzienka otwiera się od środka – przypomniał sobie. Był tam z siostrzeńcem parę tygodni wcześniej. Z trudem rozgiął druty i przecisnął się między szczebelkami. Kiedy tylko otuliła go ciemność, poczuł się w końcu bezpiecznie. Ale też zrozumiał, że musi teraz cały czas iść. Nie wolno mu się zatrzymać nawet na chwilę. Temperatura pod ziemią sięgała poniżej zera.

– Pięknie wyglądasz w tym świetle.

– Pieprz się, Leo – prychnęła Renata i wręczyła Ptysiowi pochodnię.

Sama zaś odpaliła kolejny ładunek. Lont palił się dosyć długo. Nie na tyle długo jednak, by nie musieli gnać za wyłom biegiem. Zdążyli. Nastąpił mały wybuch, a potem Rene przekroczyła ścianę gruzu i żwawym krokiem ruszyła naprzód. Przy czwartym załomie osiągnęli perfekcję. Leon podążał dwa kroki za kobietą. Głównie dlatego, że kiedy się pochylała, by nasypać do kartonu trotylu i połączyć kable, mógł podziwiać jej kształtny tyłeczek.

Znajdowali się w szerokim tunelu pod ulicą Pomorską. Oficjalnie przejście nie istniało. Nie było go na żadnej mapie, choć używane było już w dziewiętnastym wieku, a może i wcześniej. Po jednej stronie ulicy znajdował się Dom Towarzystwa Kredytowego, po drugiej zaś siedziba Gminy Żydowskiej. Kiedyś był tutaj bank. Tunel powstał w celu bezpiecznego transportu pieniędzy, kruszców, dokumentów i ludzi. Po wysadzeniu zaślepki, która miała zniechęcać bunkrołazów, odkryli właz, który Rene właśnie wysadziła. Przed nimi znajdowało się wejście do podziemi dawnego banku.

Rzucili się sobie w objęcia, a Rene pozwoliła nawet Ptysiowi pocałować się w policzek. Niestety, ich radość była przedwczesna. Dotarli tylko do przedsionka, a raczej pierwszej śluzy. Kolejne detonacje także nie pozwalały na bezpieczne przejście. Nie chodziło nawet o przeszkodę zabudowaną z płyt marmurowych oblanych cementem i zaspawanych stalą, lecz o zaplombowane pieczęciami solidne drzwi próżniowe, niczym wyrwane z łodzi podwodnej. Zdecydowanie pochodziły z bardzo dawnych czasów, prawdopodobnie międzywojnia. Został jeszcze lak z napisami po niemiecku. Papier, na których je umieszczono, wraz ze sznurkami został doszczętnie wyżarty przez szczury. Rene wzięła się pod boki.

– Tego nie uda się sforsować.

– Mówiłaś tak przy drugiej stacji.

– Teraz mówię poważnie. Kończymy na dziś.

– Nie wierzę, że dotarliśmy aż tutaj, a przed samym końcem mamy wracać.

– Skoro udało się raz, za drugim pójdzie już łatwiej – odparła rezolutnie Rene i zaczęła się pakować. Zdjęła przytwierdzone do pasa akcesoria i wrzuciła je do plecaka.

– Teraz ty niesiesz. – Wręczyła ciężar Ziębińskiemu.

Ten jednak położył bagaż pod ścianą i podszedł do muru. Kopnął w niego, ale nie osiągnął nic poza bólem palców u stóp.

– Chyba nigdy nie kopałeś piłki – pouczyła go Rene.

– To się robi bokiem stopy.

Zbył uwagę milczeniem i wyjął z kieszeni mapę. Zaczął wodzić po niej palcem. Rene nachyliła się z boku i razem ustalali drogę powrotną.

– Ten jest zalany. Po wybuchu nie ryzykowałbym przejścia.

– Mówiłam, żeby lepiej się przygotować.

– Nigdy nie byliśmy lepiej przygotowani.

– W sumie możemy przepłynąć – zaproponowała Rene, ale zaraz się wycofała: – Choć niechętnie. Wrócę do domu cała w szlamie. Spódnica będzie do wyrzucenia. Że o butach nie wspomnę.

– Kupię ci nowe. – Uśmiechnął się. – Cały sklep ci kupię. Chcesz?

– Stoi – rzekła. – Ale bez zobowiązań.

– Oczywiście – potwierdził całkiem poważnie. – Znamy się nie od dziś.

– Nie wiem, jak ty ze mną wytrzymujesz.

– Kocham cię – odparł, jakby podawał współrzędne.

Rene zaniemówiła. I złapała się na tym, że w sumie to go trochę lubi.

Leon nie zwracał uwagi na jej dylematy. W tym czasie studiował mapę i w końcu wskazał inną drogę. Była oznaczona przerywanymi liniami.

– Masz jeszcze siłę? – zwrócił się do kobiety z troską.

– Tak sobie. Martw się lepiej o siebie, stary pryku.

Leon się rozpromienił. Skoro znów się złościła, była pełna werwy. Była taka jak on. Nigdy nie odpuszczała.

– Bo tutaj mam jeden niezbadany trakt. Wygląda obiecująco. A jakby nam się udało, przy okazji mógłbym ci coś pokazać. – W świetle pochodni jego uśmiech wydał się Renacie diaboliczny.

– Wolę już, jak się złościsz – powiedziała szczerze. – Mówił ci już ktoś, że wyglądasz jak jakiś wredny bożek starosłowiański?

– Nie, ale jeśli występuje odmiana słówka „boski", to chyba jest komplement.

– Powiedziałam: bożek! Podróbka boga!

Leon rozpromienił się jeszcze bardziej.

– Co za idiota! – Rene zerknęła jeszcze raz na mapę i wskazała dłonią.

– Czyli niby tam?

Odwrócił zalaminowany dokument.

– Przeciwnie. Tutaj. Kobieca topografia. Sama byś nie trafiła.

– Żebyś się nie zdziwił.

– To mi w sumie pasuje. Przynajmniej mnie nie okradniesz.

– Mam pamięć fotograficzną. A na drugi raz, zamiast bezużytecznych kluczyków, mógłbyś do puzderka włożyć diament. I nie jakąś diamentową drobnicę, tylko coś wielkości fasoli.

– Ho, ho, ho! – zareagował Ptyś. – Zostałaś wegetarianką?

– Wal się, sknero.

Znów pochylili się nad mapą.

– Jeśli uda nam się dojść tutaj – Leon wskazał na mapie czerwony X z napisem „wejście do lochów" – wybierzesz sobie, co będziesz chciała. Mam cały worek roślin strączkowych.

– Mam nadzieję, że to nie będzie skarb z *Indiany Jonesa*. Ani żadne rozpadające się książki. Mądrości mam tyle, że wychodzi mi uszami.

Szli jakiś czas w milczeniu, aż dotarli do całkiem zadymionego wnętrza. Rene zaczęła się krztusić, a potem wpadła na kupę gruzu.

– Już tu byliśmy – szepnęła przerażona. – Chodzimy w kółko.

– Spokojnie, w takim razie ruszamy drugim korytarzem – zarządził Ptyś.

– Mówiłam. To ty chciałeś iść pierwszym.

Znów się rozkaszlała. Leon zdjął z szyi apaszkę z monogramem i podał Rene, by zasłoniła sobie nią twarz.

– Następnym razem musimy wziąć maski.

– Sam będziesz je dźwigał.

– Przynajmniej namówiłem cię, żebyś pozbyła się obcasów.

– Dziś kupiłam te buty!

Im bardziej oddalali się od pomieszczenia wypełnionego dymem, tym bardziej Rene utyskiwała, że jest zmęczona.

– Wyjdźmy którymś włazem – prosiła.

– Już blisko. Chcę, żebyś zobaczyła moją komnatę Sinobrodego.

– Nieśmieszne.

– Też tak uważam – potwierdził i ruszył przodem, by w razie ulatniającego się gazu lub dymu móc ją ostrzec.

Po półgodzinie znów dotarli w to samo miejsce, które wysadzili jako ostatni punkt. Pochodnia zaczynała przygasać. Nagle usłyszeli chrobotanie i odgłos, jakby krzyk.

– Słyszałeś?

– To tylko szczury.

Rene wpadła w panikę.

– Nie wydostaniemy się stąd. Zjedzą nas żywcem. Nie czytałeś Camusa?

Leon się zatrzymał.

– Coś robimy nie tak.

– Łazimy w kółko.

– Włącz latarkę.

– Mieliśmy jej nie używać. Ktoś mógłby zobaczyć.

– Włącz. Muszę znaleźć drugą mapę. Większe zbliżenie samego skarbca.

– Skarbca? To mamy jeszcze drugą mapę, a ty nie znasz jej na pamięć? Nie mam już siły!

– Latarka – powtórzył. – I bez jazgotu. Skupiam się.

Renata posłusznie wykonała polecenie. Złapała się na tym, że udało mu się wzbudzić w niej szacunek. Spodobało się jej to. Ptyś tymczasem przeszukiwał ekwipunek, ale choć wyjął z kieszonek już wszystkie drobiazgi, najwyraźniej jej nie znalazł.

– Musiałem zostawić w willi. Mam nadzieję, że nikt jej nie zabrał.

Stali w miejscu. W końcu Rene klapnęła na ziemię.

– Nogi mi drżą. Muszę odpocząć.

– Wstawaj.

– Może wrócimy do tego miejsca zalanego wodą? Wróćmy, jak przyszliśmy. Nie szkoda mi już spódnicy.

Poruszyła się i nagle zerwała.

– Tutaj jest mokro! I tu też jest woda!

– Musieliśmy naruszyć kanał – zauważył Ptyś.

Rene chwyciła Leona za klapy marynarki.

– Wyprowadź mnie stąd!

– Kiedy tak naprawdę to nie wiem, gdzie jestem, Rene.

Stali nieruchomo, patrząc, jak woda się podnosi. Na razie płynęła cienkim strumyczkiem, ale oboje wiedzieli, że jeśli zostaną dłużej, za chwilę będzie sięgać im do kostek, a potem poziom będzie się podnosił. Pozostawało mieć tylko nadzieję, że na zewnątrz akurat nie pada. Dętka, choć w swojej udostępnionej części muzealnej była zamknięta, normalnie pełniła funkcję odpływu czyszczącego. Problem polegał na tym, że przed półgodziną zburzyli ściankę blokującą dostęp wody do muzeum.

– Trzeba wysadzić wejście do banku – zarządziła Renata i nie czekając na odpowiedź Leona, wyrwała mu z rąk plecak z trotylem i pośpieszyła do tunelu, z którego wrócili.

Zanim ją dogonił, sprawnie konstruowała już bombę. Widział, że nasypała trzykrotnie większą dawkę makaronu niż zwykle. Montowała kable, nastawiała timer.

– Czekaj – powstrzymał ją. – Już wiem, dlaczego zabłądziliśmy.

Nachyliła się do mapy.

– Masz długopis?

– Tylko wieczne pióro – zażartowała, ale się nie roześmiał.

Wskazał jakiś punkt na mapie. Nawet nie patrzyła już w jego stronę. I tak z tych bazgrołów nic nie rozumiała.

– Tutaj nie ma przejścia – myślał na głos. – To trzeba skreślić i iść tędy. Ten kanał musi łączyć się z wejściem do schronów. Lindley był geniuszem.

– Chyba naziści.

– Chuj wie, kto poprawiał te przejścia i kto nimi chodził, ale z jakiegoś powodu zrobiliśmy kółko. Stój tu. – Ruszył w bok, a długi czas potem, kiedy Rene omal nie umarła ze strachu, wreszcie krzyknął:

– Tu jest sucho. Odkryłem nowe przejście! Chodź!

Rene spojrzała na swoją konstrukcję.

– A co z makaronem?

– Zostaw – odkrzyknął. – Nikt tu poza nami nie trafi. Następnym razem będzie mniej roboty.

Renata pochyliła się i odłączyła timer. Po namyśle schowała go do kieszeni. A potem przykryła ładunek chustką Leona.

– Idę – zameldowała.

Nie minął kwadrans, kiedy znaleźli się przed metalowymi drzwiami. Były odnowione i wypolerowane jak buty Ptysia, kiedy, rzecz jasna, nie łaził po kanałach. Wyglądało też na to, że Ziębiński zna to miejsce bardzo dobrze. Zachowywał się tak, jakby zapraszał ją do swojej garsoniery.

– Dwieście sześćdziesiąt siedem kilogramów – oznajmił z dumą, jakby ogłaszał światu wymiary nowo narodzonego potomka, a nie podawał wagę metalowego skrzydła na hydraulicznych zawiasach. – Wojna, terroryści, kataklizmy, plaga szczurów. Nic ich nie zmoże. Przeżyjemy tutaj całe lata.

– Wolałabym raczej stąd wyjść. Dostaję klaustrofobii.

Wreszcie Ptyś wyjął wielkie klucze. Niepokojąco chrobotały przy każdym obrocie, ale chodziły sprawnie. Zdawało się, że otwarcie wrót odbywa się praktycznie bez wysiłku. Potem sześć razy obrócił wielkie pokrętło. Renata domyśliła się, że zmienia w ten sposób ciśnienie w pomieszczeniu, by dało się wewnątrz oddychać. W końcu poprosił o mały kluczyk, który podarował jej w trakcie wigilii. Zdjęła go z szyi i podała razem z łańcuszkiem.

– Kto oddaje i zabiera – mruknęła.

– Bez ciebie nie otworzę tych drzwi, duszko. Czyż to nie jest dowód prawdziwej miłości?

– Przecież masz zapasowy, Ptyśku.

– Ale w domu, najsłodsza.

– Słowo honoru, więcej nie dam się tu zaciągnąć. To był błąd – jęczała Rene.

Urwała, kiedy tylko zapadki weszły na swoje miejsce. Drzwi uchyliły się samoczynnie. Wewnątrz znajdowało się luksusowo wyposażone mieszkanie.

– Na zewnątrz, w parku imienia Poniatowskiego, zobaczysz moje wywietrzniki. Są pordzewiałe, ale kazałem kopuły zachować w oryginale. Nie ma potrzeby wzbudzać podejrzeń. Tutaj za to jest kompletna elektronika, urządzenia filtrowentylacyjne, woda, jedzenie i alkohol na sześć miesięcy.

– Zamierzasz zostać kretem? Żyć tutaj?

Leon wzruszył ramionami. Zaprosił ją gestem do środka.

– Tylko nie zamykaj, dobrze? – poprosiła strachliwie kobieta.

Ruszył więc pierwszy i trzymając Rene za rękę, oprowadzał ją po kolejnych salkach. Wreszcie doszli do pokoju, który pełnił funkcję magazynu. Pod ścianami ustawiono obrazy. W pudłach znajdowało się mnóstwo bibelotów, porcelany i badziewia, które Rene od razu wyniosłaby na pchli targ i sprzedała od złotówki. W rzędach stały meble, zwinięte w bele materiały, rzeźby oraz kiczowate alabastrowe fontanny, zapewne odkute z pałacowych holów.

– Skąd to wszystko wziąłeś?

– Prowadzę firmę od lat. Wiesz, jakie skarby czasem mają ludzie w mieszkaniach? Kiedy się wyprowadzają, zostawiają wszystko, co zbędne, stare. Zwłaszcza jeśli nie znają wartości tych przedmiotów.

– Ale dlaczego trzymasz to pod ziemią?

– Przecież nie wyniosę tego teraz i nie wystawię na sprzedaż.

– A dlaczego nie?

– Jestem prezesem korporacji. Nie paserem.

– A więc to wszystko jest kradzione?

Leon podszedł i wyszukał w stercie pod ścianą nieduży obraz. Był opakowany w folię bąbelkową i szczegółowo opisany na blejtramie. Rene z tej odległości dostrzegła tylko litery RHL.

– To Rembrandt. Z ogrodu.

– Co?

– Był tylko jeden, nie dwa. Dokumentalista podkręcił sprawę fabularnie. Chyba że wojacy z wywiadu zhandlowali ten drugi wcześniej. Choć wątpię. Słono za niego zapłaciłem, żeby sfingować kradzież z muzeum w Sztokholmie i podmienić na fałszywy. Ale się opłacało. Ten drobiazg wart jest ponad cztery miliardy dolarów.

Rene wpatrywała się w Ptysia, jakby zwariował.

– Z tego filmu, kojarzysz. *Dwa Rembrandty w ogrodzie*.
Facet zrobił podkop, żeby sprawdzić, czy jest jego skarb.
Obrazy, wanna pełna srebra, stare monety. Musisz to znać.
Słynna sprawa. Miał pecha, bo w kamienicy siedział wy-
wiad wojskowy. Złapali go.

Renata się uśmiechnęła.

– Jesteś szurnięty. Po co to gromadzisz? Żebyś chociaż
miał dzieci. Komu to zostawisz?

– Tobie?

– Fakt, ja jeszcze mogę mieć. Byle nie z tobą. To mogłoby być obrzydliwe. Fuj!

W odpowiedzi znów się uśmiechnął.

– Jesteś pierwszą osobą, której to pokazuję – zapewnił,
ale kobieta mu nie uwierzyła.

– Ktoś to musiał wnieść.

– Już nie żyją.

Renata nie odpowiedziała. Chciała zapytać o szczegóły,
ale uznała, że zrobi to, jak wydostanie się na światło dzien-
ne. Nie zamierzała podzielić losu tragarzy.

– Nikt nie wie. I nikt poza tobą się nie dowie.

– To z pewnością. – Renata machnęła ręką, choć poczuła grozę. – Jeśli w ogóle stąd wyjdziemy.

– *No problem* – rzucił radośnie Ziębiński i wyciągnął
skomplikowane urządzenie. Włączył. Zaświeciła się czerwona lampka, która po chwili zmieniła się w zieloną miga-
jącą kropkę. – Pomiar teleradiestezyjny wskazuje anomalię,
a to oznacza, że dalej też są pomieszczenia.

– Jak zamierzasz je odkopać?

– Jak zwykle. Kupię kamienicę. Zburzę ją albo zostawię
na pastwę losu, by deszcz i wiatr zrobiły swoje. Ludzi wy-
czyszczę. Jak trzeba, spalę i wpuszczę tam koparki. Grunt
nigdy nie traci na wartości. A to miasto hydra. Zawsze się

odrodzi. Obcinasz jedną głowę, wyrastają trzy następne. Jeśli chodzi o mój schron, to za miesiąc podstawiam samolot i wywożę ten towar do Tallina. Tunel kończy się na Lublinku. Niemcy wozili tędy sprzęt wojskowy. Na tamte czasy to była solidna podziemna autostrada. Mieli nawet bramki na załomach. Są pozostałości. Tylko dokumentacja spłonęła.

– Dlaczego do Estonii?

– Mają tam najbezpieczniejszy czarny rynek sztuki.

– Chyba jednak za ciebie wyjdę. – Rene wyciągnęła dłoń i zabrała swój kluczyk. – Włączaj te swoje kompasy i teleradiestezje. Mam dosyć Calineczki na dzisiaj. Jeszcze tylko brakuje rannej jaskółki.

Budka była żółta i wyglądała, jakby nigdy jej nie używano. Lśniła od świeżo położonego lakieru jak boja przy wejściu do portu. Na podłodze tramwaju wciąż puszył się dywan ze stuzłotówek i pachniało truskawkami. Technicy fotografowali aparat telefoniczny, jakby doszło w tym miejscu do zbrodni.

– Zdobyłem ją na złomie – po raz kolejny powtórzył Tomasz Adamkiewicz i zdjął wreszcie czapkę motorniczego, ponieważ kobiety wyprowadzono już z pojazdu, a wcześniej nieustająco robiły sobie z nim zdjęcia w niedwuznacznych pozach.

Nie mógł zaprzeczyć, że takie działania promocyjne szczególnie go cieszyły. Rozdał „dziewczynom" pocztówki z własną podobizną i każdą obdarował parasolką z wielkim nadrukiem MPK. Otrzymał w zamian po buziaku i przytulasie. Kiedy zaczynał pracę jako tramwajarz, nie spodziewał się, że dzięki czerwonym i zielonym maszynom na szynach dozna w swoim życiu tak wiele dobrego od kobiet. Wiedział, że dzisiejszy przejazd, który na krańcówce zakończył się zlotem radiowozów, przyniesie mu zasłużoną sławę i może też kilka dobrych zleceń.

– Sam je znajduję, naprawiam, a potem nimi jeżdżę – wyjaśnił, oprowadzając policjantów po swoim królestwie.

379

Łazili za nim bez gadania, licząc, że przy okazji dowiedzą się, jaka jest historia żółtej budki. Pokazał im więc „trumnę", czyli czerwony model 5N, potem „parówkę" (803N), sanoka I i II, a na koniec wpuścił ich do tramwaju Sanok SN, którym właśnie dziś przywiózł na imprezę rozwodniczki.

– Cześć, Jacuś. – Do Cukiego podeszła lekko zawiana Anka Chylarecka. Borkowski zmierzył ją od stóp do głów i przełknął ślinę. W krótkiej spódniczce i wzorzystych legginsach w aztecki wzorek z trudem poznał asystentkę mecenasa Konowrockiego. – Imprezę rozwodową mi popsułeś, chłopcze.

– Słyszałem, że atrakcja wieczoru nawiała wam z pokładu. Wskazał rząd szmat leżący w kanale do naprawy tramwajów. Strażacki hełm świecił się z daleka.

– Jak się zgłosi, wydam mu ten towar – zapewnił motorniczy.

– Nie zgłosi się – pośpieszyły z wyjaśnieniem inne podstarzałe dzierlatki. Jedna, już kiedy stał za sterami swojego sanoka, obłapiała go niezwykle intensywnie. Z trudem się opędzał. Widział, że teraz czuje się już lepiej, ale wciąż mówiła bełkotliwie i lekko się chwiała. – A pan taki przystojny – czknęła i zasłoniła usta z dużym wdziękiem. – Co na to pana żona? Takie hobby musi drogo kosztować.

– Zaraz poznam panią z moją żoną. – Tomek skłonił się z dystynkcją i z żalem zarejestrował, że kobieta zapięła szczelniej płaszcz. – Tylko porozmawiam z panami i wracamy tą samą drogą. Ma pani może wolny wieczór?

– Zasadniczo wszystkie mamy – oblizała się łakomie Anka Chylarecka.

W tym samym momencie Cuki podszedł do Saszy, która obeszła właśnie cały teren zabytkowej zajezdni. Zmusiła ochroniarza, by wpuścił ją do muzeum, i pobawiła się sygnalizacją świetlną.

– Wygląda na to, że to jakiś cud – mruknęła i spojrzała znacząco na Jacka. – To nie powinno działać!

– Kolega podłączył mi tę budkę – tłumaczył się Adamkiewicz. – Traktowałem ją jak eksponat muzealny. Nie mam pojęcia, jak udało się uzyskać połączenie. Choć wygląda na to, że działa wyłącznie wtedy, gdy tramwaj jest w trasie.

– Chyba kiedy odbywa się w nim striptiz – mruknęła Załuska. I odwróciła się do Cukiego. – Brak sygnału.

– Nazwisko kolegi, data zakupu, paragon, potwierdzenie homologacji i wykaz połączeń – wymieniał tymczasem Borkowski. – I musi pan uregulować rachunki za cały okres użytkowania.

– W żadnym razie. Nikt jej nie użytkował.

– Ja tam nie wiem – Cuki pisał dalej w notesie – kto i gdzie z niej dzwonił. Ale tak być nie powinno. Niech pan się zgłosi do Orange, bo tak się teraz nazywa właściciel tego urządzenia, i sobie to wyjaśnia.

– To złodziejstwo!

– Zresztą zabieramy ją.

Podeszli funkcjonariusze i szepnęli Cukiemu coś na ucho.

– Jak to nie da się wykręcić?

– Jest przyspawana – potwierdził motorniczy i właściciel wszystkich zabytkowych tramwajów w Łodzi. – Jak robię, to solidnie.

Cuki porozumiał się z Saszą.

– Więc zabieramy cały tramwaj.

– Nie możecie! – Adamkiewicz rzucił się na ratunek swojemu sanokowi.

– Umiesz prowadzić? – Cuki zwrócił się do Saszy, ale tak naprawdę droczył się z Adamkiewiczem.

– A gdzie tam – mruknęła pod nosem profilerka. Ale widząc zawiedzioną minę Borkowskiego, podjęła grę: – Żartowałam. Przed chwilą posadziłam samolot, to z tramwajem sobie nie poradzę?

Adamkiewicz patrzył to na jedno, to na drugie. Wreszcie Sasza uśmiechnęła się do niego najserdeczniej, jak potrafiła. W sumie dobry był z niego facet.

– A może wybrałby się pan z nami? Będzie pan miał i budkę, i swój wóz na oku.

W tym momencie rozległ się potężny hałas. Drzwi hangaru otworzyły się automatycznie i do zajezdni wjechał najpiękniejszy tramwaj, jaki Sasza kiedykolwiek widziała. Wszystkie rury i okucia miał chromowane. Wagony pomalowano na trawiastą zieleń ze złotymi zdobieniami. Wszędzie drewno lakierowane na błysk, do tego oryginalne napisy i markizy w oknach. Wyglądał jak z planu filmowego albo dobrze ilustrowanej książeczki dla dzieci. Z kabiny motorniczego wysiadła postawna matrona w futrzanym toczku.

– Odczepcie się państwo od mojego synka!

Rozłożyła teleskopową laskę z kościaną rączką i podeszła do zgrupowanych wokół Adamkiewicza funkcjonariuszy.

– Budkę chciał zezłomować ten sam zuchwalec, który ukradł bramę z willi Kellera. Sam nie dał rady jej odwieźć, więc wziął kumpla. Do mnie zadzwonił Furmańczyk, bohater filmu *Moja ulica*. Zmarł już nieborak, ale to on nam ją sprzedał. Zapłaciłam dwieście złotych, a syn – na farby, odrdzewiacze i kleje – wydał kolejne pięćset. Jak chcecie ją zabrać, to poproszę o zwrot gotówki. Potem możecie sobie ją badać, ile dusza zapragnie.

Sasza bez słowa wysupłała z kieszeni trzysta złotych. Położyła na dłoni kobiety banknoty i spojrzała na Drugiego, który przyglądał się wszystkiemu w milczeniu.

– Resztę dołoży komendant – powiedział, ale matka motorniczego wciąż piorunowała go wzrokiem, więc skinął na Cukiego, by zrobili zbiórkę. Po chwili w ręku matrony znajdowała się całkowita kwota.

– To pana małżonka? – zachichotała Anka Chylarecka, zwracając się do Adamkiewicza.

Tomasz w odpowiedzi chwycił ją za rękę i wskazał zielony tramwaj.

– Przedstawiam państwu Herbranda. Droga w utrzymaniu miłość, ale rozwodu na razie nie planujemy. Czy umówi się pani z nami na przejażdżkę?

– Czuję się jak chuj w torcie – mruknął Drugi, siadając na drewnianej kanapie tuż za plecami motorniczego.

Rozochocone towarzystwo Chylareckiej doskonale bawiło się w drugim wagonie. Funkcjonariusze, którzy mieli zadanie go pilnować, wybuchali co jakiś czas głośnym śmiechem. Nietrudno było się zorientować, że kobiety opowiadały epizod z wykurzeniem z tramwaju tancerza erotycznego, wytrawnego ksenofoba i rasisty, który stał się sławny, kiedy osobę o odmiennym kolorze skóry natychmiast skojarzył z bojownikami ISIS, niemal codziennie wysadzającymi się pasami szahida wypełnionymi dynamitem.

– Rozpoczęli już karnawał – rzuciła Sasza i klapnęła obok. – Nie rozumiem, dlaczego nie pojechaliśmy radiowozem. Słyszałeś o tym strażaku?

– Każdy w Łodzi słyszał. A niektórzy widzieli jego występy w Futuryście.

– Ty też?

Drugi się skrzywił, jakby poczęstowała go czymś naprawdę obrzydliwym.

– W sieci. Wykpił się. Dziś wszystko tam trafia.

– Podobno nie gardził też fuchami na Tylnej – wtrącił się Cuki.

Drugi jeszcze bardziej wykręcił twarz. Sasza zastanawiała się, czy nie miał jej z gumy.

– Co za wij.

– Co jest na Tylnej?

– Było. – Cuki wsadził głowę w wąski lufcik. Z trudem go wyjął. – Ale Arktyka. A śniegu ani deczka. Zamarznie biedactwo, zanim dojdzie do domu.

– Jakoś mi go nie szkoda.

– A jak złoży doniesienie?

– Niech spróbuje – zaśmiał się Drugi. – A na Tylnej był gejowski klubik. Jak się okaże, że ten strażak bywa też drag queen i to on jest naszym piromanem, rzucam papiery na stół.

– Homofob – skwitowała Sasza i przesunęła się do okna. Wzdłuż tramwaju jechał wolno kondukt policyjnych aut.

– Może gdzieś krąży w tych krzakach?

– Znajdzie się. Takie indywidua nie gubią drogi do domu.

– Albo jakaś emerytka go ugości. Spóźniony prezent gwiazdkowy.

Rozległ się gremialny śmiech.

– Stawiam na osiedlowych ziomków. Raca na fiucie z pewnością ich zainteresuje. – Cuki ziewnął. – Nie mogę się doczekać, co powiedzą technicy z Orange na temat budki.

– Ja też. – Drugi wyciągnął długą listę nazwisk. – Henrietta się ucieszy, kiedy dostanie do sprawdzenia milion turystów. Nawet się nie spodziewałem, że przejażdżki zabytkowymi tramwajami cieszą się taką popularnością.

– Jak będziemy mieli billing, wystarczy zgarnąć jedną wycieczkę.

– Jeśli taki billing istnieje.

– Musi istnieć. Budka została podłączona. Działała na światłowodach. Na bezprzewodowym routerze.

Drugi roztarł zmarznięte dłonie.

– Czy nie można by szybciej? – krzyknął do Adamkiewicza.

– Robi się! – padło z kabiny motorniczego.

Nastąpiło gwałtowne szarpnięcie i przyśpieszyli z piętnastu do sześćdziesięciu, co natychmiast było odczuwalne, głównie dzięki efektom dźwiękowym. Tramwaj cały się trząsł, a z głośniczków pod sufitem rozległ się KAMP. Dziewczęta zapiszczały, a potem wszystkie poleciały do przodu, wprost w ramiona mundurowych.

– Może panie usiądą? Nie mamy przeszkolenia z ratownictwa medycznego – krzyknął Drugi.

– Jesteś zazdrosny, szefie.

– Po prostu wolałbym obejrzeć pod kocykiem *Speed 3*, niż turlać się na mrozie tą landarą.

Kiedy dotarli do pierwszych świateł, z bocznej drogi na jezdnię wychylił się rowerzysta. Nie miał kamizelki odblaskowej ani nawet ręcznego dynama. Był prawie całkowicie niewidoczny o zmroku. Zaświecił się jeden z kogutów. Policjanci natychmiast go otoczyli. Rowerzysta jednak się nie zatrzymał. Zaczął uciekać w pole. Przekroczył tory tramwajowe i omal nie wpadł pod sanoka. Adamkiewicz zaczął sypać piaskiem. Tramwaj hamował ze zgrzytem. Pasażerowie w tylnej części wagonu znów się zmieszali. Drugi bluzgał jak stary szewc. Wreszcie się zatrzymali.

– Co jest, patafianie, życie ci niemiłe? – Adamkiewicz wyskoczył z kabiny motorniczego.

Za nim ruszyli wszyscy inni.

Chłopak, widząc tak solidną obławę, wydostał się spod roweru i utykając na jedną nogę, rzucił się w krzaki. Dopadli go, zanim zrobił życiowy rekord na setkę. Kiedy go wstępnie przesłuchali i zabrali do radiowozu, Cuki wrócił do sanoka, by zdać relację Saszy. Jako jedyna nie wysiadła z pojazdu. Odebrała wiadomość od Krysiaka. Zanim Jacek cokolwiek powiedział, pokazała mu jedno ze zdjęć, które przesłał jej detektyw.

– Poznajesz? – zapytała.

– Jak babcię w kapcie – rzucił Cuki.

Na półkach w przezroczystych pudełkach stała kolekcja robotów z Lego Technic.

– To pokój wnuka Wiesi Jarusik – wyjaśniła.

Milczeli oboje. W tym momencie wrócił Drugi. Okładał się po plecach. Prawdopodobnie by dodać sobie otuchy, bo ciepła od tego nie przybywało przecież wcale.

– Coś w lesie zdechło? – zapytał, widząc ich miny.

– Potrzebujemy nakaz do wejścia na kwadrat Wiktorii, siostry wysadzonej.

Drugi obejrzał zdjęcia i przeczytał wiadomość.

– Trochę mało – rzekł. – Ale zadzwonię do prokuratora. Wisi mi akumulator do beemki, o krokodylkach nie wspominając. Jutro dam znać, jakie poczyniłem postępy w sprawie. Nie licz na zbyt wiele – uprzedził Załuską.

Sasza sama to wiedziała. Spojrzała za zegarek.

– Wysadźcie mnie pod jej domem – zaproponowała. – Jeszcze nie jest za późno na składanie wizyt. Chciałabym zobaczyć tę kolekcję osobiście i przy okazji wybadać, o co kaman.

– Jasne – zgodził się skwapliwie Drugi, zadowolony, że zgłosiła się na ochotnika. – Sam dziś bym poszedł z tobą na randkę, ale muszę posłuchać tego piromana. Wygląda obiecująco.

Załuska natychmiast schowała do kieszeni telefon.

– To mamy jakiegoś piromana?

– A jużci – potwierdził Drugi. – Z kilogramem heksogenu w woreczku i gumowym wężem. Tylko zapalnika nie miał ze sobą. Twierdzi, że znalazł niewypał, wyjął spłonkę i po wyprodukowaniu domowym sposobem prochu chciał zrobić petardę na sylwestra. Te eksperymenty kosztowały go urwane paliczki kciuka i cały palec wskazujący. Rana jest świeża. Schował to w domu, ale akurat dziś matka zapowiedziała gruntowne sprzątanie, więc zamierzał wrzucić sprzęt do Jasienia. I akurat my tu pielgrzymowaliśmy. To trzeba mieć pecha.

– Albo szczęście – rozpromienił się Cuki. – Wszystko zależy od punktu siedzenia.

– Wobec tego wieczór zaliczam do udanych – potwierdził Drugi. – Choć zakurwiście zimno.

– Amadeo nie był żadnym mudżahedinem – zaprzeczyła gwałtownie Wiktoria. – Mówił płynnie po angielsku, studiował hotelarstwo. Kiedy Wiesia pojechała z Jagą do Egiptu, dorabiał sobie jako camelman. To była jedyna prawdziwa informacja, którą podali dziennikarze. Tak, Jagoda była za młoda na miłość, ale czy ktokolwiek z nas może zapanować nad uczuciami?

– Nie wiem – zgodnie z prawdą odpowiedziała Sasza.

Nie czuła się na siłach wchodzić w tego typu dyskusje. Była prawdopodobnie ostatnią osobą na świecie, która miałaby podstawy wypowiadać się w tych kwestiach, a już tym bardziej oceniać czyjeś wybory. Jak pokazywało życie, jej własne były w stu procentach nietrafione.

Milczały jakiś czas. Wreszcie Wiktoria wstała i wyjęła z szuflady nową paczkę gitanów. Odpakowała ją z folii, a następnie położyła na stole obok poprzedniej, w której wciąż było jeszcze kilka sztuk. Sasza zauważyła, że Wiki ma spory zapas ulubionych papierosów. Zastanowiła się, gdzie je kupuje. Ten typ wyrobów tytoniowych był trudno dostępny w Polsce. Kiedy Wiki podała jej zapalniczkę, Sasza postanowiła zjednoczyć się z nią w nałogu. Wyciągnęła w kierunku Wiktorii paczkę R1, ale ta tylko prychnęła i zapaliła swojego.

– Jestem zdania, że każda wielka namiętność – odezwała się wreszcie Wiki, wypuszczając nosem dym – nieważne, czy w miłości, czy w sztuce, zawsze jest radosna. A dlaczego odbierać człowiekowi radość, skoro życie nieustannie przypomina nam o naszych wadach. Trzeba się sycić radością za młodu, bo potem nie mamy nic poza niezależnością. Radość jest zabarwiona chytrością, sojuszami i rzadko pozostaje tak czysta. Ale przez długi czas gniewałam się na Wiesię – przyznała Wiki, po czym jednym haustem wlała sobie do gardła szklankę wody.

Sasza poczuła dreszcz, ponieważ gest Wiki był pozbawiony żeńskiej miękkości. Był dobitny, stanowczy, skrzywienie „po" zaś przywodziło na myśl raczej opróżnienie stakana wódki. Może i dlatego nie zadała kolejnego pytania, choć cisnęły jej się do głowy całe tuziny. Chciała na razie wypuścić Wiki, pozwolić jej na zwierzenia. Wysłuchać wersji kobiety w dalszym ciągu odmawiającej sobie przeżycia żałoby, zanim przystąpi do ataku na jej podopiecznego. Sasza nie miała złudzeń. Dramat tej kobiety był niezaprzeczalny i choć na pierwszy rzut oka wyglądała na heterę, czuło się, że wciąż nie pogodziła się ze stratą najbliższych sobie kobiet. Z rodziny została tylko ona. Miała prawo do gniewu.

– Nawet nie wiedziałam, że wybierają się w tę podróż. Nie byłyśmy wtedy w dobrym kontakcie. Starałam się układać własne życie. Też miałam swoje za uszami. Wydawało mi się, że wychodzę na prostą. Zaczynałam coś rozumieć z życia. To był czas, kiedy poznałam Oliwiera i wreszcie zaczęło mi iść w sztuce. Przyszły nagrody. Miałam dużo zamówień. Robiłam wernisaże. Nigdy nie była to działalność dochodowa, ale widać to była dobra decyzja, bo kiedy straciłam wszystko, całą rodzinę, tylko twórczość pozwalała mi trwać. Jeśli pani rozumie, co mam na myśli – ciągnęła.

Sasza przytaknęła. Nie zajmowała się wprawdzie sztuką, ale pogląd na pracę miała identyczny. Powiedziała jednak coś zupełnie innego.

– To, co nieprzepracowane, wraca w postaci przeznaczenia. Zna pani to powiedzenie?

– Jung. – Kobieta kiwnęła głową. – Ten facet miał łeb.

– I swoje demony – dodała Sasza. – Nie ma ludzi aniołów. Każdy z nas nieustannie odbywa bitwę ze swoimi dżinami.

Położyła nacisk na ostatnie słowo klucz i bacznie się Wiki przyglądała. Kobieta jednak sprawiała wrażenie, jakby nie zwróciła na nie uwagi.

– Ja swoim się po prostu poddałam – przyznała po namyśle. – Zresztą nie od razu wiedziałam, w czym rzecz. Złościłam się, że milczą, i sama też ich nie odwiedzałam. Wtedy bezskutecznie staraliśmy się z Olim o dziecko. Chodziłam po lekarzach, żarłam brokuły i leżałam z nogami do góry po każdym stosunku. Oliwier dostał sporą partię zamówień z Podhala. Robi siekierki, takie malowane. Wtedy dosyć dobrze nam się wiodło. Myśleliśmy, że kupimy mieszkanie koło siostry albo na jakimś cywilizowanym osiedlu i wyniesiemy się ze slumsów. Pierwszy nasz synek to było in vitro. Kiedy zaszłam w ciążę, udałam się do Wiesi z dobrą nowiną i zobaczyłam Jagę z brzuchem. Był większy niż mój, a z pokoju, w którym spędziłam dzieciństwo, wyszedł ten chłopak. Była siedemnasta, a on popylał w piżamie. Nie wyglądało to dobrze. Poczułam się nagle, jakbym tylko ja widziała w mieście ślepców. Jakbym miała w sercu rentgen. I nie chodziło o kolor jego skóry, pochodzenie etniczne czy religię. Znałam ten typ jak zły szeląg. Młodzian śliczny jak mazurek wielkanocny, długorzęsy i chudy w pęcinach. Namiętny, uroczy typ, który sieje słodkie bajeczki na lewo i prawo. Magnetyzer, czaruś na sto dwie fajerki.

Zwietrzyłam niebezpieczeństwo, zanim ono nadeszło, jak łania czuje drapieżnika. Ale nic nie może już zrobić. I wtedy nic nie powiedziałam. Wtedy nie. Potem tylko utwierdzałam się w tym przebłysku intuicji i udawałam, że to nie moje bizony. Co mogłam poradzić, jak ten Arab uwiódł nawet Wiesię. Naszą rodzinną opokę racjonalizmu, pokiereszowaną, ale przez to silną matkę pszczołę w zbroi Margaret Thatcher. Kochała go jak syna i broniła przed sąsiadami. A może lubiła na niego patrzeć? Nie wiem. Nasz ojciec też nie wyglądał jak zgniły ziemniak, a krwi napsuł matce przez lata i szpik by wyssał. Szczęście, że zdechł przedwcześnie.

Sasza odchrząknęła. Wiki natychmiast pojęła, że zacietrzewiła się zanadto, i zaraz wróciła do tematu.

– Same ściągnęły Amadeusa do Polski. Za ich pieniądze przyleciał. Grzał Jagę na mojej dziecinnej tapczanopółce, choć potem to jej zarzucał, że się puszczała, i kazał uczyć się na pamięć sury Al-Ichlas. Wtedy sprzedali mi trochę tych utopijnych historyjek o magii Dalekiego Wschodu, kompletnej, wielopokoleniowej rodzinie i Allahu. Odpalili kilka filmików z pozdrowieniami od rodziców Amadeusa, wysłanych przez Skype'a, ale do dziś nie wiem, czy to nie byli jacyś znajomi, w życiu ich na oczy nie widziałam. Niby planowali ślub u jego rodziny, w wielkiej sali na obrzeżach Kairu. Amadeo miał też jakieś znajomości w Marsa Alam. Nic dziwnego, myślałam, w końcu tam prowadzał te swoje włochate garby po plaży. Chwalił się, że pogada z szefem i udostępnią mu salę za pół ceny poza sezonem. Kosztami mieli się zająć jego rodzice. Nie muszę mówić, że nigdy do tego nie doszło. Zwłaszcza że tam sezon nie kończy się nigdy. – Wiki zaśmiała się sztucznie. I ciągnęła ze wzrokiem utkwionym w przestrzeni i smutnym uśmiechem, który udawał szyderczy. – Pokazali złote bransoletki na nogę dla panny młodej, łańcuszki dla noworodka od teściów. Dostałam paszminę, a Wiesia okropne kolczyki z cyrkoniami. Z trudem sprzedałam je za dwie paczki gitanów. Sfotografowali jakąś hacjendę z białego kamienia, ale dziś wiem, że to nie był majątek jego rodziców, bo mieszkali na pustyni w namiotach ze skóry i ich wielbłądy dostawały lepsze żarcie niż synowe, bo zarówno Amadeo, jaki i jego bracia mieli oczywiście już po kilka żon i z tuzin dzieci. Ale żadna żona nie była biała, a tam ponoć wybielanie skóry przez płodzenie dzieci jest w modzie. Mają kompleksy wobec nas. Dlatego polują na Słowianki. Amadeo pytał mnie wiele razy, czy nie chciałabym być wyswatana z jego wujem. Dziwił się, że mam tyle lat. Kobiety w moim wieku w tamtym rejonie robią się grube już po pierwszej ciąży. Nic dziwnego, w końcu praktycznie nie wyłażą z domu. Mają tylko rodzić. Jedyne, co mogą, to jeść. Tyle im z życia zostaje. Ale tego dowiedziałam się później. W każdym razie na początku wszystko wyglądało jak w bajce. Potem rzadko się widywaliśmy. Moja ciąża była zagrożona, musiałam leżeć. A kiedy urodziłam, Wieśka miała już problem z pochodzeniem Hamzawe. Wtedy pokłóciłyśmy się na ostro.

– Nie akceptowała zięcia? – dopytała Sasza. – Mówiła pani, że sama ściągnęła go do Polski.

– Chodziło o Jagodę i o to, co się z nią działo za sprawą tego małżeństwa. Radośnie porzuciła szkołę i chodziła tylko na nauki do muzułmanów. Tutaj nie ma meczetu. Była taka grupa na Lumumbowie. Tam się spotykali. To oni zaczęli jej mieszać we łbie. Siostrze się to nie podobało. Ja nie znałam tej kultury – przyznała Wiki. – Ale starałam się podszkolić. Wypożyczyłam trochę książek z biblioteki. Kilka razy poszłam z Jagą na ich spotkania. Szanowałam jej wybór. Islam to nie jest nic złego. To religia miłości. Przynajmniej w teorii.

A taka młoda osoba zawsze jest pełna ideałów. Ale Wieśka
szukała dziury w całym. Nagle zablokowała ten wyjazd,
ślub i próbowała wygnać Amadea z domu.

– Kiedy to było?

– Już nie pamiętam – przyznała Wiki. – Jakoś na samym
początku. W każdym razie Jaga i Amadeo potajemnie zaślubowali w łódzkim urzędzie, a chłopak wrócił do swoich.
Pisali do siebie przez Facebook, rozmawiali na Skypie. Wiedziałam, że planują ucieczkę. Ona jednak oczekiwała poro-
du i bała się podróży. Nie miała pieniędzy na bilet, jego
rodzina też nie należy do najbogatszych. Zwracała się do
mnie, ale nie mogłam jej pomóc. Któregoś dnia Wiesia zadzwoniła z płaczem, że Jaga zniknęła. Wiedziałam dobrze,
gdzie jest. Amadeo potwierdził, że przyjechała do nich.

– Skąd wzięła na bilet?

– Nie mam pojęcia. Potem siostra skumała się z Krysiakiem. Pierwszy raz to on przywiózł ich oboje do kraju. Jaga
urodziła w tutejszym szpitalu. Ale kiedy okazało się, że
Maciek jest biały, wszystko się zesrało. Amadeo zmienił się,
już nie chciał wielopokoleniowej rodziny. Zabrał cały złoty
złom i pięć razy dziennie latał do swojego bractwa, w którym notabene większość była tutejsza – biała. Nagle stał
się niezwykle wierzący. Wieśka znów zmieniła front. Teraz
dla odmiany naciskała, że powinni o siebie walczyć. Jak
jakaś zła teściowa z kawału. Myślę, że gdyby się nie wtrą-
cała, może doszliby jakoś do ładu. Byłam wyautowana
z tego dramatu. Proponowałam, by siostra się nie wpieprza-
ła, ale ona wciąż włazła z butami w ich życie. Trochę też
w głowie mieszał jej Aleksander. Kochał się w niej od początku. To było widać i życzyłam im zawsze wszystkiego
dobrego, ale on miał skrzywione spojrzenie. Odbijał takie
dzieciaki z mieszanych rodzin i nakładał swoje traumy na

tę historię. A wtedy żadnego dramatu u Jagody i Amadeusa nie było.

– Hamzawe podobno bywał często w Warszawie – podpowiedziała Sasza. – Zwłaszcza w meczecie na Wiertniczej. Uchodził za bardzo religijnego.

– Nie był fanatykiem – ponownie zaprzeczyła Wiktoria.

– Ale jak mówiłam, w Łodzi muzułmanie nie mają swojej świątyni. Rzeczywiście dużo jeździł. Jagoda chwaliła się, że bywał w Brukseli, Sztokholmie czy Berlinie. Z pomocą humanitarną, darami, księgami świętymi. I nieustannie się modlił. Miał zawsze ten swój dywanik i dzwonek w komórce udający nawoływanie muezina. Kiedy rozlegał się ten sygnał, potrafił nagle przerwać rozmowę i bić pokłony. Dosyć mnie to śmieszyło, ale nic nie mówiłam, bo z tego jego modlenia się były wreszcie jakieś pieniądze. Do tej pory Jaga była na garnuszku mamy. No i między nimi zaczęło być lepiej. Jaga rodziła kolejne dzieci. Nie było już wątpliwości, kto jest ojcem.

– Jaga z nim wyjeżdżała?

– Do Europy zabrał ją zaledwie kilka razy. No i kolejne dwa była u jego rodziny. Mówiła, że to mili ludzie. Chyba rozłąki uporządkowały sytuację. Myślę, że i jemu taki cel, niekoniecznie powiązany z religią, ale też wspólnota, zrozumienie kulturowe, wiele dawały.

– Zauważyła pani coś podejrzanego? Coś, co panią zaniepokoiło? – Sasza urwała. – Coś, co wskazywałoby, że należy do jakiejś organizacji?

Wiktoria się zaśmiała.

– On zawsze należał do tej organizacji. Bo widzi pani, to wszystko, co nas przeraża w islamie, to nie religia, ale prawo, które przenika rodowitych muzułmanów na wskroś. On cały czas dążył, żebyśmy to my się podporządkowały, sam nie chciał się dostosować. Był taki krótki moment, że zapuścił brodę, ale dostał bęcki na krańcówce i ją zgolił. Chwilę też nosił dżalabiję, zwłaszcza z okazji ich świąt. Bardzo ponętnie w niej wyglądał. No i przesiadywał w Grotnikach. To ośrodek dla uchodźców pod Łodzią. Znał tam wszystkich.

– Nie niepokoiło to pani?

– A co ja mogłam. Sama byłam czarną owcą w rodzinie.

– Z czego żyli?

– Z Wiesi. To było oczywiste. Tak w każdym razie wtedy myślałam.

– A teraz?

– Nadal tak sądzę. Ona była żywicielką tych pijawek.

– Potem mieli jeszcze dwójkę dzieci. Wszystkich utrzymywała? Przecież straciła pracę.

Wiktoria się zamyśliła.

– Sama już nie wiem. Miała pieniądze. Nie miała pracy, ale ubierała się jak kiedyś, w czasach prosperity. Nie przymierali głodem. A co do tego dziwnego układu... – Zatrzymała się. Szukała łagodniejszych słów. Sasza wiedziała, że po namyśle ukryła jakąś informację. Zanotowała ten fragment w notesie, a potem spojrzała na Wiki i oczami zachęciła ją do kontynuowania. Artystka podjęła wątek. – Odniosłam wrażenie, że Wiesi to pasuje. Dzięki temu miała to małżeństwo pod kontrolą. Musieli się jej spowiadać, miała władzę. Każdego roku Jaga była w ciąży. Skuteczny skurwysyn. Ale potem już matka nie wyzywała ich od hub i jemioł. Może i Amadeo coś przywoził z tych wypraw. Musieli mu płacić za ten wolontariat na rzecz uchodźców, bo niby dlaczego by to robił? – zastanawiała się głośno.

– Jak ją traktował?

– Tutaj? Bardzo dobrze. Zawsze szarmancki, delikatny, z szacunkiem. O wszystko się jej pytał, radził. Życzę każdej kobiecie, by miała tyle władzy w domu.

– A gdzie źle?

– Nie powiedziałam, że gdzieś indziej było inaczej. Nie byłam ich materacem. Rzadko ich widywałam. Ale był taki moment, że chciał wyjechać, a Jaga powiedziała definitywnie „nie". Bała się, jak sobie poradzą tam, skąd pochodził. Tutaj wiedziała, że z głodu nie umrze. Potem zauważyłam, że kuleje.

– Kuleje?

Wiktoria zerknęła na zabytkowy zegar stojący na telewizorze. Mieszkanie było urządzone skromnie, ale były w nim nieliczne elementy świadczące o guście mieszkańców. Zegar art déco był jednym z nich.

– Długo jeszcze zamierza mnie pani przepytywać? Śpieszę się do pracy.

– O tej porze? – zdziwiła się Sasza.

– Tak, moja droga. – Wiktoria wydęła wargi. – Martwi mają już spokój, ale żywi wciąż znajdują się na froncie. Ze sztuki nie da się wyżyć. A jak na razie nie jestem Andym Warholem, więc zatrudniłam się jako woźna. Zawsze lubiłam siedzieć nocami. Widać taki los mojego rodu. Matka sprzątała lotnisko, ja codziennie bywam w telewizji. Robię tam to samo. Dlatego w domu nie dotykam mopa – zaśmiała się smutno.

Sasza rozpięła kurtkę. W mieszkaniu było gorąco, choć jedynym źródłem ciepła była prymitywna koza. Kiedy Załuska przyszła, Wiktoria rozpalała właśnie starymi maszynopisami. Teraz Sasza rozumiała, skąd się tutaj wziął ten stos makulatury. To były scenariusze programów i pocięte na makaron dokumenty. Jarusik musiała przynosić je z pracy.

– Mozart skończył w zbiorowej mogile, Norwid też nie miał lżej. Na razie walczę. Mam trójkę dzieci. Głównie siedzi z nimi teściowa. Dobra kobieta. Nigdy szpilek nie nosiła, nawet do ślubu. Po tym można poznać, czy kobiecie zależy na rodzinie, czy na relaksie. Pomaga nam, jak tylko może. – Posmutniała. – Nie zamierzam oddać tej rundy walkowerem. Korona nie spadnie mi z głowy, jeśli trochę pojeżdżę na szmacie po marmurowych posadzkach i zetrę kurze z biurek konformistów. Zresztą prawie nikt o tym nie wie. Tutaj mają mnie za ekscentryczną trzpiotkę, która sypia do szesnastej, i nie tylko listonoszom na mój widok trzęsą się kolana, kiedy otwieram im drzwi w szlafroku.

– Możemy wrócić do tematu? – przerwała jej Sasza. – Nie zajmę już pani wiele czasu.

– Pięć minut?

Sasza wskazała zegar.

– Piętnaście. Może pani włączyć stoper.

– Tak zrobiłam. – Wiktoria się uśmiechnęła. – Za kwadrans powinien być już Oliwier, więc i tak musiałybyśmy skończyć. Zupę muszę zagrzać, ziemniaki obrać. A potem jeszcze choć z pół godziny się zdrzemnąć, bo padnę na trzecim skrzydle.

– Więc kulała – podpowiedziała Załuska. – Co się stało?

– Najpierw sądziłam, że to nadwaga. Przeciążenie kręgosłupa, brak ruchu, wie pani. Przytyła bardzo po drugiej ciąży. Była nie do poznania. Nabijałam się z niej, że od tych falafeli i słodyczy, które w kółko musiała robić dla uchodźców, zmieniła się w arabską żonę. Obżerała się i coś jej się stało w nogę. Wieśka oczywiście twierdziła, że to Amadeo ją pobił. Jaga z kolei się upierała, że upadła niefortunnie, ale nie poszła do szpitala z jakichś religijnych pobudek. Nie do końca to zrozumiałam, ale nie brzmiało wiarygodnie. Tak, sądziłam, że ściemnia. I to mnie wnerwiało.

W tym momencie zaskrzypiały drzwi. Starsza kobieta w złotej bluzce z cekinów weszła bez pukania i na widok Wiki złożyła dłonie jak do modlitwy. Sasza miała ochotę przysłonić oczy, ponieważ od gościa bił taki blask. Na piersi nowo przybyła miała wyhaftowanego motyla w biskupim kolorze. Na ręce wielką bransoletę z plastikowych diamentów wielkości moreli. Włos siwy, ale czysty i ufryzowany w delikatne fale. Na nogach perłowe lakierki. Sądząc po fasonie ostatni raz były zakładane na wesele właścicielki. To wszystko nijak nie korespondowało ze świeżo zabliźnionymi zadrapaniami i podgojonym limem pod okiem, które jednakowoż było pociągnięte wściekle turkusowym cieniem, co tylko wzmacniało wszystkie barwy tęczy zarobionego już jakiś czas temu siniaka.

– Pani Wihtorio miła. – Staruszka złożyła ręce jak do modlitwy, a potem zachwiała się i upadła na kolana.

Wiki z Saszą natychmiast się poderwały. Wspólnie podniosły kobietę i posadziły ją na jedynym wolnym siedzisku. Sasza widząc, że gospodyni stoi, także nie usiadła na swoim krześle. Wycofała się i niechcący odsłoniła kotarę. Na zdezelowanej wersalce siedział starszy mężczyzna. Praktycznie się nie poruszał. W ręku trzymał plastikowe pudełko próżniowe. Dokładnie w takich matka Załuskiej przechowuje żywność w lodówce. Kiedy spotkali się wzrokiem, Sasza dostrzegła w jego oczach strach. Potem mężczyzna położył palec na ustach i wbił wzrok w podłogę. Znów zastygł w milczeniu. Sasza zasłoniła kotarę. Podeszła krok w przód. Obrzuciła spojrzeniem Wiktorię i szybko myślała. Mężczyzna musiał słyszeć każde słowo, rejestrował całą ich rozmowę. Kim był?

Sąsiadka tymczasem wpatrywała się w kobiety szczerze zachwycona.

– Takie ładne jesteśta, to sobie stójta.

Na chwilę zapadła cisza. Krystyna oddychała ciężko, a potem znów zaczęła litanię:

– Wspomożeta sąsiadkę, bo w potrzebie jezdem.

– Nie mam jeszcze wypłaty, pani Krystyno. – Wiki wydęła wargi. – Po Nowym Roku pani przyjdzie.

A potem wstała i podeszła do okna. Odsłoniła firankę.

– Ale bez flaszek na wymianę przecież pani nie zostawię. Dopiero co się oko zagoiło. Będzie tutaj ze dwa papierkowe. – Spod kaloryfera wyjęła brzęczącą reklamówkę i wręczyła strojnisi. – Dobrego wieczoru dla pani i Józka.

Kobieta nie odmówiła podarunku, ale nadal z nabożną miną wpatrywała się w Wiktorię.

– Pani Wihtoriuniu hochaniutka, ja nie po geld przyszłam, ile po prośbie. Chcemy sobie z Józefem portret wyzdjęciować. Tah on łagodnie dziś wygląda. Jah nigdy przedtem.

– Ot i miłość – zaśmiała się Wiktoria, mrugając szelmowsko do Saszy, jakby sąsiadka przerwała im rozmowę o wyższości kloszowych spódnic nad ołówkowymi. – Dlaczego Bóg mi resztki głupoty poskąpił. Też bym tak kogo pokochała jak pani Krysia Józefa „Dawajłapę".

– Tah o nim nie mówta – wyszeptała bojaźliwie sąsiadka i zerwała się jak fryga do korytarza. – Przeca mu przyhro i żałośnie, co się stało. Bójta się Boga, pani Wihtorio, i wybaczajta.

– A mnie nie jest przykro, że na mnie doniósł za trzy srebrniki. Opieka prawie dzieci mi odebrała.

Klapnęła znów na obity wstrętnym brązowym materiałem staroświecki puf i wyciągnęła z torby profesjonalną lustrzankę.

– To moje narzędzie pracy – pouczyła Krystynę. – Jeśli Józek krzywdę mu uczyni, uduszę tymi rękami.

Zaprezentowała stosowny gest.

– Gładhi on dziś jako baraneh. A na panio, jah zwyhle, galanto patrzać. – Uśmiechnęła się, prezentując całkiem niezłą protezę. Na dodatek kompletną.

Wiktoria poczochrała zmierzwioną czuprynę, wysmarkała nos w papier toaletowy, który znalazła w torbie pod aparatem, a potem pomachała na sąsiadkę.

– Co mi się równać do pani, sąsiadko. Dziś Boże Ciało czy jaki inny karnawał? Jak pani zrobi te foty, wyświetlę i dam na pamiątkę odbitki. Umowa?

– Wiadomka – rzuciła Krystyna Motyl i bezszelestnie ulotniła się z lokalu.

Wiktoria podeszła do drzwi i zamknęła zasuwę. W tym czasie Sasza znów uchyliła storę. Na wersalce nie było nikogo. Gdyby nie otwarte pudełko z samochodem strażackim z Lego Technic w środku, mogłaby pomyśleć, że ma omamy wzrokowe. Sasza szybko obrzuciła spojrzeniem półki nad wersalką. Poukładano na nich dziesiątki pudełek do kolekcji. Poza różową motorówką każdy robot był zapakowany i opisany długim rzędem cyfr. Wyjęła telefon, by zrobić zdjęcie, ale nadeszła już Wiki.

– Każdego dnia, odkąd tu mieszkam, tłukł ją rano i wieczorem. Dziś pierwszy raz nie widziałam na jej gębie świeżych krwiaków – usłyszała zza pleców.

Sasza szybko zajęła swoje miejsce i gorączkowo myślała, gdzie jest Cuki i reszta ekipy. Nie mogła w nieskończoność przedłużać tej rozmowy. Chciała nawet napisać esemes: „Masz nakaz?", ale wiedziała, że to nie przyśpieszy sprawy. Gdyby go mieli, już dawno byliby tutaj w pełnym rynsztunku. Została jedynie gra na zwłokę. Jej zdaniem cała ta Wiktoria wymaga bliższego rozpoznania. Nic się nie kleiło.

– Zostało to zgłoszone?

– Gdzie tam – zaśmiała się kobieta. – To przecież tutejsza tradycja. Baby nie bijesz, respektu nie czujesz.

Sasza zacisnęła usta.

– Chodziło mi o Jagodę. O jej kulejącą nogę.

– W ogóle nie było tego tematu. – Wiktoria spoważniała.

– Jaga zaprzeczyła, kiedy zapytałam ją wprost o przemoc. Zmieniła się. Mówiła nie swoimi słowami. Tak jakby trafiła do sekty i powtarzała mantry włożone jej do głowy przez szalonego guru. Jechała cytatami niezgorzej niż jakiś imam. Była ostro zaangażowana i wierzyła w to, w co Amadeo wierzył. Może on ją pobił albo któryś z jego braci w wierze, a może faktycznie miała wypadek. Już się nie dowiemy.

– Co to za bracia w wierze?

Wiktoria znów wzruszyła ramionami. Sasza pomyślała, że Wiki rzeczywiście niewiele o siostrzenicy wiedziała. Nie potrafiła o niej powiedzieć nic poza frazesami.

– Mieli czasem misje z meczetu – kontynuowała tymczasem Wiktoria. – Do Londynu, Brukseli, Sztokholmu, Kolonii. Gdzieś tam Jaga poznała tego drugiego Araba.

– Muhhameda Naguiba? – Sasza odczytała nazwisko z notesu.

– Może.

Wiktoria wywróciła oczami.

– To nazwisko jej drugiego męża. Amadeo ich zapoznał. Był jego kuzynem z Londynu. Tyle stoi w aktach – podkreśliła Załuska. I dodała: – Zna pani dokumenty Krysiaka?

Kręcenie głową.

– To nie ma znaczenia.

– Nie przeczytała pani akt?

Milczenie i spojrzenie prosto w oczy profilerki. A potem atak:

– Nie ma takiego obowiązku – zdenerwowała się artystka.

– Nie czytałam też dokumentów związanych z wypadkiem mojej siostry, jeśli to panią interesuje. Bo doskonale wiem, co się zdarzyło, i wiem też, że nie wybuchła jej instalacja gazowa ani nie pękła opona. Z prostej przyczyny. Instalacja od lat była nieczynna. Wieśka jeździła na benzynie. To było zabójstwo. Dlatego nie wierzę w żadne słowo policji, nie wierzę, że cokolwiek da to śledztwo, ani w to, że pani obecność w czymkolwiek tutaj pomoże. Co najwyżej będzie odwrotnie!

Sasza chwyciła kolejnego papierosa.

– Po co więc marnujemy czas?

– My? – Wiktoria się rozejrzała. Nagle stała się agresywna werbalnie. – Ja jestem u spowiedzi. A pani chyba nie ma co robić wieczorami, więc chodzi po ludziach.

– Skoro pełnię rolę kaznodziei – odparła bardzo spokojnie Załuska – radziłabym zapoznać się z dokumentacją, zanim wyciągnie pani pochopne wnioski. Co z tym pobiciem?

– Może zrobił to pierwszy albo drugi Arab. A może ktoś inny. Nie wiem. W każdym razie z tą nogą było coś bardzo nie tak i to był między innymi powód, dlaczego jej nie zidentyfikowałam. Kobieta wysadzona w paryskim metrze miała obie kończyny sprawne. Była roztrzaskana na miazgę od pasa w górę, ale nogi całe.

– O co chodzi z tym drugim Arabem?

– To był londyńczyk, drugie pokolenie imigrantów. Widziałam go tylko na zdjęciu. Podejrzałam profil Jagi, zanim mnie zablokowała. To nazwisko, które pani podaje, jest fałszywe. To jest fejk, jak mówi Maciek. Takich Muhhamedów Naguibów zginęło setki w Syrii. Ten też zaciągnął się ponoć na świętą wojnę i zginął dwa tygodnie później.

- Skopiowała pani tę fotografię? Zrobiła pani skan?
Wiki zmarszczyła brwi i przytaknęła niechętnie.
- Wyślę pani, ale policja już go poszukiwała. Bez skutku. Amadeo też zniknął bez śladu. Niektórzy mówili, że dołączył do ISIS, że jest gdzieś w Syrii, ale to jakaś bzdura. Przeceniają go. To nie był żaden żołnierz.
- Wcześniej uprowadził dzieci. Detektyw zajmował się tą sprawą. Też bzdura, plotka, kaczka dziennikarska?
- Jaga sama je wywiozła - weszła jej w słowo Wiki.
- I nie chciała wracać. Wierzyła, że musi być tam, gdzie jej mąż. To niby powinność. Tak nakazywała religia. Nikt z nas nigdy nie wierzył w nic tak, jak ona w Allaha. Myślę, że jeśli faktycznie nie żyje, umarła spokojna, że idzie do raju. Podobnie jak sprawa tego londyńczyka Muhhameda. Jestem prawie pewna, że Amadeo nie zmuszał jej, by zamieszkała z nim w Anglii. Nigdy nie zostawiłaby dzieci, a one zostały w jego rodzinie.
- W Kairze?
- To niewielka osada tysiąc kilometrów od Kairu. Biedni ludzie, klanowa społeczność. Mieli trzy konie i dwa wielbłądy. Kilka namiotów, trochę złota. Krysiak tam był. Prawie je odzyskał. Mówił, że były zdrowe, zaopiekowane. Niczego im nie brakowało. Kiedy Jaga je wywiozła, były tak małe, że nas już nie pamiętają. Przywiezienie ich tutaj to jak wyrugowanie z rodziny, którą uważają za własną. Tak to widziałam. Od początku byłam zdania, że te walki są niepotrzebne. Trzeba je zostawić. Nie wolno fundować im nowej rewolucji. Londyn mógł być kompromisem dla nich obojga. Może są teraz szczęśliwsze?
- A może cierpią - weszła jej w słowo Załuska. - Czy Jaga była wykorzystywana przez fanatyków do celów propagandowych? Może dzieci były jedynym straszakiem, któ-

ry na nią mieli. Może była szantażowana i nie miała znikąd wsparcia. Została z tym problemem sama.

– Nie! – Wiktoria pokręciła zdecydowanie głową. – Nikt nie mógł jej uratować. Jaga przestrzegała Polki przed fundamentalistami. Broniła islamu, bo naprawdę wierzyła, że to najdoskonalsza religia świata, i walczyła, by się nie bać obcych, by zaakceptować innych. Słyszała pani o seksualnym dżihadzie? Ona była jedną z narzeczonych Allaha. I o ile szanuję jej wybór, o tyle nie rozumiem, jak mogła ratować tamte dzieci, a zostawić Maćka.

Wiktoria pierwszy raz zacisnęła usta i do oczu napłynęły jej łzy. Pokręciła głową.

– On potrzebował jej najbardziej. Jego opuścili wszyscy. Dlatego się taki stał.

– Jaki?

W tym momencie zadzwonił telefon Saszy. Załuska odetchnęła z ulgą. Na wyświetlaczu pojawił się numer Cukiego.

– Masz? – zapytała bez wstępów, ale odpowiedziała jej cisza. – Halo! Słyszysz mnie?

Spojrzała na wyświetlacz. Sekundnik nieubłaganie parł naprzód. Połączenie było aktywne, ale po drugiej stronie słyszała tylko gwizdy, sygnały karetek i szmery. Znów przyłożyła aparat do ucha.

– Sasza – usłyszała zniżony szept Jacka. – Budynek telewizji. Teraz. Nasz negocjator sobie nie poradził.

– Co się stało?

– Dziecko stoi na dachu. Na krawędzi. Nie chce zejść – padło w odpowiedzi. – Weź taksówkę albo niech ktoś cię przywiezie. Na dole jest już jeden trup.

Miasta tym różnią się od wsi, osad i sielskich kolonii, że nawet gdy milczą – mówią obrazami. Gdy wrzeszczą – pełną piersią wzburzonych mieszkańców: jajkami, jazgotem z radia, najwulgarniejszym przekleństwem. Czasem koktajlem Mołotowa lub jękiem rozkoszy w bramie. Szept jest w mieście czymś bezwstydnym. Zawsze bowiem mieszczanie walczą nazbyt brawurowo. Poświęcają całą armię szlachetnych i odważnych graczy na rzecz tchórzy, bez których nie mogliby w mieście istnieć ci pierwsi. Wszyscy bowiem współistnieją, jak dobre i złe bakterie w organizmie. Dlatego nigdy nie ma i nie będzie między nimi zgody. Miasto tworzą ludzie odmienni od siebie. Kłótnia i konflikt są jego sercem. Nadają puls, przyśpieszają tętno, ożywiają z martwych połacie trawy i karczują chaszcze bez pardonu, zdobywając przedmieścia, pochłaniając jak głodny potwór pobliskie wsie i osady. Jeśli jeden trybik wypada z tej maszyny, zostaje zastąpiony nowym. Liczba szubrawców musi się zgadzać. Podobnie jak liczba szeryfów i samotnych wojowników zawsze była i będzie constans. Miasta odpoczywają w ruchu. Arteriami ulic niestrudzenie toczą się tramwaje, trzęsą autobusy, suną auta i przemykają rowery. Choćby w dzień zabytkowe kamienice straszyły pustostanami i zaropiałą tłuszczą, która je zaludnia, gnieździ się jak robactwo w zdrowej tkance, tocząc swój nowotwór, który jawi się wyraźnie miejscami w najstarszych częściach, prawdziwie i szczerze niczym skóra zdarta do kości – w nocy jarzą się polifonią świateł i dopiero z ciemności wyłania się prawdziwa twarz aglomeracji. Życie toczy się na rzęsiście oświetlonej ulicy i tam, gdzie chwilowo ktoś stłukł wszystkie lampiony. Niemy krzyk może rozlegać się wszędzie, ponieważ zawsze coś rozświetla mrok: neon, blask policyjnego koguta czy płomień zapalniczki. Miasta nie zasypiają. Nigdy nie pogrążają się w całkowitych ciemnościach.

Sasza wyskoczyła z taksówki i ruszyła biegiem w kierunku najstarszego łódzkiego wieżowca Centrali Tekstylnej TEXTILIMPEX, zwanego potocznie brudasem, i bezskutecznie próbowała przedrzeć się przez tłum gapiów. Za nią gnała Wiktoria, ale Załuska szybko ją zgubiła w gąszczu ludzi.

Teren wokół łódzkiego oddziału telewizji oblegały wszystkie możliwe służby, które przywiozły ze sobą miliony wielobarwnych żarówek. Dominował kolor niebieski i czerwony. Wyły syreny alarmowe. Było tak jasno, że na wyszczerbionym chodniku pod budynkiem można było liczyć ziarenka pieprzu. Czarny worek zasuwany na zamek widoczny był z daleka. Kłębił się wokół niego zastęp techników. Drugi taki zastęp Załuska dostrzegła w okolicy dwunastego piętra. Kilku policjantów z linkami asekuracyjnymi wisiało nad wyłomem i zbierało ślady.

– Tak leciały zwłoki – usłyszała za plecami podniecone głosy. – Na oknie widać krew i kawałki mięsa.

– Zrób zdjęcie.

– Nie będzie nic widać. Musimy podejść bliżej.

– O Boże! – lamentowała kobieta, która uparcie stała z tyłu, nie przestając jednak kołysać w wózku niemowlęcia. Jej jęki Załuska słyszała jeszcze długo. Ciekawska matka będzie trzymać wartę i uderzać w katastroficzne tony, ale do domu nie pójdzie, dopóki plac wokół telewizji nie opustoszeje. Profilerka przedarła się do żółtej taśmy, której pilnie strzegli rośli funkcjonariusze w mundurach i opancerzeni rycerze w kominiarkach. Mimo ich zbrojnego wyglądu co jakiś czas ktoś próbował przedostać się na plac. Mieszczuchy zawsze wielbiły igrzyska. Zawsze mało im widoku krwi.

Sasza odbiła się od trzech cerberów i dopiero telefon do Cukiego pozwolił jej sforsować opór mundurowego najwyższego rangą. Kiedy była już po uprzywilejowanej stronie, od strony Sienkiewicza dostrzegła ekipę Anny Świderskiej. Tworzyli nieprzejednany szpaler niczym małe wojsko, zbyt dumni w swoich nowych polarach z odblaskowym napisem STRAŻ, by nie wyglądać komicznie. Ale byli o wiele bardziej bezlitośni niż policjanci. Dopiero teraz profilerka odważyła się zadrzeć głowę.

Chłopca prawie nie było widać. Zdawało się, że na dachu wieżowca nie ma nikogo. Tylko mały barwny punkcik w aureoli światła. Drobny robaczek świętojański, na którym chwilowo skupiły się jupitery Łodzi. Reporterzy relacjonowali dramat na żywo. Były wozy transmisyjne i marynarki dopasowane do koloru kostek mikrofonów. Szybkie ujęcia, długie szwenki, zbliżenia na płaczące teatralnie mieszkanki miasta.

Cuki ciężko dyszał, kiedy biegli przez plac. Pośpiesznie tłumaczył Saszy zastaną sytuację. Déjà vu. Widać z Jackiem najlepiej porozumiewali się w trakcie kłusa.

– Nie chce zejść. Nie rusza się. Nie mówi. Patowa sytuacja. Stoi na wyłomie, trzyma się barierki, a wiemy, że jest miejscami skorodowana. W każdej chwili może pęknąć. To już trwa drugą godzinę.

Dotarli do wind. Sasza wcisnęła niecierpliwie guzik i odwróciła się.

– Dlaczego dopiero teraz mnie wezwałeś?

Cuki bezradnie wymachiwał rękami.

– Nasz człowiek z nim pracował.

Wsiedli. Dźwig podniósł się bezszelestnie. Kobieta o głosie prawie Czubówny kolejno informowała ich, na którym piętrze się znajdują.

– Dojedziemy tylko na dwunaste. Dalej trzeba piechotą. Od lat nikogo tam nie wpuszczają. Ta część jest odgrodzona kratą. Musieliśmy ją rozpiłować.

– Kto?

– Nie wiem, jakiś ślusarz. Jak ten dzieciak się tu przedostał, za Boga Pana nie wiem. Może przeszedł między prętami?

– Kto z nim pracował? – zadała pytanie Załuska. – Drugi?

Cuki pokręcił głową.

– Nie znasz go, ale to świetny fachowiec. Szef sekcji psychologów. Też trochę profiluje.

Sasza się zatrzymała. Przypomniała sobie zarozumiałego bufona z irokezem na głowie. Ekscentryk, psychopata i człowiek z niezałatwionymi sprawami, jak większość jej kolegów po fachu. Jak ona sama.

– Poznałam go. Przemiły gość.

– Nic nie wskórał. Problem w tym, że chłopak jest dziwny.

– Piętro dwunaste – oznajmiła radośnie winda. – Drzwi otwierają się.

– Jak dziwny?

– No wiesz. – Cuki się zaplątał. – Nie odpowiada na wołanie, krzyki ani delikatną perswazję. Na mniej delikatną zareagował wyjściem na krawędź. Może jest głuchy? Upośledzony?

– Jest w stuporze – usłyszeli głęboki baryton psychologa.

A zaraz potem na ich spotkanie wyszli wszyscy święci łódzkiej komendy. Brakowało tylko Flaka, ale z tonu głosu pozostałych Sasza zorientowała się, że jest na gorącej linii. Już słyszała jego rozkaz, by informować go na bieżąco.

– Prawie go zdjęliśmy – szybko zrelacjonował Drugi.

– Wtedy Szczepan wyszedł zza komina. Chyba zbyt gwałtownie szarpnął gówniarza i tylko pogorszył sprawę. Młody przeskoczył na wyłom. Od upadku chroni go tylko kawałek zardzewiałej rury.

Zapadła cisza. Sasza nabrała głęboko powietrza. Cała drżała i miała w nosie, że wszyscy widzą jej strach. Rozejrzała się.

– Jak mam iść? Kto mnie asekuruje?

Cuki wystąpił naprzód. Wyciągnął w kierunku Załuskiej skomplikowany sprzęt zakończony karabińczykami. Przypominał siodło dla konia skrzyżowane ze złożonym spadochronem.

– Nie założę tego. Sama bym uciekła na widok tej aparatury.

– Musisz. – Drugi zaczął ją w to ubierać i mówił jednostajnym tonem: – Nikt nie remontował tej części od lat sześćdziesiątych. Nie mamy wiedzy, jaki jest stan podłoża dachu. Bo że barierki to lipa, już się zorientowaliśmy. Pójdzie z tobą nasza wspaniała dwunastka z AT. Ja też włażę z wami na ten cholerny szczyt, choć w domu nawet do wieszania zasłon wzywam sąsiada. Podejdź do niego jak najbliżej, choć niechętnie na samą krawędź. Pamiętaj, bez bohaterstwa. Musisz namówić go tylko, żeby zszedł z wyłomu. Nic więcej.

– Tylko? – jęknęła profilerka.

– Potem chłopcy się nim zajmą. I nie spadnij, do kurwy nędzy, bo kto mi powróży na sylwestra, jak będziesz po drugiej stronie tęczy. – Uśmiechnął się bardzo smutno, a potem pochylił się i pocałował Załuską w czoło. – Powodzenia!

– Co o nim wiemy? – Sasza odwróciła się do psychologa.

Patrzył na nią z marsową miną, ale nie było już śladu wrogości, którą miał wypisaną na twarzy jeszcze kilka dni temu. Wszyscy wiedzieli, że zrobił wszystko, co w jego mocy. Urok osobisty nie zadziałał, profesjonalizm też nie. Potrzebowali nowego ochotnika. Trafiło na Saszę. Jeśli jej się nie uda, spróbują z kimś następnym. Nie ma co się obrażać.

– Czternaście lat – zaczął wyliczankę psycholog. – Wkurwiony introwertyk. Nie udało mi się dociec, co go tak wściekło. Słucha rapu. Woli Zeusa od O.S.T.R.-ego. Ulubiony przedmiot – informatyka. Dwójka rodzeństwa. Mieszka z ciotką.

– To dużo jak na głuchego niemowę. – Profilerka pokiwała głową z uznaniem i poddała się uzbrojeniu w spadochron, choć nie wierzyła, że zdąży pociągnąć za spust, jeśli nagle miałaby runąć w dół. Karabinki do plecaka na stelażu miała mocniejsze.

– Ma jakieś imię?

– Może i ma, ale naszemu mistrzowi nie zdradził – jak zwykle wbił się z wyjaśnieniem Drugi.

– Więc nie ma imienia i stoi tam dla funu?

– Była z nim dziewczynka – odezwał się Cuki. – Starsza
o dwa lata. Asia.

Sasza zatrzymała się gwałtownie.

– Jak to była? Dopiero teraz mi mówisz? To jest ten
czarny worek? Dziecko?

Załuska zasłoniła usta dłonią. Dopiero teraz poczuła
grozę.

– Była. Nie ruszaj tego tematu! – huknął Drugi. I pomachał gwałtownie rękami. – *Go, go!* Nie mamy czasu na narady. Przynajmniej spróbujesz! Za chwilę temperatura spadnie
poniżej zera. Na dachu zacznie być ślisko! Nie wiem, ile
jeszcze ten młodzian wytrzyma.

Sasza ruszyła do schodków przeciwpożarowych. Starała
się nie myśleć o swoim lęku wysokości. Akrofobia Drugiego
w sprawie zasłon była niczym w porównaniu z jej strachem.
Ta sytuacja budziła w niej głęboko skrywane wspomnienia.
To wszystko, o czym tak pieczołowicie starała się zapomnieć. Wszystko, co wyparła, wymazała z pamięci gumką
myszką, by móc dalej żyć, teraz wróciło ze zdwojoną mocą
w postaci szybkich fleszy. Wysokość. Ogień. Przestrzeń
i dym. Płonący dom. Ona półnaga, ledwie wybudzona
z omdlenia, siłą wrzucona na balkon. Ogłuszona wystrza-
łem. Oprawca w mieszkaniu. Płonąca zasłona przylgnięta
do ciała. Pochodnia z włosów. Wybór: śmierć od noża, kuli
czy skok w przepaść. Przełożenie nogi przez barierkę. Za-
rdzewiały kawałek rury. Skrzypienie. Ślina w kąciku ust.
Zaczepiona dłoń. Rozpaczliwa próba uchwycenia się
tej rury i wreszcie ból, upadek. Urwany film. A potem długo nic. Przed oczami latały jej mroczki, nogi drżały, ciało
wiotczało, serce wyrywało się z piersi. Ale życie dziecka
było ważniejsze niż jej osobiste demony. Przypomniała sobie słowa Toma Abramsa. Tak naprawdę strach nie istnieje.

To chemiczna reakcja organizmu. Mózg daje mylne komunikaty. Ale to ty nadal rządzisz. Nie myśl. Działaj. Kiedy stanęła na ostatnim szczeblu drabiny i wyjrzała przez właz, przyrzekła sobie, że jeśli wróci, po powrocie nie opuści swojego dziecka przez najbliższe pół roku. I powie małej prawdę. Jak? Jeszcze nie wiedziała, ale miała dosyć kłamstw. A potem przeżegnała się i z zamkniętymi oczami wczołgała się na dach. Tylko superbohaterowie w komiksach dają zgrabnego susa w sam środek cyklonu. Sasza do nich nie należała. Składała się z samych wad i nienawidziła walki, a wciąż musiała się o coś bić.

Łódź lśniła feerią świateł. Setki roziskrzonych lampionów migotały, poruszały się jak rozwibrowane owady. Załuska zmrużyła oczy i pomyślała, że dla tego widoku samobójcy wspinają się na samą górę u schyłku nocy. Dla tych błysków, gejzerów tęczy, iluzji ciepła. Napawała się gorącem tego widoku, aż drżenie kolan ustało. Ciało znów się napięło. Na chwilę zapomniała o przestrzeni. Noc otuliła ją swoim granatowym płaszczem i dawała jej kierunkowskazy w postaci jasnych punktów, dróg i wspaniałych tęczy sztucznego ognia. Potem profilerka pochyliła głowę i wpatrując się w czubki swoich butów, pomaszerowała na miękkich nogach do szczytu budynku. Powiedzieli, że chłopiec zszedł za wyłom przy kominie. Był tutaj tylko jeden taki element. Po drugiej stronie stało stado anten. Tam byłoby zapewne bezpieczniej rozmawiać, ale chłopiec widać naprawdę chciał skoczyć. Szła niepewnie, koślawiąc obcasy bikerów i bezskutecznie starając się nie tupać, ale zanim go zobaczyła, już wiedziała, że zorientował się, iż wysłali kolejnego frajera do gadki.

Był chudy, ale dość wysoki. Dlatego wyglądał na znacznie więcej niż czternaście lat. Kaptur niemal całkowicie zasłaniał mu twarz. Widziała tylko trójkątny podbródek, spękane i zsiniałe z zimna usta oraz strużkę krwi na jego dłoni, którą trzymał się barierki. Drugą włożył do kieszeni. Kiedy próbowali go zdjąć, a on uciekał, musiał upaść i otrzeć nadgarstek. Mogła się założyć, że błogosławił ten ból, bo przypominał mu, że wciąż jeszcze żyje. Dodawał mu sił i wzmagał jego wściekłość lub żal.

– Zimno – powiedziała.

Nawet się nie poruszył. Przez chwilę pozazdrościła mu, że ma tyle odwagi. Stał prosto, ciało miał luźne. Wpatrywał się w przestrzeń, jakby medytował na zielonym stoku.

– Będzie jeszcze gorzej – dodała. – Zapowiadali, że ma dziś spaść do siedmiu poniżej zera. I tak mamy szczęście, że nie pada śnieg. Ale to się może w każdej chwili zmienić. Ostro wieje.

Zero reakcji. Westchnęła bezgłośnie i dała jeszcze krok do przodu. Nadal była za daleko. Powinna stanąć obok niego, ale nie patrzeć mu w twarz. Zsynchronizować się z nim i mówić. Nie przestawać gadać. Wystarczy tylko złapać kontakt, zdobyć przyczółek. Potem jakoś pójdzie. Resztę załatwią siłowo. Prawie zawsze się udaje. Najgorszą i najżmudniejszą robotę wykonał psycholog. Zmęczenie, znużenie, bezradność. Teraz czas przełamać opłatek.

– Mam na imię Sasza i wysłali mnie po ciebie, bo jednego gościa już przepędziłeś. – Ruszyła naprzód, ale nogi odmówiły jej posłuszeństwa. Zatrzymała się. – Pewnie myśleli, że jak przyjdzie baba, to się zlitujesz. Ale widzę, że źle to wymyślili.

Odwrócił się. Wykrzywił usta w pogardliwym grymasie. Dostrzegła fragment jego twarzy. Było w niej coś znajomego. Coś, czego jeszcze nie potrafiła określić, bo spojrzał na nią tylko przez chwilę i nie pozwolił dostrzec wyrazu oczu, ale miała wrażenie, że jest znajomy, jakby go już kiedyś widziała.

– Mam córkę. Dziewięć lat – ciągnęła. – Karolina, ale wszyscy wołają do niej Karo. Nie znosi tego. Ostatnio dostała psa. Nie zgadzałam się na to całe lata. Teraz żałuję. Nigdy nie widziałam jej szczęśliwszej.

Zamilkła, bo chłopak zacisnął dłoń na barierce. Rura się poruszyła, osypało się trochę rdzy. Strzepnął ją z butów. Delikatnie postawił stopę w to samo miejsce. Wiedziała już, że nie rusza się ze strachu. Boi się jak cholera.

– Pies ma na imię Łukasz – ciągnęła. – Tak samo jak jej ojciec, ale ona tego nie wie. Nie zna go. Mieszkałyśmy jakiś czas w Anglii. Wróciłam niedawno i sama nie wiem, czy to była dobra decyzja. Nie wiem, jak mam to załatwić, żeby się poznali. Ona myśli, że jej ojciec nie żyje. Skłamałam jej, bo sama tak sądziłam, a potem nie miałam odwagi tego wyprostować. Jedno kłamstwo zmusza cię do kolejnych. Potem tak się zapętlasz, że ze zdziwieniem stwierdzasz: *hello*, wiszę na stryczku. I nijak nie pamiętasz, jak to się stało.

– Niepotrzebnie za mną polazła – burknął.

Sasza się zawiesiła. Nie od razu zrozumiała jego słowa, tak bardzo zaskoczyło ją to, że w ogóle się odezwał.

– Mówisz o swojej koleżance?

Zacisnęła wargi. Nie mogła mu tutaj powiedzieć, co się stało. Jeśli sam się nie domyślił, taka informacja może zburzyć wszystko. Może skoczyć, osunąć się, stracić równowagę. A gdyby tak było, spadną oboje. Gorączkowo myślała, jak odejść od tematu. Jak ominąć sprawę dziewczynki.

– Jak tutaj wszedłeś? Policja musiała ciąć pręty. Nawet szczur nie przeciśnie się przez tę siatkę.

Ale chłopak znów zaciął się w sobie.

– Pewnie byłeś tu wiele razy. Masz swój sposób. Okay, nie wnikam.

Przemogła się i postąpiła dwa kroki naprzód. Potem jeszcze jeden i dwa w bok. Następnie drżącą ręką chwyciła barierkę i przełożyła przez nią nogi. Najpierw prawą, potem lewą. Z trudem łapała powietrze. Stali teraz oboje na krawędzi, patrząc przed siebie.

Sasza była pewna, że jej głupia linka nie zda się na nic, jeśli chłopiec zrobi jeden gwałtowny ruch. Ale by poczuć się lepiej, przypięła karabinek do rury. Niewiele pomogło. Nadal trzęsła się jak galareta. Podała chłopcu drugi. Nie zareagował. Patrzył przed siebie. Na dachy, które tworzyły rodzaj drogi. Stąd dobrze było widać rzędy ulic podzielone na równe, symetryczne kwartały. W dole pod budynkiem kłębił się tłum gapiów. Wyły alarmy. Migotały błękitne i czerwone koguty na wozach strażackich, karetkach, sukach policyjnych.

– Strasznie oni wszyscy mali – stwierdziła. – W sumie jak się tak dłużej postoi, człowiek traci perspektywę. Zaczyna być trochę jak w grze komputerowej. Żeby była jasność, nie jestem jakimś wytrawnym graczem.

Zamilkła.

– Tak naprawdę to grałam tylko w tetris na starym telewizorze. To było w epoce lodowcowej oczywiście – dodała, ale choć wcale nie chciała żartować, zauważyła, że uniósł kącik ust.

Rozbawiła go. Niewiarygodne. Nadal się nie odzywał, ale wyjął rękę z kieszeni i wysunął ją naprzód. Wskazał pierwszą kamienicę na Sienkiewicza.

– Jeśli miałabyś magiczne moce i przeskoczyła na tamten budynek, mogłabyś przejść Starym Polesiem po dachach – rzekł.

416

– Żałuję, ale nie wzięłam ich dziś ze sobą. Widzę, że też jesteś po lekturze *Olbrzyma**.

– To dla małych dzieci. – Uśmiechnął się słabo. – Teraz czytam Martina i Salingera. Zawsze chciałem to zrobić. Uciec górą w trakcie kataklizmu. Podziemi się boję.

– Jeśli o mnie chodzi, nigdy nie miałam tak ambitnych marzeń – odparła zgodnie z prawdą. – A w kanałach są szczury. Jeśli jest ich dużo, mogą cię faktycznie zjeść. Znasz *Dżumę*?

Pokręcił głową.

– W grach i filmach to się zawsze udaje – znów się odezwał.

– Prawie zawsze – podjęła wątek. – Chyba że grasz rolę złego. Grasz?

Spojrzał na nią zaskoczony. Nie odwróciła wzroku, choć było to ryzykowne. Nie powinna się tutaj z nim pojedynkować.

– Wolałbym nie – odparł.

Odetchnęła z ulgą. Pękał.

– Więc jeśli chcesz, mogę załatwić ci tę przygodę – zgrywała bohaterkę i choć czuła się jak idiotka, szła w to, bo widziała, że on coraz bardziej się rozluźnia. Stwierdziła z ulgą, że jest inteligentny i bystry. Zawsze to lepiej, niż walić głową w beton prymitywizmu. W przyszłości pewnie złamie kilka damskich serc. – Ale moglibyśmy zaczekać z tym do maja?

Roześmiał się.

– Dziwne masz imię.

– Zemsta tatusia. Sasza to po rosyjsku Aleksander.

– Tak masz w dowodzie?

---

* *Olbrzym* – trzecia część cyklu powieści Andrzeja Maleszki pt. *Magiczne drzewo*.

– Wbrew pozorom jestem kobietą – mruknęła bez uśmiechu, ale widziała, że jego twarz się rozpogodziła. Byli blisko finału. – Oficjalnie nazywam się Aleksandra Załuska.

– Wiem. – Zdjął kaptur.

– Pamiętam cię! – Nagle przypomniała sobie Sasza. – Jechałeś pociągiem. Biegłam wtedy i spóźniłam odjazd. Mariusz? Nie, czekaj, Maciek. Czytałeś książkę o Scratchu.

Pochylił głowę. W oczach miał łzy.

– Ja nie chciałem, żeby to wszystko się stało. Nikt jej tu nie zapraszał. Nie jestem taki – powtarzał jak zapętlony.

Sasza wyciągnęła rękę do chłopca, ale zabrał swoją i znów ukrył w kieszeni.

– Nie wiem jak ty, ale jest mi cholernie zimno i umieram ze strachu – powiedziała i bez pytania go o zgodę przypięła drugi karabinek do jego bluzy.

Wyrwał się. Wtedy Sasza się zachwiała. Górna część jej ciała przechyliła się do przodu, a nogi straciły przyczepność. Chłopiec chwycił ją za kurtkę i przytrzymał, aż odzyskała równowagę. Oboje oddychali ciężko.

– Słuchaj, młody, nie wiem, ile jeszcze wytrzymam – wychrypiała. – Cholernie się boję. Rozumiesz? Nienawidzę wysokości. Mam złe wspomnienia. A ten sprzęt na pewno nie uniesie nas obojga. Możemy dokończyć tę rozmowę na dole?

Długo milczał, wreszcie skinął głową.

– Dzięki – odparła drżącym głosem. – Teraz powoli. Bardzo ostrożnie cofnę się, bo inaczej zwalimy się wprost na ten tłum i będę do końca życia straszyła cię w piekle. Tylko nie waż się skakać! Jesteśmy połączeni! – krzyknęła na niego. A potem złagodniała. – I nie puszczaj mojej ręki.

Poczuła, że nie trzyma go stabilnie. Chwycił ją jedynie dwoma palcami, pozostałymi zaciskał jakiś drobiazg.

– Oddawaj mi to i chwyć się porządnie! – Wyrwała mu plastikowy przedmiot, który uparcie trzymał w zagłębieniu dłoni, co nie pozwalało mu złapać się dwiema rękami rurki asekuracyjnej, a następnie rzuciła za siebie.

– Nie! – krzyknął i rzucił się do tyłu, jak kilkulatek, któremu odebrano zabawkę, a potem upadł na kolana i zaczął płakać.

Sasza podbiegła do niego i prawie nakryła go swoim ciałem.

– Już dobrze, jesteś bezpieczny – mówiła łagodnie i głaskała go po głowie. Dyszała ciężko.

– Nic nie jest dobrze – wychrypiał przez łzy. – Nic! Dopiero teraz się zacznie.

Rozwinął rękę. W jego dłoni leżał odbezpieczony włącznik. Identyczny jak ten, który zwisał z pasa szahida na manekinie, kiedy profilerka przyjechała do Łodzi pierwszy raz. Sasza w tym momencie zrozumiała, że chłopiec stał tutaj i ściskał przez dwie godziny przycisk, by zapobiec detonacji. Przed oczami przeleciały jej najpiękniejsze wspomnienia z córką, jej uśmiech, dołeczki w policzkach i niemal całkiem zmrużone oczy, kiedy Karolina się śmiała, a potem poczuła, że wzdłuż nogawki płynie jej ciepła strużka. Tego było już dla niej za wiele. Zmoczyła się ze strachu.

Czekała na wybuch, ale nie nastąpił. Chłopiec leżał z kolanami podkulonymi do brody, plecami do góry i głośno wył. Podczołgała się, wymacała w ciemności drobiazg, który przed chwilą wyrwała mu z ręki i rzuciła za siebie. Patrzyła na samochodzik z klocków Lego, z którego zwisał krótki przewód. Chwyciła Maćka za ramiona i szarpnęła brutalnie. Krzyczała:

– Kto? Kto kazał ci to robić? Gdzie jest ładunek?

Maciek wyrwał się i rzucił naprzód, jakby chciał skoczyć. Wtedy na dach wdarli się ludzie z AT. Rzucili się całą zgrają na dziecko. Obezwładnili jak groźnego przestępcę na filmach. Saszę odciągnęli na bok. Patrzyła, jak położyli chłopca na ziemię i coś krzyczeli. Słyszała ich głosy, ale nie rozróżniała słów. Tym razem to ona podpaliła lont. Obwód się zamknął. Prąd popłynął. Wiedziała, że gdzieś wybuchł już pożar, coś się żarzy.

Patrzyła na bajeczny widok, na rozjarzoną sztucznym światłem oszałamiającą Łódź i wypatrywała ognia.

– Tak, słucham, Straż Pożarna w Łodzi.

– Macie pożar mieszkania na Włókienniczej?

– Nie.

– Łączę z numerem 518 622 690.

– Przyjąłem. Tak, słucham.

– Dobry wieczór. Chciałam zgłosić pożar w mieszkaniu na Włókienniczej.

– Ile?

– Nie wiem, bo ja mieszkam na Rewolucji, ale tam cała chałupa płonie.

– Włókiennicza koło jakiego numeru to może być?

– To jest druga brama od Kilińskiego. Prawdopodobnie.

– Przyjąłem.

Ledwie dyspozytor odłożył słuchawkę, czerwona lampka znów zamigotała.

– Łączę z telefonem 501, tak, 447 272.

– Proszę.

– Dzień dobry, jestem na Kilińskiego dwadzieścia siedem przez dwadzieścia dziewięć. No pali się, kurde, w mieszkaniu.

– Jaki adres?

– Kilińskiego dwadzieścia siedem przez dwadzieścia dziewięć.

W tle słychać śmiechy i głos kobiety.

– Nie śmiej się, kurde!

– Dwadzieścia siedem przez dwadzieścia dziewięć?

– Tak. Ja jestem dokładnie na tej posesji, a to jest prawdopodobnie na Rewolucji.

– Które piętro?

– Wydaje mi się, że pierwsze, ale nie jestem pewien, bo słabo stąd widać. Zresztą... O kurde, ogień wychodzi oknami.

– Dobrze. Przyjąłem zgłoszenie. Jeszcze pana numer telefonu i nazwisko.

– Kozanecki się nazywam.

– Z jakiego numeru telefonu jest zgłoszenie?

– 501 447 272.

– Przyjąłem.

– Pan zaczeka. Tutaj kolega mi mówi, że jak jechał taksówką, to widział dym na Piłsudskiego. Macie to zgłoszenie?

– Zaraz sprawdzam. Jaki adres?

Słychać jak mężczyzna krzyczy poza głośnikiem.

– Jaki to był adres? Strażak pyta. No skup się. Weź go, bo obrzyga sobie całe spodnie. Trzymaj go.

– Nie wiem. Kolega nie wie. Ale to chyba w tym biurowcu, gdzie jest główna siedziba Orange.

– Piłsudskiego trzy?

– Może.

Znów krzyki w tle:

– Co? Co on gada? Podejdź tutaj, bo tam nie mam zasięgu. Aha.

I do słuchawki.

– Kolega słyszał wystrzał. Może jakaś awaria, czy coś. A potem pojawił się dym i ludzie zebrali się przed wejściem. Ten kolega tam niedaleko mieszka. Urodziny miał. Imprezę mu rozwalili. Zabraliśmy go ze sobą, bo słabo się czuje. Ognia chyba nie ma, ale coś musi się tam hajcować, bo śmierdzi i podobno w okolicy nie mają prądu.

– Przyjąłem. Jedziemy.

Na pulpicie dyspozytora zaświeciło się teraz jednocześnie kilka przycisków. Włączył pierwszy po lewej.

– Straż Pożarna w Łodzi, słucham.

– Halo, jest tam może Tomek Krasicki?

– Przy telefonie.

– Tomek, Bartek z tej strony. Słuchaj, jesteśmy już na Piłsudskiego. Policja nas zawiadomiła, komendant wydał rozkazy. Puścili do tego budynku robota pirotechnicznego. Monika dowodzi tutaj, bo szukamy źródła ognia, ale ona pyta, czy energetycy zrobili coś, bo żadna informacja do niej nie dotarła.

– Nic nie wiem. Nie mam nawet oficjalnego zgłoszenia. Czekaj. Mam komendanta na linii.

Czerwona lampka na drugiej linii zamigotała stałym światłem, a potem zgasła. W tym momencie do skrzynki mejlowej dyspozytora wpadła wiadomość. Otworzył ją, przeczytał i natychmiast wrócił do przerwanej rozmowy.

– Mam rozkazy. Byli energetycy i odłączyli to mieszkanie, co się paliło.

– Odłączyli tylko to mieszkanie?

– No. Ale pojechali teraz do EC2 i na jakiś czas odłączą fazę główną.

– Co?

– Włączcie agregaty! – krzyknął do mikrofonu. – Do czasu zakończenia akcji może nie być prądu w tej części miasta. To znaczy w centrum.

– Aha, zrozumiałem. Pogotowie Gazowe jest już na miejscu.

– Dobra, dzięki.

– Dobra, to na razie.

Łódź, 29 grudnia 2015

– Na razie trudno wyrokować, czy chciał wypchnąć dziewczynkę, czy to był tylko wypadek. Technicy jeszcze zabezpieczają ślady – zakończył Drugi i potarł powieki.

Za nim, w rzędzie, stali Załuska, Borkowski, Henrietta i Zofia Lech, ruda policjantka, która złapała chłopca, kiedy po raz drugi próbował rzucić się z dachu telewizji. Całą noc latała w kasku i kamizelce kuloodpornej. Tym razem jej włosy były klapnięte, a od skóry widać było ciemne odrosty. Z ucha wystawał jej skręcony kabelek, do paska miała przyczepioną krótkofalówkę, która co jakiś czas podawała wyciszone komunikaty. Wszyscy byli zmęczeni, ale nikt nawet nie zająknął się z prośbą, by iść do domu.

Flak wziął do ręki kartę wejściową na różowej smyczy.

– To jest pewne? Dzięki temu właził na dach?

– Czekamy na oficjalne stenogramy, ale zasadniczo tak – potwierdził Drugi.

Komendant obejrzał elektroniczną kartę dostępu z obydwóch stron. Na jednej z nich znajdowała się naklejka z nazwiskiem i zdjęciem pracownika telewizji.

– Wiktoria... – odczytał. – To ta od Jarusik? Od babci bombki?

Drugi pokiwał głową, a następnie przyłożył usta do kubka z kawą. Niestety był już pusty. Odstawił go więc na szafkę z pucharami i skinął na Cukiego. Szef laboratorium kryminalistycznego odchrząknął, ale się nie odezwał. Dał za to kuksańca Jolancie Brzozowskiej.

– Szefie, od razu po nią pojechaliśmy, ale w domu jej nie ma – wyjaśniła Henrietta. – Szukamy.

– Pani dziś z nią rozmawiała? – Karol Albrycht zwrócił się do Załuskiej.

– Razem przyjechałyśmy – potwierdziła profilerka. – Ostatni raz widziałam ją w tłumie przed taśmami. Potem nie wróciła już na Bałuty. Nikt z sąsiadów jej nie widział.

Komendant włożył do ust obgryziony ołówek.

– Puśćcie list gończy. Zezwalam na uruchomienie wszystkich sił. Musimy ją znaleźć.

– Szefie – odważyła się odezwać Henrietta. – Nie ma podstaw. Chłopiec zaprzeczył, że ciotka brała w tym udział. Mamy tylko jej komputer.

Flak się wyprostował. Uderzył w stół.

– I jeszcze dwadzieścia sześć robotów z miniaturowymi silnikami o mocy profesjonalnej kosiarki, siedemnaście skryptów gotowych do wysadzenia kolejnych budynków oraz aplikację Tor Browser do anonimowego przeglądania sieci. Plus zdjęcia z pożarów umieszczone na mediach społecznościowych i filmiki z tych wszystkich peryskopów.

– Tylko w tym przypadku można ustalić IP komputera – zaoponował Cuki. – W pozostałych sprawach mamy numery IP z serwerów w Syrii, Mozambiku i Indii. Przeglądarka Tor pozwala na ukrycie tożsamości użytkownika, ale jest w pełni legalna. Implementuje trasowanie cebulowe drugiej generacji, a więc zapobiega analizie ruchu sieciowego. Może być wykorzystywana w celu ominięcia mechanizmów filtrowania treści, cenzury i innych ograniczeń komunikacyjnych. Ale właśnie dlatego jest ulubionym narzędziem użytkowników czarnego internetu. Samo posiadanie tej aplikacji nie może być dowodem w sądzie.

– Ale może być nim udostępniona zawartość – zbiesił się komendant.

– Umieszczanie zdjęć z pożarów nie jest zakazane – walczył Cuki. – Trzeba by było pozwać połowę świata. Jeśli zaś chodzi o przemoc, to YouTube jest jej pełen. Poza tym wątpię, by ta kobieta, z całym szacunkiem dla zdolności i osiągnięć artystycznych pani Wiktorii, posiadała takie kompetencje techniczne, informatyczne i na dodatek miała jeszcze głowę do chemii. Te bombki mają prostą konstrukcję, ale to nie kręcenie dziwnych obrazków z Bałut czy struganie w drewnie.

– Ktoś, do kurwy nędzy, to robi! – Komendant podniósł głos. – Znaleźć tę jędzę i rzucić ją na pożarcie mediom. A chłopaka cisnąć, aż się przyzna. Nie widzę inaczej.

W tym momencie jarzeniówki zamrugały. Światło przygasło, a potem znów się włączyło. Drzwi się uchyliły, w szparę między futryną a skrzydłem głowę włożyła sekretarka Flaka.

– Szefie, przeszliśmy na awaryjne. Jest prośba z energetyki, żeby wyłączyć wszystkie zbędne źródła światła. I koniecznie powyjmować z gniazdek niepotrzebne wtyczki. Liczy się każdy kilowat – wyrecytowała.

Drugi mruknął pod nosem stek najwulgarniejszych wyzwisk. I zwrócił się głośniej do sekretarki:

– Ilonka, z jakiej przyczyny?

Sekretarka spojrzała na zegarek.

– EC2 wyłączyło pierwszą fazę. Robią coś na Piłsudskiego. Chyba znów jakaś awaria.

– Podejrzenie zamachu bombowego – odezwała się Zofia Lech. Wyjęła słuchawkę z ucha i zameldowała: – Pojawił się dym, dlatego ewakuowano mieszkańców. Pracują teraz trzy nasze roboty. Nie znaleziono jeszcze żadnego ładunku. Źródło ognia opanowane. Paliły się siedzenia w biurze obsługi klienta i chyba kosz na śmieci. Nie wiadomo, czy są jeszcze jakieś ogniska w tym budynku. Strażacy nadal to sprawdzają. Chyba fałszywy alarm. Prąd odcięli prewencyjnie. Brak rannych, brak ofiar w ludziach.

– Dziękuję, szeregowa Lech. – Flak skinął głową do Zofii. A potem zwrócił się do sekretarki: – Zrób mi dzbanek kawy, zanim padną nam agregaty.

– Drugi dla mnie – rzucił przez ramię zastępca. A dopiero potem zwrócił się do Flaka: – Za pozwoleniem szefa, ma się rozumieć, kurde.

Ilona wyszła, stukając obcasami, ale nie zamknęła drzwi i po chwili pojawiła się znowu. Tym razem z zafoliowaną paczką zniczy cmentarnych pod pachą. Wystawiła połowę zawartości na biurko komendanta.

– Zostały mi po Wszystkich Świętych – wyjaśniła. – Lepiej szef trzyma u siebie, bo nie wiadomo, na ile starczy nam prądu. Energetycy zapowiadają nawet dwunastogodzinną przerwę w dostawie.

– Ale sylwester się szykuje – mruknął Drugi. – Mam nadzieję, że będą chociaż fajerwerki.

– Druga i trzecia faza odcięta. Retkinia też już w ciemnościach – zameldowała Zofia Lech. Poprawiła słuchawkę. – I połowa Widzewa. Po sprawiedliwości.

Chłopiec siedział przy metalowym stoliku z dłońmi zwiniętymi w koszyczek. Pomieszczenie spełniało czasem funkcję salki do okazań, więc obok znajdował się nieduży podest i dwoje drzwi za kotarą. Co jakiś czas Maciek rzucał niespokojne spojrzenia na drzwi i jedyne okno, przez które Rafał Kościej obserwował go zza lustra weneckiego. Kiedy Sasza wślizgnęła się do pomieszczenia, światło jeszcze bardziej przygasło. Profilerka postawiła kilka zniczy na pulpicie i wzięła papierosa z wysuniętej w jej kierunku paczki.

– Nadal nic? – Wydmuchała dym bokiem.

– Nie możemy go dłużej trzymać. Jest wykończony – odparł Kościej. – Zaskarżą nas. Powinien być przy tej rozmowie jego opiekun prawny.

– Ciotka zapadła się pod ziemię. Podobnie jak jej konkubent. I nie dziwię się. Jak ich zgarniemy, media rozjadą ich na płask. Chłopca też nie oszczędzą w Izbie Dziecka.

– Mówiłaś, że się przyznał – zmienił temat Kościej. – Tam, na dachu.

– Sama już nie wiem. Może mówił tylko o dziewczynce.

– Jak z nią?

– Rodzice ją odebrali. Poza przerażeniem, zmęczeniem i ogólnym rozbiciem emocjonalnym nic jej nie jest.

– Ale zeznania złożyła?

– Tak i obciążyła go. Śledziła go praktycznie od początku. Drugi zgodził się nie wnosić oskarżenia, jeśli pójdzie na współpracę, bo wiesz, że większość zabawek roznosili wspólnie.

– Na czyje zlecenie?

– Nie wiedziała. Nigdy jej nie ufał.

– Jak widać słusznie.

Patrzyli teraz na Maćka, który położył głowę na stole. Wydawało się, że zasypia.

– On nawet nie pójdzie do więzienia – skomentował psycholog. – A jak wyjdzie, dopiero będzie wyedukowany.

– Niezły łeb – szepnęła Sasza. – I ogólnie fajny chłopiec. Mądry. Szkoda tylko, że używa swoich umiejętności w takich celach.

Kościej odwrócił się i gwałtownie zaprotestował:

– On był tylko pomocnikiem. Narzędziem!

Sasza zaśmiała się kpiąco.

– Chcesz powiedzieć, że to tylko dziecko? A może demon go opętał? Omen, uaaa!

– To, że był świetny w technicznych sprawach, wcale nie znaczy, że miał świadomość niebezpieczeństwa, na jakie naraża innych.

– Owszem, miał.

– Żartujesz!

– Nie. – Sasza zadarła głowę, by spojrzeć Kościejowi w twarz, i wyrzuciła z siebie bardzo stanowczo: – Nie wiem, co wykaże śledztwo i jakie zbierzecie dowody, ale powiem ci, co sądzę. On chciał zrzucić tę dziewczynkę i popchnął ją. Żałował, że nie spadła, bo wiedział, że grubaska go wyda. Bo dlatego Asia nie spadła. Nie użył wystarczającej siły, by ją zepchnąć. Była zbyt ciężka. To był na dachu jego główny problem. Ale nie mówię, że jest zły. To mądry, wrażliwy chłopiec. Wczoraj też przeszedł na ciemną stronę mocy, bo wściekł się, że ktoś nim cały czas manipulował i wykorzystywał jego wiedzę do własnych celów. On zna nazwisko bombera, którego szukamy, ale go nie poda, jeśli nie znajdzie w tym interesu. I nie jest to w żadnym razie Wiktoria.

– To idź tam sama, pani Mądra Flądra, rzuć mu kotwicę. Wykaż się! – krzyknął Kościej.

– Jego trzeba przeczekać. – Sasza odwróciła się na pięcie. – On musi się wyspać. Trzeba pozwolić mu pożyć z piętnem przestępcy i wrócić do niego wieczorem.

– Jasne – wykrzywił się psycholog. – A w tym czasie będziemy mieli zbombardowane całe miasto.

Zgasło światło. Sasza wymacała jeden ze zniczy i zapaliła go.

– Do triumfu zła wystarczy, żeby dobrzy ludzie nic nie robili – powiedziała.

Do pokoju zajrzał Cuki.

– Zwijajcie chłopca z kozetki, bo jeszcze się nam powiesi na klamce w tym mroku. Koniec terapii. Babcia bombka się znalazła.

Zdawało się, że kanał nie ma końca. Damian Filutowski szczękał zębami z zimna i przeklinał sam siebie, że wpadł na tak idiotyczny pomysł. Nie mógł przyśpieszyć, ponieważ podłoże miejscami było podmokłe, a po półgodzinie marszu dotarł do przewężonej przestrzeni, w której musiał iść pochylony. Nie trzeba było długo czekać, by dopadła go rwa kulszowa. Nie mógł usiąść, położyć się ani nawet podnieść głowy. Rozmasował tylko kość ogonową i wykonał kilka ćwiczeń, a potem zaciskając zęby, znów ruszył naprzód. To się musi kiedyś skończyć, przekonywał sam siebie. Ręce mu zgrabiały od dotykania nieustannie wilgotnych ścian, ale mimo obrzydzenia wciąż się ich trzymał, ponieważ co jakiś czas udawało mu się wymacać drabinkę do włazu. Niestety, każdy dotychczas był zablokowany od wewnątrz. Im bardziej na niego naciskał, tym szczelniej się domykał. Wiedział jednak, jak wszyscy mieszkańcy Łodzi, że niektóre są otwarte, ponieważ włażą przez nie z góry dzieciaki i bunkrołazy. Może po prostu nie dotarł jeszcze do śródmieścia. Już kilka razy czuł miękkie futro na łydkach. Wrzeszczał tylko za pierwszym razem. Potem przypomniał sobie, jak ze szczurami i kretami walczyła jego babcia. Puszczała im do nor włączoną na cały regulator audycję pierwszego programu, w trakcie której nadawano najsłynniejsze arie. Szedł więc teraz i piszczał wniebogłosy kibolskie przeboje, a potem hiciory Coldplay, których naprawdę lubił słuchać, choć przed chłopakami w życiu by się do tego nie przyznał. Sprzed jego stóp umykały dziesiątki wcale niemałych pazurków.

Nagle w oddali zobaczył przebłysk światła i usłyszał głosy. Ruszył w tamtym kierunku, ale wdepnął w coś miękkiego, poślizgnął się i runął jak długi. Poczuł obrzydliwy zapach. Zrozumiał, że zarył w jakieś szczurze truchło. Podniósł ręce i starał się strzepnąć z brzucha i ud resztki zgniłej tkanki, kiedy na końcu korytarza rozbłysł snop światła. Zobaczył wreszcie kolor cegły, z której zbudowano przed laty kanał, obskurny strop, z którego zwisały pajęczyny i kapała czarna breja, oraz usłyszał kroki. Najpierw krzyknął, ale zaraz zamilkł. Przykleił się do ściany, zamknął oczy. Nasłuchiwał. Głosów było kilka. I z całą pewnością byli to mężczyźni. On zaś, nie licząc butów i tej śmiesznej trąbki z pstrokatej tektury na jajach, był nagi. Bunkrołazy wydawali z siebie pohukiwania i stęki, jakby ćwiczyli do przedstawienia. Strasznie przy tym bluźnili. Damian od razu się domyślił, kim byli, i po raz kolejny podjął decyzję, że woli już umrzeć w tym miejscu, być zjedzonym przez szczury i robactwo, niż się ujawnić w tym stanie. Gdyby znał choć jedną modlitwę, pewnie by ją odmówił, ale w głowie miał pustkę. Zacisnął więc ręce na swoich klejnotach i czekał na wyrok. Grupa widowiskowa „Powrót Zombie", która co roku maszerowała kanałami i wychodziła ze studzienek na Piotrkowskiej, by dać swoje show mieszkańcom miasta w dzień sylwestra, musiała mieć dzisiaj próbę. Teraz strażak już zrozumiał, co znaczy mieć szczęście w nieszczęściu. Dziś doświadczył tego wielokrotnie. Kiedy zombiacy zbliżyli się na wyciągnięcie ręki i zaświecili latarkami, dostrzegł łącznik do równoległego kanału, między nimi zaś znajdował się wyłom w murze i ciężkie metalowe drzwi. Nie zastanawiał się. Nacisnął klamkę i ukrył się za nimi, w ostatniej chwili unikając ledowych jupiterów zombie. Kiedy ciężko oddychał oparty plecami o zimny metal, o dziwo suchy i przyjemnie gładki, a grupa rekonstrukcyjna zniknęła z zasięgu jego uszu, zrozumiał, że znajduje się w jakiejś śluzie, która kiedyś prawdopodobnie prowadziła do schronu przeciwlotniczego. Dalej przejście było zamknięte i dodatkowo zabezpieczone metalowymi sztabami. Obmacał wszystkie otaczające go ściany. Znajdował się w metalowym kubiku. Każda płaszczyzna, której dotykał, była zimna, gładka i sucha. Odwrócił się i centymetr po centymetrze sprawdził każdy fragment skrzydła, przez które tutaj wszedł. Ale to nie było najgorsze. Drzwi schronu zamykały się szczelnie jak właz na łodzi podwodnej. Od wewnątrz nie dało się ich otworzyć. Jakiś złomiarz połaszczył się na starą żeliwną klamkę. W jej miejscu został tylko gładki okrągły otwór i wystający pręt zakończony szpikulcem. Damian zrozumiał, że ma tyle powietrza, ile mieści ten sześcian.

– To nie jest złoto. – Rahem Barakat rzucił puzderko na stół i spojrzał wymownie na ojca Jonatana, który zrobił się już purpurowy ze złości.

Siedzieli w kucki, popijając słodką herbatę, i wysłuchiwali peanów na temat Hody – przyszłej synowej. Znali jej wagę, rozmiar buta i listę dóbr, które otrzyma w posagu, ale dotąd nie mieli szansy jej zobaczyć. Rozmowa toczyła się po angielsku, z zachowaniem wszystkich zasad wschodnich konwenansów. Wcześniej spędzili dwie godziny w samochodzie, a potem kolejne trzy w pizzerii, gdzie dowiedzieli się, że w ciągu miesiąca muszą zorganizować wesele na czterysta osób. Matka Jonatana była tak zaskoczona, że dostała plam na twarzy, a czoło ojca lśniło od potu jak wypolerowane. Jeszcze kwadrans temu biegali po Manufakturze, szukając zaręczynowej bransoletki. Dlatego teraz, na naradzie rodzinnej, syn został pozbawiony prawa głosu, co Jo przyjął do wiadomości z nieskrywaną radością i chyłkiem wycofał się do drugiego rzędu poduszek, by wreszcie wejść na Facebook oraz napisać do Esmata, aby ratował go z opresji. Niestety, przyjaciel nie odbierał jego wiadomości. Dobra oczywiście była zablokowana. Jo nie miał szansy jej przeprosić ani w żaden sposób nawiązać z nią kontaktu. Czekał więc tylko na okazję, by wydostać się z twierdzy i znaleźć przyjaciół w mieście. Liczył, że siedzą gdzieś w knajpie i pomstują. Gotów był się do wszystkiego przyznać, wziąć na siebie winę na wszystkie zawinione i niezawinione grzeszki, a potem wrócić do starego życia. Wciąż miał nadzieję, że afera z Arabką rozejdzie się jakoś po kościach. I tak jest lepiej niż rano. Dopóki nie przyjechali ze stolicy jego rodzice, był zamknięty w loftach na Tymienieckiego i karmiony pikantną strawą oraz torturowany arabską muzyką. Bez blanta i alkoholu ciężko znosił bliskie spotkania z kulturą ojczyzny przyszłej małżonki. Jo był przekonany, że już zawsze to elitarne łódzkie osiedle będzie mu się kojarzyło z wieżą Roszpunki. Z tym że to on był uwięziony w wieży, nie zaś jakaś dziewczyna. Co za świat!

– Ma pan tam punce – włączyła się do dyskusji Joanna Żynda, matka Jonatana.

– Półtora grama? Próba trzysta siedemdziesiąt trzy? To stop miedzi i aluminium z dodatkiem złota. Bezwartościowe! Rodzina nie zauważy na zdjęciach. A każdy będzie oglądał.

– To cud, że udało się dziś kupić cokolwiek – bronił się Marcin, ojciec Jo.

Joanna zaś wyjęła cienką bransoletkę z pudełeczka i zaprezentowała na swojej dłoni. Łańcuszek się nie domykał, więc rozłożyła błyskotkę na obrusie. Środkowa żona Rahema, jedyna ubrana po europejsku, szturchnęła Joannę i mruknęła łamaną polszczyzną:

– Moja droga, może przyniesiemy więcej herbaty? – zaczęła dyplomatycznie. – Widzę, że ta już wystygła. Niech mężczyźni rozmawiają.

– Nie ma mowy. – Joanna wydęła wargi. – Jesteśmy w Polsce. U nas nie załatwia się spraw w ten sposób. Nawet nie mamy pewności, że dziewczyna jest w ciąży.

Zapadła krępująca cisza. Nawet ojciec Jo zrozumiał, że te słowa są wypowiedzeniem wojny. Złapał serwetkę ze stołu i głośno wydmuchał nos.

– Asiu, idź po tę herbatę – wysyczał.

Autorytarność wypowiedzi spodobała się przyszłemu teściowi, lecz Joannę tylko rozjuszyła.

– Marcinku, może wyślesz mnie na poduszeczkę, żebym warowała? – ironizowała, wskazując najmłodszą, najwyraźniej trzecią żonę Barakata w hidżabie. – Albo mam się tak zakutać? Co to w ogóle za zwyczaje?

Rahem skinął na młodą kobietę, która do tej pory siedziała w oddali. Arabka natychmiast wstała i bezszelestnie schowała się do swojej komnaty.

– Nie oddam córki w ręce gołodupca – odezwał się piękną polszczyzną Rahem. Rodzice Jo bardzo się zdziwili, dlaczego dopiero teraz przypomniał sobie polską mowę. – Bransoletka jest symbolem. Jeśli w małżeństwie coś pójdzie nie tak, dziewczyna ma prawo ją sprzedać i ułożyć sobie życie na nowo. To samo stanie się z lokalem.

– Jakim lokalem?

– Mieszkalnym – łagodnie wyjaśnił Rahem. – Jest tu jeden wolny loft. Syndyk wciąż szuka na niego kupca. Niezbyt atrakcyjny, tylko sto czterdzieści metrów, ale na początek młodym wystarczy. Dziś rano odbyłem rozmowę w tej sprawie. Jeśli wpłacimy zaliczkę, syndyk nie wystawi lokalu na przetarg.

Rodzice Jo obejrzeli się na syna.

– O czym my w ogóle mówimy? W umowie miały być zaręczyny, a nie handel nieruchomościami.

Jo wzruszył ramionami i szybko schował komórkę.

– Zapomniałem o tym wspomnieć. – Pochylił głowę.

– Zapomniałeś?

– Wadium wynosi czterdzieści tysięcy. – Rahem uśmiechnął się przymilnie. – Mogę państwu pożyczyć, zanim zorganizujecie kredyt.

– My mamy wziąć kredyt? – Joanna zerwała się, aż zatrząsł się niski stolik, wokół którego biesiadowali.

– Młodzi muszą gdzieś mieszkać. – Rahem poprawił zaparowane okulary. – No i trzeba zwrócić za materiały remontowe, w które zainwestował poprzedni właściciel. Inaczej żąda ceny rynkowej. Tutaj, w imieniu Hody, możemy zgodzić się na pomoc małżonkowi. Potem to odpracuje. Według moich obliczeń zdoła to spłacić w niespełna trzynaście lat.

Joanna już się ubierała. Teraz szarpnęła jesionkę i rozdarła podszewkę rękawa ze złości, ale i tak siłą wsunęła dłoń, po czym pogroziła Rahemowi palcem.

– Cwany z pana gajowy, panie Barakat. Szuka pan jelenia na wykup loftu, ale mój syn nim nie będzie. Synku, wychodzimy. Powiedz tatusiowi.

Ruszyła do drzwi. Omal nie zderzyła się z najstarszą żoną Barakata, która wbiegła właśnie z herbatą w srebrnych filiżankach i kostkami brązowego cukru na spodeczku. Kobieta zmierzyła Joannę od góry do dołu i kręciła ostrzegawczo głową. A potem bezgłośnie coś powiedziała. Brzmiało jak ostrzeżenie. Coś jak:

– Uspokój się, bo pogarszasz sprawę. Nic nie mów.

– Nie będę cicho. Nie zostanę tutaj ani minuty dłużej.

– Zorro – krzyknął Barakat.

A potem znów zaczął trajkotać po arabsku. Pod drzwiami natychmiast wyrosło dwóch dobrze zbudowanych mężczyzn.

– Panowie się odsuną – zwróciła się do nich uprzejmie matka Jo, ale zamiast tego oni zbliżyli się do niej.

– Mamo, usiądź. – Jo podbiegł do kobiety i odciągnął ją od drzwi, zanim tych dwóch ją chwyciło. A potem wysyczał do ucha: – Bardzo cię proszę. Nie rób scen.

– Mamy wykupić syna? – znów włączyła się do dyskusji Joanna, ale mąż i syn powstrzymali ją gestem. – Pan śmie nam grozić i proponuje wykup? Z jakiej niby przyczyny?

Barakat włożył kostkę cukru do ust i upił łyk wrzątku.

– Syn pozbawił moją córkę godności i musi ją wziąć za żonę. Jeśli ta propozycja państwu nie odpowiada, złożyłem drugą ofertę, lecz wymagającą większych inwestycji. By ją wydać ponownie za mąż, będę musiał zaoferować wyższy posag. Sprawę przedstawiłem, mam nadzieję, jasno.

– Bardzo jasno – zgodził się Marcin Żynda. – A jeśli zapłacimy, sprawę uznamy za zamkniętą?

– Można to tak ująć.

– Cieszę się, że wreszcie dochodzimy do porozumienia. Tyle że, wie pan, nie planowaliśmy takich wydatków w tegorocznym budżecie. Słowem nie mamy tyle pieniędzy. Nie ze sobą. W ogóle.

– A ile macie?

Ojciec Jonatana podrapał się po brodzie.

– Jedną trzecią.

Barakat zmarszczył się i cmokał, jakby poparzył go wrzątek. Wreszcie rzekł:

– Panie Żynda, jest jeszcze jedno wyjście z sytuacji – zaczął. Wszystkie oczy były teraz w niego wpatrzone. Napawał się tą władzą. Zanim się znów odezwał, włożył sobie do ust małą kanapeczkę i długo ją przeżuwał. – Syn jest filmowcem, z tego, co się zorientowałem. Tę kwotę, którą państwo mogą przeznaczyć, wpłacicie na konto Bractwa Muzułmańskiego tytułem darowizny na budowę obiektu edukacyjnego. Jonatan zaś w ramach spłaty reszty długu nakręci dla nas film.

– Pan myli pojęcia – weszła mu w słowo matka Jonatana.
– My nie mamy u was żadnego długu. To pan go wymyślił.

– Mamo – w tym momencie zareagował student. – Daj panu powiedzieć. A sprzęt, ekipa? Kto będzie finansował postprodukcję? To nie są tanie rzeczy.

– Pomożemy we wszystkim.

– Dokument czy fabuła?

– Film dokumentalny. Może reportaż o uchodźcach? To powinno być pełnowartościowe dzieło ukazujące wyznawców islamu w pozytywnym świetle. Nie tak, jak pokazują nas media. To krzywdzący wizerunek.

– Bardzo dobrze – zapalił się Jo. – Chętnie zrobię ten materiał. Mam nawet pomysł, montażystę i scenarzystkę. Nie ma problemu.

– I sprawa będzie załatwiona? – upewnił się Marcin Żynda.

– Tak – zapewnił Rahem. – Tylko jest jeszcze jeden mały warunek. By nasi ludzie chcieli rozmawiać z reżyserem, Jonatan musi przejść na islam.

Długi szwenk obejmował błękitny wieżowiec na Sienkiewicza, zabytkową kamienicę na Piotrkowskiej, w której swój zakład miał najstarszy jubiler w mieście, i mural z motywem Łodzi. Między nimi stał niski barak z blachy falistej, w którym każdego zwykłego dnia sprzedawali kebaby. Dziś, choć mięso z rożna skończyło się kilka godzin temu, a na drzwiach naklejono odręcznie napisaną kartkę „Awaria", stała do niego długa kolejka. Ludzie wykupywali ledowe czołówki i zakładali sobie na głowy.

– Masz to? – upewniła się Dobra.

Esmat skinął głową.

– Całość?

– Pewnie. – Esmat się uśmiechnął. – Włącznie z tą przesympatyczną babcią, która kupiła cztery sztuki i tylko jedną cichaczem ukradła.

Dobra wyjęła z kieszeni dwie latarki.

– Też dwie zachyliłam. Przydadzą się?

– Nikt cię nie widział? – zaniepokoił się Esmat.

– W tej ciemności? – roześmiała się Dobra. – Szkoda, że nie było już nic do jedzenia.

– Przecież tam jest tylko mięso.

– Wszystko jedno. Żołądek przyrósł mi do kręgosłupa.

– To może wejdziemy do sklepu?

– Żartujesz? Ludzie nawet cukier wykupili.

– Szykują się do wojny, czy jak?

– Tak naprawdę to nie trzeba wojny. Wystarczy kilkugodzinna awaria prądu. Nic nie działa.

Rozejrzeli się po okolicy. Panowała kompletna ciemność. Pietryna* bez słynnych zdobień bożonarodzeniowych i neonów na wystawach jawiła się niczym czarny rękaw. Szyby niektórych butików były rozbite. Kraty rozpiłowane. Na chodnikach walały się puste opakowania i porozsypywana żywność. W bocznych uliczkach od Piotrkowskiej widać było ślady ucieczek i pogoni. Włamywacze nie próżnowali. Monitoring, alarmy nie działały na baterie słoneczne. Ludzie wykupywali na potęgę paczkowane jedzenie i pochowali się w domach. Ulica była całkowicie wyludniona i tylko na obu końcach – w pobliżu przystanku Centrum oraz placu Wolności – maszerowały niedobitki wytrwałych piechurów objuczonych reklamówkami z wałówką.

– Może ruszymy się gdzieś dalej? – Esmat wskazał piękną pajęczynę na zdjęciu, które zrobił Dobrej, zanim całkiem padło światło. W ciemności widać było przeskakujące iskry. Na drutach tramwajowych wyglądały jak robaczki świętojańskie. Dobrą zawsze zachwycały kadry kolegi. – Tramwaje jeszcze jeżdżą.

– Może są podłączone do innej fazy – odpowiedziała.

– Jedźmy na Lumumbowo. Podobno w miasteczku uniwersyteckim jest jeszcze prąd. Znasz tam kogoś w akademikach?

– Całe drugie piętro. To moi bracia w wierze.

---

* Pietryna – lokalna, pieszczotliwa nazwa ulicy Piotrkowskiej.

Ruszyli na przystanek. Stajnia Jednorożców, pozbawiona prądu, straciła swój blask, a różowe i żółte witraże o tej porze przypominały brudne placki na szkle. Esmat stanął na torach i skręcił setkę rozmowy dwóch nastolatków o wyższości mefy nad crackiem, a potem pomachał do Dobrej.

– Już nie jeżdżą. Wołaj taksówkę. Baterie mi padają.

– Jakby wybuchła jakaś bomba – mruknęła i podbiegła do auta zaparkowanego u wylotu Piotrkowskiej. Auto miało koguta samoróbkę, żadnych oznaczeń, jego kierowca zaś do pasa, wraz z głową, zanurzony był w bagażniku.

– Pan wolny?

– Niestety już żonaty – mruknął mężczyzna i dalej grzebał w bagażniku, nie podnosząc głowy.

Dobra zaśmiała się i zajęła miejsce na tylnym siedzeniu, by się trochę ogrzać. Po chwili dołączył do niej Esmat. Nagle usłyszeli głos muezina. Spojrzeli po sobie.

– To nie mój – wytłumaczył się Esmat i wskazał telefon leżący pod dźwignią hamulca ręcznego.

Wibrował i z każdym dźwiękiem nawoływał do modlitwy coraz głośniej. W tym momencie podbiegł taksówkarz. Rozłączył sygnał. Wtedy dostrzegł parę na tylnym siedzeniu.

– Podrzuci nas pan na Pomorską?

– W żadnym razie. Wypad z baru.

– Nie musi pan być nieuprzejmy.

– Dopiero mogę być – rzucił. – Spierdalajcie.

Młodzi pośpiesznie wyskoczyli z wozu. Dobra potknęła się i podniosła z podłogi czerwony notes. Otworzyła na rysunku przypominającym rozkład jazdy tramwajów. Oznaczono konkretne przystanki i numery linii. Przewertowała. Na kolejnych stronach, niewyraźnym pismem, w punktach

zapisano uwagi na czyjś temat. Dobra zauważyła podkreśle-
nie „sprawca zorganizowany, ma doświadczenie kryminalne,
prawdopodobnie niekarany". Schowała notes pod pachą.

– Ej! – Taksówkarz chwycił ją za płaszcz. – To chyba nie
twoje, co?

Dobra rzuciła notes i wzięła Esmata za rękę. Szybko
przebiegli przez jezdnię między autami. Kiedy sygnalizacja
świetlna nie działała, na szosie panowało prawo silniejsze-
go. Małe auta czekały, wielkie parły naprzód.

Odprowadzały ich obelgi taksówkarza:

– Złodziejka! Czarnuch!

Temperatura pieca osiągnęła już 240 stopni. Mateusz skończył zagniatanie ciasta, uformował z jego części bułki różnych kształtów, resztę zaś przerzucił do wielkiego kotła, by wyrosło. Przykrył ścierką, wytarł ręce o fartuch, a potem spłukał je ciepłą wodą i zasiadł do pustej kartki. Od pożaru na Ogrodowej nie napisał ani jednego wiersza. Był na siebie o to bardzo zły. Wtedy ze sklepu na dole zawołała go matka.

– Chyba terroryści wyłączyli prąd w Łodzi. Chodź, zobacz, co się tam dzieje! Nic nie działa.

Mateusz wcisnął start, by bułki zaczęły się piec, i zbiegł na dół. W telewizji pokazywali kolejki, w jakich ustawiali się ludzie. Dziennikarze wypytywali mieszkańców miasta o nastroje i relacjonowali listy zakupów.

– Ludzie robią zapasy na wojnę. Tak było w trzydziestym dziewiątym – zapewniła matka, co Mateusz zbył wywróceniem oczu, bo przecież nie mogła tego pamiętać.

– Jaka wojna, mamo! – jęknął. – To tylko awaria.

– Wiadomo, że kawaleria nie przybędzie. Dziś to nie będą pepesze ani nawet naloty. Broń atomowa, kataklizm chemiczny i pozbawienie ludzi energii oraz wody – kontynuowała matka, wcinając przy okazji wuzetkę. – Całkiem dobre wyszły, a znów cała dostawa zwrotów. Musisz do wujka zadzwonić. Niech wezmą dla siebie, bo sama tego przecież nie zjem. Przy okazji wypytałabym, co się tam u nich dzieje.

Przez chwilę wpatrywali się w milczeniu w ekran migający pod ladą. Obrazki były niepokojące. Pokazywano zrujnowane miasto, wypalone kamienice. Mignęły też przebitki pożaru na Ogrodowej.

– O szym wasznie mówie – pokazywała z pełnymi ustami kobieta. Wreszcie przełknęła. – Jakiegoś Herostratesa szukają. Bombiarza. Orange chciał wysadzić. Dziś policja wysłała tam całą ekipę antyterrorystyczną i piromańskie roboty.

– Pirotechniczne – poprawił ją Mateusz. – Włącz głos.

Teraz na ekranie pojawiła się twarz młodego chłopaka. Miał na sobie dresowe spodnie, klapki. Na przegubach kajdanki, oczy przysłonięto mu wąskim czarnym paskiem. Doskonale było widać dolną część jego twarzy.

– Policja zatrzymała Radosława P., dwudziestotrzylatka. Wiózł on rowerem substancję, która w połączeniu z zapalnikiem może być wybuchowa. Za posiadanie nielegalnych materiałów wybuchowych grozi mu do ośmiu lat więzienia. Zarzut może być jednak wkrótce znacznie poważniejszy. Z nieoficjalnych źródeł wiemy, że przyznał się do podłożenia ognia na ulicy Ogrodowej. Zginęły wtedy trzy osoby, a kilkanaście było rannych. W tamtej okolicy eksplodowały wówczas dwa ładunki wybuchowe, o czym dowiedzieliśmy się także nieoficjalnie. Policja bierze go pod uwagę jako głównego podejrzanego w sprawie sterroryzowania miasta Łódź.

– Wiadomo przecież, że materiały wybuchowe są nielegalne. Co za kiep! – skomentował Mateusz, wściekły, że w telewizji pokazują zdjęcia jakiegoś Radosława P., a nie jego.

446

– Łódzki Herostrates na dzień dzisiejszy nie ma alibi na czas innych zdarzeń. Przyznał się natomiast do umieszczenia kilku z nich na aplikacji Periscope.

– Co za bzdura! – zaśmiała się matka Mateusza. – Przecież to jeszcze dzieciak. Ile on ma lat? Jest niewiele starszy od ciebie, synku.

Dalej dziennikarze wyjaśniali, czym jest Periscope i na czym polega jego wyższość nad Twitterem, Vine i Instagramem:

– Służy do transmisji wideo na żywo tego, co w danym momencie się robi. Odbiorcami są ci, którzy nas obserwują. Poza tym to klasyczny serwis społecznościowy. Można dodawać do obserwowanych osoby, być obserwowanym, lajkować i komentować.

A potem przytoczono archiwalną rozmowę z ekspertem z tej dziedziny.

– I wszystko byłoby cacy, gdyby nie to, że życie zwykłych ludzi jest zbyt nudne i zwyczajne, aby Periscope miał się stać wielkim społecznościowym hitem. Jeśli się przyjmie, to raczej dla jednorazowych wydarzeń społecznych, jak *live--streaming* z jakiejś katastrofy, ataku terrorystycznego, lub kulturalnych, choćby transmisje na żywo z koncertów, ważnych meczów, nie zaś w codziennym życiu każdego z nas.

Na ekranie pojawiła się znów głowa dziennikarza z mikrofonem opatrzonym logo komercyjnej telewizji.

– Czyżby spełniło się marzenie twórców aplikacji Periscope? Bo pożary, zamachy i wybuchy, które od jakiegoś czasu nękają mieszkańców Łodzi, to w żadnym razie nie nuda. Łódź płonie. I cała Polska, a być może wkrótce i świat, ma, cytując jeden z komentarzy profilu RadkaUnaBombera, „niezłego łacha z ludzkiej tragedii". Niestety, liczba lajków pożarów rośnie w zastraszającym tempie.

Mateusz nie mógł na to dłużej patrzeć. Zrzucił pod stół swój fartuch, wcisnął do kieszeni butelkę z paliwem i wybiegł z cukierni prosto na przystanek tramwajowy linii numer 46. Kiedy biegł, nie myślał o matce, bułkach ani nawet wierszach. Był wściekły, że jakiś koleżka zabiera mu jego sławę.

Tymczasem temperatura w piecu dochodziła już do 350 stopni. Bułki były gotowe i należało je wyjąć, zanim się spalą.

W skutym cienkim lodem jeziorze odbijały się kolorowe gwiazdki. Pulsowały tęczowo i nawoływały gości ośrodka wypoczynkowego Prząśniczka do założenia łyżew oraz puszczenia się w tany. Głośniki umieszczono na zewnątrz, lecz cienkie ściany kultowego wczasowiska filmowców, które swoją świetność miało za sobą już w latach siedemdziesiątych, tylko wzmacniały rezonans. Tęskne pieśni Reginy Spector niosły się po całym Arturówku. Amerykanka wciąż czekała na telefon. Rzucała kąśliwe uwagi pod adresem adoratora i klęła po francusku oraz rosyjsku na zmianę, wielbiąc w gruncie rzeczy swoją samotność, która tak naprawdę winna nazywać się niepodległością, a następnie odmawiała jedzenia. Hanna Duwe znajdowała się teraz w identycznej sytuacji. Czuła się tak, jakby ta piosenka była o niej. Silne emocje, nawał wspomnień, a może po prostu klimat iluminacji i wszechobecna tutaj cisza sprawiały, że miejsce to, mimo ogromu pracy, jaką, jak zwykle, jej powierzono, wydało się Platynie magiczne.

Pozostali członkowie ekipy mitrężyli czas na półpiętrze, sprawdzając zawartość alkoholu w butelkach, które przywiózł im Cybant, i o dziwo, za każdym razem okazywało się, że każda z nich posiadała jednak identyczne dno, które zawsze widać było nazbyt prędko. Ryki wojowników Ptysia rozbrzmiewały do świtu, a obsługa Prząśniczki nie miała już sił interweniować, gdyż ekipa przekonała do imprezowania pozostałych gości ośrodka i nikt nie odważył się składać skarg. Jacek Borcuch z ekipą scenarzystów przybył wprawdzie pisać scenariusz o miłości, ale po tych korytarzowych scriptmeetingach wyjdzie chyba z tego kryminał. Serge Mazur zdradzał mu tajniki bezpiecznego znikania bez śladu i sposoby na zapamiętywanie detali kolejnych wcieleń. Mazur miał ich już szesnaście, a w walizce znacznie więcej paszportów niż życiorysów. Mógłby jednak pozwolić sobie na wpadkę, ponieważ po tylu latach w zawodzie jego polska karta kryminologiczna wciąż była dziewicza. Hanna miała okazję doświadczyć wykluwania się tego wyjątkowego talentu jakieś dwadzieścia siedem lat temu na własnej skórze. To trzeba było mu przyznać – już wtedy był bliski geniuszu. Dziś nie potrzebowała się dowiadywać, jak bardzo Serge ewoluował i co gotów był zrobić dla sławy.

Dlatego cały wczorajszy dzień Platyna przesiedziała w pokoju nad dokumentami. Nie przebrała się z piżamy. Z pogardą patrzyła na prysznic. Wyszczotkowała tylko porządnie zęby i kazała sobie dostarczyć na górę kolację, a dwie godziny później zabrać nietkniętą. Teraz jednak, rozweselona widokiem i radosną muzyką, wyciągnęła z szafy sylwestrową sukienkę. Kiedy tutaj przybywała, nie przewidywała, że w tym roku spędzi przełom roku inaczej niż z paczką paluszków i tanim merlotem w plastikowym kubku, w które w ostatniej chwili zaopatrzyła się w Żabce, ale po wejściu do pokoju zobaczyła tę suknię. Czarny aksamit, ciasno zebrany w talii i puszczony luzem do kostek. Rzecz niewątpliwie najwyższego sortu. Już z daleka widziała ciężki pieniądz, zanim jeszcze obróciła metkę i odczytała napis

„Chloé". Nie byłaby stuprocentową kobietą, gdyby natychmiast nie włożyła na siebie tego cuda i nie przejrzała się w lustrze. Suknia pasowała idealnie. I to ją zaniepokoiło. Ptyś nie szarpnąłby się dla swojej fałszerki na coś tak drogiego. Pozostało tylko jedno nazwisko jako ostateczna hipoteza darczyńcy i nie miała tylko pewności, które z wcieleń Serge'a ją dla niej dostarczyło. Każdy z ekipy Ziębińskiego dostał swoją komnatę i do czasu zbiórki mógł robić to, co chciał. Hanna zajęła się tym, co zwykle, a więc pracą. Ale teraz wyjrzała przez okno, ponieważ ktoś wypuścił nad jezioro lampiony, i pomyślała, że to właśnie ten widok posłużył twórcom animowanego hitu o Roszpunce.

Zatrzeszczały drzwi, ktoś chwycił za klamkę, a potem zaczął w nie walić pięścią. Hanna szybko zasunęła story, wrzuciła suknię do szafy i podbiegła do drzwi. Potem jednak zawróciła i przykryła kapą papiery rozłożone na łóżku. Wtedy zachrobotał klucz w drzwiach i Platyna zobaczyła Cybanta.

– Znów przed kimś uciekasz? – wychrypiała, ale odetchnęła z ulgą.

Mietek był jedynym, któremu w tej brygadzie ufała. Zaraz jednak przerwała, widząc, że dorodna pielęgniarka z rzęsami dłuższymi niż nogi wtacza do jej pokoju szpitalne łóżko z wózeczkiem, z kroplówkami na haku, a na nim, uśmiechnięty od ucha do ucha, leży w kołnierzu ortopedycznym Boguś Rakowiecki. Do gardła miał przytroczoną rurkę, więc przynajmniej nie mógł rzucić ani jednej błyskotliwej, jego zdaniem, rzecz jasna, uwagi. Zmierzyli się wzrokiem. Boguś mrugał błagalnie. Platyna sypała wściekłymi błyskawicami, starając się wykrzesać sto procent nienawiści, ale w końcu pierwsza odwróciła głowę, bo oczy nagle napełniły jej się łzami na widok ojca w takim stanie.

Drzwi były otwarte, więc słychać było wyraźnie śpiewy na półpiętrze. Jakby ludzie Ptysia starali się usilnie zagłuszyć Reginę *Głęboką studzienką*.

– Gościa masz, Platyna – rzucił Cybant i zatrzasnął drzwi. Potem zaś zlecił pielęgniarce, by rozgościła się z pacjentem w apartamencie Hanny.

– Tu nie szpital – zaprotestowała Duwe bez animuszu.

Cybant nie odpowiedział. Odwrócił się i zaczął wnosić do pokoju paczki po papierze do drukowania oraz ustawiać je pod ścianami w stosy.

– Ani chwili dłużej nie spędzę z tym człowiekiem w jednym pokoju. – Hanna zdobyła się wreszcie na dobitny ton, ale było już za późno.

Pojawili się inni tragarze. Paczki ustawiano w kolumny. Kilka minut później nie było już ani jednej wolnej ściany.

– Co jest grane? – wydukała Platyna.

– W Łodzi prądu nie ma, a karuzela VAT-u sama się nie poturla – wyjaśnił Cybant. – Przy świecach do Wielkanocy Nieśmiertelny będzie rzeźbił parafki. Ty zajmujesz się teraz poważnymi sprawami, Boguś przejmie po tobie etat wyrobnika. Rzucił alko, na detoks przymusowy się zapisał. Dasz wiarę? Patrz, jaka cera! A jak poprosi o kielicha, opiekunka go piersiami zadusi.

Ponętna pielęgniarka zachichotała jak z wyrafinowanego komplementu, Rakowiecki zaś rzucił się na łóżku. Chciał widać włączyć się do dyskusji, ale tylko się zakrztusił i zaczął niepokojąco charczeć. Zaraz jednak podbiegła do niego opiekunka i wachlując go piersiami, które niemal wypadały z fartucha, błyskawicznie odpowietrzyła rurki.

– Pan nie rozrabia, panie Bogumile, bo się pogniewamy – obsztorcowała go nie bez troski.

Następnie wyjęła z kieszeni długą strzykawkę, igłę i wypuściła bąbelek powietrza. Kropla przezroczystego płynu skapnęła na wzorzystą wykładzinę.

– Dupka do mamusi. – Sprawnie obróciła wychudzonego Rakowieckiego i zaordynowała lekarstwo. – Teraz drzemeczka, a potem pan popracuje. Ja zaraz mam swój serial. Jak miło się synchronizujemy – zaszczebiotała, po czym wywiozła Rakowieckiego do drugiej sypialni, gdyż tylko tam był telewizor.

Hanna zamknęła za Bogusiem drzwi, a następnie rozejrzała się po pokoju. Jej walizka leżała rozgrzebana na podłodze. Pozbierała swoje rzeczy, zasunęła ją, by w razie draki móc szybciej wyjść niezauważona, a następnie ruszyła do toalety przebrać się z piżamy. Zdecydowała, że pozbiera swoje papiery, jak tylko Cybant opuści jej pokój. Czego oczy nie widzą, tego sercu nie żal.

– Dobrze myślisz, Platyna – ucieszył się Cybant i podniósł kapę.

Wziął jeden ze zrobionych dziś dokumentów i cmokał znacząco. Hanna ciężko westchnęła.

– To moja chałtura. Nie wasze.

– Przecież wszyscy wiedzą, że robisz na lewo.

– Jakbyś ty nie robił.

– A niby kiedy? Zapomniałem, jak na imię mają moje dzieci. Że o żonie nie wspomnę.

– To chyba niewielka strata.

– Czasem człowiek chciałby nie czuć się jak dewiant.

– To zmień branżę.

– Rowy mam kopać?

Hanna chciała odpowiedzieć, że może by trochę schudł, ale z litości zatrzymała tę uwagę dla siebie.

– To Serge mi wrzucił? – Otworzyła szafę i podniosła z podłogi aksamitne przebranie Anny Kareniny.

– Ten kutwa? – zaśmiał się Cybant. – Boguś ci zafundował. Prosi o wybaczenie.

– Za co?

– A bo to ja wiem? Może kocha swoją córkę, może żałuje, że był debilem, i teraz to rozumie. Może chce z tobą pracować? Wszystkiego cię nauczył, a ty przerosłaś mistrza.

– Od kiedy wiesz?

Cybant nie odpowiedział od razu. Wskazał drzwi.

– To nie było tak, jak myślisz.

– A jak było?

– On cię nie wydał.

Platyna się zaśmiała.

– Wierzysz mu? Ja nie. Miałam czas, żeby wszystko poskładać. Osiem lat.

– To twój ojciec.

– Tak? Nie przeszkodziło mu to poświęcić mnie, żeby ratować swoją dupę. Nienawidzę go.

– Ludzie się zmieniają.

– Ludzie się nie zmieniają – weszła mu w słowo Platyna, a potem spytała: – Za co kupił? Wiesz, ile taki skrawek szmaty kosztuje?

– Sam go wiozłem. Wyobraź sobie, że poczułem w kieszeni brak makulatury. I to dotkliwie.

Chwyciła sukienkę i podała Cybantowi.

– Daj małżonce. Nie ma lepszego sposobu na przeprosiny, jeśli zasadniczo jest się dupkiem. I jakiś czterokaratowy szmaragd by nie zaszkodził.

Cybant wpatrywał się w Hannę. Potrząsnęła ręką.

– Wrzuć do korespondencji i wyślij, jak się boisz. Kochasz ją przecież. Taką masz robotę. Niech ma dziewczyna coś z życia.

– Platyna, gdzie ona w tym pójdzie? Mieszkamy na Bałutach.

– Bierz, bo nie wiem, jak dalej będzie. Pół walizki mi zajmie. Bo jak nie, Rzęska ją przytuli. – Wskazała pokój, gdzie przed chwilą ukryła się pielęgniarka z Rakowieckim. – Albo jaka sprzątaczka. Żadna nie doceni.

– Nie. – Cybant pokręcił głową. – Po robocie jeszcze w niej zatańczysz. A ja z tobą. Szef znalazł właściwy korytarz.

Hanna odwróciła się.

– Naprawdę?

Cybant się rozpromienił.

– Rene z nim była. Dołączyła do ekipy. Zbiórka na patio za dwadzieścia minut. I nie wkładaj sukienki. Chyba dziś wchodzimy. Lepiej też wrzuć kilka swetrów do plecaka. Może więc twój plan się powiedzie? Tylko żeby sądy zaczęły działać, musieliby światło naprawić w Łodzi. Na razie ciemność widzę.

Hanna podbiegła i uściskała byłego ucznia.

– Jest jeszcze druga dobra wiadomość. Ptyś na razie zapomniał o kamienicy ze smokami i pałacach. Zajmuje się przeklętymi kamieniami. Pojawiły się przesłanki, że jednak ukryto je w Łodzi – szepnął Cybant do ucha Platyny i oddał uścisk. – Tylko jest jeden kłopot. Nieduży. – Zawiesił głos.

– Serge sypnął?

Cybant szczerze się zdziwił.

– Jeszcze nie. Niech tylko spróbuje. – Zacisnął pięści. – Chodzi o odwrót po otwarciu arki. Nie wiem, jak odlecimy. Pilota nam zamknęli. Nieprędko wyjdzie.

– Zawsze wiedziałam, że nie można mu ufać. Co tym razem?

– Gwałt.

– Skurwysyn.

– Ofiara tak go skatowała, że leży nieprzytomny. Dziś na pewno nie zawita do Arturówka. Obawiam się, że wcale. Stan krytyczny.

– Ja mam licencję i to legalną. – Platyna podniosła dumnie głowę.

Z pomieszczenia wybiegła pielęgniarka.

– Państwo widzieli, co się w mieście dzieje? Zamach terrorystyczny. Nadają komunikaty o ewakuacji. Ludzie gromadzą się w kościołach. Jasnowidz mówi, że zostało nam dwanaście godzin. Trzydziestego pierwszego ma być koniec świata. Jasnowidz z Człuchowa przewidział. Będą bombardowania.

– No będą, będą. – Cybant roześmiał się w odpowiedzi nazbyt radośnie. – Już są. Staramy się. – Puścił oko do Platyny. – Mohery boją się nalotu mudżahedinów. A oni pracują dla nas.

– Ja nie żartuję. – Pielęgniarka machała rękoma, Cybant zaś patrzył na kobietę z wielką sympatią, gdyż z tych emocji rozpięły się jej dwa najciaśniej zapięte guziki i miała teraz swoje najcenniejsze ordery na wierzchu, nie licząc cienkiej koronki. Na dodatek trzęsła nimi, jakby brała udział w konkursie na najgorętszą sambę w Arturówku. – Opublikowali mapę schronów przeciwlotniczych. Niestety, większość nie była otwierana od lat. W tych, gdzie są zapasy wody i żywności, nie pomieszczą się wszyscy. Ludzie masowo opuszczają Łódź, drogi zakorkowane. Szabrownicy mieszkania plądrują. Jakby wojna miała wybuchnąć! O Boże, muszę wracać do mamusi. Ona sama tam została. Samiuteńka.

– No, lepszej okazji już nie będzie – uradował się Cybant i z trudem odsunął wzrok od białej koronki w rozmiarze H. – Pani będzie łaskawa powiadomić o tym szefa. Niech chłopcy zakorkują flaszki i wdzieją maski przeciwgazowe. Też powinna się pani w taką zaopatrzyć. Broń chemiczna to nie żarty. My tutaj Bogusia przypilnujemy – nastraszył ją.

Kobieta wybiegła, głośno zawodząc, Platyna z Cybantem zaś pośpiesznie zebrali wszystkie dokumenty i zapakowali je do pokrowca z czarną suknią.

– Biorę na przechowanie. – Mrugnął do Hanny. – W zastaw za kamienicę.

– Dobry z ciebie chłopak – zaśmiała się. – I, widzę, zdrowie dopisuje.

Wypięła swoją suchą klatkę piersiową i zatrzęsła korpusem jak przed chwilą pielęgniarka.

– Nie ma kobiet idealnych – obruszył się Cybant.

– Pewnie – zgodziła się Hanna. – Są tylko takie, które swoje wady potrafią zasłonić biustem. I te, które tych walorów nie mają, więc są zmuszone być bystre.

Wejście do hotelu Polonia Palast obstawione było dziesiątkami świec. Znicze migotały na trotuarze recepcji ze sklejki i multiplikowały się dzięki okropnym lusterkom przyklejonym na ścianach w czasach, kiedy kręcono tu *Va banque*. Korytarz wypełnił się dziennikarzami. Zasłaniali drzwi wejściowe wiecznie nieczynnej restauracji. Mieli ze sobą przenośne lampy z akumulatorami na kółkach i ogromne blendy fotograficzne, którymi rozświetlili dodatkowo stół przykryty zielonym suknem. Większość oczu kamer była wycelowana w środkowe krzesło, przy którym stała karteczka: „Krysiak i Wspólnicy. Biuro detektywistyczne". W tej scenerii pomieszczenia dziewiętnastowiecznego budynku nabrały wreszcie właściwego dostojeństwa. Nie widać było zacieków pod sufitem. Pałacowe tapety lśniły dawnym blaskiem. W świetle zapalonych kandelabrów z kryształowego szkła zdawało się, że oryginalna sztukateria nie wymaga renowacji.

Kiedy Załuska z Cukim i resztą policyjnej ekipy wbiegli na konferencję, rozległ się szmer, a reporterzy odwrócili się do nich plecami i zerwali z krzeseł. Zaczęli się tłoczyć przy bocznych drzwiach, którymi, jak obstawiano, miała wejść babcia bombka. Tak okrzyknięto już Wiktorię we wszystkich mediach. Za pośrednictwem biura detektywistycznego w osobie Aleksandra Krysiaka przysłała ona prasie oświadczenie, w którym przyznawała się do podpaleń i podkładania bomb oraz zapowiadała swoje publiczne zeznania w Polonii. Słowa Wiktorii opublikowano niemal natychmiast, co wywołało ogromne wzburzenie także w mediach społecznościowych, i dlatego też przed hotelem tłoczył się teraz tłum wściekłych mieszkańców miasta. Policjanci musieli torować sobie drogę przy pomocy mundurowych ze stalowymi pałkami w dłoniach.

Kamery puszczono w ruch. Obecni w sali nagrywali wydarzenie komórkami, amatorskimi urządzeniami. Czym się dało. Łódzka telewizja obiecała transmisję na żywo i wysłała do zapomnianego hotelu połowę redakcji newsowej.

Ale za stołem nadal nikogo nie było. Rozległy się niecierpliwe odchrząkiwania, ktoś zaczął tupać. Zaraz dołączyli się pozostali, a ci z tyłu nie szczędzili niecenzuralnych komentarzy.

– Proszę o spokój – padło z końca sali.

Tłum się rozstąpił i w aureoli światła, natchniony niczym Neron, wkroczył Aleksander Krysiak. Za nim szło dwóch ogromnych detektywów. Obaj w skórzanych kurtkach i z wybrylantowanymi włosami. Dziś był dzień chwały ich biura. Jak widać, w pełni umieli wykorzystać swoje pięć minut. Ścieżka nie od razu się zamknęła za wchodzącymi. Wszystkich ciekawiła bowiem postać zupełnie innej osoby. Reporterzy rozglądali się zaniepokojeni. Nikt nie wiedział, jak wygląda kobieta, która postanowiła podpalić Łódź. To mogła być każda z niewiast stojących przed wejściem, wciśniętych między kontuarem recepcji a pokoikiem konsjerża, choćby sprzątaczka czy jedna z kucharek. Krysiak tymczasem zajął swoje miejsce, dmuchnął w mikrofon, który zapiszczał donośnie, ponieważ od nagromadzonych wokół urządzeń elektronicznych powstało zwarcie. Następnie usiadł za stołem i wyprostował się, jakby za chwilę miał zostać mianowany generałem.

– Moja klientka dotrzyma słowa – zaczął gromkim głosem. I zwrócił się do zebranych: – Chyba możemy to na razie wyłączyć?

– Nie! – rozległ się gremialny protest. – Nic się nie nagra.

– Okay. – Krysiak znów chwycił mikrofon i spróbował ponownie, ale skutek był ten sam.

Jeden z jego ludzi odłączył pozostałe kable, ale osiągnął tylko tyle, że wyłączył rząd lamp. Techniczni z telewizji natychmiast rzucili się na ratunek swojemu sprzętowi. Przy ogromnym zasilaczu kłębiło się teraz od wędkarskich kamizelek. Detektyw obrzucił spojrzeniem zniecierpliwione twarze publiczności i powiedział do swojej ekipy:

– Wszystko idzie dobrze, tylko nikt nie wie gdzie.

Pech chciał, że jego słowa były słyszalne nawet z głośników na zewnątrz budynku. Rozległy się nieśmiałe śmiechy. Krysiak zaś obejrzał mikrofon, postukał w niego i zameldował:

– Ten przynajmniej nie gwiżdże.

– Bo nie jest włączony – padło z tłumu.

Ludzie zaczynali się doskonale bawić.

Krysiak odłożył mikrofon na stojak, a potem rozparł się na krześle i pochylił do przodu.

– O tym, że rozwiązanie siłowe nie ma sensu, człowiek uświadamia sobie, dopiero kiedy komar zaczyna go kąsać po jajach.

Teraz już cała sala drżała od gromkiego rechotu. Krysiak oblał się rumieńcem i dodał:

– Wobec tego bez wstępów. Państwo są już gotowi. Akcja!

Zrobił rękoma gest klapsa. Spadła kurtyna i odsłonięto białą planszę, na której pojawiły się czarne cyferki, jak w starych taśmach. Potem zaś na ekranie wszyscy zobaczyli nieruchomą twarz Wiktorii. Miała zamknięte oczy, skórę pokrytą wapnem i ściągnięte do tyłu włosy. Obraz najwyraźniej inspirowany był maską pośmiertną.

– Tak jak mówiłem. – Krysiak wczuł się w swoją rolę chóru greckiego połączonego z tricksterem. Objaśniał publiczności didaskalia i starał się złagodzić przekaz. – Pani Wiktoria będzie uczestniczyła z nami w tym spotkaniu zdalnie oraz odpowie na większość pytań. Mamy połączenie. Start!

– Dlaczego pani to zrobiła? – krzyknął stojący z przodu najmłodszy z reporterów. – Chcemy poznać motyw.

Wiki otworzyła oczy. Były przekrwione od czarnego tuszu, który spływał po policzkach grubymi ścieżkami. Wyglądała upiornie i niektórzy mieli wątpliwości, czy faktycznie uczestniczą w konferencji prasowej, czy w kolejnym performansie artystki. Zwłaszcza że po chwili kamera odjechała. Wszyscy zobaczyli dziwaczne mieszkanie pełne plastikowych kwiatów cmentarnych, lalek w strojach ludowych siedzących na łóżku pokrytym wzorzystą narzutą. Z boku widać było witrynę wypełnioną szkłem i ogromne monidło ślubne.

– Źle się dzieje w mieście Łodzi – odparła Wiktoria i przysunęła znów kamerę do twarzy. Wszyscy mogli podziwiać jej wielką krostę koło ucha, kończącą się żółtym czubkiem. – Swoim działaniem chciałam zwrócić uwagę na korupcję, zgniliznę w systemie samorządowym, edukacyjnym i politycznym.

– To wariatka. Ja ją znam – krzyknęła jedna z dziennikarek zajmująca się kulturą. – Dlaczego jej po prostu nie zatrzymają? Gdzie jest policja?

– Wszędzie – odparł jej ktoś z trzeciego rzędu. – Stoją i patrzą. Kino sobie naszym kosztem zrobili. Za pieniądze podatników.

Sasza spojrzała na Drugiego. Pokręcił przecząco głową i wskazał oczami stojących przy ścianach tajniaków oraz szpaler brygady szturmowej. W rękach mieli kaski, a za paskami gumowe pałki oraz pistolety gazowe.

– Najpierw powiem, co wiem, a potem będziecie pytać – ciągnęła Wiktoria z ekranu. – Nie przyjechałam, bo nikt by mnie nie wysłuchał. Zgarnęliby mnie i przedstawili swoją wersję. Oszustwa, zabójstwa, gwałty, kradzieże są w naszym mieście na porządku dziennym. Żeby była jasność, w każdym dużym mieście występują osoby o czarnym podniebieniu. Ale nie wszędzie taki sposób działania muszą obrać jako walkę ci, którzy gdzieś indziej prowadziliby inne życie. Ja jestem tego najlepszym przykładem. Moja siostra i jej córka zostały zamordowane. Nigdy państwo o tym nie słyszeli. Śledztwo zawiera luki. Wszyscy moi sąsiedzi mają wyrok eksmisji. Tylko przez zasiedzenie trzymają się tych zmurszałych murów. Jeśli jednak przyjdzie ich pora, trafią na bruk. Wódka jest jedynym znieczulaczem, więc pijemy. Ja piję, wszyscy moi znajomi, nasze dzieci też będą piły. Książki dobre są na rozpałkę, jeśli nie ma kasy na węgiel. Żyjemy jak zwierzęta. Nie mam w domu toalety. Moje dzieci uczą się z książek odziedziczonych po sąsiadach i muszą uważać, żeby nie pisać w ćwiczeniach długopisem, bo te same podręczniki muszą posłużyć jeszcze kilku generacjom. Jeśli ze wsi ktoś przywiezie trochę jajek, cała kamienica schodzi się na jajecznicę. Żeby była jasność, mogłabym mieszkać gdzieś indziej: w Nowym Jorku, Paryżu albo Detroit. To jednak moje miasto. Ale ono jest jak wampir, dusi i wysysa krew. Potem stajesz się zombiakiem. Co z włókniarkami? Co z ich dziećmi? Gdzie są ich mężczyźni? W bramach! To miasto kobiet, które walczą, ale w mieście bezprawia jest tylko jedna metoda obrony: atak.

– Do rzeczy! Dlaczego wysadziłaś budynek Orange?

Wiktoria zbita z tropu najpierw tylko wzruszyła ramionami. Głos musiał docierać do niej z opóźnieniem, ponieważ wszystkie jej reakcje były przesunięte.

– Nie chcieli mi anulować umowy, którą zawarłam ponoć przez telefon. Trzy razy tam chodziłam, żeby złożyć reklamację. Do dziś nie dostałam odpowiedzi. Rozmawiałam za każdym razem z innym młodym człowiekiem. Każdy mi obiecywał, że sprawa będzie załatwiona, a rachunek za niedziałający router, który notabene nie pasuje do mojego komputera, naliczał się z miesiąca na miesiąc. Teraz to już będzie z pięć tysięcy.

– Dla pięciu tysięcy rozpirzyłaś miasto w pył?

– Nie ja, tylko korporacja telekomunikacyjna. To oni stworzyli lewy produkt, który uruchamiał zapalnik.

– Wiesz, jakie są straty?

– Nie da się inaczej zwrócić uwagi na bezrobocie, alkoholizm, bezradną policję.

– Zgarnijcie ją – padło z tłumu. – To szalona kobieta.

Teraz pytania sypały się ze wszystkich stron:

– Sama robiłaś bomby czy ktoś ci pomagał? Żałujesz?

– Sama – odparła Wiki. I odwróciła się do kobiety, która zadała pytanie o poczucie winy.

Kamera nagle pokazała wizerunek rudej policjantki Zofii Lech.

– Nie! – odparła bardzo stanowczo. – Nie atakowałam nikogo personalnie. Nic nie mam do ludzi na Ogrodowej i w innych miejscach. To jedynie przekaz idei. To miasto bezprawia! Gdybym mogła, zrobiłabym to jeszcze raz. I może zrobię.

Połączenie się zerwało. Na ekranie przez chwilę pojawiła się cekinowa bluzka i czubki perłowych butów, a potem znów numery klatek pośpiesznie przewijanej taśmy.

Sasza szturchnęła Drugiego.

– Wiem, gdzie ona jest. W mieszkaniu sąsiadki na Bałutach.

– Nasi już tam byli. Dwa razy. Nul spostrzeżeń w wiadomej sprawie. Efekty obławy są już widoczne w *Wiadomościach*. Dwadzieścia jeden osób zatrzymanych. Nie licząc tramwajarza i dwóch nieustalonych złodziei auta gwałciciela. Poszedł za nimi list gończy. Mają urocze ksywy: Szron i Szadź. No i jest koleś zwany roboczo Osiem Baniek. Gdzie miał się ukryć po napadzie na bank, jak nie u nas, w Łodzi. Może miasto bezprawia, ale medal będzie nasz. Jeszcze tylko babcię bombkę przytulimy i możemy starać się o pomnik Menela z Łodzi.

– Do trzech razy sztuka. Ona tam jest – upierała się Załuska. – Budynek z piwniczką z maców, wejście od podwórka. Całe wyłożone jest kapslami po piwie. Tatra rządzi.

– Wyrywamy. – Komendant dał znak Cukiemu i Henrietcie.

Ci z kolei przekazali sygnał tajniakom i zaczęli się wycofywać. Padały rozkazy:

– Przeszukać każdy lokal, każdą szopę. Przekopać ogródki. Zatrzymać wszystkich, którzy mogą być powiązani. Potem będziemy się martwić konsekwencjami.

Do Załuskiej podszedł człowiek od obsługi windy. Mimo iż był bezrobotny, bo winda przecież nie działała, nadal nosił przepisowy trzyczęściowy garnitur oraz czapkę z logo hotelu. Bez słowa przekazał jej czerwony notes i świstek, na którym nagryzmolono: „Imponujące. Na zaszczytne miano #psychofreak też trzeba sobie zasłużyć. Serdeczności i dobrego dnia. Herostrates #Aszkenazy".

– To przyszło na moją pocztę służbową – wyjaśnił windziarz, a potem wyjął z kieszeni bezprzewodowe urządzenie do odbierania internetu i wydął wargi z pretensją. – Zainfekowało mi urządzenie. Dysk został uszkodzony. Myślę, że to pani miała być adresatem tej wiadomości i to pani dysk miał być wyczyszczony, a nie mój. Poza tym nie mam oczywiście pewności, ale wydaje mi się, że ktoś grzebał w pani rzeczach.

– Zaraz dołączę – rzuciła Sasza do Drugiego i zaczęła przeciskać się w przeciwnym kierunku.

Schody do pierwszego piętra obstawione były publicznością. Windziarz, mimo sporych gabarytów, radził sobie znacznie lepiej od Załuskiej. Rozkładał łokcie niczym dorodny gołąb, kiedy zbiera rozsypany jęczmień na rynku, i wciskał je pod żebra, komu się dało. Sasza go wyprzedziła, kiedy wspięli się na schody. Pokonywała dalej po dwa, trzy stopnie naraz. Błyskawicznie była na górze. Windziarz dogonił ją dopiero po kilku minutach. Z trudem łapał oddech. Zatrzymał się przed pokojem Załuskiej, który był pusty, już posprzątany, a następnie wyjął z kieszeni klucz i otworzył sąsiednie drzwi, zanim kobieta zdążyła zaprotestować. W świetle zapalniczki Sasza zobaczyła swój dobytek zrzucony na bezładną stertę. Jej komputer stał jednak na biurku. Miał otwartą klapę i był podłączony do kabla, który zwisał smętnie obok nieczynnej wtyczki. Podniosła myszkę. Kontrolka świeciła się na zielono, choć profilerka pamiętała, że odłączyła ją przed wyjściem. Baterie widać wciąż działały.

– Drzwi były uchylone. Pozbierałem wszystko i przyniosłem tutaj – wyjaśnił konsjerż.

– A to?

Sasza potrząsnęła notatnikiem.

– Notes leżał na korytarzu razem z zawartością walizki.

Sasza przewertowała go i zauważyła, że kartki z notatkami dotyczące profilu nieznanego sprawcy zostały wydarte.

– Macie tutaj monitoring?

– Nie było już prądu.

– Widział pan coś podejrzanego? Kogoś, kogo mogę szukać. Rysopis, znaki szczególne, ubiór.

Windziarz najpierw stanowczo zaprzeczył, a potem zacisnął usta.

– Pan się nie boi – zachęciła go. – Zostawię to dla siebie.

– Kręcił się tu taki facet – zawahał się. – Wysoki, chudy drab. Wyglądał na niewylewającego za kołnierz. Takie miał wielkie dłonie. I skórzaną kurtkę. Zdecydowanie za lekką na tę pogodę. Za pierwszym razem próbował się dowiedzieć, w którym pokoju pani mieszka.

– Ja? – zdziwiła się Sasza.

– No, oczywiście nie podał nazwiska. Ani profesji – skwapliwie zapewnił windziarz. – Potem złapałem go, kiedy łaził po piętrach. Spytałem grzecznie, czym mogę służyć. Zrugał mnie okrutnie i więcej się nie pojawił.

Sasza zastanowiła się, ile razy windziarz przejrzał jej rzeczy pod jej nieobecność. Czy włamał się też do komputera? Bo że zawartość notesu znał, była niemal pewna. Musiał też dobrze wiedzieć, czym Załuska się zajmuje. Pewnie starał się ją prześwietlić w sieci.

– Zna pan tego faceta, prawda?

– W życiu nie widziałem go wcześniej – zapewnił windziarz, bijąc się w pierś. – Ale nie spodobał mi się. Coś ukrywał. Nie chciał zostawić wiadomości. Wiadomość zanotowała pani Ania, która miała nockę na recepcji.

– Pan przekaże pani Ani, że będę chciała z nią pomówić.

– Mam do pani prośbę. – Windziarz wskazał swoje urządzenie do odbierania internetu. – Mój komputer nie działa. Mogę to pani okazać.

– Teraz muszę lecieć, ale poproszę chłopców z techniki, żeby zajrzeli – zapewniła. – Dziś prawie wszystko da się odzyskać.

– No właśnie. – Mężczyzna pochylił głowę. – Chodzi o to, że nie bardzo mi na rękę jest odzyskiwanie tego wszystkiego. Nie miałem tam... No, właściwie miałem tam strasznie dużo pirackich filmów.

Sasza przyjrzała się windziarzowi. Nadmiernie grzeczny, wypindrzony jak na dansing, specyficznie otyły, prawie żadnych zmarszczek, może i wygładzony kwasem kiełbasianym. W pierwszej chwili pomyślała, że jest gejem. Potem zaczęły przychodzić jej do głowy okropniejsze podejrzenia. Wreszcie uśmiechnęła się przymilnie. Teraz dopiero zaczęło ją ciekawić, dlaczego nie pokazał jej całej wiadomości, która skasowała dysk, lecz spisał ją na kartkę. Co miał w swoim współczesnym pamiętniczku? Sięgnęła do kieszeni i wyciągnęła kilka banknotów.

– Wystarczy na naprawę?

Skinął głową.

– Proszę więc o pana sprzęt. Zabiorę się do tego od razu.

A potem spakowała się, zamknęła zamek szyfrowy i zniosła walizkę do recepcji. Dla pewności zmusiła konsjerża, by zapieczętował przy niej bagaż stosownymi naklejkami z nazwą hotelu.

Wiki zauważyła, że posadzka z kapsli wyznacza najbardziej uczęszczane ścieżki w bebechach Bałut. Najbardziej wytarte wizerunki marek piwa, którymi wyłożono klepisko, nie prowadziły bynajmniej od kamienicy do piwnic czy garaży, lecz do chaszczy, w których znajdowało się zejście do kanału. W tym miejscu mieszkańcy zbudowali sobie nielegalny schron. Ci niewtajemniczeni kilkaset metrów dalej robili czasem w starym bunkrze rapowe nagrywki, ale uczestnicy tych imprez należeli do innej generacji niż Wiktoria i kobieta była pewna, że jeśli w ogóle będą jej szukać, najpierw pójdą właśnie tam. W miejscu, gdzie kobieta schodziła do kanału, rządziła lokalna marka Piwo Naturalne, a jego zielone, czerwone oraz żółte plakietki zwielokrotniały się niczym piksele na fotografiach. Nie każdy znał Korkowe Pole i mało kto spoza Bałut tutaj bywał. Zdaniem Wiktorii, posadzka świadczyła wyraźnie, że przebywanie wśród pięknej architektury wchodzi w krew nawet tym, którzy o sztuce słyszeli tylko w dziedzinie zdobywania zetów na denaturat. Dlatego kobieta zapamiętała wizerunek jagód na kapslu, kiedy Oliwier pokazywał jej kryjówkę, i szukała go teraz, jakby to był jej jedyny drogowskaz.

Malowaną siekierką podważyła zarośniętą trawą studzienkę i wytaszczyła pokrywę na bok. Z wnętrza bił smród zgnilizny. Czuło się wilgotny chłód. Dziękowała swoim bogom, że nie ma mrozu, bo wtedy w życiu nie poradziłaby sobie z otwarciem tej jamy. Pokonując wstręt i głupie strachy, śmiałym krokiem wskoczyła do środka.

Siedziała w ciemnościach na arcywygodnym fotelu art déco dobre dwie godziny, czyli dokładnie tyle, ile ustalili z Krysiakiem, że potrwa pseudokonferencja, aż na górze usłyszała ruch i rwetes. Początkowo łudziła się głupio, że to narkomani szukają miejsca do wstrzyknięcia sobie w pachwinę odrobiny szczęścia, ale głosów niepokojąco przybywało. Wkrótce też usłyszała jazgot syren, tupot brygady w trepach, która – była tego pewna – z jej powodu zatrzymała połowę osiedla. Nasłuchiwała i drżała z każdym zbliżającym się krokiem. Z czasem jednak odgłosy obławy ucichły. Kiedy miała już wyjść, by sprawdzić, jakich strat narobiła, i pod osłoną nocy wziąć samochód, który Oliwier załatwił na cześć jej wielkiej ucieczki za granicę, znów usłyszała zabłąkane pohukiwania.

– Noż kurna. – Głos był męski, nieco piskliwy.

Osoba miała nie więcej niż trzydzieści lat, a jeśli to był faktycznie gliniarz, nie dosłużył się jeszcze stopnia komisarza i, zdaniem Wiki, nigdy się nie dosłuży. Zawsze będzie to zwykły stójkowy, potem drobny cwaniaczek, na koniec frajer na stanowisku. Najgorszy typ, który chce się jedynie wykazać i do policji wstąpił ze względu na szybką emeryturę. Nie szukał też wcale uciekinierki, lecz radośnie emablował koleżankę.

– Dwa miesiące temu wodociągi pod moim oknem wymieniały jakiś kawałek rury. Wycięli pięć metrów bieżących żywopłotu, wykopali dół, naprawili i zasypali. Gleba trochę

470

opadła, to o pierwszej w nocy przyjechali uzupełnić dziurę. Ciekawe, czy nasadzenia też będą robić. Jaką muzykę lubisz? Ja słucham prawie wszystkiego.

Wiki nawet nie zauważyła, kiedy trajkotanie leniwego funkcjonariusza na tyle ją uspokoiło, że aż usnęła snem sprawiedliwego. Kiedy otworzyła oczy, oślepił ją blask cekinów. Aż krzyknęła z przerażenia.

– Jesd pani Wihtorio spokojno! – zaszwargotała sąsiadka i chuchnęła jej w twarz nieprzetrawionym alkoholem. – Pójdzieta za mnom! Juże wszyshie polazły do swoich komisariadów. Jaki to młyn zrobiły! Jaki bajzel w chatach!

Wiki wygramoliła się za Krystyną na powierzchnię i ze zdziwieniem stwierdziła, że na zewnątrz wcale nie jest jaśniej niż pod ziemią.

– I prund wyłończyli – narzekała tymczasem sąsiadka. – Miała pani Wihtoria duży fart. Jak i ja. Bo na strychu żem się zahlopsowała, w horopce. Mojego Józefa nawet wzięły. Na noszach. Co ja biedna samiuteńka teraz pocznę!

Przebiegły przez podwórko. Potem schodami w górę, strychem na przestrzał, wprost do mieszkania sąsiadki. Kiedy Wiktoria znów znalazła się w normalnej przestrzeni, oddychała pełną piersią. Prądu nie było już prawie nigdzie. Ludzie przemykali chyłkiem pod ścianami kamienic. W okolicy panowała cisza. Krystyna pogłaskała kolejno swoje lalki, które siedziały na wykrochmalonych poduszkach u podnóża kolumny z kołder, i wyciągnęła spod łóżka wojskowy plecak, do którego Oliwier zapakował żonie gościniec na drogę. Potem zaś wcisnęła w ręce Wiki aparat fotograficzny.

– Jah nowy – zapewniła. – Ale jeśli pani przeżyje, moje obrazhi z Józefem dostanę na pamiąthę?

– Jasna sprawa – zapewniła Wiki sąsiadkę i przytuliła ją mimo odoru, jaki bił od kobiety.

Potem włączyła aparat. Bateria wciąż trzymała. Przejrzała zrobione fotografie i spojrzała ostatni raz na ocierającą łzy Krystynę.

– Wzruszyłah się na samo wspominanie. Tahi był porządny z niego człowieh. Taha miłość, jak z filmu. Hinowa normalnie.

– O tak – zgodziła się Wiki i szybko wyłączyła aparat, ponieważ nie była w stanie dłużej oglądać zdjęć, na których kobieta uwieczniła swoje ostatnie wspomnienia.

Józef leżał na wznak. Był martwy. Krystyna zaś obejmowała go w różnych pozach i obdarzała ostatnimi pocałunkami.

– O jedną kroplę za dużo wypił. Serce nie wytrzymało. Tyle wódki jeszcze zostało. Może pani łyhnie choć jednego, bo sama nie dam rady, bez Józefa – zaoferowała szerokim gestem Krystyna. I znów zaczęła swoją litanię: – Spohojny i szczęśliwy on już jest. Taho cichy był, jah go zabierali. Jak dziecko słodziuchny. Prawdę mówię.

W tym momencie Wiki usłyszała charakterystyczny ryk silnika amerykańskiego wozu Krysiaka. Rzuciła się do okna i spostrzegła, że z wnętrza wyskakują Oliwier, Maciek i kilku funkcjonariuszy w cywilu. Wołali ją, prosili, by wyszła, i ewidentnie kierowali się do Morskiego Oka. Serce jej się ścisnęło, bo zrozumiała, że została sprzedana. Wśród tajniaków rozpoznała profilerkę, z którą rozmawiała przed aferą na wieży telewizyjnej. Bez słowa ruszyła na strych, a potem dachami przedostała się do bunkra raperów. Kiedy siedziała w ciemnościach, słyszała jak Tiger & Kobra próbują się z zespołem. Rozpoznała ich teksty, ponieważ były najwulgarniejsze ze wszystkich łódzkich wierszy rapowych, jeśli zaś chodzi o linię melodyczną – cóż, praktycznie jej nie było. Mimo awarii prądu musieli szykować grubą bibkę. Zawsze grali w dawnej fabryce Wi-Ma. Było tam wiele miejsc, gdzie mogła się ukryć samotna kobieta. Choćby inkubator przedsiębiorczości, hale maszyn czy cały zestaw podziemnych pomieszczeń na ponad siedmiu hektarach utwardzonej trawy. Może mają prąd? Liczyła, że Tiger odwdzięczy się jej za kiedyś wyświadczoną uprzejmość. Zresztą, innego wyjścia nie miała.

Podjazd pod Wi-Mą zastawiony był rowerami. Większość bicykli była podrasowana, pokolorowana w pstrokate wzory lub miała przytwierdzone specjalne budki, w których lubili się gnieździć leniwi turyści. Płacąc kierowcy dziesięć złotych, z pewnością wyobrażali sobie, że jadą karetą. Wiktoria zaraz pomyślała, że dziś na Pietrynie nie znalazłoby się ani jednej rikszy.

Muzykę słychać było już od ulicy. Im Wiktoria była bliżej, tym szczelniej zasłaniała twarz arafatką. W plecaku miała też przeciwsłoneczne okulary, ale było tak ciemno, że nie widziała sensu ich zakładać. Naprzeciwko niej wyrósł sznur odświętnie ubranych młodych ludzi. Kolejka kończyła się przy bramie wejściowej i Wiki najpierw zamierzała się w niej ustawić, ale Tiger przysłał wiadomość, by weszła przez inkubator. Chłopcy przygotowujący robotyczne konstrukcje mieli wpuścić ją i przebrać w kombinezon ochronny. W razie nalotu policji mogłaby wymknąć się z nimi. A na dzisiejszy koncert każdy przecież przychodził ubrany, jak chciał. Były klasyczne dresy, kreszowe bluzy z haftami od Armaniego, szkockie spódnice z lumpeksu w zestawie ze skarpetami oznakowanymi barwami łódzkich klubów i kraciasty grunge, który w połączeniu z taftą męskich spodni od niedawna był najbardziej hipsterski. Do tego dziewczęta w rozkloszowanych sukienkach we wzór kwiatowy, z szeleszczącymi halkami i pantofelkami w groszki à la Audrey Hepburn przytulone do misiów w czapeczkach oraz kiksach od Goudy. Pachniało trawą i seksem. Wiki odurzała się tym bezwstydnym aromatem wolności i nie bez trudu wdrapała się na schodki przeciwpożarowe, a potem łącznikiem ruszyła do inkubatora.

Budynek dawnego kompleksu fabryk był w całkiem niezłym stanie i gdyby właściciel zdołał go sprzedać, jak kiedyś spadkobiercy obiekt Scheiblera, stałoby tutaj zapewne ekskluzywne osiedle dla elity miasta. Niestety, w przeciwieństwie do loftów na Tymienieckiego, hale włókiennicze Wi-My miały zbyt częste podpory żeliwne i nie dało się ich wyciąć bez szkody dla ścian nośnych. Gdyby zaś teren nie był tak ogromny, a co za tym idzie, wymagał mniejszych nakładów na renowację i rewitalizację, Off Piotrkowska mogłaby się schować. To tutaj mieściłyby się butiki większości polskich artystów użytkowych.

Może i Wi-Ma była za duża i zbyt fabryczna, a może i takiego miejsca właśnie nigdy nie miało żadne inne miasto poza Łodzią. Kompleks miał jednak jedną zaletę, którą znała artystyczna tkanka miasta – właściciela, równego gościa, który od lat pełnił rolę nieformalnego mecenasa twórców.

Stanisław Balawender, swego czasu we władzach Łodzi, obecnie emeryt, nie rozdawał stypendiów, nie wręczał honorowych dyplomów, nie chełpił się swoją działalnością i nie pisał o tym na blogu, stronie internetowej czy w gazetach. Bo też lokalne media w ogóle o nim nie pisały inaczej niż w kontekście jego zbrukanej przeszłości – Balawender był żołnierzem AL, miał zięcia w dawnym KGB, pełnił wysoką funkcję we władzach miasta za PRL. Generalnie wszędzie był dziś niemile widziany i nie było dnia, by nie wyrzucano mu, że kompleks Wi-My zakupił półdarmo, czyli za piętnaście milionów kredytu. Tymczasem Stanisław niczemu nie zaprzeczał, każdorazowo zapewniał, że w życiu szedł swoją drogą i wierzył w ideały. Teraz zaś, na stare lata, zapragnął zrobić coś dla innych. I choć wieszano na nim psy i przysyłano coraz to nowych urzędników, by Wi-Mę pod byle pretekstem zamknąć, walczył jak lew o życie na tym poletku. Bo naprawdę szczerze wierzył w siłę młodej krwi (wciąż wydaje mi się, że mam dwadzieścia trzy lata, wszak moja żona jest w tym samym wieku i nie zmieniłem jej na nowszy model, a ona nadal wygląda jak księżna Grace) i realnie wspierał inwencję twórczą każdego uzdolnionego dzieciaka (gdybym nie wykluł się przed wojenką, byłbym inżynierem, skrzypkiem, a nie certyfikowanym socjalistą z elementami ekonomii politycznej), który się do niego zgłaszał (bo ja nie gryzę, ziomek. Mów mi Stasiu i nigdy nie jaraj w budynku, zawsze przed. Popiołki ustawiłem przy bramie).

Podzielił ogromny kompleks na mniejsze jednostki i podnajmował je za niewielkie pieniądze grupom artystycznym (wiem, że pijecie, ale skoro dałeś radę przytargać pełną, to pustą też dasz radę wynieść, wiadomka). Zapewniał media, ogrzewanie, ochronę, monitoring (ciebie okradną, ja stracę lokatora. A poza młodą gwardią nikt ze staruchów mi nie pomoże. Jestem na zawsze wyklęty, przeklęty, ale nie cwel) oraz zawsze przychodził na koncerty, wystawy czy pokazy. Stawał z tyłu i cieszył się, że znów uratował od wąchania kleju kolejną nieźle rapującą jednostkę. Bo Stanisław w domu słuchał Rachmaninowa na antycznym gramofonie i z kapką koniaku w garści, ale gdy się zbiesił, sam

475

nieźle składał zwrotki i klął nie gorzej niż najgorszy żul na Abramce, jakby wszystkie te umiejętności mieszkańcy Łodzi mieli we krwi – niezależnie od wieku, statusu i pochodzenia. W efekcie było to miejsce buzujące życiem, prawdziwy underground Łodzi. Wszyscy pana Stasia szanowali i stosowali się do jego zaleceń. Pieszczotliwie nazywali go Sarkozy, bo też wyglądał, jakby skórę zdjąć z byłego prezydenta Francji, i taki sam miał hart ducha. Dziś zaś, dzięki staraniom Sarkozy'ego, tylko w tym miejscu miał być włączony prąd.

– To naprawdę pani? – Teraz pan Stasiu wyszedł jej na spotkanie. Za jego plecami stała zaś ekipa młodych raperów. – Babcia bombka, a jakby dopiero liceum skończyła. Kobiety dziś rządzą światem.

Wiki odruchowo przysłoniła twarz, ale zaraz porwali ją w ramiona, w rękę zaś wcisnęli świeżutkiego blanta i butelkę łódzkiego browaru. Potem wszystko potoczyło się bardzo szybko. Tiger przetransportował Wiki do magazynku, gdzie ekipa techniczna sprawdzała jakość nagrania teledysku Skolopendry. Butelka w ręku Wiki wciąż była pełna, aż wreszcie głowa zdawała się jej tak ciężka, że musiała położyć się na jakimś odjazdowym materacu z balustradą. Potem okazało się, że to trampolina dla drewnianych robotów, które umożliwiają transport ciężkich sprzętów na przykład w magazynach, hotelach i budynkach użyteczności publicznej. Wiki stwierdziła jednak, że jak na tak skomplikowane funkcje sprzęt jest niezwykle wygodny do spania.

Kołysały ją dźwięki przekleństw i rytmiczne postukiwania, a kiedy się obudziła, koncert trwał na całego. Odchyliła kotarę, na ekranie zobaczyła kobietę w pióropuszu, w kurtce obszytej na bogato ekologiczną zebrą. Na twarzy wokalistka miała silikonową maskę wysadzaną dżetami, tak dopasowaną, że nie dało się stwierdzić jej tożsamości. Kiedy kawałek się skończył, Tiger zapowiedział Zeusa i wszystkie fanki zaatakowały scenę. Popłynęły pierwsze dźwięki *Domku w górach*. Wiki wstała, rzuciła swój dobytek w kąt i ze zdziwieniem stwierdziła, że nie tylko ona uczyniła tu swoją sypialnię. W kącie, między drabinami, spał młody raper, sądząc po przyodziewku, raczej bezdomny, z workiem pełnym złomu przytroczonym do ręki, jakby to była sakiewka ze złotem. Potrząsnęła nim.

– Masz ogień?

Nie zareagował. Trudno się dziwić. Zeus za ścianą dawał z siebie wszystko, aż trząsł się budynek. Wtedy kobieta dostrzegła na ścianie rysę, która wydłużała się w miarę zwiększania się bitów. Przy następnym numerze sięgała już do wysokości okien. Nie zastanawiając się dłużej, wyszarpnęła z dłoni śpiącego wór. Otworzył oczy natychmiast. Pokazała chłopakowi pęknięcie na migi, bo w tym hałasie nie mógł usłyszeć jej głosu, ale nie potraktował jej poważnie. Tylko wcisnął się szczelniej między drabiny. Pojęła wreszcie, że jest na odlocie. W tym momencie sufit się zawalił.

– Pan zgłaszał pożar?

– Moja mama.

– Można dać mamę do telefonu?

– No już daję. Poczeka pan chwilę.

– Czekam, czekam.

– Halo.

– Proszę pani, gdzie pani dokładnie jest i gdzie pani widzi ten pożar?

– Ja mieszkam na Legionów, na trzecim piętrze, a pożar to się pali naprzeciwko, druga prawdopodobnie brama, ten ogień już wychodzi poza okno. Drugie piętro.

– Koło jakiego numeru?

– To jest prawdopodobnie druga brama. Tylko że tam jest chyba krata, tak że nie wiem, jak tam panowie się w ogóle dostaną.

– Druga brama, tak. Przyjąłem.

– Druga brama albo trzecia i to jest ostatnie podwórko, bo tam są dwa podwórka, z tego, co wiem.

– Przyjąłem zgłoszenie.

***

– 998, tu 302–21. Na razie nic nie widzę.

– 998, mamy lekkie zadymienie na łuku ulic Legionów i Żeromskiego. Przejedziemy teraz Żeromskiego.

– 302–50, to ty sprawdzaj z tej strony. My jedziemy jeszcze raz od strony, skąd żeśmy przyjechali, spróbujemy to zlokalizować.

– No dobra.

***

– 302–13 do 998 Łódź.

– Na odbiorze.

– Druga brama od ulicy Legionów, trzecia brama od ulicy Żeromskiego. Osoba widzi z ulicy i nie może dokładnie podać adresu. Jedzie do ciebie jeszcze ósemka.

– 998 Łódź do 302–21. Widzieliśmy płomienie wychodzące z okien. Wchodzimy w drugą bramę. Będziemy lokalizować od Żeromskiego. Na razie nie możemy zlokalizować dokładnego adresu.

– Przyjąłem. Widzisz łunę? To jest od Legionów?

– To znaczy w tej chwili jesteśmy na Legionów. Widać to było… Poczekaj.

– Czekam za meldunkiem, jaki jest dokładny adres.

– Jesteśmy pod dwadzieścia przez osiemnaście.

– Pierwszy plus podnośnik poszedł.

***

– 998 Łódź do 302–13, nie możemy się dostać na klatkę schodową. Domofon nie działa w ogóle.

– Przyjąłem.

– Daj piłę! Daj piłę! Przyszykuj piłę! Dawaj rozpieracz kolumnowy. Zasil się stąd.

– Czy na miejsce zdarzenia potrzebujesz dodatkowych służb?

– Na razie nie możemy się dostać. Mamy żywy płomień. Nie możemy się dostać na klatkę schodową.

– Daj wodę na rozdzielacz. Daj wodę na rozdzielacz.

***

– Udaję się na Legionów. Pożar, pomoc, JRG 2.

– 998 Łódź, tu 011.

– Na odbiorze.

– Zespół ratownictwa medycznego pchaj.

– Dysponuję.

– 998, pogotowie ratunkowe i PGaz dym na miejsce prosimy. Pogotowie energetyczne poprosimy również.

– Przyjąłem, dysponuję

***

– 998 Łódź, tu 011.

– Na odbiorze 998.

– Słuchaj, sytuację pożarową mamy opanowaną. Teraz roty sprawdzają to mieszkanie. Przebywała tam jedna osoba nieprzytomna. Udzielana jest jej kwalifikowana pierwsza pomoc. Teraz ewakuujemy jeszcze jedną osobę z wyższej kondygnacji.

– Przyjąłem. Sytuację masz opanowaną. Ewakuujecie jedną osobę. Jedną osobę masz poszkodowaną w wyniku pożaru.

– Teraz dokładnie sprawdzamy to mieszkanie, w którym powstał pożar.

– Przyjąłem.

***

– I co?

– Jednak nie jest opanowana. Dwoje dzieci jest reanimowanych w karetce pogotowia ratunkowego przez zespół ratownictwa medycznego i naszych strażaków. I ciężki stan bardzo, z tego, co wiem. My udzielamy kwalifikowanej pierwszej pomocy na klatce schodowej. Czekamy na zespół.

– Przyjąłem. Dwoje dzieci. Jedno dziecko masz, reanimowane jest. Następnie dziecko masz poszkodowane. Następnie jedną osobę masz poszkodowaną. Czekasz na karetkę pogotowia, tak?

– W tej chwili mam poszkodowane cztery osoby, cztery osoby są poszkodowane w wyniku zdarzenia.

– W tym dwoje dzieci, tak?

– W tym dwoje dzieci, w tym dwoje dzieci. Jedno nieprzytomne. Źle z nim.

– Kurwa, źle z nim. Przyjąłem.

***

– JRG 2, słucham.

– Gdańska, mamy zgłoszenie. Na rogu z Zieloną. Pożar mieszkania. Nie mogą dokładnie określić gdzie. Obok willi Kellera. Pierwszy plus drabina.

– Gdańska/Zielona. Pierwszy plus drabina.

***

481

- MSK, słucham.
- Chyba już troje trupów mamy. Na Lipowej.
- Halo.
- Troje trupów.
- Ile?
- Troje.
- Pierdolisz.
- No.
- I to osoby dorosłe?
- Dzieci: dwoje dzieci. Jedna dorosła. Zadzwoń do komendanta.
- Dwoje dzieci i jedna dorosła. Przyjąłem.
- Na razie jeszcze nie wiadomo, ale tu nic z tego nie wyjdzie.
- Rozumiem, że cały czas trwa reanimacja? Dobra, powiedz, ile pięter miał budynek i na którym piętrze.
- Zaraz, poczekaj, kurde. Teraz to my wszyscy reanimujemy te osoby.
- Coś tam potrzebujesz na miejscu?
- Zespół jakiś.
- Wszystkie w drodze cały czas. Dwa pojechały na Pierwszego Maja i jeden na Kopernika. Skąd ci wezmę? To dziś piąty pożar na Starym Polesiu. Co tam się dzieje?
- Ile jednostek?
- Dziesięć. Jedna została tylko. Ściągamy ludzi spoza Łodzi i OSP też.
- Rozumiem. Dwoje dzieci i dorosła, okay. Przekazuję. Ponaglam kolejny raz zespół ratownictwa medycznego. Też wszystkich puścili.
- Dobrze. To nie są zaprószenia, wiesz?
- Zapłon?
- Też nie.

– Jak on podpali jedną jeszcze kamienicę, nie damy rady. Mamy samochód, ale bez kierowcy. GBA już wszystkie puściłem.

– Tutaj ogień ma co żreć. Kij w oko budynki, Zielone Ogrody Starego Polesia. Ale ludzie! Te dzieciaki, Marek, ja je widziałem.

***

– 998 Łódź, tu dowódca brygady 007.

– Na odbiorze 998.

– My wciąż walczymy na Legionów. Mam zgłoszenie od ekipy Świderskiej. OSP dostało. Płonie Ogrodowa. Ten sam budynek co przed świętami. Ta sama kamienica. Tym razem drugie skrzydło famuł. Zaraz obok cadillaca. Tyle że ogień podłożono teraz w piwnicy. Marek, tam nie ma jak wjechać. Brama jest za wąska.

– Pamiętam. Miałem wtenczas dyżur.

– Dzwoń do komendanta. Niech zarządzi ewakuację miasta.

5. MIASTO ŚWIATEŁ

*Każda poszczególna myśl przybiera kształt
i staje się widoczna w kolorze i formie.*

Podróż na wschód, C.G. Jung, Warszawa 1989

Mateusz stał na dachu, a wiatr rozwiewał poły jego flauszowego płaszcza. Wpatrywał się w płonące miasto i czuł, jak po policzkach płyną mu łzy. Gdyby to on dokonał tego wielkiego dzieła, być może wdychałby zapach pożaru z lubością. Może, jak zwykle, włożyłby jedną rękę do kieszeni spodni, by poczuć, jak pęcznieje, a potem przygotowałby chusteczkę, żeby zapobiec białym plamom w okolicy rozporka. Może znów czułby dumę i rozpierałaby go iście męska energia, której od śmierci ojca tak bardzo mu brakowało. Tym razem jednak chusteczka była zbędna, a on sam czuł się jedynie przygnębiony. Zarówno podniecenie, które ogarnęło go, kiedy wybiegał z domu, jak i radość, z jaką wspinał się po schodkach z piwnicy na Ogrodowej, kiedy już wrzucił tam do beczki ze śmieciami kilka butelek z benzyną i rozniecił ogień, minęły. Teraz przygniatał go ciężar smutku.

Ktoś go prześcignął, zabrał mu wszystko. Czyjaś wizja była większa i ten ktoś miał odwagę posunąć się aż do tego, co Mateusz widział wyraźnie przed sobą. Łuna unosząca się nad miastem wyraźnie pokazywała mu, jak niewiele scen w tym przedstawieniu było jego autorstwa. Najpierw zamierzał napisać manifest, wysłać go do komendy, a potem rzucić się z jednego z budynków, ale po namyśle stwierdził, że nikt nie doceni jego poświęcenia. Ruszył więc dachami, wprost w oko cyklonu, jakby miał stanąć twarzą w twarz ze ścianą ognia, i zdecydował, że musi się ujawnić. To było jedyne wyjście: przyznać się pierwszy i pokonać adwersarza jego własną bronią. Skoro tamten ukradł mu show, teraz on ma prawo zabrać mu całą uwagę, z jaką rzucą się na niego media i mieszkańcy miasta.

Postanowił jednak, że zanim zgłosi się i przyzna do wszystkiego, co mu podsuną, musi załatwić pewną rzecz. Nie wiedział, jak ugasić ten szybko rozprzestrzeniający się pożar na Starym Polesiu, z którym – wiedział z mediów – walczyły wszystkie jednostki straży pożarnej. Ale domyślał się, kto stoi za tym ogniem oraz jaki będzie kolejny ruch jego rywala. Wybiegając dzisiaj, zabrał z magazynu tyle trotylu, ile zdołał udźwignąć. Tylko po to, by stryj zrozumiał wreszcie, że nie ma już do czynienia z dzieckiem i ukrywając u nich w piekarni ładunek wybuchowy, naraża się na wydanie go policji, lecz przede wszystkim że ma silną konkurencję. Zamierzał pokrzyżować mu szyki. W tym celu musiał tylko dostać się do zbiornika na Stokach. O tej porze roku w podziemnej katedrze woda sięgała aż po łukowate sklepienie. Kilka lat temu Mateusz był na koncercie organizowanym przez Festiwal Czterech Kultur. Słuchając Tansmana, Schulhoffa i Grażyny Bacewicz, dobrze przyjrzał się zabytkowym zbiornikom zaprojektowanym przez Lindleya i zbudowanym na jego zlecenie ze specjalnie wypalanej cegły. Wiedział, że jeśli nagle uwolni cały zapas wody pitnej dla miasta, czyli spuści ponad sto tysięcy metrów sześciennych do licznych kanałów, które dziś w większości nie są użytkowane, tunele rozpękną się i wytrysną na powierzchnię fontannami niczym podziemne źródła. W ten sposób pokona stryja, uratuje miasto i zostanie wielkim wybawicielem Łodzi.

Łódź, 30 grudnia 2015

– To nie ona. – Drugi wypowiedział to, o czym myśleli teraz wszyscy. – Nic się nie zgadza. Mówi, jakby sobie wyobrażała podkładanie bomb, albo jak to pokazują na filmach. Zupełnie bez sensu.

Słychać było wycie syren. Przed chwilą zarządzono ewakuację miasta. Ludzie tratowali się na dworcu. Na wylotówkach stały gigantyczne korki. Kto żyw, wyjeżdżał. Reszta barykadowała się na obrzeżach i uciekała do rodziny na prowincję.

– Broni dzieciaka – potwierdziła Sasza. – Dlatego bierze winę na siebie.

Flak wsunął do ust obgryziony ołówek.

– Mam nadzieję, że nam się dołek nie spali. Mamy tam już chyba wszystkich. Tramwajarza, dwudziestu bałuciarzy. Babcię bombkę i jej podopiecznego. A miasto płonie.

– Nie zapomnij o tabunie raperów, szajce rikszarzy i piromanie na rowerze – dodał Cuki.

– I żadnego właściwego. – Drugi, jak zwykle, nie bał się mówić, co myśli.

Zapadła cisza, którą przerwała Henrietta.

– Niezła historia z dziewczyną Zofii, nie? – Podniosła głowę. – Wiedziałeś, że Zosia woli kobiety?

– Też mi nowina – zdenerwował się komendant. – Nie mamy czasu na jakieś osobiste wycieczki. A już plotki najmniej mnie obchodzą.

– Kiedy to nie plotki. Zgwałcona ofiara to właśnie ta raperka. Skolopendra się nazywa. Nie dziwię się, że występowała w pióropuszu. Strasznie bluźni.

– Jola! – huknął Drugi. – Lepiej zajęłabyś się akcją poszukiwawczą piromana.

– Ale którego? Bo się zgubiłam. – Brzezińska zrobiła słodką minę. – Tego ze Zgierza, od roweru czy może tego, który wciąż terroryzuje miasto? Zdaje mi się, że ganiamy po omacku. Może pani profiler do czegoś by się w końcu przydała.

Drugi skinął na Saszę i ruszyli razem do pokoju przesłuchań. Trząsł się tam bezdomny, dzięki któremu mieli wreszcie portret pamięciowy podpalacza z Ogrodowej. Rysownik kończył właśnie jego podobiznę i za kwadrans mieli ją opublikować. Wszyscy byli podenerwowani. Nikt się nie łudził, że dostaną w tym kwartale premię, ponieważ po chwilowej sensacji z babcią bombką media przedstawiły łódzką policję w jak najgorszym świetle.

Teoretycznie trzymali w ręku wszystkie dane. Babcia bombka miała związek z ładunkami, ale sama ich nie podkładała. Maciek, jej podopieczny, robił roboty i podkładał bombki, ale ich nie włączał. Piroman na rowerze w ogóle nie był związany ze sprawą. Podobnie jak gwałciciel leżący wciąż w śpiączce farmakologicznej. Zresztą nim nikt się nie przejmował. A Łódź się hajcowała. Jeśli kiedyś ugaszą te płomienie, strażacy z pewnością dostaną medale, premie i szklane puchary. Ich praca zawsze wykonana jest w stu procentach zawodowo. Nie ma takiego ognia, który kiedyś nie zgaśnie. Za to śledztwa, w bardzo wielu przypadkach, kończyły się niewykryciem sprawcy.

– I jak wyszło? – Drugi usiadł naprzeciwko bezdomnego.

Chłopak podniósł głowę, pod oczami miał wielkie sińce. Był pokiereszowany, miał rękę na temblaku, ale poza tym nic mu się nie stało. Było to niewiarygodne, zważywszy, że po zawaleniu się budynku mury przygniotły kilkadziesiąt osób. Większość z poważnymi obrażeniami trafiła do szpitala. Drugie tyle leżało na korytarzach, czekało w izbie przyjęć z poparzeniami i wstrząśnieniem mózgu od skoków na strażackie płachty. Bezdomnego wytaszczyła spod gruzów Wiktoria, która potem sama straciła przytomność. Tak ich znaleźli.

– Zgadza się – potwierdził. – Jak żywy.

– Więc dlaczego, pojebie, nie dostaliśmy tej informacji wcześniej? Nie łyso ci? Tak wielu zniszczeń można byłoby uniknąć.

– Nie gadam z pałami – szepnął w odpowiedzi raper. – Zasadniczo.

– To spierdalaj na dół! – Drugi walnął w stół.

Spojrzał na Saszę. Nie ruszyła się spod drzwi.

– Nic mi nie możecie zarzucić.

– Współpraca z podpalaczem, ukrywanie istotnych dla śledztwa informacji, mataczenie. Będzie tego trochę.

Drugi wstał. Zaczął chodzić.

– Chyba że coś jeszcze sobie przypomniałeś. Na przykład nazwisko piromana. – Wskazał portret pamięciowy.

– Byłem wtedy na tarasie. Spałem. Nie słuchałem ich gadek.

– To nic mi nie daje, chłopcze.

Sasza podeszła do bezdomnego.

– Akceptujesz ten portret? Przyjrzyj się. To ważne.

Podniósł głowę i obrzucił ją pogardliwym spojrzeniem.

– Nie znam się na rysunkach. Może i podobny. – A potem nagle zmiękł. – Podbródek taki bardziej trójkątny, dzieciuchowaty. Nie miał zarostu. Jak to poeta. Nawet był niezły. Pochodził ze Zgierza. Rude włosy. – Pokazał ręką kółka na głowie. – Takie cienkie, kręcone. Jak u Irlandczyka.

– To już wiemy.

– Był piekarzem. Ale może to był tylko żart. Tak to odebrałem. Nie mogę powiedzieć, że ten kolo jakoś bardzo zajmował moje myśli od tamtej pory.

– I tego właśnie żałuję.

Drugi wstał.

– Bardzo nam, lamusie, pomogłeś. Spierdalaj do kanału. Jeśli będziesz miał kiedyś jeszcze ze mną nieprzyjemność, obiecuję ci...

– Czasami się jąkał. Był w za dużym płaszczu. Granatowym, jakby z innej epoki, prawie do kostek. Guziki z kotwicami. Z lumpeksu pewnie. I chyba miał na imię Mariusz albo Maciek.

– Maciek? – zainteresowała się Załuska.

– Nie, pomyliłem się – sprostował. – Mateusz.

Drugi zanotował to na niewielkiej karteczce. Podał Załuskiej.

– Wrzuć to Henrietcie. Niech puszczą ekipę do Zgierza. Przetrząsną dla odmiany wszystkie cukiernie.

Zajrzał Cuki. Drugi z Saszą wyszli na korytarz.

– Szefie, strażacy meldują, że płonie piekarnia w Zgierzu. Kuko się nazywa i znajduje się naprzeciwko przystanku tramwajowego, uważaj, między innymi linii czterdzieści sześć. Matka złożyła zawiadomienie o zaginięciu syna.

W tym momencie rozbłysło światło. Rozległ się gremialny krzyk. Niektórzy funkcjonariusze zasłonili oczy od nagłej jasności.

– Niech zgadnę. – Drugi uśmiechnął się pierwszy raz dzisiejszego dnia. – Ma na imię Mateusz?

– Zgadza się. Mateusz Gajek. Dwadzieścia jeden lat. Jedynak. Ojciec nie żyje. Matka prowadzi piekarnię. Dobrze sobie radzą.

– Kiedy go zatrzymamy, będzie miał na sobie stary dwurzędowy płaszcz w kolorze granatowym ze złotymi guzikami. Rude kudły, twarz bez zarostu. Dziwadło, jak to poeta. I tak mu przetrzepię dupsko, że już do końca swojego życia w pierdlu będzie się jebany jąkał – wyrecytował Drugi i odmaszerował, by osobiście wydać rozkazy.

Pierwsza fala zimnej wody chlusnęła nagle i z gwałtowną siłą wypełniła kanał. Rene szła pierwsza, więc nie zdążyła się przygotować. Zachłysnęła się i przewróciła na plecy, wprost w ramiona Ziębińskiego. Nie utrzymał jej. Po chwili wszyscy byli w pełnym zanurzeniu. Cybant jako jedyny zachował zimną krew i mimo swojej tuszy zdołał wypłynąć ponad poziom. Chwytał powietrze, jakby napełniał płuca na zapas, a potem zanurkował, wyłowił latarkę czołową. Dzięki Bogu wciąż była sprawna. Przystąpił do metodycznego ratowania pozostałych.

Ekipa bunkrołazów była daleko za nimi. Słyszeli tylko ich głosy i nawoływania, a potem wszystko zagłuszył szum wytryskujących zewsząd fontann. Nie byli pewni, czy ich przewodnicy zdołali skryć się w bocznych kanałach, bo chwilę potem zapadła cisza, ale prąd przyniósł ich maski, niezatapialną linę z karabinkami (faktycznie, reklama nie kłamała, lina pływała po powierzchni niczym podziemny nenufar) oraz dwie czapki. Potem przydryfowała dziwaczna rakieta z resztkami różowego konfetti. Na końcach miała połyskliwe chwosty. Wyglądało na to, że zostało ich tylko troje.

– Poziom się podnosi – stwierdził Cybant. – Przed chwilą woda była przy trzecim szczebelku. Teraz sięga już do połowy drugiego.

– Nie chcę tu umrzeć! – jęczała Rene. A potem zwróciła się do Ptysia: – Nienawidzę cię. Wiedziałam, że coś się stanie. Nie chciałam tu przychodzić.

– Gdybyś nie była taka pazerna, w ogóle by cię tu nie było – odciął się.

Ziębiński z trudem utrzymywał się na powierzchni. Nie pływał zbyt dobrze. Mieszał wodę wokół siebie, rozpaczliwie machając rękami. Wyglądał przy tym jak niskopienny pies. Nie minęło kilka minut, a już był zmęczony. Rene patrzyła na niego z satysfakcją i życzyła mu rychłej śmierci. Była wściekła, bo szanse na uratowanie się wszyscy mieli minimalne.

Cybant podpłynął do siostry i asekurując ją, pomógł przedostać się na drabinkę. Ponieważ była z nich najlżejsza, mogła wdrapać się pod właz i sprawdzić, czy da się go otworzyć.

– W razie czego mam kilof. Nie utopił się. Ciąży mi przy jajach – krzyknął radośnie.

– Uwielbiam cię, grubasie – zaśmiał się Leon. – Jak umierać, to z przytupem.

Na te słowa Rene spięła się w sobie i przestała wreszcie beczeć. Uczepiła się rękoma metalowych drążków i drżąc na całym ciele, zaczęła się podciągać. Uderzyła kilka razy w zamknięcie przypominające odnóża pająka.

– Zalakowane – zameldowała.

– Tam jest prześwit. Płyńmy. – Ziębiński wskazał równoległy kanał. – Niedaleko jest moja tajna kryjówka. Osobisty schron.

– To nie w tym korytarzu – zaoponowała Rene. – Coś ci się pomyliło. Już minęliśmy to przejście.

– W żadnym razie. – Leon pokazał czerwone numery.
– Dopiero przy szóstce.

– Ja tam nie płynę! Tamten kanał jest dwa razy węższy.
Jeszcze mniej powietrza!

– Na trzy – krzyknął Cybant. – Raz, dwa, trzy. Rura!

Ruszyli we właściwym momencie. Kiedy tylko zdołali
przedostać się w boczny, faktycznie znacznie węższy tor, przyszła kolejna fala. Tym razem wypełniła wnętrze aż po sufit.
Rene z przerażeniem spojrzała na brata i przyśpieszyła,
a potem ruszyła kraulem. Im byli dalej od głównego kanału,
tym poziom się obniżał. Numery spadały. W okolicy szóstki wody było zaledwie po kolana. Zatrzymali się przed metalowymi drzwiami, Leon zdjął z szyi kwadratowy klucz.
Rene zawsze myślała, że to jakaś tandetna ozdoba przywieziona z Amazonii: dzwoneczek dla krów albo inne badziewie. Tymczasem Leon sprawnie sklecił z tego żelastwa
urządzenie i powstała prowizoryczna klamka. Wsunął ją do
zamka, lecz nie przekręcił. Docisnął, zapadka wpadła na
swoje miejsce, a potem po prostu pchnął drzwi ramieniem.
Wejście stało przed nimi otworem.

Cała trójka z ulgą wślizgnęła się do środka. Wewnątrz
było sucho i znacznie cieplej. Tyle że śmierdziało. Nagle
coś z dzikim wrzaskiem rzuciło się Leonowi na plecy. Ten
zaś w samoobronie zaczął kręcić młynka. Cybant starał się
uratować szefa, ale dzikie zwierzę wiło się i drapało. Rene
skuliła się w kącie, znów popłakiwała. Kiedy kucała, poczuła, że siada w coś miękkiego i ciepłego. Dopiero po
chwili dotarł do niej zapach gówna. Zerwała się. Cybant
zdołał zdjąć z karku Ptysia agresora i uderzył go na oślep
z pięści. Poprawił trzonkiem kilofa. Kiedy zaświecił czołówkę, wszyscy ze zdziwieniem spostrzegli, że to zwierzę
ma ludzkiego kutasa.

– Kto ty? – mruknął Cybant do gołego faceta. – Tarzan jaki, czy co?

Damian odsunął się i pochylił głowę. A potem upadł na kolana, błagając:

– Zabierzcie mnie stąd. Nie chcę tu umierać.

– Czy wam wszystkim zacięła się płyta? – zdenerwował się Leon i otworzył wreszcie właściwe wejście do schronu.

– Zamknijcie tylko dokładnie drzwi, bo ubezpieczyłem się na wszystkie możliwości spalenia, ale od powodzi to chyba nie.

Potem wskazał metalową windę, która zajmowała połowę powierzchni tego dziwnego lokalu.

– Tym wyjedziemy na Brus.

Rzucił im koce i wygrzebał kilka suchych ubrań. Miał też bardzo mocny alkohol, który wszyscy łapczywie pili z piersiówki. Wytarli się, przebrali. Tylko Damian musiał owinąć się kocem, ponieważ wszystkie spodnie Leona były na niego za ciasne. W końcu wsiedli do metalowej klatki.

– Już nigdy nie wejdę pod ziemię ani do żadnej windy – przyrzekła Rene i ostentacyjnie zatkała nos, zwracając się do strażaka. – Jedzie od ciebie gównem, paparuchu.

– Przepraszam. – Damian pochylił karnie głowę.

Leon zdjął swój kluczyk i powiesił go na szyi dziewczyny.

– Wreszcie jest ktoś, kto mnie nie okradnie.

Cybant spojrzał na siostrę i się zaśmiał.

– Ja bym nie był taki pewien, szefie.

Zamilkli. Wiedzieli, że cała akcja zakończyła się fiaskiem. Nikt nie miał pojęcia, dlaczego kanałem nagle poszła woda, ale to nie wróżyło nic dobrego.

– Rene, nie bój się. Wylot jest w kanale naprawczym – ostrzegł Leon. – Nie dało się inaczej zainstalować. Jeśli na robocie mają tam jakiegoś sanoka, radziłbym uważać na głowę. Ma stosunkowo niskie zawieszenie. Działa jak gilotyna.

No i Tomek nie znosi, kiedy używam tego sprzętu. Już raz zniszczyłem mu silnik jego małżonki.

– Kto to jest Tomek? Jego małżonka mniej mnie interesuje.

– To jest człowiek, który dostarczy nas do domu. Jego tramwaj nie potrzebuje miejskiego prądu.

– Nie przestajesz mnie zaskakiwać – mruknęła Rene.

– Bez scen rodzinnych, proszę – huknął na nich Cybant.

Oboje natychmiast ucichli. Wreszcie Rene szturchnęła brata.

– Na razie to ja i on nie jesteśmy jeszcze rodziną.

Cybant wskazał na klamkę Ziębińskiego.

– Już tak. Pierwszy raz widzę, by szef rzucił się na coś takiego.

Leon popatrzył na Cybanta z wdzięcznością, a potem przeniósł wzrok na Rene i się rozpromienił.

– To klucz do mojego serca, kochana. A ono znajduje się w skarbcu. I nie jest to bynajmniej komora Sinobrodego.

– W tym składzie starzyzny? – prychnęła Rene. – Tam już byłam. Nie kocham cię przez to bardziej.

– A jednak to powiedziała – droczył się z kobietą Ptyś.

– Idiota. – Obraziła się Rene. – Słyszy tylko to, co sam chce.

Wydostali się na powierzchnię bez żadnych problemów. Nikt nie stracił głowy. Annuszka nie rozlała dziś oleju na torach. Niestety, nie było Tomka ani nikogo, kto przypominałby człowieka. Był za to tramwaj. Pruł po torach wprost na nich.

Drugi odłożył dokument, który sporządziła Sasza. Profil zawierał mnóstwo danych, włącznie z analizą sposobu działania bombera, ale teraz wszystkich interesowała wyłącznie pierwsza jego część: cechy psychofizyczne i status społeczny sprawcy. A także kilka ostatnich punktów analizy, gdzie go poszukiwać.

– To może być każdy – rzekł bez entuzjazmu. Nowa hipoteza jeszcze mniej mu się podobała niż poprzednie. A potem podrapał się po łysinie. – To nie szukamy już tego dzieciaka? Mateusza Gajka – odczytał z akt.

– Ochroniarze na Stokach go chwycili – zameldowała Henrietta. – Cuki już go wiezie. Nie chcę wiedzieć, na ile wycenią straty katedry. Zdążył wysadzić zbiornik.

– Zauważyłem. – Drugi otrzepał spodnie. Były na nich ślady wapna, popiołu. Nogawki miał mokre. Siedział w klapkach i nie wyglądało na to, że szybko pojedzie do domu się przebrać. Potarł zmęczone powieki. – Czy ta historia nigdy się nie skończy?

– Moim zdaniem są z piromanem powiązani – zapewniła Sasza i wskazała kopię swojego notatnika, z którego wydarto zapiski dotyczące profilu i dopisano odręcznie pean o Łodzi. Cuki zaproponował, że zrobią analizę pisma, więc

Sasza zostawiła im cały notatnik. – Używał tego samego makaronu. Znaczy się trotylu. Ale też w formie plasteliny i uszczelki. Musieli mieć jedno źródło.

– Może to ten młody?

Sasza stanowczo pokręciła głową.

– Nie, Wojtek! Bomber ma tyle lat co ty, może jest trochę młodszy. Szacuję go na czterdzieści–czterdzieści osiem lat. Przemieszczał się dachami, ale z głową, nie na hura, jak Gajowy. Zna miasto. Mieszka tutaj, żyje tutaj. Jest na bieżąco z naszymi działaniami. Może ma kogoś w policji? Może u nas służył? Sam nasłuch nie wystarczy, żeby tak dokładnie przewidywać nasze działania. Sprawnie wykonał ostatnią serię wybuchów. Tym razem nie zostawił ani jednego robota.

– Jest kilka stopionych plastików – wtrąciła się Henrietta.

– Mały, ten podopieczny babci bombki, też go zna – natychmiast zareagował Drugi. – Nie da się wycisnąć z niego nazwiska świra?

– Zapadł się w sobie. – Załuska pośpieszyła z wyjaśnieniem. – Jest hospitalizowany. Zawieziono go do Kochanówki. Zakwalifikowano do ciężkich przypadków. Nie wiadomo, czy z tego wyjdzie. Dostał pokój bez klamek, bo dokonał kilku samouszkodzeń mogących zagrażać życiu, a psychiatrzy oceniają jego stan na ciężki. Myślę, że zna sprawcę. Może rozpoznałby go przy okazaniu, ale dla sądu to żaden dowód. Maciek w tej chwili ma zniesioną poczytalność. Adwokaci bombera zaraz to wykorzystają. To się może przydać operacyjnie, ale nie opierałabym się na tym procesowo. Musimy szukać innych przesłanek. Swoją drogą chłopiec całkiem inaczej wyobrażał sobie swój udział w tej grze.

– Grze? – Drugi zmarszczył czoło. Wyglądał teraz jak nosorożec.

– To dzieciak. Nie wiem, jak ten klient go przekonał, co mu nagadał, ale to musiało być coś osobistego. Może być powiązane ze śmiercią matki i babki. Brak ojca. Kompletna ruina rodziny. To wystarczy aż nadto. Teraz wszystko do niego dotarło. Zobaczył skutki. Wciąż się obwinia. Rozsypał się. Nie przyjmuje na przykład do wiadomości, że dziewczynka żyje.

– Za to Szczepan nie – zbiesił się Drugi. – Jak to się skończy, Flak uda się do jego rodziny osobiście. Znał jego ojca. Pierwszy raz cieszę się, że nie jestem frontmanem tego interesu. Ten chłopak od początku miał pecha. Przedwczoraj sensory zajebali mu na służbie. Czwarty raz, dasz wiarę?

– Kto? – zainteresowała się profilerka.

– Nieustalony sprawca.

– Przypadek? – Zmarszczyła brwi.

Drugi odłożył dokumenty. Patrzył na nią lekko skonfundowany.

– Widzisz związek z piromanem?

– To by wyjaśniało, dlaczego bomber wiedział więcej niż każdy cywil.

– Już nie wymyślaj. – Drugi zbagatelizował hipotezę.

– To co robimy? – przerwała ping-pong Henrietta. – Bo trzeba dać ludziom dyspozycje. Wszyscy czekają.

– Zagramy w marynarza – zarządził komendant.

Henrietta wzniosła oczy do sufitu, ale Sasza weszła do zabawy. Czasem życie rzuca nam tak liczne kłody pod nogi, że można się tylko śmiać. Policjant przysunął do siebie listę osób powiązanych ze sprawą. Byli na niej podejrzani, świadkowie i epizodyczne postaci, które przewijały się w zeznaniach lub wniosły cokolwiek do sprawy.

– Albo w ciuciubabkę. – Zasłonił sobie oczy i trafił palcem.

– Krysiak – odczytał. I całkiem poważnie dodał: – Wiek mniej więcej pasuje. Resztę też można by podciągnąć. Zna Łódź, aż za dobrze kuma nasze procedury. Dużo się przemieszcza i umiałby złożyć bombkę.

Sasza się skrzywiła.

– Motyw też jest: „bo to zła kobieta była".

Drugi się zmarszczył.

– No to teraz ty. Zobaczymy, kogo wylosujesz.

Zabrał jej okulary. Sasza wskazała palcem jedno z nazwisk.

– Cuki – odczytała Załuska, założywszy je ponownie.

Wszyscy wybuchnęli teraz zdrowym rechotem.

– Ma kompetencje! – skomentowała Załuska swój los. – Nawet po dachach mógłby biegać. Za każdym razem rozmawiam z nim, łapiąc zadyszkę.

– On mówi to samo – roześmiała się Henrietta.

– Jeszcze raz. Cukiego eliminujemy. Ten strzał się nie liczy. To porządny chłop.

– A jak kocha swoją żonę! – Brzezińska się rozpromieniła. – Żebyś ją zobaczyła. To Monika Kern. Bohaterka *Uprowadzenia Agaty*. Na kanwie jej historii powstał ten film.

Sasza nie dowierzała.

– Słowo, ta sama! – Henrietta uderzyła się w pierś. – Ale w realu podobno wszystko było inaczej.

– A może to ty, Jolu – zaśmiała się Sasza. – Analiza na piątkę. Sprawca zorganizowany.

– No wiesz! – Henrietta oblała się rumieńcem. – To już prędzej szefa bym podejrzewała.

– Jego? – Wskazała komendanta Sasza. – Bankowo! Nawet ślady zbrodni ma dziś na spodniach. Tylko pobrać miotełkami i koniecznie argentoratem potraktować mundur, a potem zaparzyć.

– Ty tutaj jesteś profilerem. – Drugi rozłożył ręce. – Drugi strzał, a potem znów ja.

– Jak dzieci – utyskiwała Henrietta. – Nie wierzę, że to widzę.

– Ja nie widzę nic. – Sasza zamknęła oczy i wylosowała nazwisko lokalnego psychologa.

Drugi omal nie wpadł pod stół ze śmiechu. Sasza zaś złożyła usta w ciup, naśladując wymowę Rafała Kościeja.

– Najmniej podejrzany. Zawsze blisko zdarzeń. No i wie, co siedzi w głowie szwarccharakterów.

– Zgarnąć go! – rozochocił się Drugi, po czym pacnął palcem w kartkę. – Trafiłem Góreckiego, szefa naszej straży. Obowiązkowy do zaobrączkowania. Kocha wszak swoją pracę. To najczęstszy motyw strażaków-piromanów.

– I jeszcze tę Świderską bym zamknęła – dodała Sasza. – Za to, że tak bardzo chciałaby kochać się w ogniu.

Teraz do gry weszła Henrietta. Jej wskazujący palec upolował Wiktorię. Zmarszczyła się.

– O nie, to przecież kobieta. Odpada. Musi być facet?

– Dawaj jeszcze raz – zachęcił ją Drugi.

Teraz już próbowali wszyscy, na wyścigi. Zaśmiewali się przy tym, łapiąc klasyczną głupawkę.

– Flak! Ponieważ go akurat nie ma.

– Lokalny fotograf. Bo to żmija!

– Jednak tramwajarz. Ukradł budkę!

– I koniecznie bezdomny. Sam się zgłosił. Niech ma za swoje.

Kiedy przestali się wreszcie śmiać, zapadła cisza.

– Na czym w końcu stoimy?

Sasza wstała.

– Ja chyba wracam do domu.

– Słaby żart – żachnął się komendant.

– Nic tu po mnie. – Wskazała opinię. – Nie znam miasta. Wszystko, co mogłam, wykonałam.

Drugi rozłożył ręce. Złożył usta w ciup i zaczął naśladować wymowę Karola Albrychta.

– W moim odczuciu sprawa nie jest jeszcze zakończona.

– Przykro mi, Wojtek, ale niedługo muszę być na promie do Szwecji, a dziecka od tygodnia nie widziałam. Wybacz, nie zostanę do końca i zresztą nie jestem potrzebna. Mateusz go wyda. Przy pierwszym przesłuchaniu, zobaczysz.

Drugi patrzył za Załuską. Widziała, że chciałby coś powiedzieć od siebie, ale powstrzymał się ze względu na Henriettę. Odwróciła się.

– Idę po walizkę. Potem coś zjem. Nie żegnam się, jeszcze wrócę. Gdybym była potrzebna do przesłuchania, wzywaj. Ale dziś wybywam stąd ostatnim pociągiem. Przykro mi.

– Wiem! – Drugi uderzył w stół. – Ciebie jeszcze nie braliśmy pod uwagę!

W tym momencie zadzwonił telefon Saszy. Zerknęła na wyświetlacz. Numer stacjonarny. Kierunkowy z Łodzi. Przesunęła palcem zieloną słuchawkę.

– Pani komisarz. – Głos był przymilny, lepki. – Jest tutaj ten facet. Kręci się w okolicy. Pani pamięta? Ten człowiek, o którym rozmawialiśmy po włamaniu do pani pokoju. – Mężczyzna zniżył głos do szeptu, praktycznie syczał. – Po-
-dej-rza-ny.

– Bawimy się z Łukaszem – wybrzmiało ze słuchawki, kiedy Załuska zbiegała po schodach do wyjścia z komendy. Zatrzymała się. Spojrzała na ekran telefonu, jakby mógł jej wyznać coś więcej, niż słyszała.

– Z Łukaszem? A gdzie babcia?

– W ogrodzie.

– Przecież babcia nie lubi ogrodu – zdziwiła się Sasza.

Laura miała kolekcję powłóczystych indyjskich tunik we wszystkich barwach tęczy i bogato haftowanych złotymi nićmi, w których chodziła do filharmonii. Latem nosiła kapelusze z wielkim rondem, gdyż efektownie się prezentowały podczas spacerów po sopockim molo. Zimą zaś futra, wyłącznie naturalne. Za nic mając protesty ekologów. Jeśli chodzi o kuchnię, gotować zaczęła dopiero po śmierci ojca Saszy i to tylko ze względu na oszczędność. By za zachomikowane w ten sposób pieniądze móc dwa razy do roku wyjeżdżać na narty i leżak z „antykami", jak nazywała grupę swoich najbliższych koleżanek. Spośród nich tylko Laura była wdową i mimo wysokiej emerytury męża dyplomaty nie zatrudniała na stałe kucharki ani kobiety do sprzątania. Pani Andżelika przychodziła tylko kilka razy do roku, głównie przed większymi świętami, by umyć okna, upiec makowce i przywieźć pięć kilogramów pierogów, które Laura pakowała w niewielkie porcje, ale potem serwowała gościom jako własne wyroby.

Załuska z trudem wyobrażała sobie matkę z motyką w dłoni, o sadzeniu warzyw zaś w ogóle nie mogło być mowy, ponieważ jeśli chodzi o prace fizyczne, Laura prędzej zabetonowałaby trawę wokół swojego domku, niż podjęła się tak bezsensownej pracy jak grzebanie w ziemi w celu wyhodowania ogórków, które można kupić za rogiem. Poza tym powszechnie przecież wiadomo, jak bardzo tego typu zajęcia niszczą paznokcie.

– Babcia siedzi na werandzie i udaje, że czyta jakiś kryminał, ale tak naprawdę wypytuje o ciebie Łukasza, a on maluje płot.

Załuska usłyszała szczekanie i znów głos córki:

– Dobry piesek, siad. Teraz łapa. Nie wiem, czy wiesz, ale nasz pies ma na drugie imię Luksus.

– Luksus? – z trudem wydusiła Sasza. – To pewnie babcia wymyśliła.

Laura zawsze uważała, że nadawanie ludzkich imion zwierzętom przynosi pecha.

– Ja to wymyśliłam – zaprzeczyła dziewczynka. – Bo on je tylko smakołyki. Kabanosy, szynkę. Babcia dała mu kości z zupy, ale zostawił.

– Babcia ugotowała zupę?

– No co ty – zaśmiała się Karolina. – Żona Ducha.

– Kto? – Sasza aż się zapowietrzyła. – Ile tam jest jeszcze osób?

– Tylko ja, babcia i Łukasz. Lubię go. On bardzo dobrze radzi sobie z naszą babcią – zniżyła głos do szeptu. – A babcia nawet się przy nim śmieje i włożyła dziś tunikę na lewą stronę.

– Nic nie rozumiem. To gdzie wy teraz jesteście?

– Jak to gdzie? U Ducha. Umówili się z Łukaszem, że w zamian za pożyczenie motoru pomalujemy mu płot. A w domu było tyle dobrego jedzenia, które ugotowała przed wyjazdem ta pani, że Łukasz dostał taką wielką kurę i potem już nie zeżarł kości.

Sasza wzniosła oczy do nieba. Była zła. Wszystko jak zwykle jej się rozjeżdżało. Matka znajdowała sobie sposoby, by jak najmniej zajmować się wnuczką, więc z radością przyklasnęła na propozycję towarzystwa Łukasza i biesiady u Ducha. Mogła się tego spodziewać.

– Wiesz co, mama – zaczęła znów Karolina. – Z babcią jest coś dziwnego.

– Co masz na myśli?

– W ogóle nie pokrzykuje, jakby nie była generałem. Cały czas chce jej się spać i mówiłam ci, że dziwnie się ubiera.

– No i co z tego?

– Chyba też się dzisiaj nie kąpała. Nie najlepiej pachnie. Łukasz namawia ją, żeby poszła do lekarza. O, jakiś pan przyszedł.

Sasza poczuła, że oblewa ją rumieniec. Zajmuje się sprawami zawodowymi, a nie dostrzegła, że coś dolega jej własnej matce. Musi się tym zająć, jak tylko wróci do domu.

– Dasz mi Łukasza do telefonu? – poprosiła, starając się, by jej głos brzmiał miło oraz nie zdradzał zdenerwowania.

– Pewnie – odparła dziewczynka i się rozłączyła.

Sasza znów wykręciła numer. Zajęte. Trzymała telefon w ręku, czekając, aż będzie mogła spróbować ponownie, ale Karolina musiała źle odłożyć słuchawkę.

Zeszła do holu i w drzwiach prawie zderzyła się z Cukim. Jak zwykle pędził gdzieś na złamanie karku.

– Jak miewa się piroman? – Rozpromieniła się, ale uśmiech zaraz zamarł jej na twarzy, bo po minie Jacka zorientowała się, że nic nie szło zgodnie z przewidywaniami.

– Zwiał?

Cuki pokręcił głową i wykonał kilka nieskoordynowanych ruchów ciałem.

– To co się stało? – Załuska się obejrzała.

Wiedziała, że tutaj nie mogą swobodnie rozmawiać. Ruszyli do chipowych bramek. Za filarem Cuki chwycił kobietę za ramiona.

– Miałaś rację – szeptał konfidencjonalnie, a potem wyszarpał z kieszeni plik zmiętych zapisków. – Wysyłał na konkursy wiersze z godłem ASZKENAZY. To były jakieś bon moty o Łodzi. Rymowane albo i nie. Ale w każdym razie mamy próbki pisma do analizy. Dałem cynę Drugiemu, a ten mi na to, żebym dał to do grafologa. No ja pierniczę. Między grafologią a badaniem pisma ręcznego jest różnica jak między astrologią a astronomią. Czy wszędzie pracują tumany? A jeszcze ci dodam, że pierdoły o psychologii i grafizmie popychał w Teleexpressie taki znany profesor. Boże broń przed takimi fachowcami.

– Cuki, ale co chcesz zrobić? Nie zdążycie! – Załuska zdołała wreszcie wbić się w wątek. – Już pomijam, że masz oczywiście rację. Badanie ekspertowi zajmie z tydzień, dwa.

– Faceta od ośmiu milionów, tego od napadu na bank, co się u nas ukrywał na Polesiu, capnęliśmy właśnie dzięki analizie pisma. Wszystko zmienił: tuszę, kolor włosów, tęczówki, nawet ślady papilarne sobie ścierał, a i tak chodził w rękawiczkach. Ale pisma nie mógł. Bo wiesz, piszesz głową, a nie ręką. Dobrzy fałszerze to wiedzą.

– No i co, Cuki? O co chodzi?

Jacek nabrał powietrza, pociągnął Saszę jeszcze głębiej do korytarza i wypalił:

– Problem w tym, że on się do wszystkiego przyznaje. Sasza, do wszystkiego! Do Ogrodowej, Polesia, wysadzenia wszystkich śmietników w ciągu dziesięciu, co ja mówię, dwudziestu lat. Bierze na siebie trupy, rannych, bomby, Wiesię Jarusik, nawet, do cholery, wysadzenie jej córki w Paryżu czy Brukseli też. Jak mu podsuniesz, że jest islamistą, przyzna i to. Co ja gadam, zasadniczo wszystkie zdarzenia z ogniem, także przed jego urodzeniem, wiesz, są jego dziełem. Dziełem, Sasza, rozumiesz?

– Herostrates. Mówiłam ci.

– Zaciągnąłem go poza monitoring i sprułem mu gębę. Trochę go uszkodziłem, fakt. A on nic. Ani chu-chu. Otrzepał się, wytarł smarki i nadal się przyznaje. Tylko że ja, do kurwy nędzy, wiem, że to nie on. Może kilka rzeczy podpalił, ale to siusiumajtek od drewutni.

– I nie wyda bombera?

– W życiu! – Cuki podniósł głos. – Choćbyś go przypalała. Tylko w kółko powtarza, żebyśmy grzali z tym do prasy.

– Bo to mu imponuje.

– Dokładnie.

– Więc daj mu to. Może drugi się ujawni?

– Ale procesowo leżymy. – Cuki się poddał.

– Teraz mu się to podoba – ciągnęła Sasza. – Bo zła sława, wywiady i zdjęcia w gazetach. A potem, jak przyjdzie proza siedzenia i zorientuje się, co znaczy garowanie, będzie inaczej śpiewał. Wyda Aszkenazego.

– Ale my już będziemy skompromitowani.

Sasza puknęła Cukiego palcem w pierś.

– Wy będziecie. Ja tu nie pracuję. Nie jestem już potrzebna.

Cuki zamilkł, a potem wcisnął Saszy zapiski Mateusza Gajka.

– Możesz jechać, jak skończysz robotę. – Nagle przestał być już misiem. Wściekł się i wiedziała, że nie odpuści. Podniósł głowę i wyprostował się. – To rozkaz.

– Co?

– Normalnie. – Stanął na baczność. – Idziesz ze mną pogadać z tym dupkiem. Teraz.

– Czekaj, czekaj – powstrzymała policjanta Sasza. – Nie mogę tak wchodzić na żywioł. Daj pomyśleć.

Cuki zerknął na zegarek.

– Masz pół godziny. Ja w tym czasie porozmawiam z Drugim.

Podszedł do windy, niecierpliwie wciskał guzik, ale i tak widać uznał, że za długo zjeżdża z góry, bo pobiegł schodami. Sasza uśmiechnęła się bezwiednie. Każdą rozmowę z tym facetem odbywała w biegu. I wtedy ją olśniło. Otworzyła notes na zapisku, który zostawił jej Aszkenazy. Przeczytała po raz setny notatkę, którą mogłaby recytować na pamięć, nagle wybudzona ze snu. Wiedziała już, jak podejść Mateusza, by zdradził terrorystę. Musiała jedynie stworzyć u chłopaka porządne poczucie zagrożenia. Biciem nic nie wskórają. On chciał być sławny, ale też wiedział, że na sławę nie zasługuje. Jeśli Cuki ma rację i chłopak jest na tyle zdesperowany, by przyznać się do wszystkiego, trzeba to wykorzystać. W końcu tak właśnie zamknęli sprawę Marchwickiego, Kota i wielu innych w PRL-u. Mała mistyfikacja nie zawadzi. Wzięła do ręki komórkę i napisała esemes do Cukiego:

„Załatw mi fotografa i jakiś dyktafon. Dobrze by było, żeby dziewczyny z komendy włożyły sukienki. No i kilka kamer. Nie muszą być włączone".

„Co ty pieprzysz?" – odpisał niemal natychmiast.

„Robimy konferencję prasową. Drugi będzie szefem telewizji".

W tym momencie przez obrotowe drzwi wszedł wysoki, postawny mężczyzna. Za kołnierz, niemal podniesionego do góry, wlókł otyłego konsjerża z Polonii. Sasza wychyliła się, by zobaczyć, co za przedstawienie odbywa się w holu, ponieważ ci dwaj robili strasznie dużo rumoru. Z miejsca, w którym stała, nie było wiele widać, a nie chciała wyjść na wścibską.

– Teraz możesz meldować – huknął do windziarza Duch.

– Kabluj, staruchu, a kobiety sam poszukam. Bez łaski. Bodyguard się znalazł, jak z koziej dupy trąba.

– Gdyby chciała pana widzieć, miałby pan jej numer.

– I mam, łachudro – pouczył go Duchnowski. – Razem z twoim całym telefonem, napakowanym dziecięcą pornografią zapewne.

– Co tu się dzieje? – Z dyżurki wyszedł wreszcie mundurowy.

– Komisarz Robert Duchnowski, Komenda Wojewódzka Policji w Gdańsku. Macie tu mojego człowieka. Niejaka Sasza Załuska. Ten oto mistrzu utrudnia mi dochodzenie.

– Ja, ja, ja. – Windziarz nie był w stanie powiedzieć nic więcej. – To pan jest z policji?

– Nie, DiCaprio. Walczę o Oscara.

Sasza wyskoczyła zza winkla i podbiegła do bramek. Gdyby miała kartę wejściową, pewnie zrobiłaby to jednym susem i bez zatrzymywania uwiesiłaby się na szyi Roberta, a tak wpatrywali się tylko w siebie, aż wreszcie Duch rzekł:

– Nie powiem, nawet mi się to podoba. Jak z amerykańskiego serialu o miłości. Czy coś.

Sasza została wreszcie uwolniona przez dyżurnego. Bramka odskoczyła. Duch podszedł do kobiety i bez żadnych wstępów ani krygowania się pocałował ją przy wszystkich.

– Jestem w robocie – mruknęła Sasza i próbowała wyplątać się z objęć kochanka, ale Duch jej nie wypuszczał.

Szepnął jej coś do ucha, od czego aż po czubki uszu oblała się rumieńcem i rozejrzała, czy ktoś poza nią to słyszał, a potem pokręciła głową.

– No dobra, to wieczorem – zgodził się łaskawie i objął Saszę w talii, mrucząc przy tym jak stary wyleniały kocur. – W sumie teraz to już się nigdzie nie śpieszę. Może poza zaaplikowaniem eutanazolu extra rapid w czopkach dziewięć milimetrów do grubej rury twojego kolegi.

Windziarz zaczął się wycofywać. Sasza skinęła na mężczyznę.

– Dziękuję panu. Przepraszam za kłopot – krzyknęła, a potem zwinęła dłoń w trąbkę i dodała szeptem: – To świr, niech pan się nie przejmuje.

– Zgadza się – potwierdził Duch radośnie. Puścił oko do Saszy. – A co znacznie ciekawsze, mam dziewięć żyć.

Krysiak przeglądał zdjęcia na tablicy Facebooka Wiesi. Po jej śmierci robił to już wiele razy. Znał na pamięć każde jej spojrzenie, jakby dopiero kiedy odeszła, postanowił nauczyć się mapy jej twarzy. Od dawna nie pojawiały się na tej stronie żadne treści. Zdarzało się, że nieznacznie rosła liczba kciuków pod najpopularniejszymi obrazkami, kiedy w mediach informowano o kolejnych pożarach. Krysiak nigdy nie „lubił" żadnej z jej fotografii. Na tym portalu oficjalnie nie byli nawet „znajomymi". Do przeglądania jej ściany używał fejka z damskim zdjęciem ściągniętym z internetu.

Na jej pogrzeb się nie wybierał, choć na pewno weźmie tego dnia wolne i będzie pił, aż padnie. Nie potrafił się z tym zmierzyć. Nie chciał patrzeć na tych, którzy jedynie udają ból, kiedy on sam składał się wyłącznie z pustki. Może też nie chciał jej żegnać. Gdyby ją pochował, włożył czarne lakierki, wcisnął się w garnitur i zamówił wieniec, nie miałby wytłumaczenia, by wciąż o niej mówić w czasie teraźniejszym, czekać, aż zadzwoni i poprosi, by poszli na tańce. Zacząłby wspominać, a potem by ją zapomniał. Tak by się stało.

Wiedział, że w całym albumie on sam znajduje się tylko na jednej fotografii. Tańczą w kasynie. Ona w czerwonej sukience, jak zwykle w całej okazałości eksponującej jej obłędne nogi. On w jasnych dżinsach zwężanych ku dołowi, które dla niego wybrała i wtedy pierwszy raz się pokłócili. Kochał ją już wtedy. Złość wynikała z zazdrości. Był zaborczy. Liczył na wzajemność, ale jej nie otrzymał. To były jedynie słowa. Tak wtedy sądził, czuł. Dziś wiedział, że się mylił. Było wprost przeciwnie. Dlatego też dobrze zrobił, od początku ukrywając ten obrazek na jej tablicy. Nikt nigdy poza nim go nie widział. Ani słodyczy w jego twarzy. Tego, z jakim pietyzmem trzyma ją w talii, splata dłonie, kiedy ona ustawia się do obrotu. Jak ją zagarnia, by chronić, kiedy zanadto się wychylała. Zdjęcia bardzo wiele mówią o relacjach między ludźmi. Nie fotografujemy się z wrogami z rozmydlonym spojrzeniem. Nie odsuwamy od kochanka, chyba że jest już byłym i jedynie zainteresowany o tym nie wie. Teraz Krysiak ostatni raz spojrzał na swoje zdjęcie z Wiesią i zdecydowanym ruchem je wykasował. Potem znalazł inne, które również ukrył w tym samym czasie. Ale zanim je skasował, zapisał w pamięci swojego telefonu. Zajrzał tylko na chwilę, by mieć pewność, że posiada jedyną kopię, i wykrzywił się szpetnie.

Nie znosił tego obrazka. A właściwie tego faceta, do którego Wiesia się tak kleiła, trzymając jednocześnie za rękę Maćka, swojego wnuka. Jej oczy mówiły światu wszystko: kochała swojego sąsiada – Romka Środę, który pomagał jej w opiece nad córką, a potem wnukami. Ale też okazywał realne wsparcie: finansował poszukiwania, wciągnął ją do lewych interesów z Arabami i na koniec zapiął pas szahida na jej talii, kiedy wyznała, że chce iść na policję.

Ale to nie ma już znaczenia. Gdyby Wiesia się wygadała, Aleksander też miałby kłopoty. W sumie wszystko dobrze się ułożyło. Zgarnął kasę i przyjdzie czas, że będzie mógł się uwolnić od poczucia winy. Przydała mu cierpień, ale musiał chronić jej dobre imię, bo wszystko, cała ta historia, rzutowała na jego życie, karierę i honor. Nie mógł pozwolić, by teraz, kiedy znów odbił się od dna, a po konferencji babci bombki znów miał multum zleceń, coś rzuciło cień na jego opinię. Wcisnął „usuń", wylogował się, a potem ponownie wszedł do portalu, by sprawdzić efekt. Pojawił się komunikat: treść nie jest już dostępna.

– Dlaczego?

Sasza odwróciła się i spojrzała Mateuszowi w twarz. Chciała, by patrzył jej w oczy. By widział jej osmalone włosy i rozbitą twarz. Położyła na blacie stołu kilka zdjęć. Rozkładała je powoli. To twoje dzieło, palancie, oszołomie, idioto, mówiły jej oczy. Patrz, poczuj ich ból. Niech znów cierpią, tym razem na twoich oczach. To właśnie położyłeś na ołtarzu własnej próżności. Wywrócone tramwaje, porzucone auta, spalony dobytek. Strażacy wyciągający z gruzowiska poszkodowanych. Poranione dzieci na noszach. Sanitariusze układający rannych jeden obok drugiego, jak baranki, by zdążyć intubować jak największą liczbę ofiar.

Piekarz wytrzymał jej spojrzenie i uśmiechnął się szeroko.

– Z miłości – rzekł.

– Do kogo? – prychnęła Załuska i natychmiast zebrała fotografie.

Nie mogła znieść tego widoku. Cisnęła odbitki facetowi w twarz. Nawet się nie uchylił. Spadły na podłogę w bardzo różnym czasie, jak czarne płaty spalonych lampionów po festiwalu świateł. Podniósł zdjęcie wypalonego budynku przy Ogrodowej i przyjrzał mu się wnikliwie, a potem pedantycznym gestem ułożył przed sobą na stole. Napawał się tym widokiem. Wtedy zrozumiała.

Ma do czynienia z człowiekiem chorym. Nie wiadomo, co orzekną biegli. Nie ma znaczenia, kim jest bomber i na ile współpracowali. Przed nią siedział materiał na prawdziwego maniaka. Ta sytuacja utwierdzała go jedynie w przekonaniu, że uczynił rzecz słuszną. Spalił Sodomę i Gomorę. Uwolnił Łódź od zła.

– Nie jesteś Bogiem – rzuciła, niby od niechcenia.

– Władza, jaką przez chwilę miałeś, jest niczym w porównaniu z tym, jak za to zapłacisz.

Nie odpowiedział, ale twarz mu rozmiękła. Przez chwilę znów był nadwrażliwym maminsynkiem tęskniącym za tatusiem, którego przedwcześnie zabrakło. Sasza trafiła w sedno. Wpatrywał się w swoje dłonie, a potem wybuchnął szyderczym śmiechem i nagle zamilkł. Jakby bał się, a jednocześnie napawał swoim triumfem. Jej wściekłość, gniew, furia, które świadomie przerysowała, kiedy zadawała mu pytania, były dla niego spełnieniem, na które tak długo czekał. To piroman, człowiek chory. Ale też cierpiący na przerost ambicji tchórz. Tak naprawdę bał się konfrontacji. Dlatego zabijał za pomocą płomieni. Widziała, że aż drży z podniecenia. Z jego twarzy nie czytała nawet śladu skruchy. Nie, nie żałował. Gdyby mógł, zrobiłby to jeszcze raz. O wiele bardziej spektakularnie. I tym razem nie zostawiłby śladów.

– Kogo można kochać tak bardzo – podniosła głos prawie do krzyku, a potem nachyliła się do sprawcy, aż niemal zetknęli się nosami. Dokończyła świszczącym szeptem: – By skrzywdzić dla niego tylu ludzi? Kto jest tego godzien?

Zapadła cisza.

– Mów! – wściekła się teatralnie Sasza.

Wiedziała, że nie ma zdolności aktorskich. Przestraszyła się, że podejrzany zwietrzy podstęp, więc chwyciła chłopaka za poły swetra i zdrowo nim potrząsnęła. Nie bronił się. Ciało mu zwiotczało, jakby odruchowo poddał się jej agresji. Sasza pomyślała, że musiał wielokrotnie doświadczać przemocy. Nikt dobrowolnie nie zgadza się na taką ingerencję cielesną. Może dlatego wybrał taki rodzaj broni. Ogień pozwalał mu atakować z oddali, bez konieczności otwartej walki. Jednocześnie dając złudzenie własnego bezpieczeństwa i ambiwalencję moralną. Ale były w nim wściekłość, żal, rozczarowanie i chęć odwetu. Nagromadził tych niskich emocji przez lata bardzo wiele. Patrzył teraz na profilerkę spod zmrużonych powiek, a ona czuła w tym spojrzeniu czystą nienawiść. Za to, że ośmieliła się go zdemaskować i upokorzyć. Oboje to wiedzieli.

– Łódź – odezwał się wreszcie bardzo cicho. – O nią się rozchodzi.

Załuska puściła go momentalnie. Wielki mi poeta z pretensjami do świata, a nie potrafi wysławiać się po polsku, pomyślała. Mateusz zaś klapnął na krzesło, jakby uszło z niego całe powietrze. Skulił się, drżał. Zdawało się, że jest mu potwornie zimno. Sasza dała znak ekipie za lustrem weneckim. Oko kamery delikatnie błysnęło. Rozpoczęli rejestrację. Dopiero teraz zacznie się przedstawienie. Załuska przewinęła taśmę i włączyła staroświecki dyktafon na kasety. Wreszcie odsunęła się pod ścianę i zapaliła papierosa. Czekała. Ale piekarz milczał.

– Mów, świrze, bo jestem twoją ostatnią szansą!

Zamruczał coś niewyraźnie w odpowiedzi.

– Głośniej! Nie będziesz gadał tutaj, nie będzie telewizorów. Wybieraj!

Zaczął niepewnie, jakby pierwszy raz występował publicznie i nie był pewien, czy prawidłowo nauczył się tekstu na pamięć.

– Łódź jest jak pijana diwa, która lata świetności ma już dawno za sobą. Dziś nikt nie pamięta jej wspaniałych występów, a ona wie o tym, jednak wciąż chce trwać w błogim świecie iluzji. Dlatego pije.

– O Dżizas – roześmiała się Sasza. – Nie wierzę!

Mateusz zacisnął usta. Profilerka wiedziała, że dopiero teraz udało jej się go naprawdę rozwścieczyć. Wyprostował się. Podniósł podbródek.

– Tak dużo i często, że ledwie trzyma się na nogach – kontynuował wciąż jednak monotonnie, tępo patrząc na obracającą się kasetę. Głos mu jeszcze drżał, ale szybko nad nim zapanował. Wreszcie zawiesił wzrok gdzieś w przestrzeni i odkleił się. Wtedy słowa popłynęły potoczyście, jakby odgrywał swój monodram na scenie: – Czasem pada na twarz, ale zawsze podnosi się z kolan i prze naprzód. Dumna, niezniszczalna. Jak jej głos, którym kiedyś kruszyła szkło. Wciąż mogłaby śpiewać, ale nie ma gdzie, nikt jej nie chce, więc żyje w nędzy, przez wszystkich zapomniana.

– Fajowy poemat. Wzruszyłam się – zamruczała z końca sali Sasza. – Pewnie nie spodoba się dziennikarzom, ale gratuluję wyobraźni – szydziła w najlepsze.

Nie mógł jej tego darować. Zbladł i była pewna, że gdyby nie byli na komendzie, wybiegłby, a potem wrócił z butelką benzyny i zapałkami. To dlatego zginęła ta trójka. Śmieli się z niego. Nieświadomie uderzyli go w najczulsze miejsce. Kompleks pseudoartysty. Teraz Mateusz przemawiał z odpowiednią modulacją. Robił pauzy. Nie skąpił emfazy. Ale im dłużej recytował, tym bardziej Sasza była pewna, że to plagiator. Pozwoliła mu jednak poćwiczyć przed lipną konferencją. Niech sądzi, że wygrał, osiągnął swój cel. To tylko pierwszy etap taktyki jego przesłuchania. Była pewna, że policjanci za lustrem weneckim mają teraz równie dobry ubaw jak ona tutaj.

– Jej miejsce na podium od dawna zajmują inni. Jest samotna, opuszczona. Każde jej wołanie o pomoc wzbudza gromki śmiech, a ostatnio jest nawet gorzej. Otacza ją ponure milczenie. To jest gorsze niż kpina. Wielkie diwy nie znoszą ciszy. Stworzono je do blichtru, sławy, oklasków. Karmią się tym. Z uwielbienia czerpiąc energię. Ona ma jej coraz mniej. Wołała kiedyś o pomoc, krzyczała gromko, powiadamiając o swoim istnieniu, ale nikt jej nie słyszał. A ci, którzy słyszeli, przeszli obojętnie obok ekscentrycznej pijaczki. Niektórzy mają ją za kurwę, która od dawna nie kupczy już własnym ciałem, bo nikt go nie chce. Została jej tylko żebranina, ale słabo to wychodzi, choć na jej twarzy wciąż jeszcze widać ślady nieprzeciętnej urody. Może i się kurwiła, ale drogo kazała sobie za to płacić. Chętnych nie brakowało, bo zawsze miała wielką klasę. Czasem, kiedy jest przez chwilę trzeźwa, wyjmuje ze szkatuły ostatnie brylanty. Nie sprzedała ich mimo nędzy i nałogu, bo przypominają jej stare czasy. Wkłada czasem wyleniałe futro z soboli i szczerozłotą koronę, która się ostała tylko dlatego, że żaden lombard nie przyjął jej pod zastaw, błędnie sądząc, że jest kradziona. I przegląda się w potrzaskanym lustrze, zdając sobie sprawę, że nie umie umrzeć ani żyć dalej.

Zatrzymał się.

– Normalnie Hamlet z Makbetem pod pachę – drwiła dalej Załuska. – Coś jeszcze chcesz dodać? Może jakieś szczegóły techniczne. Może kilka nazwisk. To bym wolała, zamiast przymiotników.

Całkowicie ją zignorował. Nabrał powietrza i zakończył:

– Tak, zrobiłem to z miłości do tego miasta. Zniszczyłem je, by ocalić przed hańbą.

Sasza usiadła na krześle naprzeciwko. Z trudem hamowała wesołość.

– Sam to napisałeś czy kradzione?

Spojrzał na nią podejrzliwie.

– Na poważnie pytam.

– Teraz wymyśliłem.

– Akurat.

Nie odezwał się.

– Nawet niezłe – pochwaliła.

– Naprawdę? – Na twarz piekarza znów wypłynęły rumieńce.

– No. – Sasza pokiwała głową. – Zwłaszcza ta metafora z kurwą. Bardzo medialne. Choć może nie spodobać się mieszkańcom Łodzi. – Uśmiechnęła się. – Nie chcesz niczego zmienić, złagodzić? W pierdlu na bańkę będą ludzie stąd. Na początku będziesz siedział na śledczym.

Zacisnął tylko mocniej usta.

– Ale wielkie dzieła nie zawsze były rozumiane – mruknęła i puściła oko do ekipy policjantów za szybą. – Twój wspólnik zna ten manifest?

– Nie mam wspólnika. – Piekarz znów się zaperzył.

– Dobra, dobra. – Sasza uspokoiła go gestem. – A chłopiec? Skąd go wziąłeś?

– Chłopiec?

– Sam tych robotów nie konstruowałeś. Zabezpieczyliśmy wszystkie zabawki i skrypty.

– A, chłopiec! – Uderzył się w czoło, jakby sobie nagle przypomniał. – Z dworca kolejowego.

– W Zgierzu jest dworzec? – zdziwiła się szczerze Sasza.

– Z Kaliskiej – uściślił. – Codziennie dostarczamy tam pieczywo do baru. Maciek regularnie jeździł do meczetu w Warszawie. Szukał ojca, bliskich. Mówił, że ma sporo znajomych w Al-Kaidzie.

– Gdzie? – zaśmiała się Sasza. – Przecież to prehistoria.

– Ja się tym nie interesowałem. Wsiadał w Łodzi. Podobno muzułmanie odbierali go na Dworcu Zachodnim w Warszawie. Ale teraz sądzę, że to była nieprawda.

– No raczej.

– Po prostu się włóczył. – Mateusz nagle się rozgadał. – Kilka razy konduktor wyrzucił go z pociągu. Nie miał na bilet. Nie miał nawet na kanapkę. Często go widziałem. Kilka razy dałem mu kilka czerstwych bułek, jak żebrakowi. I tak musiałbym je wyrzucić. Zawsze był sam. Z nikim nie rozmawiał. Trochę był dziki. Bawił się swoimi robocikami, słuchał rapu z głośnika JBL, łaził po starym wiadukcie nad dworcem. Któregoś razu zgarnęli go sokiści. Ponoć spał na peronie. Minęły dwie godziny, ale nikt po niego nie przyszedł. Babka nie odbierała telefonu. Mieli go odstawić do Izby Dziecka. Chciałem pomóc. Dzwoniliśmy przez godzinę. W końcu zapłaciłem ten mandat i go zabrałem.

– Powierzyli chłopca obcemu? – Sasza kręciła głową z niedowierzaniem. – Wątpię.

– Puścili go. Znali mnie. – Mateusz bił się w pierś. – Sami też chcieli mieć problem z głowy.

– Dobra, sprawdzę. – Załuska zapisała to sobie, a potem dodała: – Dlaczego mu pomogłeś?

– Nie mogłem go przecież zostawić samego.

– I?

– Wziąłem go do siebie na noc. Nad ranem wsiadł do tramwaju i tyle go widziałem.

Sasza przysunęła się bliżej. Skrzywiła się.

– Lubisz młodych chłopców?

– Co pani!

– To co z nim robiłeś?

– Graliśmy w gry, włączyłem jakiś film.

– Jaki?

– Chyba *Podziemny krąg*. Może *Siedem*. Nie pamiętam.

– No i?

– Puścił mi trochę swojej muzyki. Lubi rap. Ja nie za bardzo, ale to było nawet ciekawe. – Piekarz wzruszył ramionami. – Ojciec zmarł kilka lat po tym, jak wyprowadziliśmy się z Łodzi. Matka zajmowała się piekarnią. Zmusiła mnie do roboty, bo taniej, a przynajmniej ZUS miałem opłacony. Ale psa mieć nie mogłem ani kota. Z wsiokami i Cyganami nigdy nie złapałem kontaktu.

– Podobno miałeś ksywę „Żydek".

Nie zaprzeczył.

– A więc to prawda. Wstydziłeś się?

Podniósł hardo głowę.

– Też byłem sam. Dla tego chłopca pierwszy raz w życiu ugotowałem kolację. Matki tego dnia nie było w domu. Pojechała do lekarza, nocowała u rodziny w Warszawie. Chyba wtedy zaprzyjaźniliśmy się, choć niewiele rozmawialiśmy.

– Proszę, jaka przyjaźń. Od pierwszego wejrzenia. – Sasza podparła się pod boki. – Rozebrałeś go przed filmem czy po?

– To nie to! – zbiesił się. – Co mi wmawiasz?

– Ej, nie byłam z tobą w wojsku.

Pochylił głowę.

– Nigdy nic takiego nie miało miejsca – wyartykułował bardzo powoli. – Nigdy!

– Sprawdzimy. – Sasza odhaczyła znów coś w notatniku.

Wstała i zaczęła chodzić.

– Więc dworzec, bułki, filmy, gry i rap. A potem co?

– Nie mam pojęcia. – Gajek wzruszył ramionami.

– Nie jeździł już na Wiertniczą? Nie musiałeś go ratować?

– Nie widywałem go na dworcu, ale dwa tygodnie później, może miesiąc, kiedy zamykałem piekarnię, zobaczyłem go przed bramą. Mam poddasze z oddzielnym wejściem. Matka nic nie widziała. Czasem u mnie nocował.

Sasza się zmarszczyła.

– Wiesz, jak to brzmi?

– Nie jestem gejem.

– On jest nieletni. Nie mówimy o orientacji seksualnej. Mówimy o zgwałceniu kwalifikowanym nieletniego poniżej piętnastego roku życia. Artykuł sto dziewięćdziesiąty siódmy paragraf trzeci kodeksu karnego.

– Bez przesady – zaśmiał się Mateusz. – Po prostu się nad nim zlitowałem. Zresztą byłem wtedy zakochany. W Kalinie.

– Tej, którą zabiłeś na Ogrodowej?

Zwiesił głowę.

– Nie jestem mordercą.

– To dlaczego ich podpaliłeś?

– Wkurzyła mnie – wyznał. – Zwodziła tak długo, zachęcała, a okazała się zwykłą dziwką.

– Jak Łódź? – Sasza się uśmiechnęła. – Na ten pożar też masz poemat?

Odwrócił głowę. Dolna warga mu drżała.

– Wiedziałeś, że spłoną tam żywcem. Sztaba od zewnątrz była solidna, a mimo to przystawiłeś tam jeszcze te maszyny. Nie mieli szans uciec.

Podniósł głowę. Uśmiechnął się kpiąco i nachylił do dyktafonu, by lepiej go było słychać.

– Miałem nadzieję, że nikt nie wyjdzie stamtąd żywy. Żadna z tych osób, które mnie upokorzyły. Ani jedna. A zwłaszcza ta lafirynda.

– Chodzi o wiersz?

Spłoszył się. Zbladł.

– Nawet niezły. Wyśmiewali się z ciebie? Nie chodziło więc o dziewczynę?

– Kochałem ją! – Zerwał się.

– Bzdura. – Sasza znów oparła się o ścianę. – Po prostu miałeś ochotę coś zniszczyć, ale to już nie była prosta potrzeba patrzenia na ogień. To była zemsta. Jeden z najczęstszych motywów zbrodni. Bo to była zbrodnia. Grozi ci dożywocie. Nie musisz przyznawać się do wszystkiego. I tak będziesz garował. Powiem ci więcej. Bomber cię wykorzystał. Znał cię i wiedział, że moczysz się na widok płomieni. Ty go znasz. I to dobrze. Ale go kryjesz. A on się teraz z ciebie śmieje. Tak jak Kalina. Jak tamci faceci. Ten gość, któremu teraz chcesz zabrać twarz, twoich głupich podpałek używał jako zapalnika. Byłeś jedynie narzędziem w rękach mistrza. Gdybyś go zdradził, może wyrok byłby krótszy. A tak jego chichot będzie cię budził w snach. Już nigdy spokojnie nie zaśniesz. I nigdy nie zobaczysz już ognia. Gwarantuję!

– Sam to robiłem! – krzyknął. – Sam!

– A roboty? Skrypty to nie jest twój ulubiony typ pisarstwa. To dzieciak pisał. Wiemy wszystko.

– No tak. – Pokiwał głową. – Ale on nic nie wiedział. Myślał, że tylko się bawimy. On jest niewinny.

– Co za bohaterstwo – szydziła Załuska. – Kiedy zawarłeś pakt z chłopcem?

Piekarz się zawahał. Myślał dłużej, niż powinien. Sasza odgadła, że waży słowa. Nie ma pojęcia o chłopcu, o robotach. Wie tylko tyle, ile podała prasa. Za wszelką cenę chce jednak bronić swojej wersji.

– Nie wtajemniczałem go w szczegóły – zapewnił po namyśle. – On robił te swoje konstrukcje, pisał programy, ja załatwiałem materiały. On jest naprawdę zdolny. Będzie z niego genialny inżynier.

– Nie sądzę – mruknęła Sasza. – Po terapii elektrowstrząsami i lobotomii mało kto zostaje profesorem.

Mateusz z trudem ukrył zdziwienie.

– Polecam *Lot nad kukułczym gniazdem*. Dobra opowieść nie wymaga piętrowych metafor ani egzaltacji. Tak, chłopiec jest u czubków – powtórzyła. – Nieprędko wyjdzie. Ale też nie potwierdzi twojej wersji ani jej nie zaprzeczy. Nieźle to wymyśliłeś. Mam nadzieję, że sumienie ci o tym jeszcze przypomni. Każdy je ma. Nawet Hannibal Lecter.

– Uczyniłem Maćka szczęśliwym. Nie miał nikogo. Nikogo nie obchodził. Te chwile, które spędziliśmy razem. – Mateusz otarł dyskretnie łzę. Sasza nie mogła uwierzyć. Wyglądał, jakby się wzruszył. – To był dla nas obydwóch najpiękniejszy czas.

– Złamałeś tego chłopca.

– Przyszłość to iluzja. – Piekarz nagle się uśmiechnął. – Istnieje tylko teraźniejszość.

– To ci się udało. – Sasza wstała. Spojrzała w oko kamery i skinęła głową. A potem ponownie usiadła i również zmusiła się do uśmiechu. – Ale to nie ty napisałeś. W przeciwieństwie do wcześniejszych bon motów. Sala jest pełna, gdybyś chciał wiedzieć. Publiczność już czeka. Prasa nie będzie tak łaskawa jak ja. A potem… – Zawiesiła głos. – Będziesz miał każdego dnia taki sam wspaniały dzień. Mam nadzieję, że w pierdlu nikt się nad tobą nie zlituje, tak jak ty nad tym chłopcem. Czeka cię równia pochyła.

– Ty kurwo! – Zerwał się.

Sasza była już w drzwiach.

– Miłej teraźniejszości w towarzystwie prokuratora.

Weszli policjanci. Zaczęli przygotowywać pomieszczenie do okazania. Cuki podszedł do piekarza i podał mu tabliczkę z numerem.

– Grafoman – szepnął mu do ucha, po czym splunął pod nogi.

A potem wyjął nożyczki i na chybił trafił zaczął mu ścinać włosy. Mateusz wyrywał się, wołał pomocy, ale zaraz wbiegło jeszcze kilku funkcjonariuszy, by go przebrać. Henrietta pudrowała go i makijażem starała się zniekształcić rysy twarzy.

– Musisz ładnie wyglądać przed występem – przemawiała łagodnie.

Trzymali go w kleszczach, aż Cuki i Henrietta skończyli błyskawiczną metamorfozę. Jakiś czas później Mateusz miał na głowie ostro nażelowanego irokeza, po bokach zaś wystrzyżone kępy, z których uformowali mu liche wąsy pod nosem. Wtedy stanęli przed nim i z dumą oświadczyli zgodnie:

– Normalnie *taxi driver*. Jak żywy.

– Trójka, jestem pewien – potwierdził mężczyzna i odwrócił się na pięcie do wyjścia, ale Drugi schwycił go i ponownie ustawił w tym samym miejscu.

Po czternastu godzinach na dołku bezdomny nie wyglądał już tak odrażająco. Przede wszystkim nie śmierdział, bo oddziałowi wręczyli mu szare mydło, a potem przez pół godziny polewali lodowatą wodą z gumowego węża. Trząsł się całą noc, jakby miał gorączkę. Gdyby posiedział tutaj dłużej, mógłby zejść. Chyba od lat nie odstawiał prochów. Przymusowy detoks zrobił jednak swoje. Mieli teraz przed sobą wydelikaconego intelektualistę. Więzienny uniform, który wygrzebali jakimś cudem z magazynu, tylko wzmagał ten efekt.

Henrietta podeszła do mężczyzny i wskazała miejsce, gdzie ma złożyć swój podpis. Nabazgrał coś niewyraźnie i spojrzał na policjantkę z nadzieją.

– Kiedy będę mógł wyjść? – wychrypiał.

– Ja tylko pilnuję, żeby kwity się zgadzały – odparła, ale poklepała go dobrotliwie po ramieniu. – Twój klarnet jest bezpieczny. Klawisze się powyginały, ale da się naprawić.

Instrument znaleźli w worku ze złomem, który wszędzie ze sobą targał. Był w pokrowcu, pieczołowicie owinięty kawałkiem weluru. Wyglądało na to, że mężczyzna pochodził z niezłego domu.

– Czyli rozpoznaje pan mężczyznę, który dwudziestego drugiego grudnia odwiedził Aleksandra Bajtla na Ogrodowej siedemnaście? – upewnił się prokurator.

– Tak.

– Czy jest pan tego pewien?

– Tak.

– Tak? – Prokurator spojrzał na Drugiego, a ten zbliżył się do świadka i podsunął mu pod nos portret pamięciowy poszukiwanego piromana. Była to nieomal karykatura Mateusza Gajka. Długi spiczasty nos, trójkątna twarz elfa i frywolne loki, niczym z serialu o Bodo.

– Gdzie tu widzisz podobieństwo!

Muzyk pochylił głowę.

– Trochę się zmienił. Ale nadal go rozpoznaję.

– No pewnie, kropka w kropkę podobni – pieklił się Drugi. – Co to za cyrk! W kulki sobie lecisz?

Zamachnął się, ale Henrietta go powstrzymała.

– Szefie, podejrzany faktycznie ściął włosy.

Cuki z trudem powstrzymał wesołość.

– Jak mi afro wyrośnie, to bez problemu mnie rozpoznasz, ale jak sobie kartofel zamiast nosa przyprawię i zmienię kształt czaszki, to zobaczymy, czy w trzy sekundy dostanę punkt na okazaniu. A może i z nazwiskiem ci się pojebało, co? Może wy to razem żeście zdziałali?

Chłopak się odsunął. Wreszcie pojął wagę sytuacji.

– Kiedy ja naprawdę... – dukał. – Moje nazwisko Bartłomiej Środa. Mielniczek było tylko tak, dla draki. Do szpitala. Nie chciałem, żeby mnie starzy namierzyli. PESEL się zgadza przecież. Mogę podać miejsce urodzenia, NIP. Co chcecie. Ja nie mam z tym nic wspólnego.

– Dawać go do lodówki! – wrzasnął Drugi i wyszedł, trzaskając drzwiami. – Niech się zastanowi, czy mu się opłaca chronić chuja.

Prokurator już składał dokumenty. Dał znak, że okazanie zakończone. Funkcjonariusze wyprowadzili z sali okazań piekarza i trzech funkcjonariuszy.

– No to się udupiłeś, chłopie – Cuki na pożegnanie wymruczał ustaloną wcześniej kwestię. – Współczuję.

Drugi zaś żwawym krokiem wszedł do palarni, gdzie czekali już Sasza z Duchem oraz Flak, który opędzał się od dymu aktami.

– Miałaś rację. Znają się – rzekł wicekomendant i bez pytania poczęstował się z paczki Roberta. – Dajemy ich do jednej celi. Tylko niech Cuki przygotuje sprzęt na obu legowiskach.

Sasza spojrzała na Ducha.

– Wytrzymasz jeszcze jedną nockę w Łodzi?

– Doskonale się bawię – zapewnił Duchnowski. – A ty chcesz mnie zabrać z imprezy przed toastami?

– No to zapraszam do mnie. – Drugi wrzucił niedopałek do słoika z wodą, który służył za popielniczkę, i mrugnął do Flaka. – Szef dostał psią wachtę. Bardzo mi przykro. Ciągnęliśmy zapałki.

– Oczywiście ty trzymałeś? – jęknął Karol Albrycht.

– Nie zapomnę o tym, kiedy będę dzielił premie.

Lusterka nie było, więc Mateusz nie do końca wiedział, jak wyszedł na zdjęciach w prasie, ale czuł, że jest bardzo dobrze, bo dziennikarzy było sporo. Dostrzegł też kilka kamer i chyba przyjechały wszystkie radia. A do tego na twarzy pojawiła mu się nieoczekiwanie cudowna szorstkość. Nie był to może jeszcze zarost wymagający golenia, lecz pod opuszkami palców wyraźnie czuł na policzkach włoski.

Konferencja była wydarzeniem znacznie milszym niż spotkanie z tą rudą babą, która wciąż na niego wrzeszczała. Pytania prostsze, a jego wystąpienie o Łodzi zgromadziło wielki aplauz i gwizdy. Był pewien, że poruszył ich wszystkich. Dlatego teraz żałował, że telewizor, który jakimś cudem znajdował się w celi, ma obcięty kabel. Na pewno wszystkie stacje go dziś pokazywały. Na razie nie chciał myśleć o tym, co czuła jego matka, bo też wiedział, co by zrobiła, gdyby go dopadła. Na szczęście tutaj był bezpieczny. Może i więzienie dla niektórych jest czymś przerażającym, ale nie ma tu przynajmniej przewodu od żelazka z twardą wtyczką.

Odlał się, obmył twarz i zaległ na pryczy. Kiedy przymknął oczy, poczuł, jak bardzo jest zmęczony. Już odpływał w objęcia Morfeusza, kiedy rozległo się walenie kluczami do drzwi. Klapka się uniosła, a potem zachrobotał klucz. Mateusz karnie wyplątał się spod koca i stanął na baczność.

Klawisz wszedł pierwszy. Obejrzał pomieszczenie i wskazał drugie wyro mężczyźnie w starodawnym pasiaku i z kocem w rękach. Porozumieli się wzrokiem, ale piekarz nie był ciekaw gościa. Z trudem powstrzymywał ziewanie. Klawisz zajrzał za telewizor i urwał kabel, a z kieszeni wyjął nowy. Podłączył. Potem uśmiechnął się szeroko do Mateusza i przywalił mu bez ostrzeżenia po plecach urwanym przewodem.

– Gwiazdorzysz, co?

Mateusz się skulił. Nic nie rozumiał.

– Baczność! Truchtaj!

Chłopak nie poruszył się, ale kolejne uderzenie przywróciło mu czucie w nogach. Zaczął miarowo dreptać. Na więcej nie pozwalała powierzchnia celi.

– A ty co się lampisz? Dawaj!

Gość niezdarnie naśladował ruchy Mateusza.

– Dobrze – pochwalił klawisz. – Będzie nagroda.

Z kieszeni wyjął pilota i włączył odbiornik. Na ekranie pojawiła się twarz piekarza. Potem kamera rejestrowała publiczność. Mateusz zobaczył, że dziennikarzy było więcej, niż się spodziewał. Poczuł, jak serce bije mu szybciej.

– Ale ruchy, ruchy! – Znów strzał przewodem. Tym razem po stopach.

Chłopak aż zapiszczał. Wpatrywał się jednak jak zahipnotyzowany w samego siebie na ekranie i z lubością słuchał. Nie było tak źle. Ba, było nawet dobrze. A z tą fryzurą wyglądał całkiem, całkiem. Jak jakiś amerykański przestępca.

– Spocznij – zakomenderował klawisz i wyłączył odbiornik. – Cisza nocna.

Pieczołowicie odłączył sprawny przewód, a potem wyszedł, głośno stukając pałką o kolejne drzwi cel.

– Co za gad – powiedział do współwięźnia Mateusz, bo, tak mu się wydawało, mówili aresztowani na filmach, ale koleś obok odwrócił się do niego plecami.

Chwilę potem zgasło światło.

– I co?

– Pstro – huknął Drugi do Saszy, która ziewając, pokładała się już ze zmęczenia na blacie stołu konferencyjnego. – Leżą.

– Dopiero się poznali – stanął w jej obronie Cuki. – Daj im chwilę.

Przed oczami mieli obraz z kamery w celi. W prawym dolnym rogu widniały kolorowe wykresy. Ich amplituda wychylała się nieznacznie i nie przekraczała poziomu 6, który był oznaczony w okienku na niebiesko.

– Możesz pogłośnić? – niecierpliwił się Drugi.

– Jest na ful – odpowiedział bardzo spokojnie Cuki. – Jakby coś gadali, będziesz miał czerwone pole.

Drugi rozmasował plecy, przeciągnął się.

– Trzeba było wziąć wachtę Flaka. Kurde, najlepsze mnie ominie.

– Zawsze możesz zostać do końca – zaśmiała się Sasza. – Cuki to ma szczęście. Będzie cały czas na bieżąco.

– Walcie się – mruknął Cuki i zrobił minę do Henrietty, która właśnie weszła z termosem. – O, właśnie. Marzyłem o kawce.

– To sobie zrób – fuknęła Jolanta Brzezińska. – To pu--erh. Czerwona herbatka oczyszczająca.

– Dawaj – zapalił się Cuki. – O tej porze wypiłbym nawet i niebieską.

– Nie jestem pewna – zaczęła Henrietta, ale nalała Cukiemu kilka łyków.

– Co, żałujesz!?

Dolała aż po brzeg filiżanki. Cuki upił łyk i zaraz wszystko rozpylił na ekran. Napar z fusami spływał teraz po monitorze długimi strugami.

– Co za świństwo! Jedzie zgniłym śledziem.

– Mówiłam – triumfowała Henrietta. I zaraz dodała: – Przynajmniej choć raz nikt mi jej nie wypije.

– Jest czerwone, czerwone! – darł się Drugi. – Dawaj głos.

Cuki wycierał teraz pieczołowicie monitor.

– Zaraz. Bo mi sprzęt pływa. – Opędzał się od komendanta. – A poza tym wystarczy tutaj nacisnąć kilka razy F12. I po sprawie.

– No to zrób to. Już!

Cuki pokazał. Wciskał klawisz synchronicznie, a potem go trzymał przez długi czas. Głos się nie pojawił.

– No i dalej chujnia – skwitował Drugi. – A przecież widzę, że gadają. Widzę, że napierdalają! Henia, zejdź mi z oczu razem ze swoim felernym termosem.

– Już się zmywam, szefie. – Brzezińska wycofała się karnie.

– Coś musiało się stać – mamrotał tymczasem Cuki. – Ale bez obaw. To tylko wysiadł głośnik od wilgoci. Nagrywa się. Musi się nagrywać. Odtworzymy jutro na innym sprzęcie. Będzie solidny materiał.

– Jak się nie nagra – nadął się Drugi, a wściekłość wychodziła mu uszami i nosem.

– Podłącz mój. – Sasza podsunęła swój komputer. – Przeprogramuj kamerę.

– Przestali. – Drugi patrzył na okienko w prawym dolnym rogu. Znów było niebieskie. – Śpią.

Po wizycie klawisza i atrakcji z telewizorem Mateusz nie mógł już zasnąć. Wiercił się, zmieniał pozycję. W głowie wirowało mu od dzisiejszych wrażeń. Czuł, że facet obok też nie śpi. W przeciwieństwie do niego leżał bez ruchu i piekarz był pewien, że nawet nie zamknął oczu. Trochę się też obawiał, bo mężczyzna miał na sobie starodawny pasiak, a przecież dziś każdy może nosić na śledczym cywilne ciuchy. Kim jest? Czy nie zaatakuje go we śnie? Może jest podstawiony? Nagle zerwał się i poszedł do klitki oddzielonej zasłonką, która spełniała funkcję klopa. Zdawało mu się, że obryzgał sobie stopy moczem, ale nie umył ich. Szukanie wiadra i lanie wody po ciemku zrobiłoby zbyt wiele rumoru. Kiedy wrócił na pryczę, tamten siedział przyklejony do okna. Mateusz udał, że nie zauważył zmiany, i przykrył się kocem z głową.

– Dałeś dziś czadu, co? – odezwał się nowy.

Nie spodziewał się widać odpowiedzi, bo mówił dalej.

– Niezłe przedstawienie. Całe miasto sparaliżowałeś. Ludzie cię nienawidzą. Jakie to uczucie?

Mateusz przekręcił się na bok, ale zaraz przypomniał sobie słowa tej wariatki i przycisnął tyłek do ściany.

– Nie bój się, nie wyrucham cię – zaśmiał się nowy. – Nie poznajesz mnie?

Mateusz otworzył oczy. Przez luźno tkany koc widział światło odbite od latarni. Starał się oddychać bezgłośnie.

– To ja. Bartek. Nie spodziewałem się, że wyrośnie z ciebie takie ziółko. Od pieca do chleba po ogień w budynku Orange. Bomber z Łodzi. No, no!

Piekarz odrzucił koc i usiadł. Nowy wpatrywał się w niego z uśmiechem. Trzasnął zapałką o draskę. Obaj wpatrywali się w płonący ognik, a potem żar papierosa.

– Chcesz? – Bartek przesunął w kierunku Mateusza paczkę, ale ten pokręcił głową.

– Niezatrute – zaśmiał się znów Bartek. – Nieprędko wyjdziesz. Mogę coś przekazać twojej matce, jeśli chcesz.

Mateusz pokręcił głową. Intensywnie myślał, kim może być ten koleś. Nic nie przychodziło mu do głowy. Wtedy ten pokazał przegub. Był na nim ślad po oparzeniu.

– Jak się czuje mój ojciec? – zapytał łagodnie.

Mateusz już wiedział, z kim ma do czynienia. Ale nie zamierzał Bartkowi niczego ułatwiać.

– Kiedy go ostatnio widziałem, trzymał się całkiem nieźle – odparł. – Już stracił nadzieję, że wrócisz.

– Pewnie myśli, że nie żyję. Zaćpałem się albo zapiłem. – Zaciągnął się głęboko. – Prawie mi się udało.

– Tak – potwierdził Mateusz. – Ale Maciek wciąż cię szuka.

– Pieprzysz.

– Nie. – Mateusz pokręcił głową. – Powiedziałem mu prawdę. To dlatego zgodził się współpracować.

– Dlaczego?

– Powinieneś się nim zająć. To twój dzieciak.

– Sam sobą nie umiem się zająć.

– Więc po co zawracasz mi głowę?

Milczeli.

– Nie wydałem cię.

– Wiem.

– Dziś to co innego. Powiedzieli mi, że się przyznałeś. Ale wtedy, na Ogrodowej, rozpoznałem cię od razu.

– Wyglądałeś jak menel.

– To było durne, co zrobiłeś.

– Za to ty zawsze byłeś wzorem do naśladowania. Najmądrzejszy w rodzinie. Najprzystojniejszy. Najlepiej wykształcony. Chodzący wzór cnót.

– Ludzie się zmieniają.

– Nienawidziłem cię i podziwiałem.

– Mój stary cię w to wkręcił?

– Sam to zrobiłem.

– Jasne.

– Z Maćkiem. Chce mi się spać.

– To zamknij jadaczkę.

– To czyste szaleństwo, szefie. – Henrietta wypiła resztkę pu-erh i spojrzała znad dokumentów na komendanta.

Przed sobą mieli dossier Romana Środy, ojca dotychczasowego bezdomnego – Bartka Środy. Kartoteka ochroniarza z Andelsa była czysta jak łza. Nie miał nawet mandatu za brak opłaty parkingowej. Licencja na taksówkę odnawiana regularnie. Zapłacone podatki. Przeanalizowali jego sylwetkę bardzo dokładnie. Pasował do profilu jak ulał. Czterdzieści sześć lat, dokładna znajomość Łodzi. Znał procedury, przyjaźnił się ze strażakami, ludźmi z drogówki. Działał w stowarzyszeniach na rzecz miasta. Przez lata był nagradzanym ratownikiem medycznym. Wypadł z branży w ramach zwolnień grupowych. Pojawiał się jako świadek w różnych prowadzonych i niewykrytych śledztwach. Składał zeznania w sprawie gwałtu na Bernadetcie Inglot. Dzięki niemu zatrzymano Szadzia i Szrona. Od trzydziestu siedmiu lat mieszkał na Retkini, w lokalu naprzeciwko Wiesławy Jarusik. Tylko te dwa mieszkania oddzielono od korytarza kratą, którą postawili za własne pieniądze, dla bezpieczeństwa. Musiał znać ją, historię jej córki i wnuków. Mateusz Gajek był jego kuzynem. To dlatego chłopak nie chciał go wydać. Środa ojcował mu po śmierci brata. Wiedział o piromańskich skłonnościach chłopca i wykorzystywał je do swoich celów. Ukradł mu ksywkę Aszkenazy, którą Gajek podpisywał się, kiedy wysyłał wiersze na konkursy. Dwanaście lat temu Środa podżyrował kredyt matce Gajka, aby mogła utrzymać piekarnię. Potem udzielił jej bezzwrotnej pożyczki na trzydzieści tysięcy. Akurat stracił pracę. Skąd miał tyle forsy? Trzy lata temu oficjalnie stał się współwłaścicielem Kuko. Być może trotyl, który spowodował wybuch w budynku, kiedy Gajek pozostawił włączony piec, należał do niego, a nie do piromana, jak wcześniej sądzili. Może też Środa znał prawdziwe okoliczności śmierci Wiesławy, a może to z jego winy zginęła. Pytań było jeszcze bardzo wiele, ale wyglądało na to, że wszystko zaczyna się układać. Mimo to Flak jak zwykle się wahał. Drugi chciał działać natychmiast. Reszta czekała na rozkazy.

Sasza chowała sprzęt. Cuki sprawdzał płytę z nagraniem. Nie mogli wykorzystać nagrania w procesie, ale wreszcie mieli nad bomberem przewagę.

– Nie mamy podstaw – cmokał Karol Albrycht. – Poza tym ile to będzie kosztowało. Brygada, sprzęt. O benzynie nie wspomnę.

– Pomyśl o orderach – zachęcał go zastępca. Znów się przeciągnął i zamruczał. – Może wreszcie się wyśpimy?

– Niech ona pojedzie. – Karol Albrycht wskazał Saszę. – Jak coś pójdzie nie tak, jakoś się wykpimy islamem.

– Mam go wyprowadzić za ucho? – zapytała niezadowolona Sasza. – A jak jest w mieście? Może jeździ nocą na taryfie. On nie jest zrzeszony. To wolny strzelec.

Komendant spojrzał na zegarek.

– Nie ma jeszcze pierwszej. AT zaczyna dyżur od wpół do piątej. Do tej pory zdążymy się zorganizować. Puśćcie

543

tajniaków do Andelsa, na Retkinię. Sprawdźcie go przez radiostację. Byle tylko nie właźić na pusto.

– Świetny plan – przyklasnął Drugi.

A kiedy wychodzili, szepnął Saszy na ucho:

– Będę cię asekurował w swoim trzyletnim land roverze. Nie mogę odmówić sobie tej przyjemności.

Protokół przesłuchania świadka
z 31 grudnia 2015 roku

Ja, Wanda Środa, córka Wacława i Haliny, zamieszkała przy Kusocińskiego 10 na dziesiątym piętrze w bloku na osiedlu Retkinia, w drugiej klatce, uprzedzona o odpowiedzialności karnej za składanie fałszywych zeznań, powiadomiona o prawie do odmowy składania zeznań ze względu na pokrewieństwo z podejrzanym w sprawie, oświadczam, że z tego prawa nie skorzystam i zeznaję, co następuje. Ani ja, ani mój syn Bartłomiej Środa nie mamy nic wspólnego z podpaleniami, bombami i całym tym bałaganem, którego narobił mój mąż w Łodzi przez tę latawicę Wiesławę Jarusik, która mi krwi napsuła, jak i jej potomstwo też, bo niedaleko pada jabłko od jabłoni.

Odkąd męża Wieśka pogoniła, podejrzewałam, że Romek do niej łazi. Bo choć prawdą jest, że Jarusik pił i ręce mu świerzbiały – te zeznania wcześniejsze w pełni podtrzymuję – to ta kobieta sama sobie była winna, bo kto takie spódnice w jej wieku wkłada, to musi się liczyć z objawami zazdrości, a i z niechęcią ze strony kobiet zamężnych, co spokoju chcą tylko i bezpieczeństwa,

545

a zachciewajek nie mają. Pan Bóg jednak mnie nie usłuchał i Romka do tej lafiryndy na pokuszenie wodził. A to zawiasy w drzwiach jej się hitają, a to z kranu leci woda i uszczelkę trzeba zmienić. Żyrandol się odczepił, kaloryfery zapowietrzone, przemeblowanie, obrazek nowy, karp w wannie pływa i nie ma kto mu głowy dziabnąć. A ten z jęzorem na brodzie biegał w tę i z powrotem, jakby miodem mu dupę smarowała. Że o innej części ciała nie wspomnę. Z tymi Arabami to też żałośnie wyszło, bo od początku wiadomo było, że to jakaś lewizna. Ten chłopiec smagły był i grzeczny, ale jak tylko obywatelstwo dostał, to kopnął Jagodę w tyłek i tyle go widzieli. Więc starała się, jak mogła. Dzieci rodziła, do meczetu biegała. Byle tylko został w kraju i jej nie opuszczał. Bo i kto by te jej podwędzane bękarty przygarnął. Wiesia też miała w tym swój interes. Pierwszy dzieciak wyszedł biały, ale już wcześniej, przed tym Egiptem, wiadomo było, że mała się puściła. Przyniosła matce świadectwo z czerwonym paskiem, za to test ciążowy z dwoma. I tak to było. Wielka afera wybuchła, bo mój syn w filharmonii wtedy się próbował. Na trzeci klarnet do symfonicznej go wzięli, a ta mi z mordą, że dzieciaka nieletniej sąsiadce zrobił. Więc wygnałam za drzwi i kazałam kratę wstawić. To skargę do administracji napisała i przesunęli ją, że zostały my tak obie, jak w wieży zamknięte. Ale już machnęłam ręką, bo tak lepiej wyglądało w spółdzielni. Na co mi plotki i obmawianie. Romek oczywiście za swoją flamą stanął, że trzeba dzieciaka wychować, Maciek dać mu na imię, a ślub weźmie się później, ale Wiesia honorem się uniosła, że łaski nie potrzebują. Bartuś wtedy nie miał do tego głowy. Coś tam nieładnie się wyraził i tyle tego było. Romek więc z każdej pensji zwitek papierowy Jadze wypłacał. Niby to na alimenty, nawet potem jak wkopała tego biednego Araba w bachora. Reszta to fikcja fabularna, gorzej niż w telewizorni.

Wiki od początku była poza tym wszystkim. Latała po tych loftach, pustych fabrykach i imprezowniach z artystami. Dopiero przy tym bałuciarzu się ustatkowała. Maciek był trochę u nas, trochę u matki, ale ta kazała się już nazywać Sana i kolejne dzieci produkowała. Pieniędzy wciąż brakowało, a Romek jeszcze pracę stracił. Wtedy kilka miesięcy z rzędu nic nie dał Wiesławie. Ta się wściekła i groziła mu sądem, testami na ojcostwo oraz pedofilią, bo jak Jaga zaszła, to prokurator trzymał przecież na niej łapę. To poszli do szemranych gości, Wieśka zgodziła się być słupem i kilka kamienic na jej nazwisko przejęto, a potem sprzedano temu wielkiemu deweloperowi, co się tak brzydko skraca.

{Świadek notuje na kartce HUY-Development.Co}

Ale forsa szybko się skończyła, bo przecież nikt wtedy roboty stałej nie miał. A jeszcze Arab chciał dzieci zabierać do rodziny. Tyle że Wiesia nie pozwalała. Bo koszty, rozłąka i muzułmanie – wiadomo, że to groza. Wtedy już nie puszczała się z moim Romkiem, tylko z tym detektywem, co słynął z tego, że polskie dzieci i matki z rąk islamistów odbijał. Naopowiadał Jarusikowej jakichś durnot, ta uwierzyła i bała się, że już ani córki, ani wnuków nie zobaczy, co też się stało. Bo Jaga ukradła pieniądze spod pierzyny i kupiła im bilety. Wyjechali wszyscy wespół. Gdzie są teraz, nikt nie wie. Może tylko ten detektyw, bo był tam i z nimi rozprawiał, żeby wrócili, ale z kwitkiem na szczaw go posłali. Ten mąż Jagody też wyjechał, tylko pierwej. Wtedy faktycznie do tych ośrodków z uchodźcami podróżował, ale Polska Akcja Humanitarna też dowozi im wodę i żywność, a nikt ich mudżahedinami nie przezywa. Amadeo miał problem, bo był stamtąd i miał ciemną skórę oraz niekatolicki wygląd. Tylko Maćka Jaga zostawiła. Nie radziła sobie z nim. Zawsze stwarzał problemy. Nie mówię, że zła z niej matka była. To on od początku był dziwaczny. Jak tylko się urodził. Gryzł ją po sutkach, terroryzował, nie dawał nic zrobić w domu. Jakby czuł, że ona go nie chce. Wymagał ciągłej uwagi i bawił się tylko odkurzaczami. Łączył rury, takie różne konstrukcje robił. Najlepszą zabawką były dla niego połączone wtyczki i kable. Taki zahukany, niby uprzejmy, a w środku drzemała w nim jakaś złość. Nie lubiłam tego chłopca. I nigdy nie myślałam o nim jak o swoim.

Raz Romek przyszedł poturbowany, aż myślałam, że policję wezwę, ale zakazał, bo to policja ponoć go tak urządziła. Potem się dowiedziałam, że to koledzy detektywa, Krysiaka Aleksandra znaczy się, chyba pracownicy. Wiesia była z nim na tańcach. O! To właśnie pokazuje, co to była za osoba i czy trzeba jej żałować. Dziecko jej wyjeżdża za granicę, kontaktu z nim nie ma. Wnuk po mieście się włóczy, a ta na dansingi w czerwonej mini zasuwa. No w każdym razie wtedy pierwszy raz dotarło do mnie, że Romek wciąż się w niej buja. Płakał rzewnymi łzami, kiedy go odtrąciła. Nigdy go tak przegranego nie widziałam. I wtedy coś w nim pękło. Wtedy się zmienił. Teraz to widzę, bo wcześniej nic, znaczy się normalny mi się zdawał, ale to widać były pozory.

Dalej banał. Okazało się, że coś z tymi kamienicami poszło nie tak. Trochę ludzi zamknęli. Wiesię też słuchali, ale ten proces do dziś się ciągnie i końca nie widać – w tefauenie patrzę, staram się być na bieżąco – ale ona jak zwykle na cztery łapy spadła. Potem tylko Romek mi oświadczył, że trzeba działkę sprzedać, bo Wiesia musi kasę oddać bandytom. Haracz podobno ściągają, bo jakąś lewiznę zrobiła, co mnie notabene nie zadziwiło. Tyle że mnie wścieklizna wzięła, dlaczego ja mam tej lafiryndy długi płacić. Romek mi na to, że nasz dzieciak jej dzieciakowi dziecko zrobił, a ja, że Wieśka powinna swojego bękarta pilnować. On, że my to samo i żebym nie była małostkowa. Tak my prawie doszli do papierów rozwodowych, co go – o zgrozo – bardzo ucieszyło. Wyprowadził się, skumał z takim jednym fałszerzem, Bogusiem Rakowieckim. Siedział w famułach na Ogrodowej i walił denaturę. Ledwie żem go z nałogu wyciągnęła. Ale sprzedał za moimi plecami działkę, kasę Wieśce oddał, a resztę zainwestował w cukiernię bratowej, że niby taka lokata na starość. Ja w domu głównie siedziałam. Biodro mam chore. Na operację czekam. Co ja mogłam? Potem dowiedziałam się, że Wieśka wybuchła. Wtedy Roman podkulił ogon, do domu wrócił i nawet nieźle nam się żyło. Widać z tej prowokacji jakąś kasę zarobił. Kilka razy, jak się upił, bo czasem od tamtej pory upija się na umór, ale tylko w domu, żeby wstydu mi nie robić, inaczej zagroziłam, że wezmę za wszarz i wygnam pod most, płakał, że to jego wina, że Krysiak źle podłączył kabelki, że w środku powinna być atrapa, a nie prawdziwy ładunek i że to oni oboje mieli zginąć. Bo niby detektyw był o Romka zazdrosny. Ale czy to prawda? Szczerze wątpię. Czy ta Wiesia nie miała lepszych absztyfikantów, niż mojego starego przytulać? Jak to się stało, że Romek został bomberem, za Boga nie wiem. W życiu go o takie coś bym nie podejrzewała. Toż to ciapa nad ciapy. A te pożary? On taki wrażliwy. Taki spokojny. Przez te wszystkie lata i do kościoła, i do mojej schorowanej cioci jeździł.

Jak to się stało, kiedy tak się zmienił – pojęcia nie mam. Może to jaka i omyłka? Tak po cichu na to liczę, bo i wstyd, i koszty jakie na adwokatów się szykują.

Tak, znał się na chemii. Miał na studiach. I elektronikę też. Lubił to, nie powiem. Alibi? Tak, kilka razy mnie pytał, czy mogłabym potwierdzić, jakby się pytali, ale myślałam, że chodzi o tych czyścicieli od kamienic, to kiwałam głową, jak dzielnicowy przychodził. Listów żadnych z sądu nie odbierałam. Ani testamentów podrabianych nie widziałam. Nawet nie umiałabym odróżnić. U nas w rodzinie nikt nie spisuje. Normalnie, po ludzku się dziedziczy, jak kto umrze. U notariusza byłam kilka razy. Coś tam podpisywałam. Ale co to było? Czy ja teraz pamiętam? Ja tu cały czas w domu siedzę. Prawie nie wychodzę, a ściany cienkie, to wszystko słychać, więc w domu i nie rozmawiali my o tym, bo i na co mi ta wiedza. Jak widać, słusznie. Gdzie ja z tą girą do więzienia się nadaję?

{Świadek otrzymuje kilka fotografii do obejrzenia}

Tak, potwierdzam. To Amadeo, mąż Jagody. Jej dzieci też poznaję. Tylko małe. Jak wyjeżdżały, to już starsze były. Ładne się udały, takie karmelowe. To Mateusz Gajek, nasz kuzyn. Spokojny dzieciak. Dobre makowce robi i wiersze ponoć pisze w wolnych chwilach. Romek mu ojcował, kiedy Bartek się wyprowadził. Nie, nie byli pokłóceni.

{Na pytanie, czy syn świadka był uzależniony od narkotyków lub alkoholu, świadek odpowiada przecząco}

To porządny chłopak, uczciwy. Pracował w knajpie, grał w orkiestrze trzy razy w tygodniu. Miał nawet narzeczoną, chyba prawniczkę, ale która z artystą wytrzyma. Rozstali się. Nie przychodził za często. Czasu nie miał. Teraz młodzi w wyścigu szczurów muszą gnać. Gdzie mu

tam co niedziela do starych rodziców zaglądać, czas mitrę-
żyć. Nie gniewałam się, bo i za co. To moje dziecko. Przyjedzie, jak znajdzie chwilę. Drzwi zawsze mu otworzę.

{Świadkowi okazano zabezpieczone w garażu materiały wybuchowe, półprodukty do konstrukcji ładunków
wybuchowych, trotyl uformowany w postaci makaronu
i podłużnych węży, kostek, górniczy w sypkiej postaci
oraz plastikowe pudełka z klockami na wagę, a także
komputer i sześć telefonów komórkowych bez simlocka}

Nie wiem, czyje to, ani co robiło w naszym garażu. Ja
tam wcale nie zaglądam.

{Świadkowi okazano zabezpieczone w mieszkaniu
pieniądze w starej walizce, o wartości 54 765 PLN, a także dolary (1000) i euro (700)}

To są moje oszczędności. Walizka nie wiem czyja.
Chyba Romek przyniósł. Może znalazł na śmietniku. Nie,
nie znam żadnego Zbigniewa Naumowicza ani pana Błażeja Zorro XX vel Piotr Próchno (z kreską czy bez, nie
znam). Ani tych innych, co pan wymienił, nie kojarzę.

{Świadkowi okazano zdjęcia: Zbigniewa Naumowicza, Błażeja „Zorro" XX, Mieczysława „Cybanta" Orkisza,
Leona „Ptysia" Ziębińskiego, Hanny Duwe vel Hanny Ra-
kowieckiej, zwanej „Platyna"}

Nigdy ich nie widziałam.

Nie mam nic więcej do dodania w tej sprawie. Zeznania potwierdzam i podpisuję. Są zgodne z danymi fak-
tycznymi.

Na tym protokół zakończono.

Duch położył na ladzie pumeks i puszkę łódzkiego browaru.

– Zestaw randkowy – pośpieszył z wyjaśnieniem, a następnie poprawił ciemne okulary na nosie, by nie pogarszać sprawy.

Ekspedientka spojrzała na zegarek, a potem, nie śpiesząc się, włączyła do prądu kasę.

– Chwila. To nie piekarnia – rzuciła znudzona.

Sklep dopiero otwarto. Na drzwiach bujała się wciąż nieodwrócona tabliczka. Od strony sklepu widać było wyraźnie napis „OPEN" nagryzmolony wersalikami na szarym kartonie. Niżej ktoś dokleił wydrukowany z Facebooka świstek z wizerunkiem uśmiechniętego mężczyzny w czerwonych stringach, ze śmieszną fujarką zwisającą między nogami. Na głowie facet miał strażacki kask, w rękach wąż gaśniczy. Akcesoria wyglądały na autentyczne. Z dymka można było odczytać: „Ale nie dla mnie. Filutek". Pod skanem postu widniały 7654 uniesione w górę kciuki.

Duch już miał zagaić, dlaczego w tym markecie nie obsługują tego pana, i podpytać, czegóż on dokonał w Łodzi, a zwłaszcza w jakim celu nosi zawadiacką fujarę na przyrodzeniu, kiedy rozległ się potężny warkot. Pod same drzwi podjechał czekoladowy SUV, a chwilę potem drzwi się otwarły. Wturlał się grubas w klapkach na gołych stopach i poplamionym dresie, na który narzucił polar uwalany w trocinach. Za nim z godnością kroczył starszy mężczyzna w uszance. Guziki palta obszytego karakułami miał zapięte krzywo, dół ściągnięty biurowym spinaczem. Poły napinały się na brzuchu, jakby pod spodem nosił zapas chabaniny. Parka nasunęła Duchowi skojarzenie z bohaterami przedwojennych komedii. Nie mógł się tylko zdecydować, który z nich to Szczepcio, a który Tońcio. Samochód stał otwarty na oścież, jak pancerny chrabąszcz po rozłożeniu skrzydeł szykujący się do lotu. Silnik pracował miarowo. Niemal cała ulica miała okazję doświadczać magii opowieści, bo z głośników rozbrzmiewał głos Marka Bukowskiego, który czytał jedną z przygód Marlowe'a. Na podłodze przed siedzeniem kierowcy Robert dostrzegł pomarańczowe osłonki na buty i stertę paczek w pudłach po papierze do drukowania. A nieco dalej coś błyszczało. Wychylił się i wytężył wzrok. Chrapy nosa mu się rozszerzyły. Dałby się pociąć, że to była kolba pistoletu. Kim są ci dwaj, że tak bezceremonialnie wożą na wierzchu gnata? – zastanawiał się.

– Siedem wystarczy? – Grubas naradził się ze staruszkiem, ale ten tylko wzruszył ramionami.

Sięgnął do lodówki po paczkowane zimne nóżki. Po namyśle dołożył drugie opakowanie.

– I butelkę octu – polecił sprzedawczyni.

– To dziesięć – zdecydował się wreszcie grubas i bez skrępowania wcisnął w kolejkę przed Duchem.

Kobieta wbijała zakupy do systemu. Rolka z papierem głośno piszczała przy każdym obrocie.

Robert schował pumeks do kieszeni, przesunął się krok w tył. Piwo jednak nadal trzymał w dłoni. Było ciepłe. Widać ta para nie musiała czekać, aż sprzęt powstanie z martwych. Ekspedientka wykonała swoje dzieło i wpatrywała się teraz pobłażliwie w narwanych miłośników Chandlera. Milczała, cierpliwie czekając, aż ustalą wersję. Duch domyślił się, że praca w tym przybytku uczyniła ją zen. Ta kobieta widziała tutaj zapewne wszystko. Jeśli wierzyć naklejce zawieszonej między prezerwatywami a klejem szewskim, sklep był czynny na okrągło, poza godzinami, kiedy robiono remanent – trzecią a szóstą. Ciekawe, kiedy ekspedientka spała.

– Tylko mocne – rzucił grubas i ze zdenerwowania zaczął dorzucać na ladę batoniki.

– Tytki? – mruknęła ekspedientka. – Czy zrywki?

– No, żeby uszy nie poszły – wyjaśnił skwapliwie mężczyzna. Odchrząknął. – Na makulaturę potrzebujemy. Sporo tego będzie, co, panie Zbigniewie?

– Tak z piętnaście kilo.

– To mów od razu – zganiła klienta kobieta i pochyliła się, by długo szeleścić pod ladą. W końcu anemicznym gestem położyła plik reklamówek ze zdjęciem ubranej choinki. – Bo ja nie czytam w myślach, Cybant.

I zanim grubas rzucił na ladę nowiutką dwusetkę, którą wysupłał z kieszeni jego starszy kompan, dodała:

– Weź to rozmień. Poza pumeksem nic jeszcze dzisiaj nie sprzedałam.

Obaj – Szczepcio z wyrzutem, Tońcio zaś z radosnym uśmiechem – odwrócili się do Ducha, jakby nagle przestał być niewidzialny.

– Ja chyba mam drobne – zaoferował się natychmiast Robert. – Na jakie?

– A choćby i na piątki – rozpromieniła się kobieta. – Zaraz łachudry zaczną znosić butelki. Ranna godzina, to jeszcze zbierajo.

Roberta aż zakłuło od jej niepoprawnej wymowy. Domyślił się, że wcześniej bardzo starała się nie robić błędów.

– To może i piwo z lodówki panu przyniosę – rozochociła się, kiedy wysypał z kieszeni górę moniaków.

– No, nie zaszkodziłoby.

W tym czasie facet zwany Cybantem przyglądał mu się wnikliwie.

– Pan z firmy? – zagaił, kiedy wyszli już na zewnątrz.

– Chyba nie z tej? – Robert wskazał strażaka na zdjęciu. Upił łyk i zaoferował puszkę grubasowi, ale ten pokręcił głową. – Prowadzę, ale pan Zbigniew może potrzebujący? Do drygli zimny browar jak znalazł.

– Ósmej jeszcze nie ma – mruknął Zbigniew i poklepał się po szynelu. – Jak słońce zajdzie, to może sobie pozwolę. A potrzebujący to jestem w innej kwestii. Pan Cybant dobrze się rozumie jakiej. Byle moja makulatura mi nie wyparowała, bo szukam jej już chyba z tydzień.

– Naliczymy odsetki. Nie bój bidy. – Grubas klepnął towarzysza po plecach. – Ze mną nie zginiesz, Zbyniu.

Naumowicz wywrócił oczami i spróbował zapleść ręce na brzuchu, ale nie sięgały. Pod jego płaszczem coś zaszeleściło. Zbigniew natychmiast stanął na baczność.

– To jak? – napierał Cybant na Ducha. – Kiedy wyszedłeś?

– Do mnie rozmawiasz? – Duch podniósł okulary, ukazując imponującą pandę. A potem wskazał na wehikuł. – Widzi mi się, że to automat?

– Sam jedzie – zapalił się Cybant. – Teraz już wszystkie od C klasy wzwyż robią w automacie.

– Wolę panować nad wozem. Przerzucanie biegów to najprzyjemniejsza część.

– Bo nie jeździłeś tą landarą. Powiem Ptysiowi, żeś już zdrów.

– Po mnie jak po psie – mruknął Duch i zastanawiał się, z kim pomylił go grubas.

Jarosław Konowrocki zszywał właśnie kopie kontraktu i rozdawał je kolejnym stronom porozumienia. Rahem Barakat przeprosił gości i schował się w jednym z pokoi. W pokoju zostali tylko rodzice Jonatana, on sam oraz adwokat.

– Czy dobrze robimy? – szepnęła Joanna do męża.

Uciszył ją bezgłośnie i wyjął długopis.

– Poczekaj – zatrzymała go. Zwróciła się do syna: – Wiesz, że to terror. Nie musisz tego robić. To bandyckie metody, a ten cały Barakat to oszust. Przecież to niemożliwe, żeby on się tak nazywał. To jakiś farbowany lis.

– Czy państwo chcą się naradzić? – wczuł się w rolę mecenas. – Pięć minut? Dziesięć? Nie ma żadnego problemu.

Odszedł na stronę.

– Bo wiesz, synku – zaczęła znów matka, a Jo kiwał na odczepnego głową. – To cię zobowiązuje do wykonania dzieła. Te pieniądze, oni tu wpisali, że dostajesz honorarium, którego przecież nie otrzymasz. A kary umowne, podwykonawcy, sprzęt... Ten kontrakt mi śmierdzi. To le--wiz-na.

– Dobra, mamo. Podpisz. – Jonatan machnął ręką. – Może pozwolą nam w końcu wyjść.

– Nie są tacy źli. Gościnni nawet. – Ojciec Jo poklepał się po brzuchu. – Dobre jedzenie. Tylko te kadzidełka... Oczy mi łzawią.

– Jonatanku – przerwała mężowi Joanna. – A ta dziewczyna? Może ty ją kochasz, co? Bo wiesz, trochę ją robisz w bambuko.

– No mamo! – jęknął Jo i ukrył twarz w dłoniach. – Piątkowy numer. Nic poważnego.

– Ale czy między wami, wiesz. No ten teges?

– Ten i teges, mamo. Dokumentnie – zbiesił się syn. – Nie mam już dziesięciu lat.

– Czego bardzo żałuję. – Kobieta się naburmuszyła. – Byłeś takim słodkim chłopcem. Pamiętam, jak ten spalony placek z podłogi zjadłeś, a nawet Perełka nie chciała go ruszyć. Przecież ten pies jadł wszystko. Nawet pomidory.

– Mamo!

– Joanna! – stanął w obronie ojciec Jonatana.

– O, widzę, jakaś scena rodzinna. – Barakat wrócił z kolejną porcją słodkości. – Nie przeszkadzajcie sobie. Czujcie się jak u siebie w domu.

– Ja już nie mogę, panie Rahem. Za dużo „cufilu". – Jo puścił oko do niedoszłego teścia.

Musiał przyznać, że Rahem miał w sobie wiele uroku, który zapewne odziedziczyła po nim córka. Na szczęście warunki fizyczne pochodziły z genów po kądzieli. Właśnie, gdzie Tośka? Rozejrzał się. Był ciekaw, gdzie nagle zniknęła.

– Nie chciałbym, żebyśmy rozstawali się w niezgodzie – zaczął z emfazą Barakat.

– A kto się tutaj kłóci? – Joanna Żynda zaśmiała się nerwowo.

Adwokat pojawił się bezszelestnie, położył na kopii przed Barakatem wieczne pióro. Wtedy do pomieszczenia wpadła Hoda.

– Co jest, Tosiu? – Rahem zrobił słodką minkę. A potem nieszczerze się uśmiechnął. – Hoda się z państwem pożegna. Bo państwo już wychodzą. Potem porozmawiamy, co?

– Miałeś coś zrobić w sprawie mojego kolegi! – krzyknęła rozzłoszczona.

– Jakiego kolegi?

– Mojego.

– Tego? – Barakat wskazał Jo. – Już załatwione. Nie mam żalu.

– Nie tego! – Hoda była bliska płaczu. – Pracował dla ciebie. Ma nędznego adwokata z urzędu.

– To później, słodka córuchno, później.

– Chodzi o Juliana Osieckiego – płakała córka. – Ma pseudonim artystyczny Szron. Wpadł w złe towarzystwo. Ma kłopoty, ale to dobry chłopak. Uzdolniony. Na wielu płaszczyznach.

Spojrzała znacząco na Jonatana. Wywrócił oczami i uśmiechnął się, sygnalizując, że też ma ją gdzieś.

– Zaraz się tym zajmę. – Barakat klasnął w dłonie i radośnie podskoczył na poduszce, aż zatrzęsły się szklaneczki. – Tutaj podpisujemy i wszystko cacy.

Joanna wzięła znów w dłonie umowę i po raz kolejny zaczęła ją czytać. Już nabrała powietrza, by zadać pytanie, ale Konowrocki był pierwszy.

– Wszystkie mają jednakową treść. Wspieracie stowarzyszenie. Ustalona kwota honorarium netto, oczywiście odprowadzimy podatek – trajkotał.

Przerwał im dzwonek domofonu. Barakat zaklął szpetnie. Nikt z obecnych wprawdzie nie znał arabskiego, ale z mowy ciała i intonacji brzmiało to mniej więcej jak epicki bluzg. Choć mogła to być, rzecz jasna, modlitwa. W końcu z jednego z promieniście odchodzących pomieszczeń wypadła zdyszana kobieta. Sądząc po liczbie cekinów przymocowanych do licznych chustek, które miała na sobie, była to jeszcze jedna z żon Barakata. Rodzice Jonatana wymienili spojrzenia. Naliczyli już cztery kobiety, które mieszkały w tym lofcie i spełniały oczywistą funkcję w haremie. Zza ścian było też słychać płacz dzieci i czasami – zwłaszcza kiedy wchodziła najstarsza, w dżetach i czadorze – damskie kłótnie po arabsku, angielsku i polsku. Widać kobiety posługiwały się swoimi językami i wszystkie się nawzajem rozumiały.

– To bigamista – wyszeptała mężowi do ucha Joanna. – Możemy zawiadomić władze.

Ale mąż tylko wzruszył ramionami. Wpatrywał się w młodą kobietę jak zahipnotyzowany. Rysy miała europejskie, skórę białą. Twarz szpecił tylko wielki nos z garbem. Podniosła słuchawkę, a potem podeszła do głowy domu i szepnęła mu coś na ucho. Zaszwargotali po arabsku. Po chwili rozległ się dźwięk wideofonu. Ktoś znał kod wejściowy. Wszyscy zrozumieli, że idą niespodziewani goście i chyba raczej nie przyjaciele, bo gospodarz znów wygłosił litanię. I tym razem z pewnością nie był to pean na rzecz Allaha.

– Policja – stwierdził wreszcie Rahem, a następnie złożył dokumenty i skinął na Konowrockiego, by zabrał gości do salonu.

– O, nie! – zbuntowała się Joanna Żynda. – Nie zniosę już tych zapachów, muzyki, jedzenia i chrzanienia o Marrakeszu. Podpisujemy i wychodzimy. Dosyć!

– Dobrze, dobrze – uśmiechał się Barakat. – Zaraz pójdziecie. Już kończymy nasze interesy.

Podszedł do komputera i zasiadł za biurkiem.

– Powiedz, aby poczekali – rzucił do kobiety, która zaraz bezszelestnie zniknęła z pola widzenia.

Jo podpisał wszystkie kopie i zostawił je rodzicom. Sam podszedł do Barakata.

– Tak właściwie to się cieszę z obrotu sprawy – zaczął i zamilkł.

Na pulpicie znajdowało się zdjęcie jego niedoszłego teścia pozującego w arafatce, bojówkach i z karabinem maszynowym na tle zachodzącego słońca na pustyni. Mimo iż był szczuplejszy jakieś trzydzieści kilogramów, nadal wyglądał śmiesznie w tym stroju, jakby wybrał się na wycieczkę i zrobił sobie zdjęcie dla żartu. Na dodatek karabin był dla niego za duży. Dzierżył go z obawą i ledwie utrzymywał pion. Widać jednak było, że strasznie się tym podnieca. Jak dzieciak wykluczony z grupy rówieśniczej, którego w szkole zawsze wyśmiewano, więc postanowił być zły. By, skoro i tak nigdy go nie lubili, przynajmniej się go bali.

– Stare dzieje. – Barakat pośpiesznie walnął klapę laptopa. Pogładził się po brzuchu. – Wszystko w porządku, chłopcze. Nie mam żalu – powtórzył setny chyba dziś raz. – Tylko film ładny o nas nakręć.

– Gdzie walizka? – Cybant rozwrzeszczał się już od progu. Widać bez trudu sforsował polską muzułmankę. Dziś poza Konowrockim w mieszkaniu Barakata nie było tęgich chłopów. Może mieli inną robotę. – Nie będę czekał, cymbale, Allahu podrabiany.

Po czym biorąc rodzinę Jo za domowników, minął ich bez słowa i huknął na biurko Barakata trzy brudne od trocin skrzynki. Starszy mężczyzna w uszance, który mu towarzyszył, podobnym gestem zapakował doń paczkowany makaron, który nosił pod płaszczem w specjalnie do tego uszytych skrytkach.

– Zorro ci przesyła. – Cybant złośliwie się uśmiechnął.

– To twój szpicel, co? Trotyl czyściutki, pachnący, jeszcze na gwarancji. Nie ma śladów używania, jak widzisz. Dawaj kasę z powrotem, Wacek.

– Już zainwestowałem – bronił się Barakat i położył dłoń na Koranie, bo telefon wyśpiewał mu właśnie czas modlitwy.

– Waculek, ćwoku, przecież ty w nic nie wierzysz! Przestań bajdurzyć. – Cybant wyrwał mu księgę z rąk. Otworzył. Wewnątrz znajdowała się skrytka na haszysz. Powąchał i zarekwirował woreczek. – Fajny gratis. Dzięki! Toż ty nie wiesz nawet, jak wygląda meczet. Stary, daj se siana. A że lubisz sobie poruchać na płodozmian, to już nie moja broszka. Kościół katolicki nie da ci na to zezwolenia ani polskie prawo. Dobry powód na bycie muzułmaninem. Zwłaszcza jeśli ma się na to hajs. Właśnie, co z moją forsą? Wyskakuj z keszu, porąbany bigamisto.

– Nie mam już tej gotówki, Mieciu. – Barakat rozłożył ręce i spojrzał bojaźliwie na swoich ochroniarzy, ale wyglądało, że to już ludzie Cybanta. Stali teraz za Orkiszem i wpatrywali się spod oka w polskiego muzułmanina. Rahem mówił więc dalej, byle odsunąć nieuchronną katastrofę: – Stowarzyszenie nimi dysponuje. Cement, wylewkę, cegłę klinkierową kupili. Wszystko w obrocie.

– To im tę darowiznę anuluj i otwieraj sejf – wkurzył się Cybant. – Tak czy siak, oddawaj naszą kasę, bo ci ten loft w drzazgi rozmienię.

Joanna, jej mąż i Jonatan spojrzeli po sobie. Kobieta natychmiast odłożyła pióro, zaczęła się ubierać. Dawała nieme znaki synowi. Ten jeden jedyny raz wszyscy troje byli jednomyślni. Długim susem ruszyli do wyjścia. Zatrzymali się przed samymi drzwiami, kiedy padła seria z kałacha. Joanna omal nie zemdlała.

Cybant przeklął i wysupłał z kieszeni staroświecką nokię. Zerknął na wyświetlacz i bez słowa podał Konowrockiemu.

– Nasza umowa wygasła – bronił się adwokat.

Tymczasem wirtualny kałasznikow wypluwał z siebie ostatnią serię amunicji. Im dłużej telefon dzwonił, tym głośniej atakował.

– To twój szef, papugo. – Cybant podał adwokatowi aparat. – Znów pewnie ma kłopot z telewizorem. Teraz ty jedziesz załatwiać sprawy z gadami.

– Ale co on tam robi? – Mecenas z gracją odwrócił się do grubasa.

– Zwiedza – odpysknął Cybant. – Celę sobie wybiera, Papo Gaju. Pewnie żadna nie przypomina pokoju z willi Kellera.

Barakat kręcił głową jak lalka na tylnym siedzeniu w autach z lat dziewięćdziesiątych. Nie wiedział, gdzie ma zerkać – czy na uciekającą rodzinę Żyndów, płaczące żony, które stały po kątach, nieoczekiwanych gości, czy Konowrockiego, który ostatecznie wybiegł z pomieszczenia z telefonem Cybanta przy uchu. W końcu westchnął ciężko, odsunął bollywoodzki landszaft z jesiennym pejzażem zza pleców i wyciągnął staroświecką walizkę Zbigniewa.

– Ręce do góry – usłyszeli wszyscy.

Do pomieszczenia wchodził Błażej. W jednym ręku miał wciąż telefon Cybanta, z którego dobywało się głośne: „Halo, halo", w drugim zaś pistolet hukowy. Nikt nie miał wątpliwości, że to nie zabawka. Barakat najpierw skrył się za potężnym cielskiem Cybanta, a potem szybciutko wlazł pod biurko. Może dlatego chwilę zajęło mu pojęcie, że to nie Konowrocki jest groźny, lecz przepiękna dziewczyna o figurze modelki, którą jeszcze bardziej podkreślał czarny kombinezon godny kobiety-kota. Na sobie miała pas szahida, palcem zaś trzymała wciśnięty włącznik. Błażej wyszedł przed szereg. Z kieszeni wyciągnął kajdanki i sprawnym ruchem zatrzasnął je na przegubach Rahema.

– Jedziemy na Komisariat Piąty Komendy Miejskiej Policji w Łodzi – wymruczał i puścił oko do Zbigniewa, który z trudem zachował powagę.

– Ty kurwo. Szpicel, tajniak! – Rahem splunął mu w twarz. – Na własnej piersi wyhodowany.

– Pan też, szefie – mruknął do Konowrockiego Zorro i wyciągnął rękę po pieniądze.

Adwokat bez słowa sprzeciwu oddał walizkę Błażejowi, a potem bezszelestnie wycofał się do drzwi, przy których niczym Cerber stał detektyw Krysiak. Dziewczyna zdjęła maskę i wskazała Zbigniewa oraz Mieczysława Orkisza, wpatrzonego w nią jak w Madonnę.

– Anetka – rozpromienił się.

– Cześć, Cybuś – odparła dziewczyna i udała, że mierzy do grubasa. – Ale że mnie puściłeś kantem dla tej larwy, to ci nie daruję.

Oboje się roześmieli. Tylko Błażej patrzył na rywala jak byk na czerwoną płachtę. Na razie jednak nie śmiał się odezwać. Najpierw biznes, potem przyjemności.

– To jest napad, przekroczenie kompetencji – dobiegło jeszcze żałośnie spod stołu, gdzie próbował skryć się polski muzułmanin, kiedy przyjechało ABW, ale wtedy już nikt Wacka-Rahema nie słuchał.

Zbigniew, Błażej, Cybant i Aneta wyszli z twierdzy Barakata bez żadnych problemów. Po chwili dołączył do nich Aleksander Krysiak. Kiedy Orkisz pomagał młodej matce z bliźniaczym wózkiem wtarabanić się do windy, do Błażeja podszedł Naumowicz.

– Świetna robota, nadkomisarzu Próchno – szepnął ze śmiechem, ściągając z głowy chłopaka kaptur. – Faktycznie, torcik mają w Andelsie niezgorszy.

Błażej cały się zarumienił. Podał dziadkowi Anety walizkę.

– Myślę, że będzie pan zadowolony z odsetek – odparł. I widząc uśmiech na twarzy Zbigniewa, wysilił się nawet na żart: – Dołożyłem gratis, za ryzyko wycofania spółki z obrotu.

– Ojczyzna jest z pana dumna, nadkomisarzu.

– Wciąż jeszcze mnie nie awansowali – zaprotestował Błażej.

– Ale po tej akcji z pewnością dostanie pan premię. – Dziadek poklepał go po plecach.

Błażej wzniósł oczy do sufitu.

– Będzie dobrze, jeśli nie będę miał dyscyplinarki. – Wskazał wnuczkę Naumowicza. – Nie wolno mi narażać cywili.

– Musiałam to zrobić, dziadku. – Aneta uśmiechnęła się do Zbigniewa, kiedy już wygodnie siedzieli w samochodzie.

Rozpięła kabelki i wysypała makaron do pudełka po happy mealu, które Cybant woził pewnie z pół roku, sądząc po nalocie pleśni na opakowaniach. – Trochę nabroiłam. Mam nadzieję, że się nie bałeś. To był tylko blef. Tuleje były puste.

— Tym razem tak – dorzucił Krysiak.

Nikt się nie roześmiał.

– To chyba tego meczetu znów nie będzie. – Flak postukał w plan architektoniczny, kiedy dostarczono mu akta sprawy.

– Ale nie ze względów religijnych. Jesteśmy tolerancyjni – zapewniła przedstawicielka urzędu miasta. – Sam pan przyzna, że to byłaby kompromitacja.

Flak spojrzał na swoje belki i stokrotki na pagonie, a potem czule pomyślał o trzecim kwiatuszku, który mu przybędzie, jak tylko zamkną tę sprawę. Tę serię spraw, poprawił się. To, czy meczet będzie, czy też nie, czy Stare Polesie zostanie wyburzone i zbudują tam teraz parking, a może nowe centrum kultury, jakoś mniej go zajmowało.

– Inspektorze, jeśli łaska – poprawił wysłanniczkę prezydenta. – Tak prosiłbym się zwracać. Ja nie mówię do pani kierowniczko. Wiem, że piastuje pani stanowisko dyrektorskie.

Kobieta zasznurowała usta. Położyła na stole dokumenty, które miała dostarczyć, i odwróciła się o czterdzieści pięć stopni. Zauważył, że ma czółenka w sadzy. Na jej miejscu nie nosiłby jasnej skóry przez najbliższy miesiąc. O białym uniformie ze spódnicą nie wspominając. Cóż, choćby prześlizgnęła się ze służbowego wozu do komendy, musiała wdepnąć w jakieś palenisko. Sprzedawcy kosili teraz kokosy na odzieży ochronnej i kaloszach.

– To z mojej strony byłoby na tyle.

– Proszę przekazać moje ubolewanie swoim szefom. Trudno będzie teraz dopiąć budżet. Nastroje też nie są najlepsze. Ale na szczęście już po wszystkim. Na dołku jest komplet. Prokuratorzy zbierają żniwo.

– Mamy już strategię, sięgniemy do rezerw religijnych. To zawsze działa. Stary wierny elektorat nigdy nas nie zawodzi. Nie to co ci młodzi. Jak chorągiewki i wciąż żądają ulepszeń.

– U mnie to samo. – Flak machnął ręką.

Drugi siedział na końcu stołu i dłubał w zębie. Kiedy drzwi za garsonką się zamknęły, Karol Albrycht ruszył w tamtym kierunku. Usiadł na stole, udając luzaka. Ale na szczęście zaraz się poprawił i znów połknął kij od szczotki.

– Dziwię się, że nic nie powiedziałeś.

– Niby co miałem mówić?

– Jakiś dowcip, anegdotę albo inny idiotyzm. Coś, co podważy mój autorytet. Grypę złapałeś, Wojtuś?

– Pierdol się, Flaku. – Drugi wstał i otworzył okno.

Wciąż pachniało spalenizną. Niebo było szare od unoszących się nad miastem płatów czarnej sadzy. Odradzano otwieranie okien. W newralgicznych miejscach, czyli prawie wszędzie w śródmieściu, uwijały się ekipy sprzątające. Ale prąd był. Podobnie jak woda. Sklepy działały. Ludzie wylegli na ulice i z głośników puszczali muzykę. Momentami nawet słońce wyglądało zza czarnej płachty chmur.

– Od początku cię podejrzewałem – mówił dalej Szkudłapski.

– Co ty bredzisz?

– Patrzyłem tylko, czy się wykopyrtniesz. Dowodów przecież nie miałem.

Karol wstał.

– Nie muszę wysłuchiwać tych głupot. Odmaszerować.

Drugi włożył rękę do kieszeni. Wyjął ludzika z Lego. Postawił na stole. A potem dołączył jeszcze drugiego. To chyba miała być dziewczyna. Można było zrobić takie założenie z powodu dłuższych włosów i czegoś na kształt sukienki.

– Taki żarcik – zaśmiał się. – I pamiątka na długie jesienne wieczory na emeryturze.

Karol wpatrywał się w zastępcę zdziwiony.

– Co ty mi insynuujesz?

Drugi nie był łaskaw udzielić odpowiedzi. Skierował się do wyjścia. Karol zerwał się, chwycił Drugiego za ramię, ale ten przewidział gest, odwinął się i uderzył komendanta w skroń. Flak zachwiał się, ale utrzymał równowagę. Ustawił się jak do walki, zacisnął pięści, ale Drugi spojrzał na niego z góry i poklepał po policzku.

– Obaj wiemy, że się z tego wywiniesz – mruknął.

– Może i tę stokrotkę dostaniesz. Ale obaj, do końca życia, będziemy wiedzieli, jak to było z babcią bombką.

– Niby jak? – Karol podjął wyzwanie. – Chętnie posłucham. Pewnie już się nagrywa?

– Nie idź w to, Flaku.

– Chcesz walczyć? – znów napiął się komendant.

– Z tobą, synku? – żachnął się Drugi. Zwiesił długie ręce wzdłuż ciała, włożył czapkę. – Nie mam szans. To tylko moja osobista opinia, niepoparta dowodami. I jeszcze na koniec zagadka. Co to jest: nie świeci i nie mieści się w dupie?

Komendant zacisnął usta. Nie zamierzał brać udziału w tej grotesce. Drugi o tym dobrze wiedział. Pogładził się po łysinie i dokończył:

– Radzieckiej konstrukcji przyrząd do świecenia w dupie. Tego ci życzę po wieki wieków.

– Przekroczyłeś już wszystkie granice, Wojtek. Wszystkie.

– No i po takim tekście lepiej iść się wypróżnić ewentualnie stasować Grzegorza na jałowo* – dodał Drugi zrezygnowany. – Niczego cię nie nauczyłem, Flaku. Zmarnowane lata.

A potem wskazał biurko.

– Tam masz mój raport o zwolnienie. Nie zamierzam więcej oglądać twojej parszywej gęby. Sprzedałeś Łódź za garść srebrników.

---

* Stasować Grzegorza na jałowo – onanizować się.

Aleksander Krysiak rozcierał przeguby w miejscu, gdzie przed chwilą ściskały je kajdanki. Znał procedurę, więc zanim prokurator wydał polecenie, pochwycił fantom i już stał na stanowisku. Za taśmami było tylko kilku gapiów. Dziwił się, bo przy tak medialnej sprawie spodziewał się tłumów. Nie było wrzasków, obrzucania wyzwiskami ani nawet telewizyjnych kamer. Wszystkich zajmowała widać ta druga sprawa – podpalenia i bomby. Damski manekin udający Wiesię był nieduży, sięgał Aleksandrowi do brody. Nogi zwisały smętnie, w pasie się przełamywał.

Prokurator dał znak detektywowi. Kamera poszła. Mógł mówić. Ale kiedy tak trzymał w rękach zwiotczały kawałek plastiku obciągnięty płótnem, głos zamierał mu w gardle, do oczu napływały łzy. Nie potrafił założyć tego cholernego pasa z tulei, choć dobrze wiedział, że to jedynie atrapa.

Próbowali już trzeci raz. Za każdym razem było to samo. Roman Środa trzeci raz wysiadał z wozu, szedł w jego kierunku z torbą, w której miał nadajnik. Trzeci raz mierzyli się wzrokiem. I trzeci raz Krysiak pękał. Wiedział, że musi przejść tę wizję lokalną. To tylko formalność. Ale tak trudno było zrobić to jeszcze raz.

Zwłaszcza że dopiero na komendzie, podczas składania zeznań dowiedział się, że Wiesława i Roman wcale nie mieli romansu. Nie zdradzała go. I do końca nie przestała mu ufać. Po prostu mieli z Romkiem wspólną tajemnicę. Nawet przed samą akcją zwierzała mu się, że chciałaby z Krysiakiem zamieszkać, żyć pod jednym dachem. Może nie jest najprzystojniejszy, najbogatszy, mówiła. Nie żaden książę z bajki, ale to dobry, przede wszystkim dobry człowiek. I ma nadzieję, że to będzie już jej ostatni facet. Co do tego się nie pomyliła. Kwadrans później bomba, którą Krysiak jej założył wokół talii, by przestraszyć polskiego muzułmanina, który domagał się zwrotu nieistniejącego długu, wybuchła. Wiesia leżała w śpiączce kilka tygodni. Detektyw zaś siedział przy niej dzień i noc. Do końca nie wątpił, że się obudzi. Miał nawet przygotowaną bajeczkę, cały zestaw zeznań, obietnic i dramatycznych scen, w których przeklina islamistów, rodaków jej zięcia. Masował ją, mówił do niej, puszczał jej ulubione piosenki. Czekał. Wiesia odeszła w nocy, kiedy wyszedł na kilka godzin się zdrzemnąć. Nie dała mu drugiej szansy. Jakby była już tam, daleko, i doskonale wiedziała, kto jej to zrobił.

Wcześniej jakoś udawało mu się wypierać prawdę. Wmówił wszystkim, że to wina córki. Spreparował akta sprawy poszukiwawczej wnuków i córki Wiesi. Rozpuścił plotkę o zamachu w Paryżu, dostarczył lewe dokumenty Jagody i oszkalował Amadea. Nie miał jednak pojęcia, że Maciek jest wnukiem Romana, że mu się zwierza. Nie przyszło mu do głowy, że kontaktuje się z matką i jej mężem, że muzułmanie z Warszawy faktycznie pomagali mu w nawiązaniu kontaktu z rodziną. Kiedy Roman złożył wyjaśnienia, nagle wszystko zaczęło się sypać. Misterny plan, który zdawał się niezawodny, okazał się dziurawy jak sito. Dokumenty, które dał kobiecie z Gdańska, teraz świadczyły przeciwko niemu. Sylwek wrócił z Lurgan w Irlandii i ze zdziwieniem stwierdził, że wszyscy go tutaj szukają, jednak nie za pobicie ze skutkiem śmiertelnym, którego dokonał po pijanemu, co wmówił mu Krysiak, a dlatego, że uchodzi za zaginionego. Jego była dziewczyna płakała na lotnisku.

Krysiak zrozumiał wreszcie, że skrewił i pójdzie siedzieć za zbrodnię. Zapiął pas na manekinie, przykleił przylepce, a potem przekazał fantom Romanowi, który miał zawieźć Wiesię na lotnisko, lecz nie zdążył. Kiedy prokurator i operator kamery zajmowali się ochroniarzem, Krysiak rzucił się na pierwszego z brzegu policjanta i wyrwał mu broń z kabury. Młody funkcjonariusz nie zdołał obezwładnić doświadczonego detektywa. Alik wsunął lufę między zęby i nacisnął spust. Pół godziny później ulica Tymienieckiego zaroiła się od gapiów i kamer. Na bruku zostały otwarte kajdanki.

6. MUDŻAHEDINI

Marzy mi się domek w górach, własny domek w górach
Taki, co po wyjściu na balkon da mi to poczucie,
że stoję w chmurach
(…)
Ponoć wszystko jest kwestią czasu, kropla drąży skałę
To, że zmian nie widać od razu, nie znaczy,
że ich nie ma tam wcale
Parę piwek pod szkołą, parę awantur poza kontrolą
To jeszcze nie prokurator ani wyrok za przemoc domową, spoko
Czasem jest oporowo, wiadomo, leje się wódka i whisky
Jest głośno, wesoło, zwłaszcza przy relacjach z utraty wizji
Kumple są bliżsi ci niż rodzina
Niech się przypyszczy im ktoś… finał
Walą go w pysk jak z rana klina, by móc powitać
Nowy tydzień, co przepłynie im przez palce jak tamten
Kto to widział, by odmawiać tu ćwiartek?
Niby każdy wie, że to jest oceanem,
ale wszyscy łapią tu wiatr w żagle
W łapie „Napoleon" – niebo jak Dantego
Powtarzają jak mantrę: „Chodź!"
W tym oceanie trafiasz jakoś na wyspę swą
– Helenę Bohnam Carter
Przez jakiś czas masz tu port, jest fajnie
Później euforia wycofuje się za mgłę
Paręnaście lat w przód macie rozwód już, a ty niebieską kartę
I nie wiesz, kiedy stało się to, czy to bracie nie śmieszne?
Dzieci winią cię za każdą klęskę
Starzy kumple gryzą ziemię, ty też chcesz
Bo myślisz co dzień o ucieczce… stąd

Marzy mi się domek w górach, własny domek w górach
Taki, co po wyjściu na balkon da mi to poczucie,
że stoję w chmurach
(…)

Ponoć wszystko jest kwestią ceny i tego, jak bardzo chcemy
Się przebić, zmienić się, po to, by ktoś nas wreszcie docenił
Zza pleców patrzy ci zawsze to małe miasto
Jego szepty nie dają ci zasnąć
Kiedy wygrywasz, coś przypomina ci wciąż
„W końcu i tak tu wrócisz z porażką"
Bo kto ma cię na własność, co? Ono
Jakby cię trzymało pod bronią
Tyle słów, że nie warto się ruszać stąd,
pulsuje ci zawsze pod skronią
(…) Przejdź się po środku swej duszy dalej niż do tej pory
Po to, by móc odkryć rejony myśli spokojnych i dobrych dni i…
Tam zbuduj sobie domek górach, własny domek w górach
Taki, co po wyjściu na balkon da ci to poczucie,
że stoisz w chmurach (…)

Domek w górach, Zeus

Łódź, cztery miesiące później

Sasza złożyła laptop i podniosła głowę. Nowiutki pociąg Łódzkiej Kolei Aglomeracyjnej wjeżdżał właśnie na dworzec Kaliska, punktualnie co do sekundy. Wagon pachniał nowością, droga z Warszawy trwała zaś zaledwie godzinę, tak jak obiecywał folder reklamowy. Ludzie ustawili się w ogonku do drzwi wejściowych. Załuska nigdy nie rozumiała, po co to robią. Przecież to nie przyśpieszy sprawy, a stojąc z walizkami w dłoniach, co najwyżej nabawią się odcisków. Siedziała nadal na swoim miejscu i powoli pakowała sprzęt. Konduktor rozpoznał ją od razu. Ruszył w jej stronę, przeciskając się przez tłum. Miał nowy uniform i szeroki uśmiech na twarzy.

– Niezły wózek. – Pokiwała głową z uznaniem.

– Dziś jeździmy drugi dzień. – Podniósł dumnie głowę.

– Widziałem pani zdjęcie w gazecie. Nie znam się na ludziach zupełnie.

Sasza roześmiała się szczerze.

– Niewiele się pan pomylił. Byłam zakochana w kimś innym.

– W chłopcu z Łodzi?

– Z Trójmiasta. Też stamtąd pochodzę.

– Przecież wiem. Straszna historia z tym zwyrodnialcem.

– Trzeba jednak uważać, z kim człowiek chodzi na tańce – odparła.

Przy wyjściu nie było już nikogo. Wagon był pusty. Konduktor pomógł Saszy ściągnąć walizkę z górnej półki, wyszli razem na peron.

– Wraca pani ostatnim?

– Jak zwykle – potwierdziła i rozejrzała się.

Słońce świeciło jak w środku lata. Za oknem zieleniły się drzewa. Kobiety porozbierały się już z palt, śmigały z gołymi nogami, w kolorowych baletkach.

Dogonił ją, kiedy schodziła do przejścia podziemnego. Chwycił ją gwałtownie, aż się przestraszyła.

– Wie pani co – ciężko dyszał. – Ja kilka razy widziałem tego chłopca. Jeździł do Warszawy sam. Dawałem mu zawsze przedział dla matki z dzieckiem, jeśli był wolny.

– Naprawdę?

Mężczyzna wyciągnął zmięty kawałek „Dziennika Łódzkiego". Pokazał zdjęcie obejmujących się Wiesławy Jarusik, Romana Środy i Maćka, wnuka wysadzonej kobiety, które ilustrowało reportaż o dramacie rodziny Jarusików. Chłopiec był rozpromieniony, wyglądał na szczęśliwego. Miał wtedy nie więcej niż siedem lat.

– Jego najbardziej mi szkoda w tej historii – powiedział konduktor. – Nie wierzę, że mógł zrobić coś tak potwornego. Był taki miły. Grzeczny. Nawet rozmawiałem z żoną, że jeśli znów po niego nie przyjdą w tej Warszawie, kiedyś zabierzemy go do nas na obiad. Ale więcej się nie pojawił. Teraz już wiem, że wtedy skumał się z tym palantem. – Wskazał Romana Środę.

Sasza milczała.

– Wyjdzie z tego? – dopytywał się konduktor. – Bo ponoć trafił do czubków. Czy to tylko taka ucieczka przed więzieniem? – Chyba niestety nie – odparła Sasza. – Nie wiadomo nawet, czy stanie przed sądem. Za to Roman Ś. nie wywinie się z tego. Mimo iż wystawił swojego rywala. – Siwo na łbie, a we łbie kiełbie. – Konduktor machnął ręką. – Jakby co, poczekam z odjazdem – skinął Załuskiej na pożegnanie.

Tym razem nie chciała jechać taksówką. Myślała o Romanie, który wiózł ją do komendy ostatnim razem. Zerknęła na innych podróżnych i wybrała grupkę studentów jako przewodników. Mieli plecaki na stelażach, w rękach zapiekanki ociekające keczupem i papierosy. Też zapaliła i wystawiła twarz na porcję nowych piegów. Dzień był piękny, optymistyczny. Kiedy studenci rzucili pety do popielniczki, ruszyła za nimi. Wspięli się schodami na wiadukt, a potem sprytnym, dzikim przejściem nad trzypasmową jezdnią przeszli na przystanek tramwajowy.

Faceci siedzieli rozwaleni na ławce, kobiety z siatkami stały obok i zażarcie nad czymś dyskutowały. U ich stóp walały się małpki po orzechówce. Sasza poczuła się jak w domu. Sprawdziła w aplikacji połączenie komunikacją i po chwili siedziała już we właściwym tramwaju. Co druga osoba trzymała w rękach książkę i były to w większości nowe woluminy. Załuska widziała też w wielu rękach elektroniczne czytacze. Młody mężczyzna w kangurce z napisem „Brains Beer" zwolnił miejsce na jej widok. Sasza z wdzięcznością skinęła raperowi głową. Uśmiechnął się i nie wyjmując słuchawek z uszu, rzekł:

– Byłem wtedy na wykładzie.

Zanim zdążyła coś odpowiedzieć, wysiadł. Patrzyła za nim długo, aż tramwaj nabrał przyśpieszenia. Ulokowała się na miejscu, poprawiła toboły. Wtedy na podłodze zobaczyła napis: „W razie pożaru patrz w górę".

Odruchowo podniosła głowę. Odczytała: „W razie pożaru, debilu".

Drugiego zastała odwróconego plecami, kiedy dwadzieścia minut później dotarła wreszcie do komendy. Truchtał w tę i z powrotem, jakby szukał czegoś na parkingu. Na sobie nie miał munduru, lecz marynarską dwurzędówkę i szalik fantazyjnie owinięty wokół szyi. Zdawało jej się, że przybyło mu zmarszczek, a łysa czaszka lśni w promieniach słońca. Dopiero kiedy zbliżyła się na wyciągnięcie ręki, dostrzegła białego maltańczyka. Biegał, poszczekując, między nogami dwójki kolorowych dzieciaków. Chłopiec miał na sobie nowiutką bluzę z napisem „HollyŁódź", dziewczynka zaś kraciastą sukienkę z tafty. Kroczyła w niej dostojnie, z zaciętą miną, jakby miała pod spodem gorset.

– Pieski, pieski – podjudzał zwierzaka wicekomendant.

Maltańczyk jazgotał, zabawnie poruszając małym ogonkiem, wyobrażając sobie zapewne, jaki jest potężny i groźny. Dzieciaki miały z niego niezły ubaw. Na łące za parkingiem leżał ogromny latawiec. Pochylała się nad nim kobieta w hidżabie i przystojny Arab. Ona nieznacznie kulała.

– Nie ma mnie tutaj – wyprężył się Drugi, kiedy już się wyściskali. – A ciebie też miało nie być, trochę się śpieszyłaś na statek.

– Statek odpłynął beze mnie, musiałam być gdzie indziej.

Długi uniósł ręce.

– Nie pytam, nie chcę wiedzieć. – A potem, jak zwykle, zaczął kwękać. – Flaku znalazł sposób, żeby mnie tutaj ściągnąć. Nie mieli opiekunki do dzieci. Bo wiesz, jakbyś szukała dobrej niani, jestem teraz wolny.

Sasza zamarła.

– Rzuciłeś firmę?

– Kiedyś musiałem. W ogóle mnie w domu nie było. Na portalach randkowych hulam i szukam sobie kobiety. – Nachylił się do ucha profilerki. – Ale nie mów tym chujom, bo mam niezłe branie. Wiesz, mężczyzna po przejściach, przystojny. A za mundurem...

– Co ty chrzanisz! – zdenerwowała się. – Nie mógł ci pozwolić odejść. Nie Flaku.

– A co on ma do gadania. – Drugi machnął ręką. A potem wysapał: – No dobra, obraziłem go. Trochę mu narobiłem koło dupy. Komisję mu przeze mnie przysłali, ale skurwiel się oczyścił.

– Że co?

Drugi się zawahał.

– No wiesz, każdy może się pomylić. Ja przynajmniej umiem się przyznać do błędu. Choć fakt, nadal czuję się jak chuj w torcie.

Sasza nie zrozumiała.

– No coś mi się zdawało, że krył Krysiaka. Chłopcy znali się jeszcze z wydziału. Byli, można powiedzieć, partnerami. Potem wyszło na jaw, że podbijał do Wieśki. Miał wtedy żonę i takie tam sprawy. Znaleźliśmy listy do niej, o, jak dobrze, że niektórzy nie piszą. Mateusz Gajek to przy nim Zagajewski. Nie mogłem uwierzyć, że nic nie wiedział. Że to się tyle czasu tak udawało. No wiesz, z tym wybuchem, że niby dżihadyści i porwanie.

– Ale to detektyw ją wysadził? Z zazdrości. Czytałam w prasie.

– Premedytacja. Zabójstwo pierwszego stopnia. Niech mu ziemia lekką będzie, bo w pierdlu to raczej nie miałby niczego poza jesienią średniowiecza. Ochroniarz wszystko wyśpiewał. Sprawę mamy zamkniętą. Zresztą sama zobaczysz. A tak po prawdzie, to po cholerę tyś tu przyjechała? Pogorzeliska posprzątaliśmy. Nie mamy nowego podpalacza. Ani żadnego Poznańskiego. Nuda.

Sasza wzięła się pod boki.

– Stęskniłam się.

– Zawsze wiedziałem, że nie możesz mi się oprzeć.

Sasza wskazała dzieci na parkingu.

– To uprowadzone Jarusiki?

Skinienie głową.

– Nie wyglądają na zabiedzone ani no, tego, wiesz, dręczone przez islam.

Drugi szczerze się roześmiał.

– Ten facio, ich stary, to ichniejszy technolog żywności. Pracuje w Kairze i w jakiejś mieścinie, co nie dam rady wymówić, więc wybacz. Henia ci powie.

– Kto?

– Henia. Jola Brzezińska. Zawsze tak na nią mówiliśmy – zdziwił się.

– Nie Henrietta?

– Strasznie się wtedy wkurwia. Tylko Flak może ją tak nazywać.

– Jak tu byłam, zawsze się do niej tak zwracałam. Nigdy się nie zająknęła, że coś jej nie pasuje.

Drugi machnął ręką. Kontynuował:

– Ten kolo to megałeb. Jakie rzeczy on wie o gotowaniu. Jest muzułmaninem, fakt, ale dobrą wiśniówką nie pogardzi. – Wysunął z kieszeni małpkę. – Tylko potem te sury musi recytować. Luzak. Oczywiście ona nic nie wie. Podobno trzyma go za jaja tak, że chodzi jak w zegarku. Kochają się. To widać.

– A co z jego żonami? Miał ich chyba z siedem.

Drugi roześmiał się szczerze.

– ISIS wybiera sobie wzorowych obywateli i stwarza ich sobowtóry. Hamzawe miał klona, który faktycznie wykorzystywał kobiety, by mieć kwit. Zginął w Syrii dwa lata temu.

– To Jagoda? – Sasza wskazała potężną kobietę zakutaną razem z głową.

– W całej okazałości.

– Nie wdała się w matkę.

– Ani w ciotkę, choć ta ma o wiele gorsze nogi od Wieśki. Swoją drogą Wiktoria wyjechała z Oliwierem do Szwecji. Bardzo się tam przejęli jakimś jej dziełem. A ta historia z konferencją trafiła do katalogów. Wydrukowała wielkoformatowe kadry na płótnie i wisi to teraz w sekwencjach w jakimś Sztokholmie czy może Malmö. Mają w każdym razie zimniej niż my. Wygrała tę sytuację najlepiej z całej rodziny. Wiemy dokładnie, bo napisała list do Flaka. Kurew było tam więcej niż na Sienkiewicza około północy. No i to ona prowadziła ten tramwaj, który zmiótł z ziemi Leona do paki. Wykorzystała tę okoliczność łagodzącą do tego, by zamienić areszt na dozór.

– Zostajesz? – Sasza wskazała wejście do budynku.

Drugi się zawahał. Sasza klepnęła go po plecach.

– Dzieci mają rodziców. Poradzą sobie.

– Nie o to chodzi. – Drugi pochylił głowę. – Naprawdę rzuciłem raport o zwolnienie.

Sasza nie dowierzała.

– A został przyjęty?

Drugi wzruszył ramionami.

– Nie honor – odparł i odwrócił się.

Wolnym krokiem ruszył na parking. Wtedy Sasza zrozumiała.

Zostawiła walizkę pod drzwiami i pobiegła za Drugim.

– Mogę coś dla ciebie zrobić?

Milczał. Usta miał zaciśnięte. Oczy zaczerwienione. W kącikach widziała zbierające się łzy. Wiedziała, że musi teraz odejść, by nie pękł i nie wyrzucał sobie już zawsze, że rozmazał się przy niej jak baba. To był typ faceta, który nigdy nie wybaczy, że była świadkiem jego słabości. Klepnęła go po ramieniu i powiedziała:

– Trzymaj się. Pogadamy później.

Pokiwał smętnie głową, ale zaraz zebrał się w sobie, bo wyciągnął papierosa i uderzał nim o brzeg paczki.

– Fajnie ma ten twój chłop. Mocna jesteś.

– Wcale nie, ale nie pozwolę ci zniszczyć twojego życia. Masz je tylko jedno. I jeszcze dzieci na karku. Znam to.

– Bo zostanie mi wiara albo kanabinol.

Nie mogła dłużej na to patrzeć.

Na tablicy magnetycznej wisiały sygnalityczne zdjęcia podejrzanych. Tworzyły mapę, której Sasza jeszcze nie znała, ale domyślała się ich funkcji w szajce, przynajmniej tych, umieszczonych na samym szczycie.

– A więc to jest łódzka ośmiornica?

– Jaka tam ośmiornica – żachnął się Cuki. – Kilku drobnych malwersantów.

– Większości z nich prokuratura postawiła już zarzuty – naburmuszył się Flak. Sasza od razu zauważyła nową stokrotkę na jego pagonach. Jak zwykle był uprasowany i oblany rześką wodą kolońską. Na przegubie błyszczał mu nowiutki zegarek. Wychudł jeszcze bardziej, przez co wydawało się, że oczy za chwilę wyskoczą mu z orbit.

– Wszyscy siedzą. Jak będzie z procesem, zobaczymy. Na razie jest dobrze. Mamy wspólny sukces.

– Ja się do niego nie przyczyniłam – zaoponowała Sasza.

– Dostaliśmy rozkazy – uciął Flak. – Spodziewaj się niespodziewanego. Pani generał planuje wręczenie medali na przyszły miesiąc. Może zdążymy trochę posprzątać miasto, bo na razie bajzel jak w chlewiku.

Sasza zamarła. Nie pamiętała, by Karol Albrycht używał wulgaryzmów. Może powodem był brak Drugiego. Zdawało się, że zintegrował energię nieobecnego zastępcy i co jakiś czas sam rzucał kąśliwą uwagę, jak to miał w zwyczaju Wojciech Szkudłapski.

– A gdzie Drugi? – Sasza rozejrzała się po sali.

Flak zerknął na zegarek. Henrietta nerwowo zwijała w rulon serwetkę, poprawiła łyżeczkę na spodku, siorbnęła ostatni łyk herbaty. Cuki zaś odchrząknął i kontynuował. Na tablicy podświetlił się czerwony wskaźnik. Cuki przesunął go w kierunku umiejscowionego najwyżej chudego mężczyzny o wyglądzie salamandry.

– Leon „Ptyś" Ziębiński, prezes konsorcjum HUY Development & Co. Od dawna znany nam jako szef czyścicieli kamienic. Skupował nieruchomości w Łodzi i zawieszał na nich banery reklamowe. Kamienice wyludniał. Tę robotę nadzorował ten gość. – Cuki wskazał teraz grubasa o pseudonimie Cybant. – To wszystko, jeśli chodzi o rewitalizację Łodzi, bo o tym Ptyś opowiadał na radach miasta i w wywiadach. Dziś wszyscy już wiedzą, że to oszust i malwersant. Nikt natomiast nie zdawał sobie sprawy, po co to robi. Sądziliśmy, że to klasyczna walka o mury, które tanio kupujesz, remontujesz i drogo sprzedajesz albo wynajmujesz. Obrót gotówki jest długoterminowy, ale też można zarobić na ubezpieczeniach. Kilka kamienic się zawaliło. Za płachtami reklamowymi ujawniono działania sabotażowe. Budynki, także te od frontu ulic, były wystawione na działanie warunków atmosferycznych i z czasem niszczały. Ale to proces na lata. Problem polegał na tym, że większość tych domów przetrwa nas i nasze wnuki. Leon zdecydował, że trzeba przyśpieszyć sprawę.

Wskaźnik powędrował do wizerunku Aleksandra Krysiaka.

– Detektyw miał doskonałe kontakty na Bliskim Wschodzie. Odbijał dzieciaki z mieszanych związków. Nie wiem, czy słyszałaś, na czym polega takie odbicie.

– Uprowadzenie rozbójnicze? – mruknęła Załuska.

– Zgadza się – potwierdził Cuki. – Dogadujesz zbójów, wszystkich słono opłacasz. Jedziesz i bierzesz dziecko na wyrwę. Zmieniasz im paszporty, czasem przewozisz w walizce, a jak trzeba, to i przywalisz buntującemu się czarnuchowi. Polakami tego nie robisz. Rzadko i lokalsami. Bierzesz emigrantów z Europy: Turków, Algierczyków, Egipcjan. Chodzi głównie o to, by nie rzucali się w oczy, znali język i Koran, bo jak się okazuje, pierwsza pyskówka zwykle dotyczy różnic religijnych. Krysiak ze swoimi kafarami czekają w tym czasie w bazie przy basenie i koordynują sprawę za pomocą licznych komórek i walizki zielonych. Pomysł polegał na tym, żeby pierwsza bomba wybuchła z takiego powodu.

– I do tego potrzebna im była Wiesia?

– Kobieta miała doskonały życiorys. Nikt nie mógł się do tego przyczepić. Dzieci zniknęły, cudzoziemca widzieli wszyscy. Konflikt kobiet. Zero przypału.

– Ale dlaczego musiała się przy tym sama wysadzać?

– Nie musiała i do końca nie wiedziała, że tak się stanie. Podobno doskonale się bawiła. Nie czuła strachu. Miała obok siebie dwóch mężczyzn, którym ufała, jednego z nich zaś – zabójcę – darzyła uczuciem. Tak w każdym razie mówi ten drugi.

– A lotnisko, bilet?

– Sprawa miała się nie powieść, Wieśka zeznać, że podejrzewa zięcia. Natomiast do gry miał wkroczyć Roman i jego roboty.

– Teza była więc taka, że Łódź atakują dżihadyści?

– Klasyczne wrzucenie nas na lewe sanki.

– Strasznie skomplikowane – mruknęła zniesmaczona Sasha. – Za dużo zachodu.

– Skomplikowane to zaczęło być później. Bo od razu wiedzieliśmy, do kogo należą wysadzane nieruchomości.

– I? Chyba już to analizowaliśmy.

– No właśnie! Nie wszystkie wybuchy miały miejsce w okolicy nieruchomości należących do HUY-a, ale też w bardzo dziwnych miejscach. Takich, w których dziś znajduje się woonerf albo kwietnik.

– Gdyby piroman nie wysadził katedry, nic byśmy nie mieli – rzucił Flak i znów zerknął na zegarek.

– Śpieszymy się? – zainteresowała się Sasza.

– Mam spotkanie w urzędzie miasta – odparł. – Właściwie już powinienem tam być.

Sasza nie odezwała się.

– Ale przyjechałaś, więc poczekają – dodał komendant. – To nie ucieknie. Prezydent pracuje do szesnastej, a potem jeszcze przyjmuje interesantów.

– Poradzimy sobie bez ciebie, szefie – przyszła mu z pomocą Henrietta.

Flak się zawahał.

– Jasne, komendancie – potwierdziła Sasza. – Wszystko przekażę pani generał. Najważniejsze, że nie macie śpiocha. Właściwie tylko to górę interesuje. Ośmiornica, czyściciele, malwersacje – to tylko dla zaspokojenia mojej babskiej ciekawości.

– Wobec tego skorzystam z pani uprzejmości.

Wstał. Sasza zdziwiła się, że nagle przeszedł na „pani".

– Karol – zaczęła i spojrzała mu prosto w oczy. – Czy Drugi opuścił szeregi tej jednostki? Tak słyszałam.

Albrycht odchrząknął.

– No właśnie w tej sprawie widzę się z Hanią.

– A co ona ma do tego?

– Pismo poszło do niej. Kompromitacja była publiczna.

– To dobry gliniarz, trochę narwany. – Sasza starała się bronić Szkudłapskiego. – Ale kocha tę robotę, umie zarządzać ludźmi. Nie boi się harówy. I ma autorytet.

Flak pokiwał głową, włożył czapkę.

– Wiem, to mój ojciec chrzestny. To on zrobił ze mnie policjanta. Mówię jej to samo – odparł. – Ale mnie nie słucha. Dziś ostatnia próba. Położyłem swoją głowę na stół i zagrałem va banque. Jeśli Hania nie pójdzie nam na rękę, obaj będziemy szlifować chodniki. To znaczy Drugi nie, bo jemu duma nie pozwala dać się zdegradować. Tylko mielić jęzorem potrafi.

Wyszedł. Zostali sami. Sasza spojrzała na Henię i Cukiego. Jolanta Brzezińska już otworzyła usta, by wszystko wyjaśnić, ale Sasza chwyciła ją za rękaw i wyprowadziła na korytarz, a potem do zabudowanej loggii. Cuki zaraz do nich dołączył. Sasza zamknęła drzwi, zapaliła papierosa. Cisnęli się teraz we trójkę i chcąc nie chcąc, zostali zmuszeni do biernego palenia.

– Dobra, to teraz mówcie, o co tutaj chodzi.

Leon podciągnął białe skarpety i podwinął dres, a potem chwycił pilota i włączył telewizor. Jutro miał pierwszą rozprawę o sprowadzenie zagrożenia dla życia trzystu dziewięćdziesięciu ośmiu osób, które mieszkały w posiadanych przez niego nieruchomościach. Lokatorzy wzięli prawnika i złożyli pozew zbiorowy. Tym sposobem prokuratura postawiła mu zarzuty i Leon znalazł się w więzieniu. Ziębiński wiedział, że psy nic więcej nie mogą mu udowodnić. Był też przekonany, że jego ludzie będą milczeć. Na razie o poszukiwaniach Diamentów Życia nikt się nie zająknął. Może faktycznie ta mapa była fałszywa. A może ktoś znalazł je przed nim? Trwały akurat *Wiadomości*. Przy okazji jego procesu przypominano sprawę pożarów, wybuchów i samobójstwa Aleksandra Krysiaka.

– Dobrze zrobił – wygrażał pięścią mężczyzna w bramie. Drugą trzymał poniżej oka kamery, ostrożnie, by nie ulała się nawet kropelka piwa. – Szkoda, że ten jego wspólnik nie poszedł tą samą drogą. Ale liczę, że w paczce zawsze się znajdzie jakiś człowiek, który kocha swoje miasto. Pozdrawiam lodzermenszów z całego kraju. Łączcie się! – Rozciągnął usta w grymas, ukazując równiutkie złote koronki. – Ja tu mieszkam, panie. Nawet małego ogieńka u nas nie było.

Setka się skończyła.

– Policja zatrzymała piromana, który dokonał podpalenia famuł przy Ogrodowej. Mateusz G. mienił się poetą, ale tak naprawdę był piekarzem – streszczał lektor.

Teraz pokazywali płaczącą matkę sprawcy, a potem strażaków walczących z żywiołem.

– W wyniku podłożonego ognia zginęły trzy osoby, w tym jedna kobieta. Z jej powodu Mateusz G. wpadł w szał. Był zazdrosny. Tego wieczoru przyszedł do famuł, by wyznać Kalinie J. miłość. Już wcześniej podpalał śmietniki. Jego chorobę wykorzystał prawdziwy maniak. Roman Ś., były ratownik medyczny, pracował jako ochroniarz w hotelu Andel's. Po pracy dorabiał jako prywatny przewóz osób.

Używając doniesień prasowych jako zapalnika ładunków wybuchowych, sterroryzował miasto i niemal doprowadził do zburzenia zabytkowych dzielnic. Udało mu się wyłączyć prąd w mieście, a potem podpalić kilka kluczowych kamienic na Starym Polesiu, zwanym Zapomnianą Dzielnicą. Przyznał się do wszystkich aktów terroru, ale odmówił składania wyjaśnień. Policja bada, jak udało mu się umieszczać ładunki, ponieważ nie chciał ujawnić szczegółów technicznych. Zapewnił, że działał sam i nie przyświecały mu pobudki religijne. Zapytany dlaczego to zrobił, wyznał, że brakowało mu adrenaliny. Chciał znów byś kimś.

Dalej wypowiadali się ludzie, którzy mieli kontakt z Romanem. Po kilku płaczliwych wywiadach o tym, jaki z ochroniarza był miły gość, Ptyś wyciszył głos i wybrał numer do swojego adwokata.

– Skoro Roman działał sam, to co ja tu robię?

– Pracujemy nad tym, szefie – padło w odpowiedzi.

– Pańska sprawa została wyłączona z głównej. To już coś.

– Ile chcą kaucji?

– Sędzia nie zgadza się na dozór. Uparł się na areszt.

– To go opłać!

– Nie jestem w stanie skorumpować wszystkich. To niewykonalne.

– Nie znam takiego słownictwa.

– Panie Leonie. – Konowrocki zniżył głos, zaczął wyjaśniać jak dziecku. – Ze względu na pozew zbiorowy, w sumie ponad czterysta nazwisk. Plus oszustwa, malwersacje, ale z tego wyjdziemy.

– To w czym jest problem?

– Mieszkańcy kamienic skarżą pana o odszkodowanie za narażenie życia w związku z pożarami.

Konowrocki wypowiedział ostatnie zdanie dyszkantem, ciężko dyszał.

– Co tobie?

– Wchodzę do sądu. Winda się zepsuła.

– To ile jeszcze mam tu kwitnąć?

– Tydzień, maksymalnie dwa. Poza sprawą karną trzeba brać pod uwagę szereg pozwów cywilnych. To może być dla pana niekorzystne finansowo. Bardzo nawet niekorzystne. Może trzeba lepiej od razu ogłosić bankructwo. Wcześniej oczywiście wyprowadzić środki i jak najszybciej ogłosić upadłość.

– Ile wtedy?

– Wtedy to może potrwać nawet miesiąc – zaplątał się mecenas. – Maksymalnie rok, dwa. Sądy w Polsce nie działają tak szybko. Może nawet kilka lat. Pamięta pan sprawę FOZZ? Wtedy staramy się iść w przewlekłość, skarżymy do Strasburga, czekamy, aż ławnicy pochorują się, umrą...

– Ja zaraz tutaj umrę, a wtedy i ty długo nie pożyjesz, papugo!

Leon z trudem powstrzymał się przed odłożeniem słuchawki. Po drugiej stronie zapadła niepokojąca cisza. Rzekł więc znacznie łagodniej:

– Chyba trzeba będzie tutaj przenieść bazę.

– Nie radziłbym przed aktem oskarżenia.

– Załatw mi lepszy aparat i telewizor LCD. Ten gruchot śnieży.

Faktycznie, na ekranie starego typu telewizora rozpoczęło się „przewijanie", jak nazywał usterkę Błażej. Zastukał teraz i wszedł, bezszelestnie zamykając drzwi celi. Otworzył starą walizkę i wyciągnął kilka woreczków z białym proszkiem.

– Szefie, mamy w huk zamówień. Szron i Szadź stworzyli już siatkę odbiorców. Mamy za mało towaru – poskarżył się.

Leon chwycił się za głowę.

– Forsę mam zamrożoną. Zaasekurowane wszystko w nieruchomościach. Ilu gadów trzeba opłacić?

– Wszystkich z naszego oddziału. Jeden głodny nas wystawi.

Ptyś zdjął nogi z pufy i podszedł do swojej pryczy. Wyciągnął kartonowe pudełko, a z niego czerwony Moleskine. Nabazgrał coś na kartce, złożył w małą kosteczkę.

– Niech Herostrates zapakuje to do chleba.

– Dziś piecze wuzetkę na urodziny żony naczelnika.

– To radzę mu się pośpieszyć, bo cennik się zmieni. Albo całkiem cofnę ochronę i do rury załaduje go Cybant.

– Nie sądzę. – Błażej pochylił głowę. – Dziś wyszedł.

– Jakim cudem?

– Boguś go wykupił.

– Boguś? Kto to jest?

– A właściwie Platyna. Boguś to jej stary. Też fałszerz.

Leon zbliżył się do chłopaka.

– Ciebie też?

Błażej pochylił głowę.

Ptyś uderzył go w twarz z otwartej dłoni.

– Ty zdrajco.

– Mnie Aneta. Jej dziadek właściwie. Pan Naumowicz. Na niego Platyna przepisała kamienice. Jutro rozprawa.

– Skąd? Jak? – zaplątał się Leon. I dalej już nic nie powiedział, tylko chwycił telewizor i rzucił nim o zakratowane okno. – Spierdalaj z tym grypsem do piekarza, póki w ciebie nie trafiłem. I wezwij kogoś do sprzątania. Pranie też by się przydało zrobić.

Platyna wyszła z sali i ruszyła korytarzem, starając się nie okazywać radości. Choć w budynku było upiornie zimno, po plecach spływała jej strużka potu. Mimo tego nie wsiadła do windy. Wiedziała, że na dole, przed wejściem czeka na nią Karol Albrycht. Nie była pewna, czy jej nie wystawił. Ruszyła bocznymi schodami, którymi prowadzi się oskarżonych na rozprawy. Ostatnim razem szła tędy na swój własny wyrok. To było ponad dziesięć lat temu. Budynek w tym czasie odnowiono, polakierowano nawet balustrady. Podobnie jak z jej życiem. Teraz wszystko będzie całkiem nowe i czyste. Żadnych śmieci wokół. Żadnych zabytków pamięci. Wyjęła z kieszeni telefon. Na ekranie migotała wiadomość od Rene:

– Ogniu, krocz za mną.

Na razie wszystko przebiegało zgodnie z planem.

Schody zdawały się ciągnąć w nieskończoność. Hanna co jakiś czas zatrzymywała się i spoglądała w dół, ale poza nią nikt tędy nie spacerował. Na parterze zatrzymała się. Tu był newralgiczny moment. Jeśli komendant nie stoi przy windach, tylko przy szatni, wyjdzie wprost na niego. Rozważała wszystkie możliwości: ucieczkę, ukrycie się, a także walkę, ale wiedziała, że jeśli ją sprzedał, nie będzie miała szans. Nie sądziła, by znał wyrok. To była drobna rozprawa, jej mały, osobisty sukces, który jednak z czasem doprowadzi do ujawnienia mechanizmów działania szajki. Karol był bardzo czujny, nigdy nie ryzykował. Nie ukrywał też, że liczy się dla niego tylko zysk. Pozwalał im działać, dopóki nie wybuchła afera z babcią bombką. Potem się odciął i odmówił wsparcia. Kiedy przyszła do niego komisja, wyśpiewał wszystko i posłał do aresztu swojego największego adwersarza. Leon jeszcze o tym nie wie, ale to jego kumpel go sprzedał. Mimo iż był najlepiej opłacany za nicnierobienie, za dostarczanie danych i wgląd w przebieg śledztwa. Nawet gdyby chcieli zeznawać przeciwko niemu, wykpi się. Nic na niego nie mieli. Oni nie. Ale Platyna – tak.

Rzecz dotyczyła kamienicy na Gdańskiej, która spłonęła doszczętnie kilka dni temu. Dziedziczyła ją kobieta, która przeżyła łódzkie getto. Po wojnie była w Polsce tylko raz i obiecała sobie, że już nigdy tu nie wróci. Zapisała ją matce Hanny – Edycie, ponieważ się nią opiekowała, a kiedy ta zmarła, odziedziczył ją Boguś i w prostej linii córka. Kiedy ojciec się rozpił, budynek za psi grosz przejął Leon, jak wiele innych nieruchomości w mieście. Kamienica przed pożarem była w niezłym stanie, więc z jakichś przyczyn jej nie wyludnił. Podarował Karolowi Albrychtowi kilka mieszkań, które komendant wynajmował głównie studentom. Dziś Platyna złożyła do sądu dokument podważający ważność oryginalnego testamentu. Wynikało z niego, że jej matka wydziedzicza ze spadku Hannę, głównym spadkobiercą czyni Bogumiła oraz komendanta Karola Albrychta. Platyna wiedziała, jaka jest procedura. Sąd odda testament do badań, a potem stwierdzi, że nosi znamiona przestępstwa. Przy okazji jednak stwierdzi, że dokument napisał Karol Albrycht. Za próbkę jego pisma Platyna zapłaciła fortunę, ale się opłacało. Nigdy wcześniej nie pracowała z taką radością.

Za rok, dwa wszystko wróci do punktu wyjścia. Platyna i Boguś znów staną się prawowitymi właścicielami. W tym czasie budynek zmarnieje i będzie można go zburzyć, plac zaś sprzedać. Może i Karol nie pójdzie siedzieć, ale z całą pewnością zdejmie pagony.

Teren był czysty. Kobieta wyszła na ulicę i ruszyła piechotą do domu. Łódź lśniła znów feerią świateł.

Zofia Lech pokazała pielęgniarce odznakę i ruszyła pewnym krokiem do sali numer 23. Przed wejściem stało wiadro z przekrzywionym mopem, w środku zaś kręciła się salowa. Na widok mundurowej natychmiast pozbierała swoje zabawki i pospiesznie wyszła. Drzwi bujały się w jedną i drugą stronę, aż wreszcie zamknęły się z trzaskiem.

Mężczyzna leżał w sali sam. Miał zamknięte oczy, wciąż nie wybudzili go ze śpiączki farmakologicznej. Pozostałe łóżka były puste. Jedno, to najbliżej gwałciciela, miało całkiem rozgrzebaną pościel. Widać salowa nie zdążyła zmienić prześcieradeł po poprzednim pacjencie. Po zwiędłych kwiatach w koszu Zofia domyśliła się, że nie wyjechał nogami do przodu. Wyglądało na to, że w tym szpitalu dobrze wykonują swoją robotę. Wyjęła kajecik i długopis, by zanotować dane z karty przywieszonej do balustrady łóżka, ale po namyśle schowała je do kieszeni. Rozejrzała się, przeszła w tę i z powrotem, licząc kroki. Nabierała sił, oddychała miarowo. Widok z okna nie był zachęcający. Wielki dźwig z monstrualnymi szczypcami chwytał kawały muru i odrywał je od korpusu budynku, jak dentysta w dawnych czasach usuwał chore zęby. Samo patrzenie na te kolosalne obcęgi przyprawiało Zofię o ból szczęki. Rozległo się pukanie. Wszedł lekarz.

– Jak z nim? – Zofia starała się nie okazywać zbytniego zainteresowania.

– Tak jak widać – odparł. – Na razie żadnego przełomu.

– Jest szansa na pobudkę? – próbowała żartować. – Wie pan, chcielibyśmy go przesłuchać.

Lekarz przekrzywił głowę, przyjrzał się kobiecie. Była pewna, że czyta w jej myślach.

– A po co? – zapytał.

– Takie są przepisy. On też ma swoje prawa.

Lekarz schował do kieszeni plik dokumentów, które trzymał w dłoni. Zauważyła, że ma przybrudzony fartuch, choć nie wyglądał na zmęczonego.

– Moim obowiązkiem także jest ratowanie każdego życia – odparł bardzo spokojnie. – Ale to, co sądzę prywatnie... Tak się składa, że czytam gazety. Rzadko, ale czasem mi się zdarza. Prawdę mówiąc, specjalnie kupiłem ten numer „Wyborczej". Wiem, co zaszło. I na pani miejscu zatroszczyłbym się raczej o kobietę, która miała nieszczęście spotkać go na swojej drodze.

– Panie doktorze – do pokoju zajrzała pielęgniarka – potrzebujemy pana na czwórce. Marta zauważyła zmianę na monitorze.

Kiedy lekarz wyszedł, Zofia wzięła poduszkę leżącą na łóżku obok. Podeszła do gwałciciela.

Nie było to takie trudne. Wystarczyło tylko być cierpliwym. Kilka drgawek, jednostajny dźwięk z aparatury, aż serce przestało pompować krew, i cisza. Czuła werble w uszach, całe ciało gotowało się do ucieczki. Wreszcie panika. Nie czekała, aż ostygnie. Wyszła jednak spokojnym krokiem i dokładnie zamknęła drzwi. Zawczasu wycierając jednak klamkę szmatami.

Nikt nie zwrócił na nią uwagi, bo wszyscy gnali na drugi koniec korytarza. Ze szczątków rozmów i pokrzykiwań domyśliła się, że jakaś pacjentka wybudziła się ze śpiączki. Jednak oliwa sprawiedliwa, pomyślała. Jeden do jednego. Świat zawsze dąży do równowagi.

Potem wróciła na komendę. Powiesiła w szafie mundur i zajęła papierkową robotą. Zadzwoniła do Beni. Jej dziewczyna właśnie wyszła z wanny i stroiła się przed lustrem, wybierając kiecki. Miały dziś wyjść razem, pierwszy raz od zimy. Matka Zofii zaprosiła je na kolację w nowym mieszkaniu. Policjantka zanotowała na kartce, by po drodze kupić sernik. Pracowała pół godziny, aż wreszcie zrobiła sobie przerwę. Zadzwoniła do cukierni i zamówiła tort węgierski z płonącym zimnym ogniem, który zamierzała odpalić z okazji trzeciej rocznicy ich związku. Benia będzie kręciła nosem na to efekciarstwo, ale tym razem Zofia chciała być sentymentalna. Nie widziała powodu, dla którego miałaby nie rozpieszczać siebie i bliskich w każdej chwili, każdego dnia. Kiedy człowiek chciał powiedzieć Bogu coś ważnego, zawsze składał mu ofiarę z krwi. Kiedy chciał odczynić urok, przechytrzyć zło – zapalał stos. Do tej pory Zofia tego nie rozumiała.

Ośrodek w Grotnikach otoczony był ze wszystkich stron wysokim płotem, a wejścia pilnował strażnik. Moustafa Jesus Nabil odłożył książkę, kiedy tylko usłyszał silnik. Przystanek autobusowy znajdował się tuż przy bramie. Każdy z mieszkańców był więc na bieżąco z nowymi lokatorami, podobnie jak wszyscy wiedzieli, ile dolarów każdy ma ze sobą. Przez pierwszy miesiąc, odkąd go tutaj zakwaterowali, mężczyzna praktycznie nie wychodził z pokoju. Posiłki przynoszono mu pod drzwi. Miał też własną toaletę. Ale komputer prawie zawsze był zajęty. Wieczorami nie dało się do niego dostać. Każdy z uchodźców chciał przynajmniej raz w tygodniu porozmawiać z rodziną. Moustafa nie miał żony, ale skype'ował do matki. Martwił się o siostry, które zostały w Syrii, i o swoich małych kuzynów. Ojciec zginął na wojnie, wuj i starszy brat nie dawali znaku życia od ponad roku. Wiedzieli jednak, że żyją, bo przysyłali pieniądze z różnych europejskich krajów.

Fortel z dokumentami udał się znakomicie. Nikt się nie domyślił, że Moustafa przedostał się do Polski nielegalnie. Wciąż szukali Polaka w dresach, który podobno napadł na Syryjczyka, i wyglądało na to, że sprawa ma charakter priorytetowy, bo nieustannie wydzwaniali do niego z komendy.

Udawał, że nie rozumie po angielsku, i prosił, by przekazali wiadomości tłumaczce, która się nim opiekowała z ramienia ambasady. Jej współpracownicy wciąż pytali, czy Moustafa ma się dobrze, czy nie choruje. Chcieli wiedzieć, jak czuje się w Polsce i czy nie jest prześladowany. Odmówił udzielenia wywiadu lokalnej prasie, choć przekonywano go, że tym sposobem powiększy swoje szanse na odzyskanie dokumentów.

Tylko że Moustafa wcale nie padł ofiarą napaści. Nigdy nie doświadczył takiej życzliwości, jak w tym zimnym kraju. W kółko marzł i wkładał rzeczy „na cebulkę". Zaopatrzyli go w polarowe dresy, puchową kurtkę i czapkę z prawdziwego kaszmiru. Kiedy zobaczył pierwszy śnieg, myślał, że to jakaś anomalia atmosferyczna. Dotykał białego puchu dłońmi i wpatrywał się w strukturę śnieżynek. Najgorsza była jednak ta tutejsza ciemność. Tęsknił za rodziną i brakowało mu słońca. Choćby siedział okrakiem na kaloryferze, wciąż czuł dreszcze.

Po dwóch miesiącach organizm się przyzwyczaił, a wszystkie inne doznania zbladły. Na razie jego misja przebiegała zgodnie z planem. Allah nad nim czuwał. Moustafa modlił się, spał i przechadzał po pobliskim lasku. Dbał, by nikomu nie podpaść, i nie wchodził w dyskusje polityczne. Kiedy słyszał żarty po arabsku o kupowaniu dziewcząt wziętych w niewolę, w stylu „Za blondynkę dam ci trzysta dolarów, ale jeśli będzie miała niebieskie oczy, zapłacę więcej. Jeśli to piętnastolatka, muszę obejrzeć jej zęby" – odchodził. Pomógł kobiecie z naprzeciwka złożyć kołyskę dla dziecka, którą zakupili jej ludzie z PAH w częściach, zgłosił się do koszenia trawy, kiedy już urośnie, i bardzo dużo czytał. Chciał jak najwięcej wiedzieć, móc innym odpowiedzieć na wszystkie pytania, kiedy nadejdzie czas. Mieli go za spokojnego i miłego człowieka. I zaiste taki był. Jeśli każą mu założyć rodzinę, poszuka jakiejś kobiety. Allah jest wielki, może i pozwoli spłodzić kilkoro dzieci. Nie martwił się o przyszłość. Czas pokaże, czy będzie tutaj krzewił wiarę przodków, czy wyruszy dalej.

Rozległ się cichy głos muezina. Nadeszła pora wieczornej modlitwy. Moustafa wolałby odmówić iszę w zgromadzeniu, bo taka warta jest dwadzieścia siedem razy więcej niż modlitwa w samotności, ale do pokoju wszedł nowy lokator. Przedstawił się, a potem obaj uklękli na swoich dywanikach i każdy z nich podążył śladem Boga. Przybysz pokłonił się kilkakrotnie, a potem zaintonował donośnym głosem rytmiczną deklamację z obowiązkowym cieniem smutku. Wtedy do pokoju Moustafy zaczęli wchodzić inni ludzie i dołączali się do modłów. Wkrótce w maleńkim pokoiku zabrakło miejsca, więc mieszkańcy ośrodka gromadzili się także na korytarzu i w pomniejszych salkach. Syryjczyk pomyślał, że nieprzypadkowo przybysz, który zdołał zorganizować i zdyscyplinować społeczność, zamieszkał w jego pokoju. Do tej pory wszyscy szanowali konieczność zachowania prywatności, zwłaszcza w czasie modlitw wieczornych i nocnych. Kiedy po modlitwie wszyscy gorąco witali się z nowo przybyłym, jakby go dobrze znali, Moustafa zrozumiał, że jego status „śpiocha" wkrótce się zmieni.

Świder uprała i powiesiła firanki, odkurzyła bibeloty, przesunęła skórzaną sofę pod ścianę, by wygenerować więcej miejsca na oglądanie telewizji, a potem zabrała się do smażenia naleśników. Chłopcy wchodzili do remizy i z niej wychodzili, a ona witała ich z uśmiechem. Niemal każdy pytał, o której wydaje dziś przyjęcie.

– To tylko szybka przekąska – chichotała radośnie i jeszcze bardziej zapamiętale kręciła farsz na paszteciki. A potem dodawała od niechcenia: – Za kwadrans zapraszam. Sama przecież nie zjem tej góry węglowodanów.

Kiedy na chwilę ustał przeciąg, chłopcy zaś skoczyli po piwko na wieczór, poleciała do szafy i pośpiesznie zmieniła swój mundur na ubranie cywilne, a więc kangurkę z napisem „Fire Fighter", spodnie dresowe do kompletu i buty z ręcznie haftowanym płomieniem na zapiętkach, kupione za ciężkie pieniądze w strefie 998, od której była uzależniona.

Nakryła już do stołu i dzgała w wiaderku lód, by wrzucić doń puszki z piwem. Bardzo się rozczarowała, kiedy rozległ się alarm syreny. W remizie poza nią nie było nikogo. Zaraz połączyła się z komendą straży, by dowiedzieć się, gdzie się pali i ilu ludzi potrzeba, ale chłopcy wyskoczyli zza winkla z wielkim transparentem i kolosalnym pudłem owiązanym wstążką. Przyszły też ich żony z dziećmi. Przyniosły wałówkę, wódkę i tort. Anna miała łzy w oczach, kiedy zrozumiała, że pamiętali o jej urodzinach. Naleśniki i piwo szybko się skończyły, a potem przyszło prawdziwe wezwanie. Nic sensacyjnego. Służby miejskie potrzebowały ochotników do sprzątania budynku, do którego za kilka dni mieli wprowadzić się pogorzelcy.

Większość chłopców Anny była już zdrowo podchmielona, więc zebrała grupę dziewczyn i wydzwoniła tych, którzy mieli dziś wolne. Pojechali na trzy wozy.

Na trzeciej kondygnacji, zamiatając śmieci wokół dziury po wybuchu ładunku, Anna znalazła diament wielkości orzecha włoskiego. Nie był oszlifowany. Przypominał brudny kamień oprószony sadzą. Gdyby nie była kobietą, pewnie by się nim nie zainteresowała. Wrzuciła go wtedy do kieszeni i sprzątała dalej. Dopiero w domu wyjęła go, obmyła z brudu i zbliżyła do lampki. Błyszczał, jakby ktoś go wysmarował tłuszczem. Kiedy zaś go lekko potarła rękawem, zaczął się mienić różnymi kolorami. Kwadrans później stała przed barierką na komisariacie.

Podobny kamień, tyle że o połowę mniejszy, znalazł Boguś w swoim przyznanym przez miasto mieszkaniu przy Nowomiejskiej. Zatkała mu się rura w toalecie, wybiło szambo, a kiedy zdołał jakoś uporać się z tryskającym na wszystkie strony gównem, z obrzydzeniem wrzucił do wiadra gruz, piach i kawałki papy. Fekalia w płynie przelał do innego pojemnika, by wynieść je pod drzewo rosnące na samym środku studni. Kiedy popełniał to przestępstwo, zważając, by nie robić zbyt wielkiego hałasu, usłyszał stuknięcie, a potem między korzeniami dostrzegł lśnienie. Boguś, w przeciwieństwie do strażaczki, widział brylanty w różnych odsłonach, więc bez wahania sięgnął gołą dłonią w sam środek kupska i wydostał diament wielkości kasztana. Biegiem ruszył na górę, obmył bryłkę pieczołowicie i zaraz stawił się pod drzwiami córki.

Emerytowani pracownicy Poltexu podczas prac remontowych w swoim lokalu natrafili na welurowy worek z napisem „Kimberly", który potem zidentyfikowano jako nazwę kopalni w Afryce Południowej. Z niej pochodziły drogocenne kamienie zwane przeklętymi, ponieważ ludzie dla ich zdobycia zabijali się i ulegali tajemniczym wypadkom. Emeryci przesiali sonarem każdy kawałek trawy wokół swojego podwórka, wyjęli i obejrzeli każdy kamień bruku. Bynajmniej nie zwracali uwagi na podśmiechujki sąsiadów, którzy wystawili sobie przed dom krzesła, stolik i spożywali radośnie kolejno stołową, wyborową oraz alpejską, wtedy jeszcze zupełnie nieświadomi sensacji, która dzieje się właśnie na ich oczach. Emeryci poza woreczkiem ze złotym haftem znaleźli tylko odłamki słoika po ogórkach starego typu oraz wygiętą mosiężną zakrętkę plombowaną u ślusarza. Technicy ustalili później, że była to szklana osłona skarbu ukrytego w jednej z łódzkich studzienek. Pewnie roztrzaskała się w trakcie detonacji, kamienie zaś rozprysnęły w promieniu tysiąca metrów.

Esmat z Dobrą szli pierwsi. Zawzięcie dyskutowali nad planem dokrętek do swojego filmu dyplomowego. Jo został z tyłu, bo krzaki wyrastające z pogorzelisk świetnie komponowały mu się w kadrze. Filmował też powalone trakcje elektryczne i wybebeszone budynki. Większość otwartych mieszkań była już splądrowana, ale wciąż udawało się wejść do bram i znaleźć tam kadry, jak po wojnie. Zrobił kilka dobrych ujęć, gdy nagle spostrzegł, że zgubił przyjaciół. Obrócił się wokół własnej osi, ale wciąż ich nie widział. Wyjął więc komórkę i włączył aplikację lokalizowania telefonu Esmata. Dobra wciąż jeszcze się trochę na niego gniewała i nie miał prawa do niej dzwonić. Byli na równoległej ulicy. Przeciął im drogę z przodu i wyskoczył z zaułka. Dobra przeraziła się i aż złapała za serce. Krzyknęła. Jo się zaśmiał. Ruszył przyjaciołom naprzeciw. Kiedy biegł, zaczepił się i coś kopnął, jakby kawałek matowego szkła. Bryłka wystrzeliła w górę i spadła tuż przed dziewczyną. Podniosła szkiełko. Mieniło się w słońcu.

– I tak ci nie wybaczę. – Uśmiechnęła się do Jo i rzuciła znalezisko za siebie. Ruszyli na piwo.

Wieść o Diamentach Życia, wielkich nieoszlifowanych bryłkach, które miały być paszportem dla bogatych Żydów z łódzkiego getta, rozniosła się lotem błyskawicy. Do Łodzi znów zjechały wszystkie telewizje, włącznie z CNN i BBC, Anna Świderska zaś, która jako jedyna oddała swoje znalezisko państwu, stała się sławna. Wartość znalezionej przez nią bryłki oszacowano na 4,2 miliona dolarów. Po historycznie największym znalezisku na łódzkich Bałutach sześćdziesięciu złotych monet holenderskich, brytyjskich i niemieckich z osiemnastego i dziewiętnastego wieku o wartości rynkowej ośmiu tysięcy złotych był to największy skarb Łodzi. Co tam wanna ze srebrem przodków brytyjskiego dokumentalisty, co tam Rembrandty w ogrodzie, wiadomość o diamentach zelektryzowała miasto i zmotywowała łodzian do poszukiwań. Wszyscy chodzili z wykrywaczami metalu, łopatami i przekopywali teren wokół swoich domów.

– Nikt nie wie, ile w woreczku było diamentów, ale biorąc pod uwagę jego pojemność, było tego kilkadziesiąt sztuk. Worek miał wielkość dużego melona – tłumaczył Saszy sytuację Cuki.

– Nikt poza strażaczką się nie przypucował?

– A ty byś oddała?

Sasza się zawahała.

– Nie wiem. A ty?

– W życiu! – zapewnił policjant. – Nawet gdybym miał się z tą wiedzą zahibernować na lata.

– Wtedy jednak wszystko się poskładało. Tego Ziębiński szukał w kanałach. Dlatego zlecił wysadzenie budynków. Ubezpieczył je porządnie i przejmował sukcesywnie, wedle mapy, którą posiadał.

– Udało się ją odzyskać? – zdziwiła się Załuska.

– Częściowo – przyznał Cuki. – Ptyś zeżarł ją w pierdlu, ale potem wysrał. Połowa się nie zachowała. Ludzie z Muzeum „Dętka" i inne bunkrołazy zabrały się jednak do roboty i odtworzyły mapę. Kiedy tamtędy szli, natrafiali na wysadzone przęsła. Przy jednym z nich znaleźliśmy podłożony ładunek i apaszkę Ptysia. Mimo powodzi, która tamtędy przeszła, jest na niej trochę jego biologii.

– Niewiarygodne.

– Ale prawdziwe. Powstaje strona internetowa. Hollywood planuje nakręcić film. O Diamentach Życia sam słyszałem od babci. Zawsze się mówiło, że są gdzieś w Łodzi. Ci Żydzi, wiesz, nie wszystkim się udało. A może i wyjechali, może i żyją. Niemcy, jak odchodzili, ukrywali skarby, gdzie popadło. Taki wór z diamentami w tamtym czasie skracał cię o głowę. To jak gorący towar zaraz po napadzie. I tyle.

– Więc sprawa zamknięta. Dzieci się znalazły, sprawcy zatrzymani. Co jeszcze?

– A nic takiego. – Cuki wzruszył ramionami i tajemniczo się uśmiechnął.

Sasza czekała. Nie wiedziała, co myśleć.

– Chyba nie powiesz mi, że też znalazłeś diament – rzuciła.

– Ja niestety nie. Bardzo tego żałuję. Zanim zabrałem się do poszukiwań, jakieś dziki zryły mi obejście. Tylko żona się cieszy, że grządki spulchnione. Dalej jestem na debecie. *Game over*.

– Podobno te kamienie są przeklęte – pocieszyła go profilerka. – Zresztą, kto nie ma szczęścia w grze, wiedzie mu się w miłości.

Cuki spojrzał na Saszę rozbawiony.

– Zapewniam cię, że w małżeństwie o miłość chodzi najmniej. To umowa cywilnoprawna. Ważne, by prawa i obowiązki były zrównoważone.

– Nigdy tego nie rozumiałam.

– To widać na pierwszy rzut oka. Ale może przynajmniej jesteś bogata?

– Jak cholera.

– To tak jak ta tancerka.

– Która?

– Ta, której Leon ponoć podarował mapę skarbów Łodzi.

Rene wieszała obraz nad ladą, ale zaraz zmieniła zdanie i przewiesiła go na wystawę. Nad ladę przeniosła stary zegar. Omiotła spojrzeniem antykwariat i usiadła na antycznym zydelku w stylu ludwikowskim. Stawała na nim po książki, które umieściła pod ścianą, by przymocować karteczkę „Czytanie za darmo". Miała tej makulatury jeszcze dwa schrony. Postanowiła, że każdy, kto przyjdzie do jej sklepu, może sobie wziąć książkę do domu. Pod warunkiem, że ją przeczyta. Jeszcze tylko nie wiedziała, jak miałaby to sprawdzać.

Zadźwięczał dzwonek, który zwiastował wejście klienta. Spojrzała na zegar. Oczywiście znów stanął. Większość skarbów Leona, wydartych lokatorom, była zepsuta lub miała widoczne wady. Zalanie też im nie pomogło. Ale i tak otworzyła antykwariat.

Najpierw w drzwiach zobaczyła Bogusia Rakowieckiego. W garniturze i fularze pod szyją z trudem rozpoznała w nim menela sprzed Andelsa. Przypominał raczej Seana Connery'ego, choć był znacznie wyższy i miał sporo lat mniej.

– Nieśmiertelny. – Uśmiechnęła się serdecznie do Bogumiła.

Był teraz w mieście słynną personą. Fakt, że zawartość 3,4 promila alkoholu we krwi uratowała mu pewnego siajowego dnia życie, dawała nadzieję wszystkim strażnikom łódzkich bram.

Rakowiecki skłonił się Renacie bez słowa i otworzył szerzej drzwi, a potem komuś stojącemu za nim płynną angielszczyzną zacytował jeden z wierszy Tuwima o Łodzi. Rene sądziła, że Boguś popisuje się przed biuściastą pielęgniarką, noszącą już na palcu pierścionek zaręczynowy, który osobiście wybrała sobie w jej antykwariacie na koszt przyszłego męża. Lecz szpileczki stuknęły o bruk, Boguś skłonił się uniżenie Rene i wyrecytował:

– Zostawiam państwa. Czekam na kolejny występ. Ogień to pani żywioł. Bezapelacyjnie.

Trzasnęły drzwi i już go nie było.

Rene przyjrzała się cudzoziemcowi. Mężczyzna był otyły i niski. Przywodził na myśl kulę. Drobne oczy niemal całkiem ginęły w nalanej twarzy, ale nieustannie się uśmiechał. Wypolerowana glaca błysnęła, kiedy zdjął bejsbolówkę. Niebieska wygnieciona koszula rozjeżdżała się między guzikami. Płaszcz żył własnym życiem. W ręku miał mapę Łodzi i ciemne okulary, które pożyczył pewnie od Brada Pitta. Tylko pogarszały sprawę.

– Pani Renata Orki? – prawie połamał sobie język na ostatniej zgłosce.

Skinęła głową, otrzepała falbaniastą spódnicę.

– Mów mi Rene – przeszła na angielski i wyciągnęła rękę do powitania. – Pan Svoray?

– We własnej osobie.

Skinęła ekspedientce i poprowadziła gościa na zaplecze. Bez zbędnych wstępów podeszła do rzędu nieodpakowanych z folii bąbelkowej obrazów. Wyszukała ze sterty najmniejszy. Odpakowali go wspólnie. Położyli na stole. Obraz był nieduży. Olej na desce. Przedstawiał mężczyznę w rozłożystej czapce, wpatrzonego w dal.

Svoray stał długo w milczeniu. Wreszcie rzekł:

– To autoportret Rembrandta. Wczesna rzecz.

– Jest na nim jeszcze młody – potwierdziła Rene. – To falsyfikat, prawda?

Svoray nie odpowiedział.

– Nie zajmuję się tymi sprawami. Przyjechałem w związku z kamieniami. Zrobiłem o tym film. Powstała też książka.

– Wiem – zapewniła Rene. – Ale znalazłam informację, że ten obraz został skradziony z muzeum w Sztokholmie. Przejęto go dzięki współpracy policji z całej Europy i FBI. Ponoć w grupie złodziei był Polak. Zatrzymano ich w Kopenhadze. Ukradli wtedy także *Młodą paryżankę* i *Rozmowę*. Każdy wart jakieś sto czterdzieści milionów dolarów.

– *Paryżanka* sto dziesięć – sprostował Svoray.

– Myślałam, że tym się pan nie zajmuje.

– Sprawdziłem w telefonie – wykpił się. – Czytaliśmy widocznie ten sam tekst. Oba zostały odzyskane. Nie trafiły na czarny rynek.

– Ten człowiek – zaczęła Rene i zawahała się. Ponieważ jednak Anglik dystyngowanie milczał, zdecydowała się mówić dalej: – To był mój brat. Ale on nie jest złodziejem. To niedoszły naukowiec. Robił doktorat. Zajmował się grafenem. Nie obronił, ale to nie bandyta. Zrabowali ten obraz na zamówienie swojego szefa. On teraz siedzi do innej sprawy. Nie musimy się już bać. Wiem dziś, jak było naprawdę. Prowadzili negocjacje. Zażądali podwójnej ceny. Dwieście tysięcy. Cybant, mój brat, nie miał nic do powiedzenia. Wie pan, był tylko od noszenia ciężarów, rozwalania budynków.

W końcu wpadli. FBI ich zgarnęło. Cybant posiedział dwa lata, ale Leon go wykupił. Obraz został.

– To jest falsyfikat. – Svoray pokręcił głową.

Zaczął nerwowo tuptać. Rene widziała, że chciałby już iść, a co gorsza, ma ją za mitomankę.

– Kiedy ja naprawdę chciałabym go zwrócić – zapewniła pośpiesznie, a potem rzuciła się znów do drzwi magazynu. Z nerwów trajkotała już po polsku. – Bo widzi pan, oni zamienili obrazy. I jest jeszcze jeden. Może pan zerknie?

Mężczyzna nie miał widać ochoty na zwiedzanie. Może pomyślał, że Rene go podrywa? Że zwabiła tutaj sławnego poszukiwacza skarbów, pisarza i dokumentalistę „na obraz". To pewnie stały numer jego fanek. Czuła się idiotycznie.

– Musi się pani skontaktować z muzeum – zbył ją i nerwowo zamachał rękoma. – Albo po prostu nadać paczką do Sztokholmu. Zorientują się, jeśli to pani ma prawdziwe sto baniek, a oni falsyfikat – zaśmiał się sztucznie. – Bez obaw.

Rene wpatrywała się w Anglika i już więcej nic nie powiedziała. On też był zakłopotany. Rozejrzał się po antykwariacie.

– Klimatyczne miejsce. – Uśmiechnął się znów uprzejmie.

Wziął do ręki pierwszą z brzegu figurkę. Udawał, że ogląda. Odstawił. Potem chwycił tandetną amforę. Omsknęła mu się i złapał ją w ostatniej chwili, zanim się stłukła. Ze środka coś wypadło. Podniósł, położył na ladzie. Był teraz cały czerwony. Rene wzięła do ręki kamyk i machając nim przed oczami Anglika, wyjaśniała:

– Znalazłam koło pracy brata. Taki tam kamyczek. Wie pan, Karolcia. Tylko że ten nie jest niebieski.

Zrobił zdziwioną minę.

– Nieważne. – Machnęła ręką i schowała kamyk do kieszeni.

– To ja się pożegnam.

– Dziękuję, że pan się fatygował.

– Nie ma problemu.

Szybko odwrócił się i wybiegł z antykwariatu, jakby kobieta miała go gonić.

Rene weszła znów do magazynu. Wyszukała niewielki obrazek na desce. Także pieczołowicie zapakowany. Ktoś dawno temu nakleił na nim plaster z dopiskiem „RHL", ale po tylu latach był już prawie nieczytelny. Rene zaczęła wypełniać druk pocztowy, miała już zlecić ekspedientce wysłanie obydwóch obrazów do muzeum w Sztokholmie. Nie zamierzała nawet przyklejać żadnej kartki. Ale się rozmyśliła. Zapakowany olej schowała najgłębiej między landszafty i pokrowce ze starymi fotografiami, natomiast kopię autoportretu mistrza wsunęła do swojej torby. Wrzuciła tam też bryłkę z amfory. Na szczęście.

Gdańsk, 27 kwietnia 2016

Załuska poczuła delikatny swąd spalenizny, a zaraz potem zaczęła się dusić. Z jej gardła wydobywał się suchy, drapiący kaszel. Przełyk zwężał się, jakby na szyi zaciskała się metalowa obręcz. Nie mogła oddychać. Coś uciskało ją w piersi, serce łomotało, opary dymu drażniły nozdrza. Przed oczami pojawiły się czarne plamy. Wiedziała, że za chwilę straci przytomność. Choć języki ognia znów lizały ją po plecach w miejscu tureckiej mozaiki, do której przykleiła się jej kiedyś poliestrowa zasłona, nie miała siły się poruszyć. Zresztą ognia się nie bała. To dym niesie śmierć. Wreszcie z ulgą się w nim rozpływała.

– Już dobrze. Spokojnie – usłyszała, kiedy Duch odsłonił kołdrę z jej twarzy. Jak zwykle była nią zakutana razem z głową. Często naśmiewał się z tego: „Nawet w łóżku się ode mnie odgradza. Nic nigdy mi nie mówi. Tajemnicza jak kot z *Siedmiu życzeń*". Teraz słyszała, jak przerażony Robert szepcze: – To tylko sen. Obudź się, Sasza. Jestem tutaj!

Z trudem zmusiła się do otwarcia oczu. Chwyciła wielki haust powietrza, aż się nim zakrztusiła. Wspomnienie pożaru momentalnie zniknęło, ale strach pozostał. W ciemności

619

widziała tylko zarys twarzy Duchnowskiego. Włosy sterczały mu na wszystkie strony. Zęby błyszczały demonicznie, podświetlone jaskrawym światłem latarni zza okna. Uśmiechał się, gładził ją po spoconej twarzy. Wiła się, usiłując uniknąć dotyku kochanka. Na moment i Duchowi udzielił się jej lęk. Zabrał rękę. Czekał. Ale to była tylko chwila. Zaraz wyciągnął ku Saszy rozłożyste ramiona, potrząsnął nią z całej siły i uniósł niczym piórko do pozycji siedzącej.

Teraz już nie protestowała. Wtuliła się w jego nagi tors, poczuła intensywny zapach. Dym i swąd spalenizny znów okazały się wyłącznie iluzją. Zamarła. Siedzieli tak jakiś czas w ciszy. Nie wydała z siebie żadnego odgłosu, nie załkała. Oczy miała suche, choć chciałaby rzewnie zapłakać, jak każda kobieta zrobiłaby na jej miejscu. Sasza zamiast łez czuła pod powiekami piach i choć mrugała rozpaczliwie, pieczenie tylko się wzmagało. Duch gładził ją po głowie, aż wreszcie wychylił się do szafki nocnej i zaczął grzebać w szufladzie. Zaklął, kiedy na wpół opróżnione miękkie opakowanie marlboro spadło na podłogę. Sasza pośpieszyła wzrokiem za jego ręką i zatrzymała się na zdjęciu stojącym na blacie. W ciemności nie było widać wyraźnie fotografii, ale doskonale wiedziała, co przedstawia. Natychmiast wyswobodziła się z jego objęć, odsunęła bojaźliwie na drugi koniec łóżka i okryła szczelnie wciąż wilgotną od jej potu kołdrą, by już za chwilę zmienić zdanie i wstać. Zbyt gwałtownie, aby nie zwróciło to uwagi Ducha. Odchrząknął, ale nic nie powiedział. Spojrzał w tym samym kierunku. Fotografia, niczym wyrzut sumienia, negatyw, była teraz wyraźnie widoczna w świetle latarni. Tym razem nie położył jej wizerunkiem do dołu, nie schował do szuflady. Zrozumieli się bez słów.

Sasza chwyciła dżinsy i koszulę, zaczęła się pośpiesznie ubierać. Duch patrzył na nią lekko otumaniony. Przecierał jeszcze oczy, udawał, że szuka włącznika do lampki, ale w ręku miał już zgniecione marlboro. Ręka mu drżała.

– Chcesz? – zapytał, wyjmując ostatniego papierosa. Reszta leżała na podłodze, rozkruszona na miazgę. Musiał przydeptać je, kiedy budził Saszę. Wiedziała, że był z tego powodu zły. Nigdy nie kupował papierosów na zapas. Zza szafki wyturlała się pusta butelka po tequili. Spojrzał na Załuską przepraszająco. Udała, że nie widzi. Wzruszyła tylko ramionami, jakby mówiła: to twoje życie, nie moja sprawa.

Dopiero kiedy była już ubrana, pstryknęła światło. Robert zasłonił oczy. Oboje się roześmieli, ale nie było w tym nawet krzty wesołości.

– Siedzę przedwczoraj w radiowozie drogówki – zaczął Duch z nieśmiałym uśmiechem. Była w jego głosie desperacja. Sasza od razu ją wyczuła i nie spodobało się jej to, ale zdusiła emocje. – Oni milczą, ja milczę.

Teraz podniosła głowę, wsunęła pasek w szlufki spodni. Pochyliła się, chwyciła skarpetkę. Rozległo się *Mystery of Love* w wykonaniu Marianne Faithfull. Duch błyskawicznie chwycił swój telefon i natychmiast go wyciszył. Oboje wiedzieli, kto dzwoni do niego po północy. Tylko jedna osoba miała taką odwagę i nie był to komendant wojewódzki, który zresztą nie zasłużył na dzwonek boskiej Marianne.

– Odbierz – mruknęła Sasza. – Może coś się stało.

– Upiła się i chce gadać. – Machnął ręką. – Nieważne.

Drugiej skarpetki nie mogła znaleźć, więc lewy sztyblet wsunęła na bosą stopę. Byle szybko, byle jak najdalej stąd. Uciec. Do siebie, do swojej jaskini. Nagle Duch chwycił ją za rękę. Zacisnął jej drobną dłoń w swojej niczym w kleszczach. Sasza klapnęła obok.

– Mija kilka minut. Jeden gliniarz przerywa ciszę: „No czemu mi nic nie proponujesz?". Odparłem: „Wyjdź za mnie!" – zawiesił głos. Spojrzał znacząco na siedzącą w jednej skarpetce kobietę. Wpatrywał się w nią lekko zaniepokojony.

– I? – rzekł wreszcie.

Nie odpowiedziała, więc dokończył dowcip.

– Pośmiali się i puścili bez mandatu.

– To mają być oświadczyny? – żachnęła się Sasza i rozczesała palcami włosy.

W domu Ducha nie miała swojego grzebienia ani nawet szczoteczki do zębów. On u niej miał żeglarski worek pełen dobytku, choć nie pamiętała, by wyjmował zeń choćby pół T-shirtu. Zawsze przyjeżdżał późnym wieczorem i wyjeżdżał przed śniadaniem. W niektóre niedziele zostawał do ósmej, by zrobić jej kawę z ekspresu, a sobie neskę, którą zresztą sam sobie kupił, bo Sasza gardziła produktami instant. Czasami w pośpiechu przygotowywał dla niej jajecznicę i podawał do łóżka w pełnym korowodów kogucim tańcu. Wychodził, zostawiając ją z widelcem w dłoni i parującym talerzem w rękach. Zawsze miała wrażenie, że Robert w ten sposób koi swoje poczucie winy. Kiedy mu to wyrzucała, obrażał się i milczał przez kilka dni. Tryb jej pracy bardzo ułatwiał prowadzenie tych zimnych wojen. Potem, jak gdyby nigdy nic, dzwonił, opowiadał anegdotę. Udawało mu się ją rozśmieszyć. Wszystko znów wracało do normy. Były randki z łóżkiem, rozmowy o ludziach z pracy i utyskiwania na niedofinansowany los gliny. Niczego jednak nie chciał zmieniać. Dobrze mu było w tej obopólnej asekuracji, choć miała pewność, że po swojemu ją kocha. Tak w każdym razie mówił. Ona prawie nigdy.

Szarpała się teraz z włosami jeszcze chwilę, coraz bardziej wściekła. Miedziane sprężyny splątały się na końcach w niewielki kołtun. Już jakiś czas temu postanowiła, że jeśli to się powtórzy, pójdzie do fryzjera i zetnie rude kudły do gołej skóry. Nigdy tego nie zrobiła. Ścięcie włosów to jak pozbycie się siły. Niewiele jej przecież miała.

– Poniekąd – odparł z teatralnym śmiechem. – Oferta ma limitowany termin przydatności do spożycia.

– Wolałabym jednak nożyczki – zmieniła temat. – To sprawa niecierpiąca zwłoki.

Duch nie roześmiał się, choć zwykle bawił go jej zimny dowcip. Ostatnim, co dałoby się o niej powiedzieć, było to, że jest romantyczna. Emfaza, egzaltacja, różowe serduszka. To tak, jakby ją obrazić.

Sasza wskazała na stojące na szafce nocnej zdjęcie sympatycznej brunetki, która w życiu wie, gdzie stoją konfitury, pozującej z trójką córek przed bramą lunaparku. Potem podniosła zza firanki zapalniczkę i podała Robertowi. Wymienili się spojrzeniami. On zapalił.

– Nie sądzisz, że to niestosowne zapraszać kobietę do sypialni z takimi atrakcjami po przebudzeniu?

– Zamykasz się. Izolujesz. Właściwie nic o tobie nie wiem – zeźlił się nagle i odwrócił drugim profilem. Widziała teraz bliznę po postrzale na jego policzku. Była już ładnie wygojona. Prawie niewidoczna. Wyglądał jak bohater westernu, z tym elementem jeszcze bardziej przystojny niż zwykle. Ponownie odezwał się dopiero po chwili. I tym razem nie patrzył jej w oczy. – Jeśli tak ci zależy, to się z tobą ożenię.

Sasza chwyciła skórzaną kurtkę i zawiązała na szyi apaszkę. Na głowę wcisnęła beret. Przesunęła na bok.

– Ale musisz iść na terapię – zaznaczył.

– Nie opłaca mi się.

– Wychodzić za mnie czy leczyć się z koszmarów? – zaśmiał się Duch i podał jej komórkę. Ekran był rozświetlony.
– Ktoś się dobijał pół nocy.

– To chyba nie jest najlepszy moment – rzekła. – Zwłaszcza biorąc pod uwagę adresatkę twojej Faithfull.

Wydało jej się, że przyjął odmowę z ulgą. Może nawet ucieszył się, że jest tak kolczasta i bierze na siebie rolę raroga, pozwalając mu wyjść z tego z twarzą. Chciała dodać, że raczej nie oczekiwał innej odpowiedzi, skoro złożył ofertę w taki sposób. I woli, jeśli – jak zwykle – sobie z tego pożartują. Propozycję złożył, a ona odmawia. Już słyszała komentarze w komendzie o modliszkach, zimnych rybach, starych pannach z rudymi kłakami. A przecież gdyby myślał o związku poważnie, tego zdjęcia by tutaj nie było. Ich relacja byłaby inna. Miałaby, do cholery, tutaj grzebień. Mieliby razem dom, tworzyliby rodzinę. Wszystko frazesy, obietnice. Ile razy to słyszała.

– Daję ci sto dwadzieścia procent swojego czasu – zaczął utyskiwanie. Aż się zdziwiła, bo nie spodziewała się takiego obrotu sprawy. – Mam dzieci, sam je wychowuję. To wszystko, co mogę ci zaoferować. Nawet w nadmiarze.

– Łaskawyś – odburknęła. – Ale ja nie zwykłam prosić o łaskę. Nie w takich sprawach.

– Powiedziałabyś choć raz „dziękuję". – Wzruszył ramionami. Wciąż siedział na łóżku prawie nagi.

Obrzuciła spojrzeniem wystrój domu Ducha: boazerię, która pamiętała czasy świetności lat osiemdziesiątych, kolekcję poroża, na którym wisiały mundur galowy oraz kombinezon roboczy i wodery oraz kuchnię, w której główną atrakcję stanowił kolosalny przypalony garnek do gotowania karmy dla psów.

– Dziękuję. – Sasza pochyliła się i pocałowała go chłodno w policzek. – To był miło spędzony czas. Poniekąd.

Duch wreszcie zrozumiał. Zerwał się poirytowany.

– To moja eks. Ma nowego męża, ale to wciąż matka moich dzieci. Z czego mam się jeszcze tłumaczyć?

– Może z tego, że wszystko, co mi opowiadałeś, to bujdy. Miałbyś chociaż resztkę honoru, by wyprowadzić się z jej mieszkania. I nie wychowujesz ich sam. Ona jest tutaj prawie każdego dnia. Nie trzeba być profilerem, żeby to stwierdzić.

Miała ochotę otworzyć szafę, wskazać stertę nowych tunik i butów z futra byłej-aktualnej małżonki Ducha. Palcem pokazać jej szczoteczkę do zębów i grzebień, na którym wciąż było kilka brązowych włosów. Jej szlafrok, krem pod oczy, depilator. Ale zamiast tego wyszła bez słowa. Bo nie było tu miejsca dla Saszy, wciąż poniekąd tajnej kochanki Ducha, która nawet nie dostąpiła zaszczytu poznania jego dzieci. Wyszła z postanowieniem, że nigdy więcej nie przekroczy progu tego domu. I tym razem zamierzała dotrzymać słowa.

Kiedy była na werandzie, wysupłała z kieszeni kurtki R1, zapalniczkę żarową i kciukiem uruchomiła telefon, by wezwać taksówkę. Wyświetliło się kilka nieodebranych połączeń od córki oraz jeden esemes z nieznanego numeru. Sasza uruchomiła listę wiadomości.

„Jak nie odbierasz, to może wyłącz pocztę albo podaj adres mejlowy – odczytała esemes. Od razu rozpoznała styl Dziadka. – Łysy Łoś odwalił kitę. Wchodzisz do gry. «Czerwony Pająk» odpływa pojutrze ze Sztokholmu i chcę, by Calineczki na nim nie zabrakło".

– Przyczółek piratów będzie nasz – oświadczyła do siebie na głos i zapięła zamek kurtki. – Tylko praca czyni wolnym.

Minęła zarośnięty ogród, pogłaskała na pożegnanie niewidomą sukę i otworzyła furtkę.

Przed wejściem oparty o białą vespę stał Łukasz Polak. Cofnęła się w pierwszym odruchu, ale po chwili ruszyła przed siebie. Zamierzała minąć Polaka bez słowa, ale zaszedł jej drogę i podał kask.

– Śledzisz mnie? – Pokręciła głową z niedowierzaniem. Była teraz naprawdę wściekła. Drugiej konfrontacji się nie spodziewała i nie była na nią gotowa. – Jak mnie tu znalazłeś?

– Zlokalizowałem cię za pomocą GPS-u Google – wyjaśnił spokojnie, jak zwykle ledwie otwierając usta. – Na podstawie numeru komórki. Tom jest w Polsce.

Zaskoczyło ją to.

– Abrams? Dlaczego?

Jej guru profilowania zawsze wolał ciepłe kapcie zamiast przygód mrożących krew w żyłach, a do takich należała przecież podróż starego Anglika do Polski. Sasza doskonale to wiedziała. Jak widać, Łukasz też był tego świadom.

– Nigdzie z tobą nie jadę – fuknęła i oddała Polakowi starodawny kask. – A zwłaszcza tym sprzętem włoskiego lodziarza. I nic się między nami nie zmieniło.

Łukasz nie zareagował. Twarz miał nieruchomą. Oczy zwrócone do ziemi.

– Twoja mama miała udar mózgu. Karolina trafiła do Izby Dziecka. Nie mogłem temu zapobiec. Tylko najbliższa rodzina mogła ją odebrać. – Nagle zamilkł.

Sasza bała się tego, co usłyszy dalej, choć właściwie powinna była się tego spodziewać. Zdjęcia w gazecie, jej dossier. Sukces w Łodzi. I jej dziecko pozostawione sobie samej, bo matka zajmuje się karierą, na własne życzenie nadstawia karku, by wciąż mieć dostęp do adrenaliny i nie mieć czasu na picie.

– Stałem przed wejściem kilka godzin. Twój numer nie odpowiadał. Wyprowadzili ją w obstawie. Dwóch facetów w garniturach i kobieta. Elegancka. Zaraz zadzwoniłem do Toma.

Czarne mroczki latały Saszy przed oczami. Gardło wyschło na wiór. Serce rozrywało klatkę piersiową, dłonie zaciskały się w pięści. Kobieta chciała wrzeszczeć, płakać, skulić się w sobie jak embrion w brzuchu matki. Ale tylko zacisnęła usta i spytała:

– Znasz ich? Tych porywaczy.

Zaprzeczył.

– Ale ich rozpoznam. Zrobiłem też zdjęcie wozu, który po nich podjechał. Jest fragment tablicy.

– Dziadek wie?

Znów pokręcił głową.

– Najpierw nie byłem pewien, czy to porwanie. Karolina się śmiała. Miała ze sobą jakieś zabawki. Zawołałem ją, ale mnie nie słyszała. Zanim dobiegłem, wsadzili ją do samochodu i to było wszystko. Wróciłem po motor, zjeździłem okolicę. Jakby rozpłynęli się we mgle. Potem zderzyłem się z ogrodzeniem. – Pokazał zadrapania na twarzy. – Kumpel pożyczył mi gadżet ze swojej restauracji. Myślałem, że rozkraczy się przy pierwszym zakręcie. Przyjechałem najszybciej, jak mogłem.

– Wzięli ją wieczorem! Urzędnicy nie pracują w takich godzinach! – lamentowała Sasza.

Ukryła twarz w dłoniach i wreszcie się rozpłakała. Łukasz przytulił ją, głaskał po głowie, ale to nie dawało profilerce otuchy. Czuła, że cały drży. Był jeszcze bardziej przerażony niż Załuska.

Kiedy odjeżdżali, we wstecznym lusterku starej vespy Sasza dostrzegła Ducha, który w bokserkach i rozchełstanej koszuli wybiegł za nią na ganek. Nie obchodziło jej, co mógł sądzić, widząc ją znów z Łukaszem. Wszystkie jej myśli zaprzątały teraz Karolina i Laura. Nikt się już nie liczył, nic nie miało znaczenia. Pragnęła zemsty. Była gotowa zejść po córkę do piekła. Zapłacić każdą cenę, choćby i zabić. Nawet nie pomyślała o wódce. W innych okolicznościach pogratulowałaby sobie wygranej z nałogiem. Teraz tylko objęła Polaka wpół i szepnęła:

– Dobrze, że jesteś.

Nie mógł tego usłyszeć, ale chyba zrozumiał, bo dodał gazu.

KONIEC CZĘŚCI III

Od Autorki

Lampiony to opowieść o mieście.

Zawsze chciałam napisać historię, dla której nieuniknione będzie pamiętanie słów Arystotelesa, iż miasto tworzą ludzie różni od siebie, nie zaś podobni.

Fascynowała mnie wspomniana różnorodność, pozorny brak wspólnego mianownika (poza przestrzenią, w której funkcjonują mieszkańcy), wielość powiązań, lecz i poczucie anonimowości, niezależności, a czasem i wykluczenia, które daje wyłącznie aglomeracja. Również sentymentalizm i personifikowanie tego miejsca przez tubylców oraz rysunek architektoniczny na tle historii dziejów.

Tę wielogłosowość można by nazwać palimpsestem. I nie chodzi tylko o to, że nanoszą się na siebie głosy i tradycje, ale też zbrodnia w mieście jest czymś w rodzaju kodeksu zapisanego na nowo. Dlatego też jedno przestępstwo nawarstwia się na drugim, stanowi podglebie oraz rozsadnik dla kolejnego. Prowokuje i wywołuje, wciąż pozostając w tej samej materii, ale też, niczym w rzymskim rękopisie (od *palin* – ponownie i ψάω *psao* – ścieram), nie da się uniknąć przebijania na nowym zapisie starych liter.

Jako autorka powieści kryminalnych nie mam zbyt wielu okazji do zabaw formą. Wszelkie stylizacje językowe również są zakazane, jeśli nie posuwają akcji do przodu. Dlatego też opowieść o mieście w połączeniu z żywiołem ognia dawało mi nadzieję (i radochę) na stworzenie kolażu narracji, stylów oraz klimatu samego zapisu, bez wytracenia tego, co najważniejsze – idei trzymania w napięciu, które jest konieczne w opowieściach z trupem w tle.

Od początku wiedziałam, że będzie to najbardziej awanturnicza, zwariowana, ale i najbardziej polifoniczna opowieść, jaką przyszło mi napisać. Potrzebowałam jedynie odpowiedniego miejsca akcji, gdyż nigdy nie wybieram go przypadkowo ani z chwilowej potrzeby, pod wpływem emocji. To zawsze wybór świadomy i na zimno. Każda z moich opowieści może rozegrać się wyłącznie w tym miejscu i tylko tam będzie miała szansę być uprawdopodobniona. Choć, rzecz jasna, większość przygód Saszy Załuskiej w Łodzi i innych bohaterów *Lampionów* nigdy się nie zdarzyła i (tfu, spluwam za siebie na urok) nigdy nie zdarzy. Realia łódzkie dały mi jednak odwagę posunąć się w wyobraźni na skraj przepaści. Upraszam o dystans do przebiegu fabularnego i odrobinę poczucia humoru.

Decydując się na Łódź jako miejsce osadzenia fabuły tomu, w którym rządzi żywioł ognia, nie byłam pewna, czy to dobry wybór. Początkowo lokalizacja trzeciego tomu tetralogii była inna. Do Łodzi przyjechałam na jedno ze spotkań autorskich (powitał mnie tłum mieszkańców na placu Wolności) i jak zawsze bacznie przyglądałam się przestrzeni, obwąchiwałam teren, słuchałam ludzi i zbierałam przy okazji dane, bo nigdy nie wiadomo, kiedy pisarzowi powieści kryminalnych może się przydać zasłyszany dialog czy scena podejrzana z rzeczywistości. Dziś nie wyobrażam sobie innej decyzji. To miasto kontrastów, w każdym tego słowa znaczeniu. Znajdowałam tak malownicze, ciekawe plenery, że nie byłam w stanie wydostać się z etapu dokumentacji i dopiero po stanowczym vecie wydawcy zakończyłam research lokacyjny.

Bo też nigdzie w Polsce nie pada tak światło. Nigdzie nie ma takiego nerwu, nie słyszy się tylu bluzgów, nie widzi tylu flaszek w bramach, nie czuje tak bardzo tęsknoty za przeszłością, bo Łódź cała jest żywą historią, ale też nie spotyka się tak wielu niezwykłych, otwartych, pogodnych oraz uczynnych ludzi na ulicach. Bywałam na Abramce, Włókience, Limance o naprawdę różnych porach i nigdy nie dostałam w ryj, choć to miejsca wprost stworzone do tego fabularnie. Odbyłam dziesiątki rozmów z mieszkańcami tych areałów, zwiedzałam puste fabryki, mateczniki ultrasów ŁKS-u, stałam pod balkonem obwieszonym trofeami kiboli i jarałam szlugi z lokalsami, słuchając rapu. Czytałam graffiti na ścianach, odwiedzałam galerie, inkubatory przedsiębiorczości, siedliska bezkompromisowych artystów i patrzyłam z najwyższych szczytów na dachy miasta zbudowanego na kształt kraciastej płachty, gdzie można liczyć aleje od Piotrkowskiej niczym w Nowym Jorku.

Mówi się o Łodzi, że to tonący okręt (są nawet o tym piosenki). Ale też chyba mieszkańcy żadnego miasta nie kochają tak swego miejsca na ziemi i nie są gotowi bronić go za wszelką cenę. Wierzę, że przestrzeń, w której ludzie żyją, historia, którą niosą w genach – ma znaczenie dla teraźniejszości. Dlatego też miejsce akcji moich książek jest sprawą kluczową. Lokacja łączy się ściśle z życiorysem postaci i tym, czego moi bohaterowie pragną, czego się boją. Historia opowiadana w *Lampionach*, najbardziej zwariowana ze wszystkich, jakie przyszło mi wymyślić, mogła zdarzyć się tylko tam. Od początku wiedziałam, że musi to być gruba, ostra kreska na rysunku i ognisty przebieg wydarzeń. Patrząc przez pryzmat osobowości zaludniających Łódź – ona taka właśnie jest. Honorowa, wymagająca od bywalców twardego końca kręgosłupa, szydercza, potrafiąca rechotać z najbardziej kostycznych żartów, ale za chwilę łagodna, szczera, czasami sentymentalna, wierna zasadom, za które warto skakać... w ogień. Zawsze jednak wierna swoim ideałom.

Każdy spacer łódzkimi ulicami to kadry z filmów, które wszyscy znamy. Bałuty są wymarzone do zabiegów westernowych. Stare Polesie, zwane Zapomnianą Dzielnicą, mieści w sobie bajkowość i magię, której nie uświadczysz w innych, znacznie starszych miastach. Traumatyczna historia miasta (teren dawnego getta), powody, dla których powstało, i jej robotniczy trzon, a co za tym idzie, upadek społeczny bardzo wielu rodzin, ma wpływ na klimat miasta. Nie ma tu nic gładkiego, ulizanego, pocztówkowego. Zapomnijcie o folderach reklamowych. To miasto żyje, przeistacza się. Walczy o niepodległość. Flaki są widoczne na każdym kroku (wystarczy ruszyć w bok od Piotrkowskiej), ale jak tylko przemieścimy się do innego kwartału, zaskakuje nas nowoczesność, monumentalizm i rozmach (EC1, Manufaktura, ekskluzywne osiedla, lofty U Scheiblera, Paragraf – budynki Wydziału Prawa). Obok siebie, w pełnej zgodzie, pysznią się szklane wieżowce, kwartały zabytkowych kamienic, siedliska najbiedniejszych, zaraz obok gromadnie występujących przedstawicieli bohemy (tak, oni są jeszcze w Łodzi!) oraz budki z kebabami. To wszystko zaś okraszone jest duchem artystów – od murali na starych kamienicach, przez słynną Stajnię Jednorożców (przystanek Centrum, którego żartobliwy ton w samym sercu łódzkiej szarości traktuję jak psikus architekta zawadiaki) – czy też atakuje z głośników – to z Łodzi pochodzą najlepsi muzycy z nurtu rapu. Od teraz jestem absolutną fanką Zeusa. Chapeau bas za mądre teksty, za niezależność, bezwzględny zadzior i – co będę ukrywała – wrażliwość na linię melodyczną, co, jak widać, jest możliwe w tym gatunku. Jeśli ktoś z Państwa myśli wciąż o Łodzi jako o mieście bezrobotnych włókniarek, grubo się myli.

To miasto ma kolor czerwonej cegły – płomieni, które – w sensie dosłownym – trawią regularnie stare łódzkie kamienice, jak i – w przenośni – wypływają na buntownicze twarze mieszkańców, kiedy rzecz idzie o obronę godności.

Ogień jest w tym mieście widoczny nie tylko dosłownie (Łódź naprawdę płonie!), lecz także w rozbójnickim honorze jego mieszkańców, którzy – niezależnie od statusu społecznego – wkładają koszulkę „Jestem menelem" i robią sobie bekę ze wszystkich, którzy śmieją obrazić ich miasto matkę, choćby mieszkali od lat w Warszawie, Hongkongu czy Paryżu.

Puszczam więc tą książką do Was oko i upraszam, nie bierzcie wszystkiego, co opisuję, tak całkiem serio. To tylko opowieść, która wprawdzie mogłaby się zdarzyć wszędzie lub nigdzie, lecz uznałam, że w Łodzi *Lampiony* zaiskrzą najbardziej sugestywnie. Zapaliłam ich tam dla was setki, jeśli nie tysiące. Wszystko po to, by oświetlić twarz starej diwy, jaką jest nieodmiennie to miasto. Dobrej zabawy w mieście świateł!

Katarzyna Bonda

Podziękowania

Pragnę tutaj złożyć wielki ukłon dla wszystkich, którzy podzielili się ze mną swoją wiedzą, poświęcili swój cenny czas i w bardzo różny sposób pomagali w wymyślaniu tej książki.

Tym, który zepchnął mnie z utartej ścieżki (akcja *Lampionów* miała się dziać zupełnie gdzieś indziej), był Dariusz Pawłowski, dziennikarz „Dziennika Łódzkiego", oliwy do ognia dolała Elżbieta Piotrowska z Radia Eska, ostateczną decyzję zaś podjęłam po wizycie w Centrum Dialogu im. Marka Edelmana (dziękuję szczególnie Justynie Tomaszewskiej, Natalii Żurowskiej i Anicie Naumiec). Oprowadzali, opowiadali, wozili, asekurowali i pomagali mi zrozumieć marzenia oraz strachy łodzian: Bartosz Damian Mielniczek oraz Dominika Ostrowska, przewodnicy łódzcy, Michał Gruda z Muzeum Kanału „Dętka", Sebastian Grochala z MPK Łódź, fotografka Agnieszka Bohdanowicz, archiwistka społeczna i fotograf Monika Kern i Jacek Borkowski, architekt, który nie tylko użyczył swoich personaliów jednej z postaci w tej książce, ale specjalnie do *Lampionów* zaprojektował oszałamiający budynek,

Marcin Maziarz, który pewnego razu spędził za kółkiem prawie trzynaście godzin, wożąc mnie w tę i z powrotem po Łodzi i okolicach, Ewa Bieńkowska, rzeczniczka łódzkiego lotniska, Stanisław Zaręba, prezes widzewskiej manufaktury Wi-Ma, senator Ryszard Bonisławski, Tomasz Adamkiewicz, posiadacz własnego tramwaju i wielki życiowy optymista, Jolanta Brzezińska, była łódzka policjantka, oraz dziennikarz Wiktor Krajewski, który z tęsknoty do Łodzi opowiadał mnóstwo genialnych anegdot z dzieciństwa i niejako zmusił mnie do ukochania Bałut, Sławomir Krajewski z wydawnictwa Bookidea, który obdarował mnie książkami i dzięki nim mogłam zobaczyć *Łódź na mapach* oraz inne cudowne woluminy (polecam Państwa szczególnej uwadze). Dziękuję Łucji Lange z LangeL oraz Monice Kamieńskiej z AOIA, które wiedziały, że przyjadę do Łodzi po fabułę, zanim ja sama przekonałam się do słuszności tej decyzji. Dziękuję także wszystkim moim Czytelnikom, którzy niestrudzenie podsyłali mi łódzką muzykę, łódzkie opowieści, korygowali slang i wprost prześcigali się w znajdowaniu najlepszych lokalizacji „na podpałkę". Nigdy dotąd społeczność danego miasta nie była tak zaangażowana w pracę nad nową opowieścią na etapie dokumentacji. Z bardzo wielu danych skorzystałam, resztę zostawiłam sobie na później. Na moim twardym dysku nic nie ginie. Dziękuję Państwu stokrotnie!

Lampiony powstawały w rytmie rapu, ostrego rocka i szeroko pojętej alternatywy. Były to w większości utwory twórców pochodzących z Łodzi. Niech przyjmie mój ukłon do ziemi i szczególne podziękowania utalentowany artysta Kamil Rutkowski/Zeus, który zgodził się na opublikowanie fragmentów swoich utworów w książce non profit. Najserdeczniej polecam Państwu jego twórczość i ustawiam się w kolejce jako wierna fanka.

Dziękuję Tomaszowi Jamrozińskiemu, autorowi wiersza *Iskry* (pochodzącego z tomiku *Przylądek do skrócenia*), który wykazał się poczuciem humoru i dzielnością literacką, udostępniając swój utwór dla fabularnego piromana.

Jak zwykle składam wielkie podziękowania moim konsultantom kryminalistycznym: Robertowi Duchnowskiemu, emerytowanemu inspektorowi policji, byłemu szefowi laboratorium kryminalistycznego stołecznej policji, inspektorowi Leszkowi Koźmińskiemu, biegłemu z zakresu pisma i zastępcy kierownika Zakładu Służby Kryminalnej Szkoły Policji w Pile, nieocenionemu komisarzowi Pawłowi Leśniewskiemu, który zrobił mi wstępne szkolenie z podpaleń i wpuścił do tajnej komnaty polskich bomberów. Panu profesorowi Piotrowi Girdwoyniowi z Katedry Kryminalistyki UW za owocną rozmowę na temat mylnego profilu podpalacza oraz innych ogniowych fascynacji.

Na szczególne podziękowania zasłużył Piotr Olejniczak z łódzkiej Straży Pożarnej, który całymi godzinami opowiadał mi o swojej pracy i nie tylko z twarzą pokerzysty odpowiadał na „głupie" pytania „blondynki", lecz także uchylił rąbka tajemnic swojego zawodu. Tutaj należy także wspomnieć i ukłonić się do ziemi Arturowi Starczewskiemu, naczelnikowi OSP Jednostki Ratownictwa Specjalistycznego w Głogowie, i Agnieszce Błaszczyk z Czytam Sobie oraz ekipie z OSP Serby w osobach: Joanna Przytulska, Jan Gąsiorowski, Andrzej Czyczyk, Marian Lalak, Witold Zawadzki; OSP Wietrzyce: Kamil Halarewicz (Strefa998.pl), Piotr Halarewicz, Arkadiusz Borek – dzięki którym samodzielnie rozwijałam węże strażackie, wynosiłam pozorantów z zadymionych pomieszczeń, używałam gaśnicy i jeździłam czerwonym wozem w pełnym rynsztunku. A także Joannie Boksie, Arkadiuszowi Czechowi oraz Agnieszce Hadrzyńskiej i psu Filo z Grupy Poszukiwawczo-Ratowniczej OSP Siechnice.

Wielki uścisk dłoni należy się również mojemu Czytelnikowi, inżynierowi robotyki, który dopadł mnie na dworcu i zainspirował do wysadzenia kilku ładunków za pomocą nadajników z klocków Lego, Ewa i Krzysztof Adamowiczowie zaś pomogli mi napisać skrypt robota.

Pseudonimy Szrona i Szadzia wymyśliła moja córka Nina. W jej wyobraźni była to para nieudanych złodziejaszków. Pozwoliłam sobie nieco zmodyfikować tę wizję.

Mariuszowi Czubajowi dziękuję za cenne spostrzeżenia dotyczące moich pomysłów oraz nieocenione wsparcie.

Babci Jasi – pani Janinie Purzyckiej, za to, że na każdym etapie pracy nad tą książką mogłam być pewna, że moja córka jest bezpieczna. Dziękuję też za żywność, którą pani przynosiła, kiedy nie wychodziłam z domu i siedziałam w *Lampionach*.

Dziękuję też mojej wieloletniej przyjaciółce – Małgorzacie Młodzian, która zawsze wierzyła w moje pisanie i choć już nie musi mi pożyczać pieniędzy, to nadal otrzymuję od niej wielkie wsparcie. Gośka wciąż drukuje moje maszynopisy, krzyczy na mnie, kiedy się mażę i zapadam w pisarski stupor, oraz motywuje do działania, kiedy jak zwykle uważam, że nie dam rady wspiąć się na tę górę. Gosiu, wybacz, że jestem okrutna i bestialska, kiedy pracuję, ale nie ma innego wyjścia, by pokonać tego potwora, jakim zawsze okazuje się pisana powieść, niż zastosowanie aktu terroru. Dostajesz jedynie rykoszetem. Przepraszam.

Pseudonim jednego z bohaterów – „Cuki" – jest upamiętnieniem warszawskiego policjanta, który przed laty zginął na służbie w wieku trzydziestu trzech lat. Tylko pani Tamara – jego żona – i ja wiemy, dlaczego Sasza jest zmuszona biegać za nim w każdej scenie. „Cuki", gdziekolwiek teraz jesteś, przyjmij wielki szacun za poświęcenie i hart ducha!

Katarzyna Bonda

Książkę wydrukowano na papierze
Creamy HiBulk 2.4 53 g/m^2
dostarczonym przez ZiNG Sp. z o.o.

www.zing.com.pl

Warszawskie Wydawnictwo Literackie
MUZA SA
ul. Sienna 73, 00-833 Warszawa
tel. +4822 6211775
e-mail: info@muza.com.pl

Dział zamówień: +4822 6286360
Księgarnia internetowa: www.muza.com.pl

Skład i łamanie: MAGRAF s.c., Bydgoszcz
Druk i oprawa: Abedik S.A., Poznań